해커스
서호성
객관식 경제학

1권 | 미시

해커스 경영아카데미

이 책의 저자

서호성

경력

현 | 해커스 경영아카데미 교수
해커스공기업 교수
해커스금융 교수
메가스터디 공무원 7급 경제학
합격의 법학원 감정평가사, 노무사 경제학
보험연수원 보험계리사 경제학

전 | 윌비스 고시학원 7급 경제학

저서

해커스 회계사 서호성 경제학
해커스 서호성 객관식 경제학
해커스 세무사 재정학
해커스 세무사 객관식 재정학
해커스 세무사 재정학 FINAL
해커스공기업 쉽게 끝내는 경제학 이론 + 기출동형문제
해커스 TESAT(테셋) 2주 완성 이론 + 적중문제 + 모의고사
해커스 매경TEST 2주 완성 이론 + 적중문제 + 모의고사
서호성 ABC 경제학
서호성 ABC 경제학 기출문제집
ABC 경제학 핵심포인트

머리말

안녕하세요. 서호성입니다.
오랜 시간 경제학 강의를 하면서 느낀 점은 수험생 여러분들이 경제학은 어렵다는 선입견을 강하게 가지고 있다는 것입니다. 특히 객관식 경제학의 최고난도인 회계사 경제학은 더 어렵게 생각하시는 분들이 많습니다.

회계사 경제학을 가르치는 저의 모토는 두 가지입니다.

첫째, "경제학은 어려운 것이 아니라 익숙하지 않은 것이다."
경제학은 과목 자체가 어렵다기 보다는 익숙하지 않아 어렵게 느껴지는 과목입니다. 여러분이 경제학에 충분히 익숙해질 수 있도록 다양한 사례를 통해 이해시켜드리겠습니다. 저의 노력으로 경제학을 재밌는 과목으로 만들어, 경제학이 어렵다는 고정관념을 깨드리고 싶습니다.

둘째, "모두 아는 것이 중요한 것이 아니라 시험에 나오는 것을 아는 것이 중요하다."
경제학 시험을 준비할 때 다양한 내용을 읽어보는 것을 중시하는 수험생분들을 많이 보았습니다. 단언컨대 시험에 나오는 내용은 정해져 있으므로, 고득점하겠다는 목표를 달성하기 위해서는 출제되는 내용에 집중하여 학습하는 것이 중요합니다. 본 교재와 수업을 통하여 시험에 나오는 경제학 기본 개념 정리부터 고난도 문제풀이까지 단계별로 학습하여 고득점하도록 이끌어드리겠습니다.

회계사 경제학을 효과적으로 학습할 수 있도록 이 교재를 집필하게 되었습니다. 교재의 특징은 다음과 같습니다.

1. 경제학 핵심이론을 요약하여 수록하였습니다.
시험에 반복적으로 나오는 내용을 표로 요약하고, 핵심 키워드를 직접 채워보며 학습한 내용을 효과적으로 정리할 수 있습니다.

2. 객관식 문제를 단계별로 수록하였습니다.
경제학은 시험별로 문제 난이도가 상이하지만 출제되는 포인트는 정해져 있으므로 다양한 시험에서 출제된 문제 중 중요한 문제들을 엄선하여 수록하였습니다.
Step 1 기본문제는 개념을 정확히 알면 풀 수 있는 문제로 구성하였고, Step 2 심화문제는 여러 단계에 걸쳐 계산하거나 어려운 주제에 대한 문제로 구성하였습니다. Step 3 실전문제는 응용력과 사고력이 필요한 공인회계사 문제로 구성하였습니다. 객관식 문제를 단계별로 풀어보며 학습한 이론을 점검하고 실전 감각을 키울 수 있습니다.

3. 논리적이고 상세한 해설을 수록하였습니다.
문제를 이해하는데 필요한 설명을 상세하게 제시하고, 문제를 풀이할 때 생각해야 하는 순서에 따라 해설을 체계적으로 작성하였습니다. 경제학 문제는 논리적으로 접근하여 순차적으로 풀이해야 합니다. 체계적인 풀이 방법에 익숙해지면 실제 시험장에서 어떠한 문제를 만나더라도 쉽게 접근하고 풀이할 수 있습니다.

경제학을 가르치는 사람으로서 가장 행복한 순간은 수험생 여러분들이 어렵다고 생각하던 경제학을 저와 함께 학습하며 재미있고 해볼만한 과목이라고 생각하는 게 표정에서 드러날 때입니다. 저와 여러분들이 함께 노력한다면 경제학은 회계사 시험 합격의 통과점에 지나지 않을 것이라고 단언하여 말씀드리겠습니다.

이 책을 출간하면서 많은 도움을 주신 유동균 원장님, 해커스 출판사 관계자분들과 해커스 경영아카데미 교수님들께 진심으로 감사드립니다.

서호성

목차

미시경제학

제1장

기회비용, 시장가격의 결정과 변동

Topic 1

기회비용과 생산가능곡선

01 기회비용

선택	자원의 희소성으로 여러 가지 대안 중 하나를 얻으면 다른 대안을 포기하게 되는 현상
의미	어떤 것을 선택함으로써 포기해야 하는 여러 대안들 중 가장 가치 있는 대안
계산	(1) **기회비용:** 명시적 비용(회계학적 비용) + 묵시적(암묵적) 비용 (2) ㉮ ________ **비용:** 경제 활동을 위해 실질적으로 투입된 금전적 비용 (3) ㉯ ________**(암묵적) 비용:** 화폐 지출을 필요로 하지 않는 비용, 그 시간 동안 자신이 포기한 다른 기회의 가치
㉰ ________	(1) **의미:** 과거에 이미 지출된 금액으로 현 시점에서 기업의 의사 결정에 아무런 영향을 미치지 않는 비용 (2) **합리적 선택과 매몰비용:** 합리적 선택을 위해 회수 불가능한 매몰비용을 고려하지 않음

핵심키워드

㉮ 명시적, ㉯ 묵시적, ㉰ 매몰비용

02 생산가능곡선

의미	한 사회의 모든 생산요소를 가장 효율적으로 사용하여 최대로 생산 가능한 두 재화(X재, Y재)의 조합을 나타내는 곡선
점의 위치	(1) **선 위의 점**: 생산이 효율적으로 이루어지는 점 (2) **생산가능곡선 ㉮ ______에 있는 점**: 생산이 비효율적으로 이루어지는 점 (3) **생산가능곡선 ㉯ ______에 있는 점**: 현재의 주어진 자원과 기술로는 생산할 수 없는 점
기회비용의 측정	자원은 유한하므로 어떤 재화의 생산을 늘려갈 때 포기하는 것이 반드시 생김. 이때 ㉰ ______이 생산의 기회비용이 됨 예 X재 생산의 기회비용 = (X재 생산으로 인해) 포기한 Y재
한계변환율 (MRT; Marginal Rate of Transformation)	(1) **의미**: X재 생산을 1단위 증가시키기 위하여 포기하여야 할 Y재 수량 (2) X재 추가생산에 따른 비용증가분은 $\triangle X \cdot MC_X$이고 Y재 생산 감소에 따른 비용감소분은 $\triangle Y \cdot MC_Y$이므로 다음이 성립함 $\triangle X \cdot MC_X + \triangle Y \cdot MC_Y = 0$ ➜ $\triangle X \cdot MC_X = -\triangle Y \cdot MC_Y$ 따라서 ㉱ ______

핵심키워드

㉮ 내부, ㉯ 외부, ㉰ 포기한 것, ㉱ $MRT_{XY} = -\dfrac{\triangle Y}{\triangle X} = \dfrac{MC_X}{MC_Y}$

STEP 1 기본문제

01 상중하

전직 프로골퍼인 어떤 농부가 있다. 이 농부는 골프 레슨으로 시간당 3만원을 벌 수 있다. 어느 날 이 농부가 15만원 어치 씨앗을 사서 10시간 파종하였는데 그 결과 30만원의 수확을 올렸다면, 이 농부의 회계학적 이윤(또는 손실)과 경제적 이윤(또는 손실)은 각각 얼마인가?

[서울시 7급 15]

① 회계학적 이윤 30만원, 경제적 이윤 30만원
② 회계학적 이윤 15만원, 경제적 손실 15만원
③ 회계학적 손실 15만원, 경제적 손실 15만원
④ 회계학적 손실 15만원, 경제적 이윤 15만원

02 상중하

직장인 K는 거주할 아파트를 결정할 때 직장까지 월별 통근시간의 기회비용과 아파트 월별 임대료만을 고려한다. 통근시간과 임대료가 다음과 같을 경우 K의 최적 선택은? (단, K의 통근 1시간당 기회비용은 1만원이다)

[지방직 7급 18]

거주 아파트	월별 통근시간 (단위: 시간)	월별 임대료 (단위: 만원)
A	10	150
B	15	135
C	20	125
D	30	120

① A아파트
② B아파트
③ C아파트
④ D아파트

03 상중하 다음 표는 각각 A국과 B국의 생산가능곡선상 점들의 조합을 나타낸 것이다. 이에 대한 설명으로 옳은 것은? (단, 재화는 X재와 Y재만 존재한다) [서울시 7급 15]

〈A국 생산가능곡선상의 조합〉

X재	0개	1개	2개
Y재	14개	8개	0개

〈B국 생산가능곡선상의 조합〉

X재	0개	1개	2개
Y재	26개	16개	0개

① X재를 1개 생산함에 따라 발생하는 기회비용은 A국이 B국보다 작다.
② A국이 X재를 생산하지 않는다면 A국은 Y재를 최대 10개까지 생산할 수 있다.
③ A와 B국이 동일한 자원을 보유하고 있는 경우라면 A국의 생산기술이 B국보다 우수하다.
④ B국이 X재를 1개씩 추가적으로 생산함에 따라 발생하는 기회비용은 점차 감소한다.

정답 및 해설

01 ② 1) 총수입이 30만원이고, 명시적 비용(씨앗구입비용 15만원)과 묵시적 비용(씨앗을 파종하기 위해 포기한 10시간 동안 골프레슨을 할 때 벌 수 있는 수입 30만원)을 합한 비용이 45만원이므로 경제적 이윤은 30 − 45 = −15만원이다.
2) 회계학적 비용은 명시적 비용만 비용으로 처리하므로 이윤은 30 − 15 = 15만원이다.

02 ③ 1) 통근시간 1시간의 기회비용이 1만원이므로 통근시간의 기회비용과 임대료를 합한 총비용은 A아파트 160만원, B아파트 150만원, C아파트 145만원, D아파트 150만원이다.
2) 따라서 직장인 K는 총비용이 가장 낮은 C아파트를 선택할 것이다.

03 ① A국에서 X재 1개를 생산하면 Y재 생산량이 6개 감소하는 반면 B국에서 X재 1개를 생산할 때는 Y재 생산량이 10개 감소하므로 X재 1개를 생산할 때의 기회비용은 A국이 B국보다 작다.

[오답체크]
② A국이 X재를 생산하지 않는다면 A국은 Y재를 최대 14개 생산할 수 있다.
③ A국과 B국이 동일한 자원을 보유하고 있는 경우라면 B국의 Y재 생산이 많으므로 B국이 더 생산기술이 우수하다.
④ B국이 첫 번째 X재를 생산할 때의 기회비용은 Y재 10개이고, 두 번째 X재를 생산할 때의 기회비용은 Y재 16개이므로 B국이 X재를 추가로 생산할 때의 기회비용은 점차 증가함을 알 수 있다.

STEP 2 심화문제

04 상중하 원점에 대해 오목한 생산가능곡선에 관한 설명으로 옳지 않은 것은? [감정평가사 21]

① X축 상품생산이 늘어나면 기울기가 더 가팔라진다.
② 생산기술이 향상되면 생산가능곡선이 원점에서 더 멀어진다.
③ 기회비용체증의 법칙이 성립한다.
④ 생산가능곡선 기울기의 절댓값이 한계변환율이다.
⑤ 생산가능곡선상의 점에서 파레토 개선이 가능하다.

05 상중하 그림은 갑국과 을국의 생산가능곡선을 나타낸 것이다. 이에 대한 설명으로 옳은 것은?

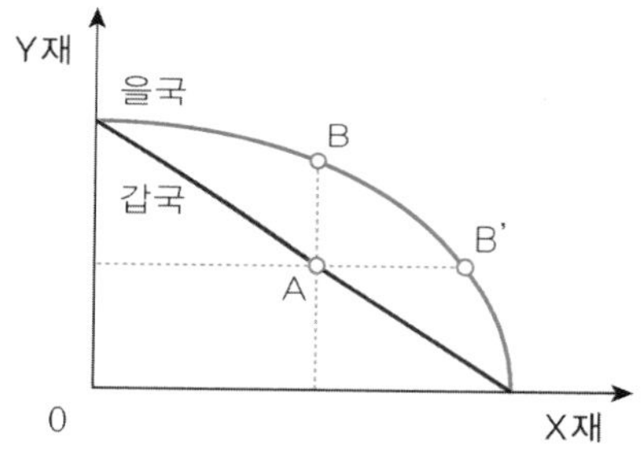

① 갑국이 B점에서 생산하려면 생산 요소의 조합을 변경해야 한다.
② 을국의 X재 1단위 추가 생산의 기회비용은 B점보다 B'점에서 크다.
③ 을국이 B점과 B'점 중 생산점을 선택하는 것은 생산 방법을 결정하는 문제이다.
④ B점은 갑국에게는 비효율적인 생산점이고, 을국에게는 효율적인 생산점이다.
⑤ 갑국은 어떠한 방법으로도 을국의 생산가능곡선을 가질 수 없다.

정답 및 해설

04 ⑤ 생산가능곡선상의 점은 생산의 파레토 효율성이 달성된 점이다. 따라서 파레토 개선이 불가능하다.

[오답체크]

①③④ 생산가능곡선 기울기의 절댓값이 한계변환율이고 이는 생산가능곡선의 기울기이며 X재 생산의 기회비용이다. 원점에서 오목한 경우 X재 생산이 늘어날수록 기울기가 가팔라지므로 X재 생산의 기회비용이 체증한다.

② 생산기술이 향상되면 동일한 자원으로 더 많은 생산이 가능하므로 생산가능곡선이 원점에서 더 멀어진다.

05 ② 갑국의 생산가능곡선은 직선이므로 생산가능곡선상의 모든 점에서 X재 1단위 추가 생산의 기회비용은 동일하다. 을국은 B점보다 B'점에서 X재 1단위 추가 생산의 기회비용이 크다.

[오답체크]

① 생산가능곡선 밖의 점에서 생산하기 위해서는 기술이 진보하거나 부존 자원의 양이 커져야 한다. 생산 요소의 조합만 바뀌면 생산가능곡선상에서의 위치만 변한다.

③ 을국이 B점과 B'점 중 생산점을 선택하는 것은 생산물의 종류와 양을 결정하는 문제이다.

④ B점은 갑국에게는 생산이 불가능하다.

⑤ 기술개발 등을 통해서 가능하다.

STEP 3 실전문제

06 상중하 다음은 생산가능곡선에 대한 설명이다. (가)와 (나)를 바르게 짝지은 것은? [회계사 17]

> 하루에 생산할 수 있는 X재와 Y재의 조합을 나타내는 생산가능곡선은 갑의 경우 $2Q_X + Q_Y = 16$, 을의 경우 $Q_X + 2Q_Y = 16$이다. 이때, 갑에게 있어서 Y재의 기회비용은 (가)이고, 을에게 있어서 X재의 기회비용은 (나)이다. (단, Q_X는 X재의 생산량, Q_Y는 Y재의 생산량을 의미한다)

	(가)	(나)
①	X재 2개	Y재 1/2개
②	X재 2개	Y재 2개
③	X재 1개	Y재 1개
④	X재 1/2개	Y재 1/2개
⑤	X재 1/2개	Y재 2개

정답 및 해설

06 ④ 1) 갑이 X재만 만들면(= Q_Y을 0으로 두면) 8개, Y재만 만들면(= Q_X을 0으로 두면) 16개이므로, Y재의 기회비용은 X재 1/2개이다.

2) 을이 X재만 만들면(= Q_Y을 0으로 두면) 16개, Y재만 만들면(= Q_X을 0으로 두면) 8개이므로, X재의 기회비용은 Y재 1/2개이다.

Topic 2 수요와 공급, 시장가격의 결정과 변동, 잉여, 최고가격제와 최저가격제

01 수요

수요	경제주체가 상품을 구입하려는 구매 의사(욕구) ➜ ㉮ ________으로 나타남
수요량	특정 가격을 전제로 상품을 구입하려는 구체적 수량 ➜ ㉯ ________________으로 나타남
개별 수요곡선	개별경제 주체들이 각각의 가격에서 구입하고자 하는 수요량을 나타내는 곡선
시장 수요곡선	(1) 개별 수요곡선을 ㉰ ________으로 합하여 도출 (2) 일반적으로 가격과 수요량의 관계를 반영하여 우하향의 모습을 보임 (3) 일반적으로 수요곡선은 시장 수요곡선을 의미
수요법칙	(1) 가격과 수요량은 ㉱ ________________ (2) 상품 가격이 오르면 수요량은 감소, 가격이 내려가면 수요량은 증가

02 수요와 수요량

구분	수요의 변동	수요량의 변동
변동 원인	소득수준, 선호도, 다른 상품의 가격, 인구수, 광고, 미래에 대한 기대 등 ㉲ ________________	해당 상품의 ㉳ ________
그래프상의 변화	수요곡선 전체가 좌측 또는 우측 이동	수요곡선을 따라 점의 이동

핵심키워드

㉮ 곡선, ㉯ 곡선상의 점, ㉰ 수평, ㉱ 반비례 관계, ㉲ 가격 외 조건 변화, ㉳ 가격 변화

03 공급

공급	경제주체가 상품을 판매하려는 의사(욕구) ➜ ㉮ ________으로 나타남
공급량	특정 가격을 전제로 상품을 판매하려는 구체적 수량 ➜ ㉯ ________________으로 나타남
개별 공급곡선	개별경제 주체들이 일정한 가격 수준에서 판매하고자 하는 공급량을 나타내는 곡선
시장 공급곡선	(1) 개별 공급곡선을 ㉰ ________으로 합하여 도출 (2) 일반적으로 가격과 공급량의 관계를 반영하여 우상향의 모습을 보임 (3) 일반적으로 공급곡선은 시장 공급곡선을 의미
공급법칙	(1) 가격과 공급량은 ㉱ ________________ (2) 상품 가격이 오르면 공급량은 증가, 가격이 내려가면 공급량 감소 예 매석, 노동공급, 투매현상(덤핑현상), 골동품

04 공급과 공급량

구분	공급의 변동	공급량의 변동
변동 원인	생산요소의 가격, 기술 혁신, 미래에 대한 기대, 공급자 수 등 ㉲ ________________	해당 상품의 ㉳ ________________
그래프상의 변화	공급곡선 전체가 좌측 또는 우측 이동	공급곡선을 따라 점의 이동

05 시장균형의 가격

균형가격 (시장가격)	(1) 시장에서 공급량과 수요량이 ㉴ ______하는 상태(시장균형)에서 결정된 가격 (2) 시장에서 상품 한 단위와 거래되는 화폐의 단위 (3) 생산자와 소비자에게 신호등의 역할을 함
균형거래량	균형가격에서의 거래량

핵심키워드

㉮ 곡선, ㉯ 곡선상의 점, ㉰ 수평, ㉱ 비례 관계, ㉲ 가격 외 조건 변화, ㉳ 가격 변화, ㉴ 일치

06 시장 불균형의 가격

구분	의미	가격 변화
초과 공급	수요량 < 공급량	시장가격 하락 ➜ 공급량 감소, 수요량 증가 ➜ 시장균형가격 회복
초과 수요	수요량 > 공급량	시장가격 상승 ➜ 수요량 감소, 공급량 증가 ➜ 시장균형가격 회복

07 균형가격의 이동

구분	변화방향
수요만 변할 때 (단, 정상재)	(1) 수요 증가: 대체재의 가격 상승, 보완재의 가격 하락, 소득 증가, 기호 증가 등 (2) 수요 감소: 대체재의 가격 하락, 보완재의 가격 상승, 소득 감소, 기호 감소 등
공급만 변할 때	(1) 공급 증가: 생산비 감소(생산요소의 가격 하락, 기술 혁신 등), 수입 증가 등 (2) 공급 감소: 생산비 증가(생산요소의 가격 상승 등), 수입 감소 등
수요와 공급이 동시에 변할 때	(1) 수요 증가, 공급 증가: 균형거래량 ㉮ ______, 가격 ㉯ ______ (2) 수요 증가, 공급 감소: 균형거래량 ㉯ ______, 가격 ㉰ ______ (3) 수요 감소, 공급 증가: 균형거래량 ㉯ ______, 가격 ㉱ ______ (4) 수요 감소, 공급 감소: 균형거래량 ㉲ ______, 가격 ㉯ ______

08 생산자잉여와 소비자잉여

소비자잉여	(1) 의미: 소비자가 교환으로 얻는 이익 (2) 소비자잉여 = ㉳ ______
생산자잉여	(1) 의미: 생산자가 교환으로 얻는 이익 (2) 생산자잉여 = ㉴ ______
종합	교환으로 얻을 수 있는 총잉여 = 생산자잉여 + 소비자잉여 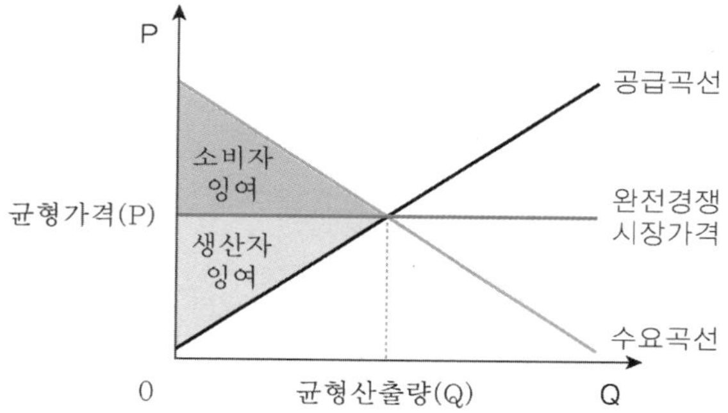

핵심키워드

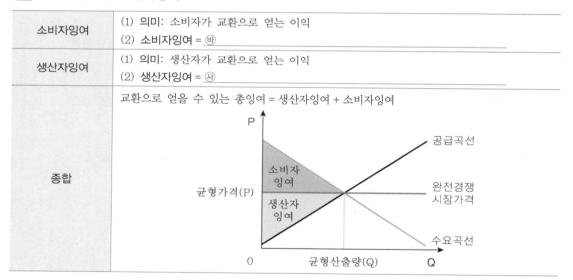

㉮ 증가, ㉯ 알 수 없음, ㉰ 상승, ㉱ 하락, ㉲ 감소, ㉳ 최대로 지불할 용의가 있는 금액 – 실제 지불한 금액, ㉴ 실제로 받은 금액 – 최소한 받아야 할 금액

09 가격통제: 최고가격제와 최저가격제

구분	최고가격제	최저가격제
의미	균형가격이 너무 높다고 판단한 정부가 가격의 ㉮_____(최고가격)을 정하고, 그 이상으로 거래하지 못하도록 규제하는 가격통제 정책	과잉 공급으로 가격이 폭락하는 것을 방지하려는 정부가 가격의 ㉯_____(최저가격)을 정하고, 그 이하의 가격으로는 거래하지 못하도록 규제하는 가격통제 정책
목적	㉰_____ 보호	㉱_____ 보호
사례	최고이자율제, 아파트 분양가 규제, 고정환율, 독과점기업의 가격규제, 여름철의 숙박비	최저임금제, 농산물 가격 지지 정책
부작용	초과 수요, 암시장(불법거래시장) 발생	초과 공급 발생 예 실업, 농산물 재고
문제해결	배급제 (선호반영 안 됨, 공평) 선착순 판매 (선호반영 됨, 불공평)	정부가 초과 공급 분야에 대한 처리 감당
그래프	$\bar{p}$: 최고가격 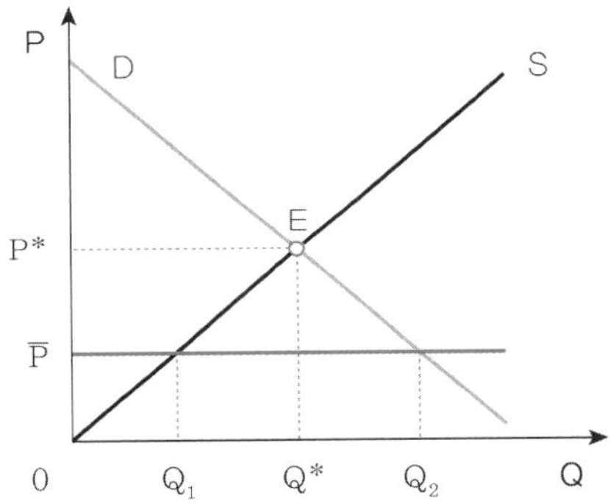	$\bar{p}$: 최저가격 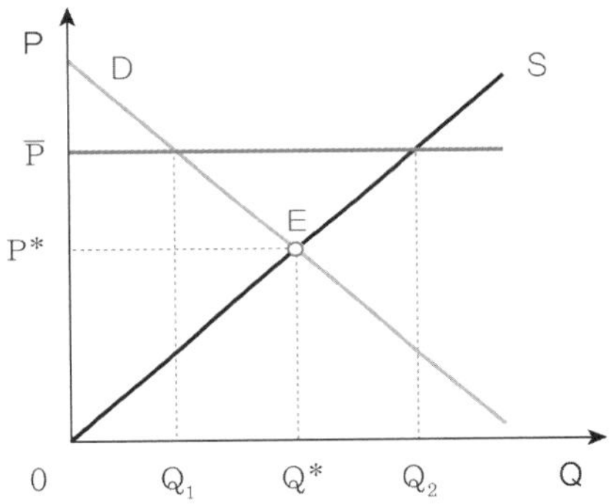

핵심키워드

㉮ 상한선, ㉯ 하한선, ㉰ 소비자, ㉱ 생산자

STEP 1 기본문제

01 상중하

재화 X의 가격이 상승할 때 나타나는 효과에 대한 서술로 가장 옳은 것은? [서울시 7급 16]

① 재화 X와 대체관계에 있는 재화 Y의 가격은 하락한다.
② 재화 X와 보완관계에 있는 재화 Y의 수요량은 증가한다.
③ 재화 X가 정상재라면 수요량은 감소한다.
④ 재화 X가 열등재라면 수요량은 증가한다.

02 상중하

다음은 사과와 배의 수요함수를 추정한 식이다. 이에 대한 설명으로 옳지 않은 것은? [국가직 7급 15]

> • 사과의 수요함수: $Q_A = 0.8 - 0.8P_A - 0.2P_B + 0.6I$
> • 배의 수요함수: $Q_B = 1.1 - 1.3P_B - 0.25P_A + 0.7I$
> (단, Q_A는 사과수요량, Q_B는 배수요량, P_A는 사과가격, P_B는 배가격, I는 소득을 나타낸다)

① 사과와 배는 보완재이다.
② 사과와 배는 모두 정상재이다.
③ 사과와 배 모두 수요법칙이 성립한다.
④ 사과와 배 모두 가격 및 소득과 무관한 수요량은 없다.

03 상중하

자동차 제조업체들이 생산비용을 획기적으로 절감할 수 있는 로봇 기술을 개발하였다. 이 기술개발이 자동차 시장에 미치는 직접적인 파급효과로 옳은 것은? [국가직 7급 14]

① 수요곡선이 우측으로 이동하고, 자동차 가격이 상승한다.
② 수요곡선이 우측으로 이동하고, 자동차 가격이 하락한다.
③ 공급곡선이 우측으로 이동하고, 자동차 가격이 상승한다.
④ 공급곡선이 우측으로 이동하고, 자동차 가격이 하락한다.

04 시장균형에서 X재의 가격을 상승시키는 요인이 아닌 것은? (단, 모든 재화는 정상재이다)
상중하
[노무사 17]

① 인구의 증가
② 소득수준의 상승
③ X재 생산기술의 향상
④ X재의 대체재 가격 상승
⑤ X재 생산에 사용되는 원료가격 상승

정답 및 해설

01 ③ 재화 X가 정상재라면 소득효과와 대체효과 모두 동일하게 나타날 것이므로 수요량은 감소한다.

[오답체크]
① 재화 X와 대체관계에 있는 재화 Y의 수요가 증가하여 가격은 상승한다.
② 재화 X와 보완관계에 있는 재화 Y의 수요가 감소하여 가격이 하락한다.
④ 재화 X가 일반적인 열등재이면 수요량이 감소하고 기펜재라면 수요량은 증가한다.

02 ④ 사과와 배 모두 가격 및 소득과 무관한 수요량은 A는 0.8, B는 1.1이 존재한다.

[오답체크]
① 사과와 배의 수요함수를 보면 배의 가격(P_B)이 상승하면 사과의 수요량(Q_A)이 감소하고, 사과의 가격(P_A)이 상승하면 배의 수요량(Q_B)이 감소하는 것을 알 수 있는데, 이는 두 재화가 서로 보완재 관계임을 의미한다.
② 주어진 소득(I)이 증가하면 두 재화의 수요량이 모두 증가하므로 두 재화는 모두 정상재이다.
③ 사과의 가격(P_A)이 상승하면 사과의 수요량(Q_A)이 감소하고, 배의 가격(P_B)이 상승하면 배의 수요량(Q_B)이 감소하므로 두 재화 모두 수요의 법칙이 성립한다.

03 ④ 1) 로봇 기술이 개발되어 자동차 생산비용이 절감되면 자동차의 공급곡선이 우측으로 이동한다.
2) 자동차의 공급곡선이 우측으로 이동하면 자동차의 가격이 하락하고 거래량이 증가하게 된다.

04 ③ 기술진보가 이루어지면 공급이 증가한다. 공급이 증가하면 재화가격은 하락하게 된다.

05 상중하

X재는 열등재이며 수요, 공급의 법칙을 따른다. 최근 경기불황으로 소비자들의 소득이 감소했다. 한편 원료비 하락으로 X재의 대체재인 Y재 가격이 내렸다. X재의 가격은 최종적으로 상승했다. 다음 중 옳은 설명은? (단, X재의 공급곡선에는 변화가 없었다) [서울시 7급 14]

① X재의 거래량은 감소하였다.
② 변화 전후의 두 균형점은 동일한 수요곡선상에 있다.
③ X재의 판매수입이 증가하였다.
④ Y재가 X재의 보완재였다면 X재의 가격은 하락했을 것이다.
⑤ X재 생산자의 생산자잉여는 감소했다.

06 상중하

X재에 대한 시장수요곡선과 시장공급곡선이 다음과 같을 때 옳지 않은 것은? (단, Q^D는 수요량, Q^S는 공급량, P는 가격이다) [국가직 7급 20]

- 시장수요곡선: $Q^D = 100 - P$
- 시장공급곡선: $Q^S = -20 + P$

① 균형 시장가격은 60이다.
② 균형 시장거래량은 40이다.
③ 소비자잉여는 800이다.
④ 생산자잉여가 소비자잉여보다 크다.

07 상중하

어떤 재화의 시장 수요곡선은 $P = 300 - 2Q$이고, 시장 공급곡선은 $P = 150 + Q$일 때의 시장 균형에 대한 설명으로 옳은 것은? (단, Q는 수량, P는 가격을 나타낸다) [지방직 7급 14]

① 사회적잉여는 3,750이다.
② 균형 가격은 50이다.
③ 균형 거래량은 30이다.
④ 생산자잉여는 2,500이다.

정답 및 해설

05 ③ 열등재인 경우 소득이 감소하였으므로 수요가 증가하여 X재의 판매수입이 증가하였다.

[오답체크]

① 소득이 감소하였으므로 수요가 증가하였다. 따라서 X재의 거래량은 증가하였다.
② 수요가 변화하였으므로 변화 전후의 두 균형점은 동일한 공급곡선상에 있다.
④ Y재가 X재의 보완재였다면 X재의 가격은 상승했을 것이다.
⑤ X재 생산자의 생산자잉여는 증가했다.

06 ④ 1) $100 - P = -20 + P$ ➔ $2P = 120$ ➔ $P = 60$이므로 균형거래량 $Q = 40$이다.

2) 그래프

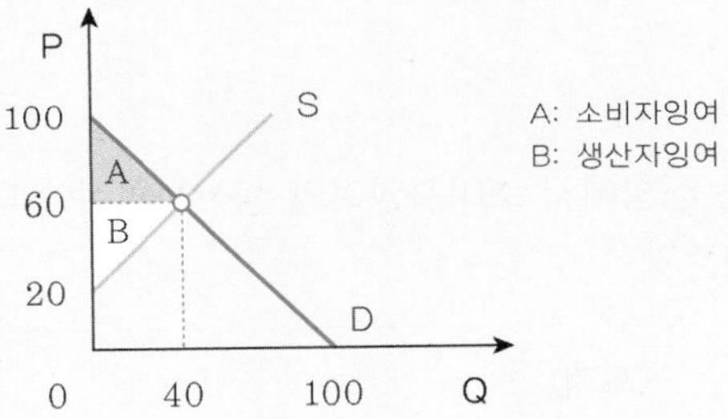

3) 총잉여는 $80 \times 40 \times \frac{1}{2} = 1{,}600$이고 이중 800은 소비자잉여, 800은 생산자잉여이다.

4) 지문분석

④ 생산자잉여는 소비자잉여와 동일하다.

07 ① 1) 시장수요함수와 시장공급함수를 연립해서 풀면 $300 - 2Q = 150 + Q$ ➔ $3Q = 150$이므로 균형거래량 $Q = 50$이다. $Q = 50$을 시장수요함수(혹은 시장공급함수)에 대입하면 균형가격 $P = 200$으로 계산된다.

2) 소비자잉여는 $2{,}500(= \frac{1}{2} \times 50 \times 100)$이고, 생산자잉여는 $1{,}250(= \frac{1}{2} \times 50 \times 50)$임을 알 수 있다. 따라서 소비자잉여와 생산자잉여를 합한 사회전체의 총잉여는 3,750이다.

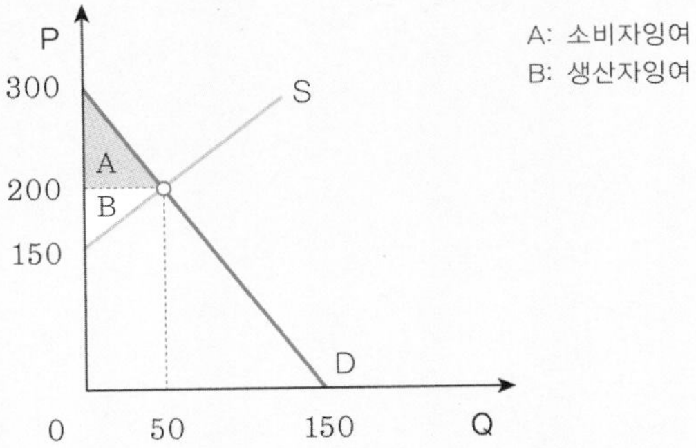

08 상중하

완전경쟁시장에서 거래되는 어느 재화의 수요곡선과 공급곡선이 다음과 같다. 정부가 균형가격을 시장가격으로 설정하고 시장거래량을 2로 제한할 때, 소비자잉여와 생산자잉여의 합은? (단, Q_D는 수요량, Q_S는 공급량, P는 가격이다) [국가직 7급 19]

- 수요곡선: $Q_D = 10 - 2P$
- 공급곡선: $Q_S = -2 + 2P$

① 2 ② 4
③ 6 ④ 8

09 상중하

수요의 법칙과 공급의 법칙이 성립하는 상황에서 소비자잉여와 생산자잉여에 대한 설명으로 옳은 것만을 〈보기〉에서 모두 고른 것은? [국가직 7급 17]

〈보기〉

ㄱ. 콘플레이크와 우유는 보완재로, 콘플레이크의 원료인 옥수수 가격이 하락하면 콘플레이크 시장의 소비자잉여는 증가하고 우유 시장의 생산자잉여도 증가한다.
ㄴ. 콘플레이크와 떡은 대체재로, 콘플레이크의 원료인 옥수수 가격이 상승하면 콘플레이크 시장의 소비자잉여는 감소하고 떡 시장의 생산자잉여도 감소한다.
ㄷ. 수요와 공급의 균형 상태에서 생산된 재화의 수량은 소비자잉여와 생산자잉여를 동일하게 하는 수량이다.

① ㄱ ② ㄴ
③ ㄱ, ㄷ ④ ㄴ, ㄷ

정답 및 해설

08 ③ 1) 수요함수와 공급함수를 연립해서 풀면 $10-2P=-2+2P$이므로 균형가격 $P=3$이고, $P=3$을 수요함수(혹은 공급함수)에 대입하면 균형거래량 $Q=4$이다.

2) 만약 정부가 균형가격을 3으로 설정하고 시장거래량을 2로 제한한다면 소비자잉여는 아래 그림에서 A부분의 면적, 생산자잉여는 B부분의 면적이 된다.

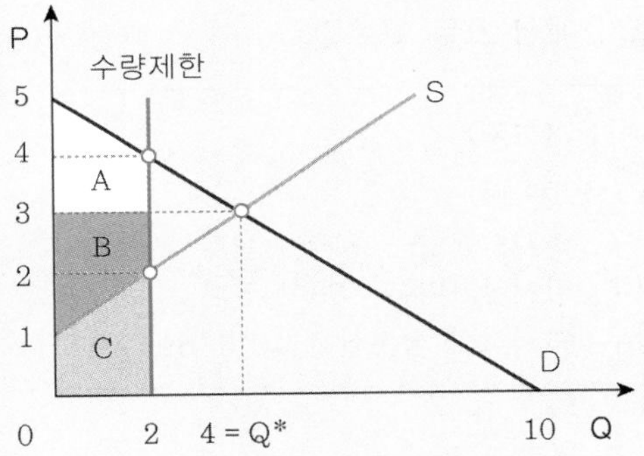

3) 따라서 소비자잉여는 $3(=\frac{1}{2}\times(2+1)\times 2)$, 생산자잉여는 $3(=\frac{1}{2}\times(2+1)\times 2)$이다.

09 ① ㄱ. 콘플레이크와 우유는 보완재로, 콘플레이크의 원료인 옥수수 가격이 하락하면 공급이 증가하여 균형가격 하락, 거래량 증가로 콘플레이크 시장의 소비자잉여는 증가하고 콘플레이크 가격 하락으로 우유의 수요가 증가하여 우유가격 상승, 거래량 증가가 일어나 우유 시장의 생산자잉여도 증가한다.

[오답체크]

ㄴ. 콘플레이크와 떡은 대체재로, 콘플레이크의 원료인 옥수수 가격이 상승하면 공급 감소로 인해 가격이 상승하고 거래량이 감소하여 콘플레이크 시장의 소비자잉여는 감소한다. 그러나 떡은 대체재이므로 수요가 증가하여 떡 시장의 생산자잉여는 증가한다.

ㄷ. 시장의 균형에서 소비자잉여의 크기와 생산자잉여의 크기는 수요곡선과 공급곡선의 형태에 의해 결정되므로 균형에서 소비자잉여와 생산자잉여가 동일하다는 보장은 없다.

10 상중하

어떤 재화시장에서 소비자잉여와 생산자잉여에 대한 설명으로 옳은 것은? (단, 수요곡선은 우하향하며, 공급곡선은 우상향한다) [국가직 21]

① 소비자잉여는 실제로 지불한 금액이 지불할 용의가 있는 최대금액을 초과하는 부분이다.
② 소비자잉여는 소비자가 재화의 소비에서 얻는 편익의 총합과 같다.
③ 고정비용이 없는 장기에 생산자잉여는 기업의 이윤과 같다.
④ 기업에 단위당 T원의 물품세를 부과하면 가격이 상승하여 생산자잉여가 증가한다.

11 상중하

어떤 상품시장의 수요함수는 $Q^d = 1{,}000 - 2P$, 공급함수는 $Q^S = -200 + 2P$이다. 이 상품시장에 대한 설명으로 옳은 것만을 〈보기〉에서 모두 고르면? [국회직 8급 19]

〈보기〉

ㄱ. 현재 상품시장의 생산자잉여는 40,000이다.
ㄴ. 최고가격이 150으로 설정되는 경우, 초과수요량은 500이 된다.
ㄷ. 최고가격이 150으로 설정되는 경우, 암시장가격은 450이 된다.
ㄹ. 최고가격이 150으로 설정되는 경우, 사회적 후생손실은 40,000이 된다.

① ㄱ, ㄴ ② ㄱ, ㄷ ③ ㄴ, ㄷ
④ ㄱ, ㄴ, ㄷ ⑤ ㄴ, ㄷ, ㄹ

정답 및 해설

10 ③ 1) 생산자잉여(= 시장가격 − 한계비용)의 합은 총수입 − 총가변비용이다.
2) 기업이윤은 총수입 − 총비용이다. 고정비용이 없는 장기에 총가변비용은 총비용과 동일하므로 생산자잉여는 기업의 이윤과 같다.

[오답체크]
① 소비자잉여는 최대로 지불할 금액에서 시장가격을 뺀 금액의 합이다.
② 소비자잉여는 소비자가 재화의 소비에서 얻는 순편익의 총합과 같다.
④ 기업에 단위당 T원의 물품세를 부과하면 가격이 상승하지만 조세를 부담해야 하므로 생산자잉여가 감소한다.

11 ② 1) 시장균형을 구하면 $1,000 - 2P = -200 + 2P$ ➔ $4P = 1,200$ ➔ $P = 300$, $Q = 400$이다.
2) 그래프

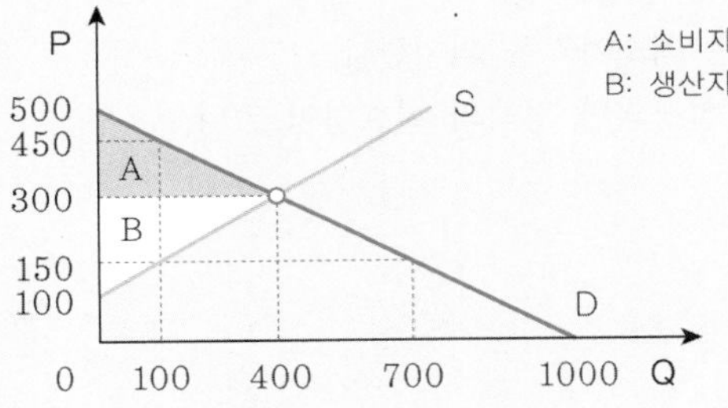

ㄱ. 현재 상품시장의 생산자잉여는 $200 \times 400 \times \frac{1}{2} = 40,000$이다.
ㄷ. 최고가격이 150으로 설정되는 경우 공급량은 100이다. 이를 수요곡선에 대입하면 암시장가격이 된다. 따라서 암시장가격은 450이 된다.

[오답체크]
ㄴ. 최고가격이 150으로 설정되는 경우 수요량은 700, 공급량은 100이므로 초과수요량은 600이 된다.
ㄹ. 사회적 후생손실은 $300 \times 300 \times \frac{1}{2} = 45,000$이다.

12 상중하 정부의 가격통제에 관한 설명으로 옳지 않은 것은? (단, 시장은 완전경쟁이며 암시장은 존재하지 않는다) [노무사 18]

① 가격상한제란 정부가 설정한 최고가격보다 낮은 가격으로 거래하지 못하도록 하는 제도이다.
② 가격하한제는 시장의 균형가격보다 높은 수준에서 설정되어야 효력을 가진다.
③ 최저임금제는 저임금근로자의 소득을 유지하기 위해 도입했지만 실업을 유발할 수 있는 단점이 있다.
④ 전쟁 시에 식료품 가격안정을 위해서 시장균형보다 낮은 수준에서 최고가격을 설정하여야 효력을 가진다.
⑤ 시장 균형가격보다 낮은 아파트 분양가 상한제를 실시하면 아파트 수요량은 증가하고, 공급량은 감소한다.

13 상중하 완전경쟁시장에서 정부가 시행하는 가격상한제에 대한 설명으로 옳은 것은? [국가직 7급 17]

① 최저임금제는 가격상한제에 해당하는 정책이다.
② 가격상한제를 실시할 경우 초과공급이 발생한다.
③ 가격상한은 판매자가 부과할 수 있는 최소가격을 의미한다.
④ 가격상한이 시장균형가격보다 높게 설정되면 정책의 실효성이 없다.

14 최저임금이 오를 때 실업이 가장 많이 증가하는 노동자 유형은? [지방직 7급 10]

상중하

① 노동에 대한 수요가 탄력적인 비숙련노동자
② 노동에 대한 수요가 비탄력적인 비숙련노동자
③ 노동에 대한 수요가 탄력적인 숙련노동자
④ 노동에 대한 수요가 비탄력적인 숙련노동자

정답 및 해설

12 ① 가격상한제란 정부가 설정한 최고가격보다 '낮은 가격'이 아니라 정부가 설정한 가격보다 '높은 가격'으로 거래하지 못하도록 하는 제도이다.

13 ④ 최저임금제는 가격상한제가 아니라 가격하한제에 해당된다. 가격상한은 판매자가 부과할 수 있는 최소가격이 아니라 최대가격을 의미하는데, 시장의 균형가격보다 낮은 수준에서 가격상한제가 실시되면 초과공급이 발생하는 것이 아니라 초과수요가 발생한다.

14 ① 1) 최저임금이 올라 일자리가 많이 줄어들고 노동공급이 많이 늘어날수록 실업률이 높아진다. 따라서 노동수요와 노동공급의 임금탄력성이 높을수록 실업률은 더 높다.
2) 숙련공이 비탄력적, 비숙련공이 탄력적이다.

STEP 2 심화문제

15 상중하

맥주 시장의 수요함수가 $Q_D = 100 - 4P - P_C + 0.2I$ 일 때, 옳은 설명을 모두 고른 것은? (단, Q_D는 맥주 수요량, P는 맥주 가격, P_C는 치킨 가격, I는 소득이다) [감정평가사 20]

ㄱ. 맥주는 열등재이다.
ㄴ. 맥주는 치킨의 보완재이다.
ㄷ. 치킨 가격이 인상되면 맥주 수요는 감소한다.

① ㄱ ② ㄷ ③ ㄱ, ㄴ
④ ㄴ, ㄷ ⑤ ㄱ, ㄴ, ㄷ

16 상중하

수요곡선에 관한 설명으로 옳지 않은 것은? [감정평가사 21]

① 우하향하는 수요곡선의 경우, 수요의 법칙이 성립한다.
② 기펜재(Giffen goods)의 수요곡선은 대체효과보다 소득효과가 크기 때문에 우하향한다.
③ 사적재의 시장수요는 개별수요의 수평합이다.
④ 우하향하는 수요곡선의 높이는 한계편익이다.
⑤ 소비자의 소득이 변화하면 수요곡선이 이동한다.

17 상중하

커피와 크루아상은 서로 보완재이고, 커피와 밀크티는 서로 대체재이다. 커피원두 값이 급등하여 커피 가격이 인상될 경우, 각 시장의 변화로 옳은 것을 〈보기〉에서 모두 고르면? (단, 커피, 크루아상, 밀크티의 수요 및 공급곡선은 모두 정상적인 형태이다) [국회직 8급 18]

〈보기〉

ㄱ. 커피의 공급곡선은 왼쪽으로 이동한다.
ㄴ. 크루아상 시장의 생산자잉여는 감소한다.
ㄷ. 크루아상의 거래량은 증가한다.
ㄹ. 밀크티 시장의 총잉여는 감소한다.
ㅁ. 밀크티의 판매수입은 증가한다.

① ㄱ, ㄴ, ㄷ ② ㄱ, ㄴ, ㅁ ③ ㄴ, ㄷ, ㄹ
④ ㄴ, ㄷ, ㅁ ⑤ ㄷ, ㄹ, ㅁ

정답 및 해설

15 ④ ㄴ. 치킨 가격이 상승하면 맥주 수요량이 감소하므로 맥주는 치킨의 보완재이다.
ㄷ. $-P_C$이므로 치킨 가격이 인상되면 맥주 수요는 감소한다.

[오답체크]
ㄱ. 수요량에 $+0.2I$ 소득이 증가하면 맥주의 수요는 증가한다. 따라서 맥주는 정상재이다.

16 ② 기펜재(Giffen goods)의 수요곡선은 대체효과보다 소득효과가 크기 때문에 우상향한다.

17 ② ㄱ. 커피원두 가격 상승은 커피공급의 감소요인이므로 커피의 공급곡선은 왼쪽으로 이동한다.
ㄴ. 생산자잉여는 (시장가격 − 최소비용)의 합이다. 커피가격이 상승하면 보완재의 수요가 감소하여 크루아상의 시장가격이 하락한다. 따라서 크루아상 시장의 생산자잉여는 감소한다.
ㅁ. 대체재인 커피가격이 인상되었으므로 밀크티 수요가 증가하여 밀크티의 판매수입은 증가한다.

[오답체크]
ㄷ. 커피가격 인상 ➜ 크루아상 수요 감소 ➜ 크루아상 거래량 감소
ㄹ. 커피가격 인상 ➜ 밀크티 수요 증가 ➜ 밀크티 총잉여 증가

18 상중하 아래 그래프에서 휘발유 가격이 리터당 3,000원인 경우 휘발유의 시장수요량으로 옳은 것은? (단, 이 경제에는 갑과 을이라는 두 명의 소비자만 존재한다) [국회직 8급 19]

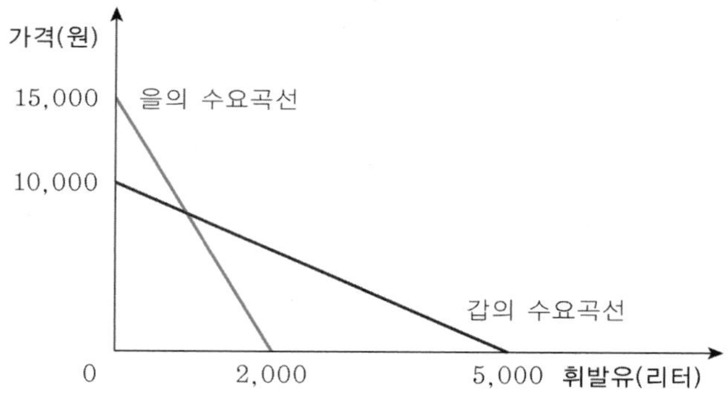

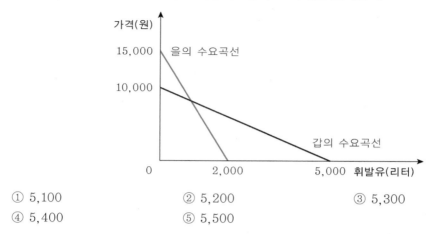

① 5,100 ② 5,200 ③ 5,300
④ 5,400 ⑤ 5,500

19 상중하 노동시장에서 노동 공급곡선과 노동 수요곡선의 기울기의 절댓값이 〈보기〉의 그래프와 같이 서로 동일하다. 근로자와 고용주에게 4대 보험료를 반반씩 나누어 부담시킬 때, 노동시장에서의 균형급여수준과 근로자들이 수령하는 실질임금수령액을 모두 적절히 표시한 것은?

[국회직 8급 16]

〈보기〉

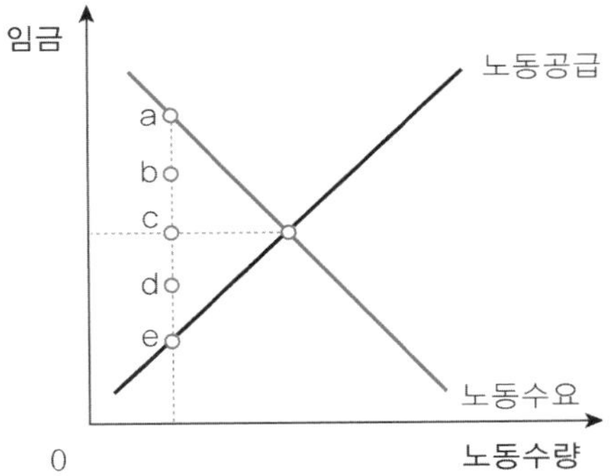

■ 4대 보험료의 크기는 점 a와 점 e의 간격에 해당하고 점 a와 점 b, 점 b와 점 c, 점 c와 점 d, 점 d와 점 e의 간격은 모두 같다.

① 균형급여수준: a, 실질임금수령액: c
② 균형급여수준: c, 실질임금수령액: c
③ 균형급여수준: c, 실질임금수령액: e
④ 균형급여수준: d, 실질임금수령액: e
⑤ 균형급여수준: e, 실질임금수령액: e

정답 및 해설

18 ① 1) 갑의 수요곡선을 구하면 $p=-2q+10{,}000$ ➜ $q=5{,}000-p/2$이다.
2) 을의 수요곡선을 구하면 $p=-7.5q+15{,}000$ ➜ $q=2{,}000-2p/15$이다.
3) $p=3{,}000$을 대입하면 갑은 3,500, 을은 1,600이다. 따라서 갑과 을을 합친 시장수요량은 총 5,100리터이다.

19 ③ 1) 사회보험료는 노동수요와 공급을 감소시킨다.
2) 근로자와 고용주가 보험료를 반반씩 부담하므로 수요와 공급이 동일하게 감소하여 고용주 실질지불액은 a, 균형급여수준은 c, 실질임금수령액은 e가 된다.

20 상중하

시장수요이론에 관한 설명으로 옳지 않은 것을 모두 고르면? [감정평가사 21]

ㄱ. 네트워크 효과가 있는 경우 시장수요곡선은 개별수요곡선의 수평 합이다.
ㄴ. 상품 소비자의 수가 증가함에 따라 그 상품수요가 증가하는 효과를 속물 효과(snob effect)라고 한다.
ㄷ. 열등재라도 대체효과의 절대적 크기가 소득효과의 절대적 크기보다 크면 수요곡선은 우하향 한다.
ㄹ. 소득이 증가할 때 소비가 증가하는 재화는 정상재이다.

① ㄱ, ㄴ
② ㄱ, ㄷ
③ ㄱ, ㄹ
④ ㄴ, ㄷ
⑤ ㄴ, ㄹ

21 상중하

사적 재화 X재의 개별수요함수가 $P = 7 - q$인 소비자가 10명이 있고, 개별공급함수가 $P = 2 + q$인 공급자가 15명 있다. X재 생산의 기술진보 이후 모든 공급자의 단위당 생산비가 1만큼 하락하는 경우, 새로운 시장균형가격 및 시장균형거래량은? (단, P는 가격, q는 수량이다) [감정평가사 17]

① 3.4, 36
② 3.8, 38
③ 4.0, 40
④ 4.5, 42
⑤ 5.0, 45

정답 및 해설

20 ① ㄱ. 네트워크 효과가 있는 경우 타인의 영향을 받으므로 시장수요곡선은 개별수요곡선의 수평합보다 더 크게 증가한다.

ㄴ. 상품 소비자의 수가 증가함에 따라 그 상품수요가 증가하는 효과를 밴드웨건 효과라고 한다. 속물효과(snob effect)는 타인과 다른 소비를 추구하는 것이다.

21 ① 1) 개별수요함수는 $q=7-P$이다. 이런 소비자가 10명 있으므로 $Q=10(7-P)=70-10P$이다.

2) 개별공급함수는 $P=2+q$이다. 생산비가 1만큼 하락하였으므로 $P=1+q$이다. 이를 변형하면 $q=-1+P$이다. 이런 공급자가 15명이 있으므로 $Q=15(-1+P)=-15+15P$이다.

3) $70-10P=-15+15P$ ➜ $25P=85$ ➜ $P=3.4$, $Q=36$이다.

22 상중하

어떤 생산물시장의 수요곡선이 $Q_d = -\frac{1}{2}P + \frac{65}{2}$로, 공급곡선이 $Q_S = \frac{1}{3}P - 5$로 주어졌다. 정부가 가격을 통제하기 위해서 가격상한 또는 가격하한을 55로 설정할 때 총잉여(사회적 잉여)는 각각 얼마인가?

[국회직 8급 17]

	가격상한 시 총잉여	가격하한 시 총잉여
①	125	125
②	125	187.5
③	187.5	250
④	250	187.5
⑤	250	250

23 상중하

어떤 소비자가 이동통신회사의 요금 제도를 비교하여 어느 통신회사를 선택할지 고민하고 있다고 하자. A사는 통화시간에 관계없이 월 12만원을 받는다. B사는 월정액 없이 1분에 1,000원을 받는다. 소비자의 이동전화 통화수요는 $Q_d = 150 - \frac{P}{20}$라고 하자. 여기서 Q_d는 분으로 표시한 통화시간을 나타내고, P는 분당 전화요금을 나타낸다. 이 소비자가 A, B사로부터 얻게 되는 소비자잉여는 각각 (Ⅰ), (Ⅱ)라고 한다. (Ⅰ), (Ⅱ)를 옳게 고르면?

[국회직 8급 13]

	(Ⅰ)	(Ⅱ)
①	100,000	225,000
②	105,000	100,000
③	105,000	120,000
④	225,000	120,000
⑤	225,000	100,000

정답 및 해설

22 ④ 1) 수요곡선은 $Q_d = -\frac{1}{2}P + \frac{65}{2}$ ➜ $P = -2Q + 65$

2) 공급곡선은 $Q_S = \frac{1}{3}P - 5$ ➜ $P = 3Q + 15$

3) 균형을 구하면 $-2Q + 65 = 3Q + 15$ ➜ $Q = 10$, $P = 45$
따라서 정부통제가격 55는 균형가격보다 높으므로 가격하한제가 되고 가격상한제 시행 시에는 총잉여의 변화가 없다.

4) 그림으로 나타내면 아래와 같다. 따라서 가격상한제의 총잉여는 △AEB(= 250)이고 가격하한제의 총잉여는 △AEB에서 색칠한 면적을 제외한 부분(= 187.5)이다.

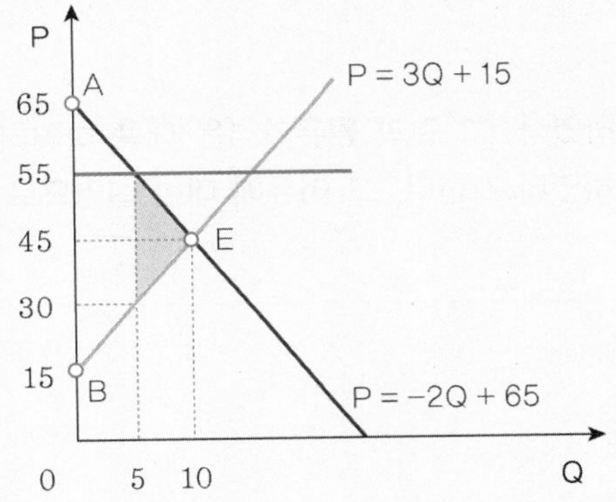

23 ② 1) A사의 경우 가격이 0이므로 소비자잉여를 계산하면 수요곡선 아래 잉여의 면적($= 150 \times 3{,}000/2$) − 요금($= 120{,}000$) $= 105{,}000$이다.

2) B사의 경우 소비자잉여를 계산하면 소비자잉여에서 분당 요금을 빼서 구하면 된다. 따라서 $100 \times (3{,}000 - 1{,}000)/2 = 100{,}000$이다.

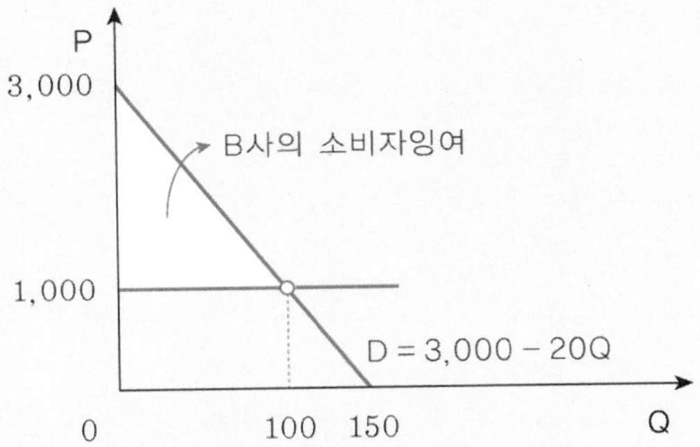

STEP 3 실전문제

24 상중하

수요량의 변화는 수요곡선상의 이동과 수요곡선 자체의 이동에 따른 변화로 구분된다. 다음 중 수요곡선 자체의 이동에 따른 수요량의 변화가 아닌 것은? [회계사 14]

① 미니스커트 유행으로 미니스커트에 대한 수요 증가
② 소득 수준 증가에 따른 고급 자동차에 대한 수요 증가
③ 조류독감 확산에 따른 닭고기에 대한 수요 감소
④ 지하철 요금 인상에 따른 택시 서비스에 대한 수요 증가
⑤ 채소가격 상승에 따른 채소에 대한 수요 감소

25 상중하

세계경제의 불황으로 원유 수요가 감소하였다. 그 결과 원유가격은 대폭 하락하였지만 거래량은 원유가격 하락폭에 비해 소폭 감소하였다고 한다. 그 이유에 대한 설명으로 타당한 것을 모두 고르면? [회계사 15]

가. 원유 수요곡선의 기울기가 완만하다.
나. 원유 수요곡선의 이동 정도가 크다.
다. 원유 공급곡선의 기울기가 가파르다.
라. 원유 공급곡선의 이동 정도가 크다.

① 가, 나　② 가, 라　③ 나, 다
④ 나, 라　⑤ 다, 라

26 한 시장에서 각 소비자의 수요곡선은 $D=\begin{cases}30-P, & P<30\\ 0, & P\geq 30\end{cases}$ 이고, 소비자는 5명이다. 그리고 공급곡선은 $S=20P$이다. 다음 설명 중 옳지 않은 것은? (단, D는 각 소비자의 수요량, S는 공급량, P는 가격이다)
상중하

[회계사 16]

① $P=4$일 때, 초과수요가 발생한다.
② $P=5$일 때, 소비자잉여와 생산자잉여의 합은 최대가 된다.
③ $P=20$일 때, 초과공급이 발생한다.
④ $P=60$일 때, 소비는 발생하지 않는다.
⑤ 공급곡선이 $S=P$로 바뀌면 시장의 균형거래량은 변화한다.

정답 및 해설

24 ⑤ 채소가격 상승은 수요곡선내부의 수요량 감소를 의미한다.

[오답체크]
① 선호 증가 ➜ 수요 증가
② 소득 수준 증가 ➜ 정상재 수요 증가
③ 선호 감소 ➜ 수요 감소
④ 대체재의 가격 상승 ➜ 수요 증가

25 ③ 1) 수요 감소와 공급 증가가 동시에 이루어졌다.
2) 원유가격이 대폭하락하고 거래량은 소폭하락하려면 수요 감소 > 공급 증가가 성립해야 한다. 즉, 수요곡선의 이동정도가 커야 한다.
3) 가격변화가 심하기 위해서는 수요와 공급곡선 기울기가 모두 가팔라야 한다.

26 ② 1) 개별수요곡선을 시장수요곡선으로 바꾸면 $Q=30-P$ ➜ $Q=150-5P$이다.
2) 시장의 균형을 구하면 $20P=150-5P$ ➜ $P=6$이다.
3) 지문분석
② 균형가격일 때 소비자잉여와 생산자잉여가 최대가 된다. 균형가격이 $P=6$이므로 $P=5$일 때, 소비자잉여와 생산자잉여의 합이 최대가 되는 것은 아니다.

[오답체크]
① $P=4$일 때, 균형가격보다 낮으므로 초과수요가 발생한다.
③ $P=20$일 때, 균형가격 보다 높으므로 초과공급이 발생한다.
④ $P=60$일 때, 수요가 존재하지 않으므로 소비는 발생하지 않는다.
⑤ 공급곡선이 $S=P$로 바뀌면 $150-5P=P$ ➜ $P=25$이므로 거래가 이루어지며 이때 균형거래량은 5이다. 따라서 시장의 균형거래량은 변화한다.

27 상중하 시장 수요함수와 공급함수가 각각 $Y_d = 10 - P$와 $Y_s = P$인 시장에서 정부가 가격하한을 6으로 두거나, 공급을 4로 제한하는 쿼터를 고려 중이다. 정부는 가격하한제를 실시하면 무작위로 선정된 공급자에게 판매를 허용한다. 만약 쿼터제를 실시하면 공급권한은 경쟁적으로 매각한다. 다음 설명 중 옳은 것은? [회계사 20]

① 가격하한제에서 자중손실은 1이다.
② 가격하한제에서 소비자잉여는 8이다.
③ 가격하한제에서 공급자잉여는 16이다.
④ 쿼터제에서 공급자잉여는 16이다.
⑤ 쿼터제에서 자중손실은 2이다.

정답 및 해설

27 ② 1) 효율적인 생산자들이 생산할 때

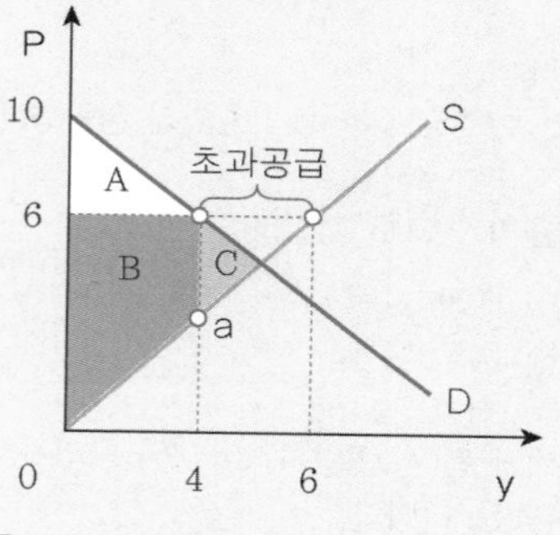

㉠ 가격을 6으로 하여 가격하한을 두면 초과공급이 2만큼 발생한다.

㉡ 소비자잉여(A) $= \frac{1}{2} \times 4 \times 4 = 8$

㉢ 생산자잉여(B) $= \frac{1}{2} \times (6+2) \times 4 = 16$

㉣ 자중손실(C) $= \frac{1}{2} \times 2 \times 2 = 1$

2) 비효율적인 생산자들이 생산할 때

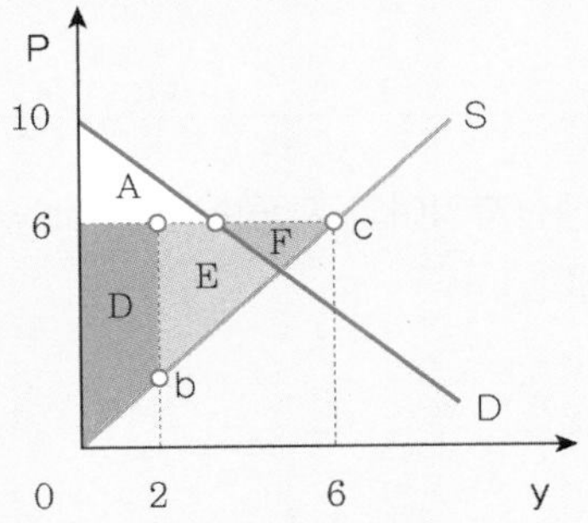

㉠ 비효율적인 생산자들이 4만큼 생산하므로 생산비가 높은 순서로 생산한다.

㉡ 소비자잉여(A) = $\frac{1}{2} \times 4 \times 4 = 8$

㉢ 생산자잉여(B) = $\frac{1}{2} \times 4 \times 4 = 8$

㉣ 자중손실(D – F) = $\frac{1}{2} \times (4+6) \times 2 - \frac{1}{2} \times 1 \times 2 = 9$

3) 쿼터제

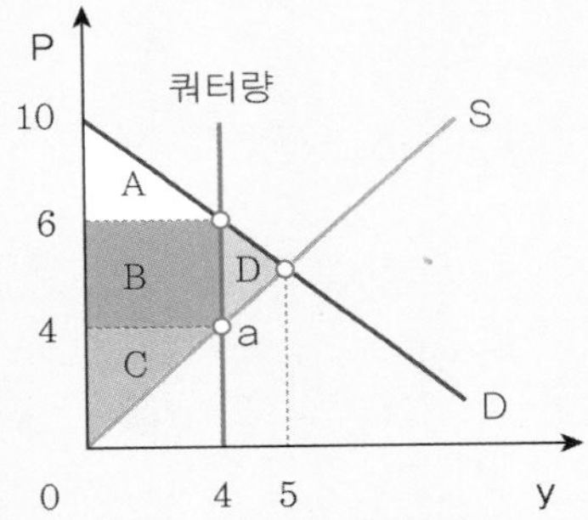

㉠ 쿼터제 시행 후 원점과 공급곡선상의 a점 사이에 있는 공급자들이 공급권을 2의 가격으로 매입하여 6의 가격으로 소비자에게 재화를 판매하게 된다.

㉡ 소비자잉여(A) = $\frac{1}{2} \times 4 \times 4 = 8$

㉢ 정부의 재정수입(B) = $2 \times 4 = 8$

㉣ 생산자잉여(C) = $\frac{1}{2} \times 4 \times 4 = 8$

㉤ 자중손실(D) = $\frac{1}{2} \times 1 \times 2 = 1$

3) 지문분석

② 가격하한제에서 소비자잉여는 생산자의 효율성과 관계없이 8이다.

[오답체크]

① 가격하한제에서 효율적인 생산자인 경우는 자중손실은 1, 비효율적인 생산자인경우는 9이다.

③ 가격하한제에서 공급자잉여는 효율적인 경우 16, 비효율적인 경우 8이다.

④ 쿼터제에서 공급자잉여는 8이다.

⑤ 쿼터제에서 자중손실은 1이다.

28 상중하

완전경쟁시장에서 거래되는 어느 재화의 수요와 공급 함수는 다음과 같다.

> • 수요: $Q_D = 300 - 10P$
> • 공급: $Q_S = 20P$

정부가 이 재화의 최저가격을 20으로 정한다면 생산자잉여와 자중손실(deadweight loss)은? (단, Q_D는 수요량, Q_S는 공급량, P는 가격이다) [회계사 22]

	생산자잉여	자중손실
①	250	750
②	750	750
③	750	1,500
④	1,750	750
⑤	2,750	1,500

정답 및 해설

28 ④ 1) 시장균형

$300 - 10P = 20P$ → $30P = 300$ → $P = 10$

2) 그래프

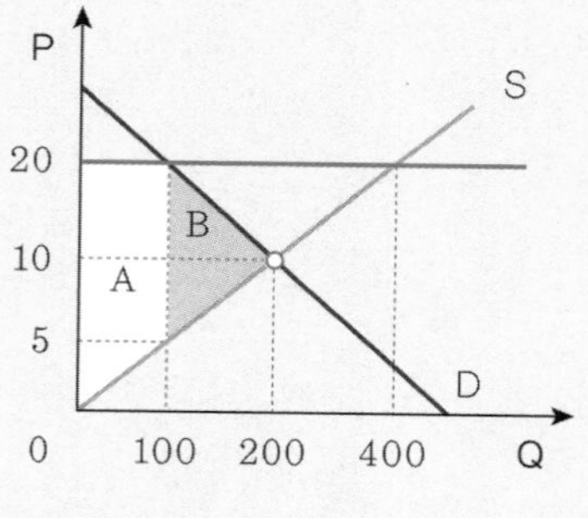

3) 생산자잉여(A)

$(15 + 20) \times 100 \times \frac{1}{2} = 1,750$

4) 후생손실(B)

$15 \times 100 \times \frac{1}{2} = 750$

제2장

탄력성

Topic 3 수요의 가격탄력성, 수요의 소득탄력성, 수요의 교차탄력성, 공급의 가격탄력성

Topic 3 수요의 가격탄력성, 수요의 소득탄력성, 수요의 교차탄력성, 공급의 가격탄력성

01 수요의 가격탄력성

의미	상품의 가격 변동에 대한 수요량의 변동 정도		
공식	$\text{수요의 가격 탄력성} = \dfrac{\lvert\text{수요량의 변동률(\%)}\rvert}{\lvert\text{가격의 변동률(\%)}\rvert} = \dfrac{\dfrac{\text{수요량의 변동분}}{\text{기존의 수요량}}}{\dfrac{\text{가격의 변동분}}{\text{기존 가격}}}$		
탄력성 결정요인	(1) 대체재가 많을수록 ㉮ ______ (2) 생필품일수록 비탄력적 (3) 소득에서 차지하는 지출 비중이 클수록 ㉮ ______ (4) 기간이 길수록 탄력적		
종류	탄력성 = 0	완전비탄력적	수직선
	탄력성 < 1	비탄력적	기울기 ㉯ ______ ➜ 생필품
	탄력성 = 1	단위탄력적	직각쌍곡선
	탄력성 > 1	탄력적	기울기 ㉰ ______ ➜ 사치품
	탄력성 = ∞	완전탄력적	수평선

핵심키워드

㉮ 탄력적, ㉯ 가파름, ㉰ 완만

02 점탄력성, 호탄력성, 선형 수요곡선의 탄력성

점탄력성	(1) 개념: 한 점에서 계산된 탄력도 (2) 주어진 함수를 미분하여 계산하는 방법 $\epsilon_d = \lim_{\triangle P \to 0}\left\|\frac{\triangle Q^D/Q^D}{\triangle P/P}\right\| = \left\|-\frac{dQ^D}{dP}\right\| \times \frac{P}{Q^D}$
호탄력성	(1) 개념: 두 점 사이에서 계산된 탄력도. 평균가격과 평균수요량을 사용함 (2) $\epsilon_d = \left\|-\frac{\triangle Q^D}{\triangle P}\right\| \times \frac{P_1+P_2}{Q_1^D+Q_2^D}$
선형 수요곡선의 탄력성	$\epsilon_d = \frac{CQ_0}{BQ_0} \times \frac{BQ_0}{0Q_0} = \frac{CQ_0}{0Q_0}$ ($\frac{dQ}{dP}$: 수요곡선의 접선 $\overline{AC}$의 기울기의 역수) ➜ 삼각형의 닮은꼴 특성을 이용하여, $\frac{CQ_0}{0Q_0} = \frac{P_00}{AP_0} = \frac{BC}{AB}$ 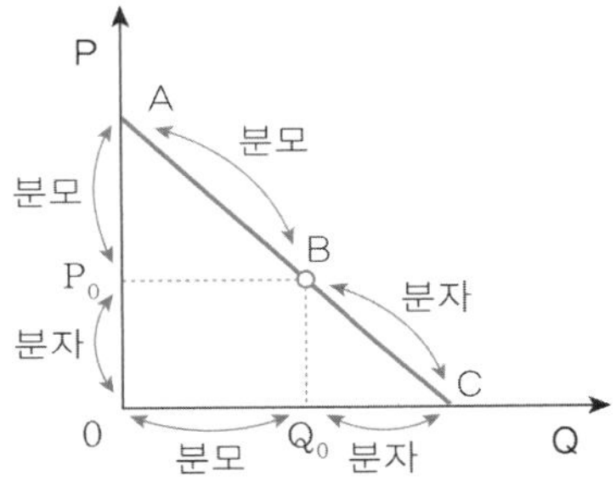

03 수요의 가격탄력성과 기업의 판매수입

수요의 가격탄력성	기업의 판매수입	
	가격 하락 시	가격 상승 시
㉮ ______	증가	감소
㉯ ______	감소	증가
㉰ ______	불변	불변

핵심키워드

㉮ 탄력적, ㉯ 비탄력적, ㉰ 단위탄력적

04 직선인 수요곡선과 판매 수입의 변화

그래프	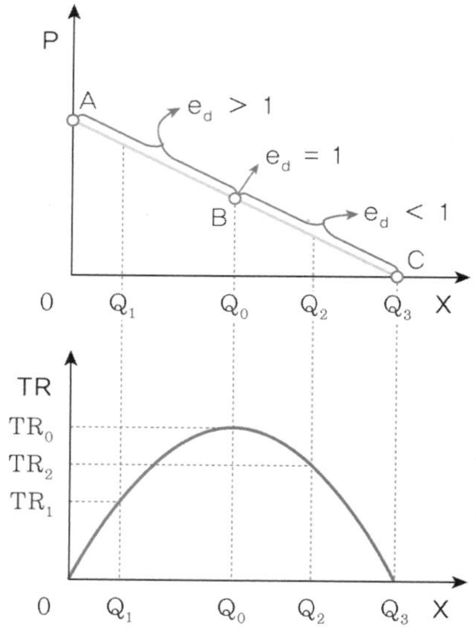 AB구간: 가격하락률 < 수요량 증가율 총지출 증가 BC구간: 가격하락률 > 수요량 증가율
탄력적인 구간(AB구간)	가격 변화에 대해서 민감한 구간으로 가격 하락 시에 판매 수입이 증가함
비탄력적인 구간(BC구간)	소비자가 가격에 민감하지 않기 때문에 가격을 올리더라도 크게 수요량이 줄지 않으므로 판매수입이 증가한다. 따라서 가격 인상전략이 매출액을 늘려줌
결론	직선인 수요곡선의 ㉮ ________(가격탄력성 = 1)에서 매출액이 극대화됨

핵심키워드

㉮ 중점

05 수요의 소득탄력성

의미	소득 변화가 재화의 수요에 주는 영향의 크기를 나타낸 것
공식	수요의 소득탄력성 = ㉮ ____________
구분	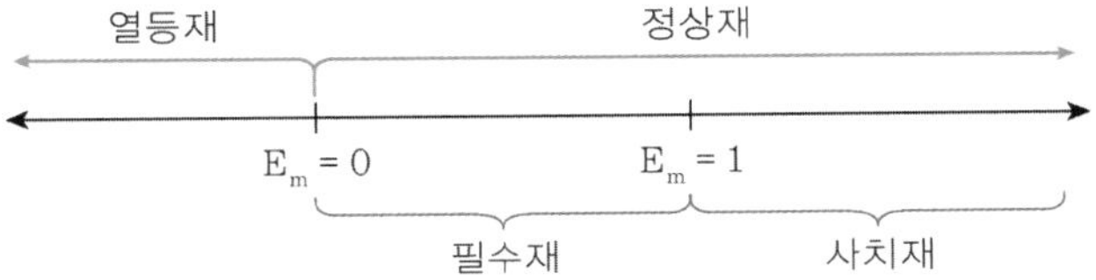

06 수요의 교차탄력성

의미	Y라는 재화의 가격 변화에 대해 X재화의 수요량이 어떻게 변화하는지를 나타낸 것	
공식	수요의 교차탄력성 = ㉯ ____________	
구분	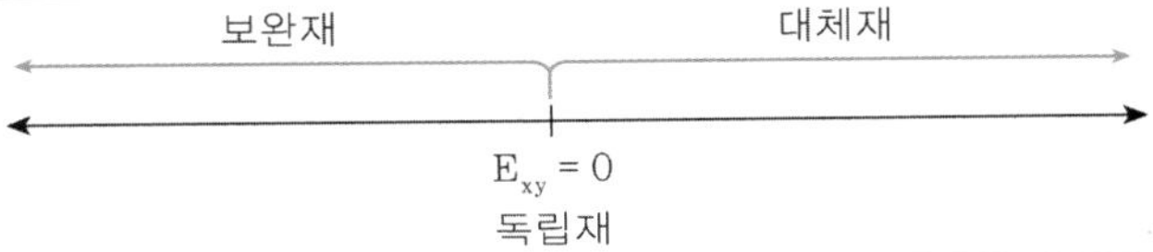	
대체재	$E_{xy} > 0$	Y재 가격 상승 ➜ Y재 수요량 감소 ➜ X재 수요 증가
보완재	$E_{xy} < 0$	Y재 가격 상승 ➜ Y재 수요량 감소 ➜ X재 수요 감소
독립재	$E_{xy} = 0$	Y재 가격 상승 ➜ Y재 수요량 감소 ➜ X재 수요 불변

핵심키워드

㉮ $\frac{\text{X재 수요량의 변화율(\%)}}{\text{소득의 변화율(\%)}}$, ㉯ $\frac{\text{X재 수요량의 변화율(\%)}}{\text{Y재의 가격의 변화율(\%)}}$

07 공급의 가격탄력성

의미	상품의 가격 변동에 대한 공급량의 변동 정도
공식	공급의 가격탄력성 = $\dfrac{\mid \text{공급량의 변동률}(\%) \mid}{\mid \text{가격의 변동률}(\%) \mid} = \dfrac{\dfrac{\text{공급량의 변동분}}{\text{기존의 공급량}}}{\dfrac{\text{가격의 변동분}}{\text{기존 가격}}}$
공급의 점탄력도	(1) 개념: 한 점에서 계산된 탄력도 (2) $\epsilon_s = \lim\limits_{\triangle P \to 0} \dfrac{\triangle Q^s / Q^s}{\triangle P / P} = \dfrac{dQ^s}{dP} \cdot \dfrac{P}{Q^s}$
공급의 호탄력도	(1) 개념: 두 점 사이에서 계산된 탄력도. 평균가격과 평균공급량을 사용함 (2) $\epsilon_a = \dfrac{\triangle Q^s}{\triangle P} \cdot \dfrac{P_1 + P_2}{Q_1^s + Q_2^s}$
탄력성 결정요인	(1) 저장이 ㉮ ______ 저장비용이 ㉯ ______ (2) 생산기간이 ㉰ ______ (3) 기술 수준의 향상이 빠를수록 (4) 유휴시설이 많을수록

종류			
종류	탄력성 = 0	완전 비탄력적	수직선
	탄력성 < 1	비탄력적	기울기 ㉱ ______ ➜ 농축산물
	탄력성 = 1	단위 탄력적	원점을 통과하는 선형공급곡선
	탄력성 > 1	탄력적	기울기 ㉲ ______ ➜ 공산품
	탄력성 = ∞	완전 탄력적	수평선

핵심키워드

㉮ 쉽고, ㉯ 적을수록, ㉰ 짧을수록, ㉱ 가파름, ㉲ 완만

08 선형 공급곡선의 탄력성

종축을 자르는 경우	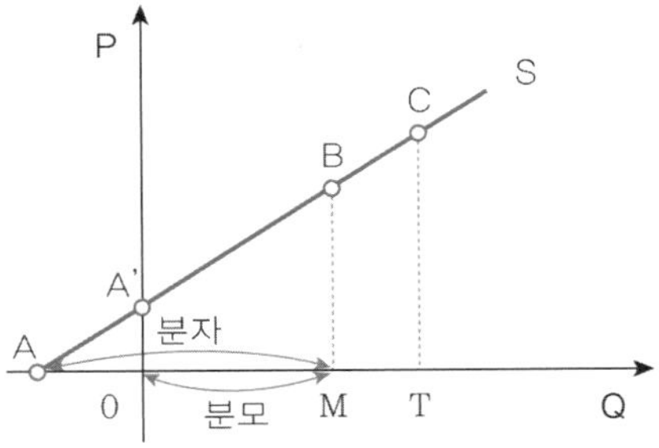 B점에서의 공급탄력도: $\epsilon = \frac{dQ^s}{dP} \cdot \frac{P}{Q^s} = \frac{AM}{BM} \cdot \frac{BM}{0M} = \frac{AM}{0M} > 1$
횡축을 자르는 경우	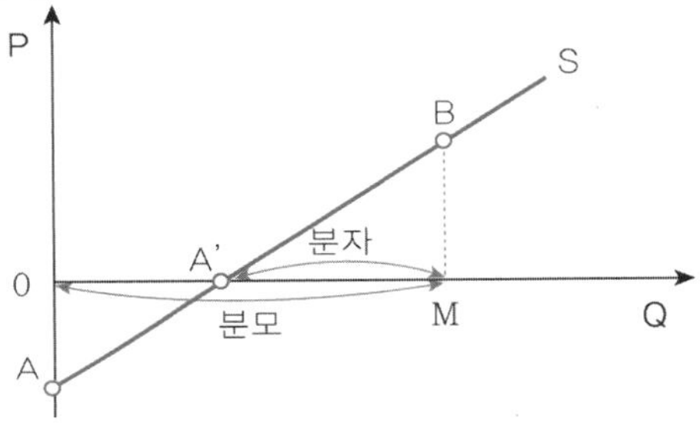 B점에서의 공급탄력도: $\epsilon = \frac{dQ^s}{dP} \cdot \frac{P}{dQ^s} = \frac{A'M}{BM} \cdot \frac{BM}{0M} = \frac{A'M}{0M} < 1$
원점통과 시	원점을 출발해서 우상향하는 경우 곡선의 기울기에 관계없이 공급의 가격탄력성은 1임

STEP 1 기본문제

01 상중하

커피에 대한 수요함수가 $Q^d = 2{,}400 - 2P$일 때, 가격 P^*에서 커피 수요에 대한 가격탄력성의 절댓값은 $\frac{1}{2}$이다. 이때 가격 P^*는? (단, Q^d는 수요량, P는 가격이다) [지방직 7급 20]

① 400
② 600
③ 800
④ 1,000

02 상중하

K시네마가 극장 입장료를 5에서 9로 인상하였더니 매출액이 1,500에서 1,800으로 증가하였다. 중간점공식(호탄력도)을 이용하여 수요의 가격탄력성을 구하면? (단, 소수점 셋째자리에서 반올림한다) [보험계리사 18]

① 0.32
② 0.42
③ 0.70
④ 1.13

03 상중하

X재의 공급함수가 $Q = P - 6$일 때, 공급의 가격탄력성은? (단, Q는 공급량, P는 가격이다) [노무사 20]

① $\frac{P-6}{P}$
② $\frac{P+6}{P}$
③ $\frac{-P+6}{P}$
④ $\frac{P}{P+6}$
⑤ $\frac{P}{P-6}$

04 상중하 수요곡선의 식이 $Q_d = \frac{21}{P}$일 때, 이 재화의 수요의 가격탄력성은? [서울시 7급 15]

① 0
② 0.42
③ 1
④ 1.5

05 상중하 수요함수가 $Q = 90 - P$일 때, 수요의 가격탄력성에 대한 계산으로 옳지 않은 것은? (단, Q는 수량, P는 가격이며, 수요의 가격탄력성은 절댓값으로 표시한다) [노무사 15]

① P = 10일 때, 수요의 가격탄력성은 0.2이다.
② P = 30일 때, 수요의 가격탄력성은 0.5이다.
③ P = 45일 때, 수요의 가격탄력성은 1이다.
④ P = 60일 때, 수요의 가격탄력성은 2이다.
⑤ P = 80일 때, 수요의 가격탄력성은 8이다.

정답 및 해설

01 ① 1) 직선인 수요곡선의 탄력성을 구하는 것으로 P절편은 1,200이다.
2) P절편에서 가격까지가 분모, 가격에서 원점까지가 분자이므로 가격은 400이 된다.

02 ③ 1) 수요의 가격탄력성 호탄력성 공식은 $-\frac{\Delta Q}{\Delta P} \cdot \frac{P_1 + P_2}{Q_1 + Q_2}$이다.
2) 매출액은 $P \times Q$이므로 가격이 5일 때 $Q = 300$이고 가격이 9일 때 $Q = 200$이다.
3) $-\frac{\Delta 100}{\Delta 4} \cdot \frac{14}{500} = \frac{14}{20} = 0.7$이다.

03 ⑤ 1) 공급의 가격탄력성 공식은 $\frac{dQ^s}{dP} \cdot \frac{P}{Q^s}$이다.
2) 문제의 공급함수를 공식에 대입하면 $1 \times \frac{P}{P-6}$이므로 $\frac{P}{P-6}$이다.

04 ③ 수요곡선이 직각쌍곡선이므로 계산을 해보지 않더라도 수요곡선상의 모든 점에서 수요의 가격탄력성은 1임을 알 수 있다.

05 ① 1) 수요함수를 P에 대해 미분하면 $\frac{dQ}{dP} = -1$이므로 수요의 가격탄력성은 다음과 같다.
2) $\varepsilon = -\frac{dQ}{dP} \times \frac{P}{Q} = 1 \times \frac{P}{90-P}$
3) 위의 식에다 $P = 10$을 대입하면 수요의 가격탄력성은 $\frac{1}{5}(= 0.2)$이 아니라 $\frac{1}{8}(= 0.125)$로 계산된다.

06 상중하

다음 그림은 보통사람과 중증환자에 대한 의료서비스 수요곡선을 나타낸다. 보통사람의 수요곡선은 D_1, 중증환자의 수요곡선은 D_2일 때, 옳지 않은 것은? [국가직 7급 17]

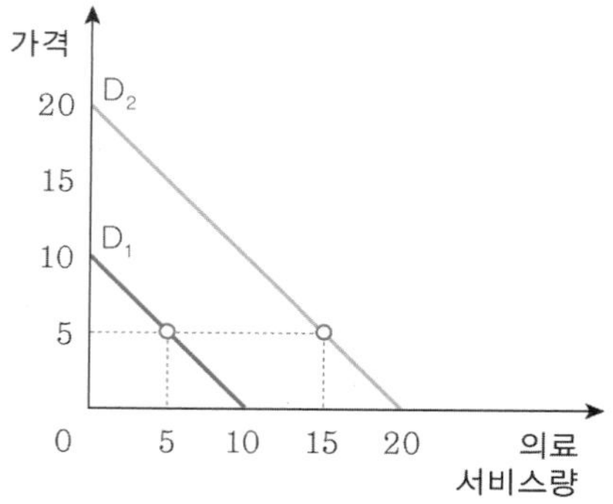

① 보통사람은 가격 5에서 탄력성이 -1이다.

② 중증환자는 가격 5에서 탄력성이 $-\frac{1}{3}$이다.

③ 이윤을 극대화하는 독점병원은 보통사람보다 중증환자에게 더 높은 가격을 부과한다.

④ 가격 5에서 가격 변화율이 동일할 경우 보통사람이나 중증환자 모두 수요량의 변화율은 동일하다.

07 상중하

다음은 소매시장의 오리고기 수요곡선과 공급곡선이다. $P_b = 7$, $P_c = 3$, $P_d = 5$, $Y = 2$라고 할 때, 시장균형점에서 오리고기에 대한 수요의 가격탄력성은? [국가직 7급 14]

> • 수요곡선: $Q_d = 105 - 30p - 20P_c + 5P_b - Y$
> • 공급곡선: $Q_s = 5 + 10p - 3P_d$
> (단, p는 소매시장 오리고기 가격, P_b는 쇠고기 가격, P_c는 닭고기 가격, P_d는 도매시장 오리고기 가격, Y는 소득이다)

① $\frac{1}{6}$

② $\frac{1}{3}$

③ 3

④ 6

08 상중하 완전경쟁시장에서 수요곡선과 공급곡선이 다음과 같을 때 시장균형에서 공급의 가격탄력성은? (단, P는 가격, Q는 수량이다.) [노무사 17]

- 수요곡선: $P = 7 - 0.5Q$
- 공급곡선: $P = 2 + 2Q$

① 0.75 ② 1 ③ 1.25
④ 1.5 ⑤ 2

정답 및 해설

06 ④ 1) 수요곡선이 우하향의 직선으로 주어질 때 수요곡선상의 E점에서 수요의 가격탄력성은 $\frac{BO}{AB}$로 측정된다.

2) 그러므로 가격이 5일 때 보통사람의 수요의 가격탄력성은 $1(=\frac{5}{5})$이고, 중증환자의 수요의 가격탄력성은 $\frac{1}{3}(=\frac{5}{15})$이다.

3) 가격이 5일 때 수요의 가격탄력성은 중증환자보다 보통사람이 더 크므로 가격 변화율이 동일할 때 수요량의 변화율은 보통사람이 중증환자보다 더 크다.

07 ④ 1) 문제에 주어진 수치를 대입하면 수요함수 $Q_d = 70 - 30P$, 공급함수 $Q_s = -10 + 10P$이다.

2) 이를 연립해서 풀면 $70 - 30P = -10 + 10P$, $P = 2$이다. 균형가격 $P = 2$를 수요함수 혹은 공급함수에 대입하면 균형거래량 $Q = 10$이다.

3) 수요함수를 P에 대해 미분하면 $\frac{dQ}{dP} = -30$이므로 수요의 가격탄력성은 6으로 계산된다.

$\varepsilon = -\frac{dQ}{dP} \times \frac{P}{Q} = 30 \times \frac{2}{10} = 6$이다.

08 ④ 1) 수요함수와 공급함수를 연립해서 풀면 $7 - \frac{1}{2}Q = 2 + 2Q$ ➜ $\frac{5}{2}Q = 5$이므로 균형거래량 $Q = 2$이고, 이를 수요곡선(혹은 공급곡선)식에 대입하면 균형가격 $P = 6$으로 계산된다.

2) 공급함수를 Q에 대해 미분하면 $\frac{dP}{dQ} = 2$이므로 시장균형에서 공급의 가격탄력성은 $\eta = \frac{dQ}{dP} \times \frac{P}{Q} = \frac{1}{2} \times \frac{6}{2} = 1.5$이다.

09 상중하 X재의 수요함수가 $Q_X = 200 - 0.5P_X + 0.4P_Y + 0.3M$이다. P_X는 100, P_Y는 50, M은 100일 때, Y재 가격에 대한 X재 수요의 교차탄력성은? (단, Q_X는 X재 수요량, P_X는 X재 가격, P_Y는 Y재 가격, M은 소득이다) [국가직 7급 19]

① 0.1
② 0.2
③ 0.3
④ 0.4

10 상중하 어느 재화의 가격이 1천원에서 1% 상승하면 판매 수입은 0.2% 증가하지만, 5천원에서 가격이 1% 상승하면 판매 수입은 0.1% 감소한다. 이 재화에 대한 설명으로 옳은 것은? (단, 수요곡선은 수요의 법칙이 적용된다) [국가직 7급 18]

① 가격이 1천원에서 1% 상승 시, 가격에 대한 수요의 탄력성은 탄력적이다.
② 가격이 5천원에서 1% 상승 시, 가격에 대한 수요의 탄력성은 비탄력적이다.
③ 가격이 1천원에서 1% 상승 시, 수요량은 0.2% 감소한다.
④ 가격이 5천원에서 1% 상승 시, 수요량은 1.1% 감소한다.

11 상중하 어떤 사람이 소득 수준에 상관없이 소득의 절반을 식료품 구입에 사용한다. 〈보기〉 중 옳은 것을 모두 고르면? [서울시 7급 19]

〈보기〉
ㄱ. 식료품의 소득탄력성의 절댓값은 1보다 작다.
ㄴ. 식료품의 소득탄력성의 절댓값은 1이다.
ㄷ. 식료품의 가격탄력성의 절댓값은 1보다 크다.
ㄹ. 식료품의 가격탄력성의 절댓값은 1이다.

① ㄱ, ㄷ
② ㄱ, ㄹ
③ ㄴ, ㄷ
④ ㄴ, ㄹ

12 상중하 상품 A의 수요함수가 $Q = 4P^{-2}Y^{0.4}$일 때, 이에 관한 설명으로 옳은 것은? (단, Q는 수요량, P는 가격, Y는 소득이다) [노무사 21]

① 가격이 상승하면 총수입은 증가한다.
② 소득이 2% 감소하면 수요량은 0.4% 감소한다.
③ 소득탄력성의 부호는 음(-)이다.
④ 가격이 상승함에 따라 수요의 가격탄력성도 증가한다.
⑤ 수요의 가격탄력성(절댓값)은 2이다.

정답 및 해설

09 ① 1) $P_X = 100$, $P_Y = 50$, $M = 100$을 X재 수요함수에 대입하면 $Q_X = 200$이고, X재 수요함수를 P_Y로 미분하면 $\frac{dQ_X}{dP_Y} = 0.4$이다.

2) Y재 가격에 대한 X재 수요의 교차탄력성은 0.1로 계산된다. $\varepsilon_{XY} = \frac{dQ_X}{dP_Y} \times \frac{P_Y}{Q_X} = 0.4 \times \frac{50}{200} = 0.1$

10 ④ 1) 판매수입 변화율 = 가격변화율 + 판매량(수요량)변화율로 표현할 수 있다.
㉠ $0.2\% = 1\% + (-0.8\%)$
㉡ $-0.1\% = 1\% + (-1.1\%)$
2) 가격이 1천원에서 1% 상승할 때의 수요의 가격탄력성은 0.8이다.
3) 가격이 5천원에서 1% 상승하면 판매수입은 0.1% 감소하므로 수요량변화율은 -1.1%이다. 그러므로 이 때 수요의 가격탄력성은 1.1임을 알 수 있다.

11 ④ 1) 소득수준에 상관없이 소득의 절반을 식료품(X재) 구입에 지출한다면 $P_X \times X = \frac{M}{2}$이므로 식료품 수요함수는 $X = \frac{M}{2P_X}$이다.

2) 가격탄력성: $\varepsilon = -\frac{dX}{dP} \times \frac{P_X}{X} = \frac{M}{2P_X^2} \times \frac{P_X}{\frac{M}{2P_X}} = 1$

소득탄력성: $\varepsilon_M = \frac{dX}{dM} \times \frac{M}{X} = \frac{1}{2P_X} \times \frac{M}{\frac{M}{2P_X}} = 1$

12 ⑤ 1) 지수에 해당하는 것이 각각의 탄력성이다. 수요의 가격탄력성은 2, 수요의 소득탄력성은 0.4이다.

2) 수요의 가격탄력성 $= -\frac{\Delta Q}{\Delta P} \times \frac{P}{Q} = -\frac{-8Y^{0.4}}{P^3} \times \frac{P}{4P^{-2}Y^{0.4}} = 2$

3) 수요의 소득탄력성 $= \frac{\Delta Q}{\Delta M} \times \frac{M}{Q} = 1.6P^{-2}Y^{-0.6} \times \frac{Y}{4P^{-2}Y^{0.4}} = 0.4$

[오답체크]
① 수요의 가격탄력성이 탄력적이므로 가격이 상승하면 총수입은 감소한다.
② 소득이 2% 감소하면 수요량은 0.6% 감소한다.
③ 소득탄력성의 부호는 양(+)이다.
④ 가격이 상승하더라도 수요의 가격탄력성은 2로 일정하다.

13 상중하

수요의 여러가지 탄력성 개념과 관련된 다음의 설명 중에서 옳은 것은? [서울시 7급 13]

① 어느 재화의 가격이 상승하였을 때 그 재화에 대한 지출액이 변화하지 않았다면 그 재화에 대한 수요의 가격탄력성은 0이다.

② 어느 재화의 가격이 상승하였을 때 그 재화에 대한 수요량이 증가하였다면 그 재화는 열등재이다.

③ 소득이 5% 증가하였을 때 한 재화에 대한 수요가 10% 증가하였다면 그 재화는 필수재이다.

④ 재화 X의 가격이 증가하였을 때 재화 Y에 대한 수요의 교차탄력성이 음수라면 재화 Y는 재화 X의 대체재이다.

⑤ 기펜재는 열등재 중에서 가격 변화로 인한 소득효과의 절댓값이 대체효과의 절댓값보다 작을 때 나타난다.

14 상중하

수요의 가격탄력성에 관한 설명으로 옳은 것은? (단, 수요곡선은 우하향한다) [노무사 16]

① 수요의 가격탄력성이 1보다 작은 경우, 가격이 하락하면 총수입은 증가한다.

② 수요의 가격탄력성이 작아질수록, 물품세 부과로 인한 경제적 순손실(deadweight loss)은 커진다.

③ 소비자 전체 지출에서 차지하는 비중이 큰 상품일수록, 수요의 가격탄력성은 작아진다.

④ 직선인 수요곡선상에서 수요량이 많아질수록, 수요의 가격탄력성은 작아진다.

⑤ 좋은 대체재가 많을수록, 수요의 가격탄력성은 작아진다.

15 수요의 가격탄력성에 대한 설명으로 옳지 않은 것은? [지방직 7급 19]

상중하

① 재화의 수요가 비탄력적일 때, 재화의 가격이 상승하면 그 재화를 생산하는 기업의 총수입은 증가한다.

② 재화에 대한 수요의 가격탄력성이 1일 때, 재화의 가격이 변하더라도 그 재화를 생산하는 기업의 총수입에는 변화가 없다.

③ 재화의 수요가 탄력적일 때, 재화의 가격이 하락하면 그 재화를 소비하는 소비자의 총지출은 증가한다.

④ 수요곡선이 우하향의 직선인 경우 수요의 가격탄력성은 임의의 모든 점에서 동일하다.

정답 및 해설

13 ② 어느 재화의 가격이 상승하였을 때 그 재화에 대한 수요량이 증가하였다면 수요 법칙의 예외이며 이는 기펜재이다. 기펜재는 열등재에 속한다.

[오답체크]

① 어느 재화의 가격이 상승하였을 때 그 재화에 대한 지출액이 변화하지 않았다면 그 재화에 대한 수요의 가격탄력성은 1이다.

③ 소득이 5% 증가하였을 때 한 재화에 대한 수요가 10% 증가하였다면 그 재화는 정상재이며 사치재이다.

④ 재화 X의 가격이 증가하였을 때 재화 Y에 대한 수요의 교차탄력성이 음수라면 재화 Y는 재화 X의 보완재이다.

⑤ 기펜재는 열등재 중에서 가격 변화로 인한 소득효과의 절댓값이 대체효과의 절댓값보다 클 때 나타난다.

14 ④ 직선인 수요곡선상에서 수요량이 많아질수록 가격이 낮아지므로 원점 아래에 존재한다. 따라서 수요의 가격탄력성은 작아진다.

[오답체크]

① 수요의 가격탄력성이 1보다 작은 경우 가격이 하락하면 총수입은 감소한다.

② 수요의 가격탄력성이 클수록 물품세 부과로 인한 경제적 순손실(deadweight loss)은 커진다.

③ 소비자 전체 지출에서 차지하는 비중이 큰 상품일수록 사치재에 가까우므로 수요의 가격탄력성은 커진다.

⑤ 좋은 대체재가 많을수록, 수요의 가격탄력성은 커진다.

15 ④ 수요곡선이 우하향의 직선인 경우 수요의 가격탄력성은 수요곡선 위의 모든 점에서 다르다.

16 상중하 수요의 탄력성에 관한 설명으로 옳은 것은? [노무사 18]

① 재화가 기펜재라면 수요의 소득탄력성은 양(+)의 값을 갖는다.
② 두 재화가 서로 대체재의 관계에 있다면 수요의 교차탄력성은 음(−)의 값을 갖는다.
③ 우하향하는 직선의 수요곡선상에 위치한 두 점에서 수요의 가격탄력성은 동일하다.
④ 수요의 가격탄력성이 1이면 가격변화에 따른 판매총액은 증가한다.
⑤ 수요곡선이 수직선일 때 모든 점에서 수요의 가격탄력성은 0이다.

17 상중하 다음 그림은 가로축에 공급량(Q), 세로축에 가격(P)을 나타내는 공급곡선들을 표시한 것이다. 이에 대한 설명으로 옳은 것은? [지방직 7급 15]

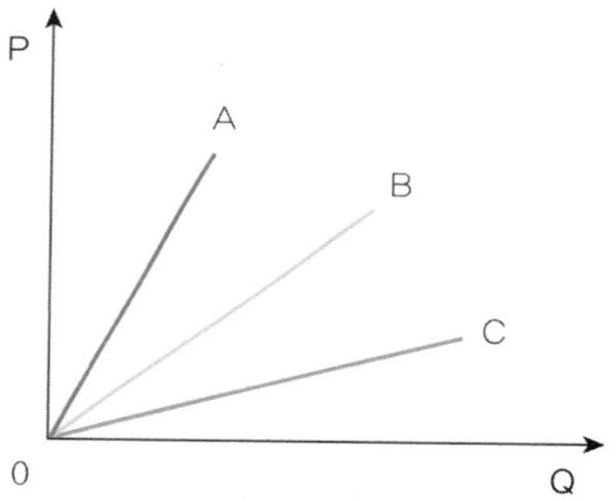

① 공급곡선 A의 가격에 대한 탄력성이 C의 가격에 대한 탄력성보다 높다.
② 공급곡선 C의 가격에 대한 탄력성이 A의 가격에 대한 탄력성보다 높다.
③ 공급곡선 B의 가격에 대한 탄력성이 C의 가격에 대한 탄력성보다 높다.
④ 공급곡선 A의 가격에 대한 탄력성은 B의 가격에 대한 탄력성과 같다.

정답 및 해설

16 ⑤ 수요곡선이 수직선일 때 가격의 변화율이 0이므로 모든 점에서 수요의 가격탄력성은 0이다.

[오답체크]

① 재화가 기펜재라면 열등재이므로 수요의 소득탄력성은 음(−)의 값을 갖는다.
② 두 재화가 서로 대체재의 관계에 있다면 수요의 교차탄력성은 양(+)의 값을 갖는다.
③ 우하향하는 직선의 수요곡선상에 위치한 각 점마다 수요의 가격탄력성은 다르다.
④ 수요의 가격탄력성이 1이면 가격변화에 따른 판매총액은 동일하다.

17 ④ 1) 공급곡선이 원점을 통과하는 직선일 때는 기울기에 관계없이 공급곡선상의 모든 점에서 공급의 가격탄력성이 1이다.
2) 그러므로 문제에 주어진 공급곡선 A, B, C는 공급곡선상의 모든 점에서 공급의 가격탄력성이 동일하다.

STEP 2 심화문제

18 상중하 X재 시장에 두 소비자 A와 B만이 존재한다. 두 소비자 A와 B의 수요곡선이 각각 〈보기〉와 같고 X재의 가격이 $P=2$일 때, X재에 대한 시장수요의 가격탄력성은? [국회직 8급 20]

〈보기〉

- $P=5-\frac{1}{2}Q_A$ (단, Q_A는 소비자 A의 수요량)
- $P=15-\frac{1}{3}Q_B$ (단, Q_B는 소비자 B의 수요량)

① $\frac{25}{144}$ ② $\frac{1}{5}$ ③ $\frac{2}{9}$
④ $\frac{1}{4}$ ⑤ $\frac{1}{2}$

19 상중하 X재 시장에 소비자는 甲과 乙만이 존재하고, X재에 대한 甲과 乙의 개별 수요함수가 각각 $Q_D=10-2P$, $Q_D=15-3P$이다. X재의 가격이 2.5일 때, 시장 수요의 가격탄력성은? (단, Q_D는 수요량, P는 가격이고, 수요의 가격탄력성은 절댓값으로 표시한다) [감정평가사 16]

① 0.5 ② 0.75 ③ 1
④ 1.25 ⑤ 1.5

20 상중하

최근 정부는 경유차의 구매 수요를 현재보다 20% 줄이고 대기정화를 위한 재원을 확보하기 위해 유류가격을 인상하려고 한다. 경유 자동차 구매 수요의 경유가격탄력성은 3, 경유 자동차 구매 수요의 휘발유가격탄력성은 2이다. 경유가격을 10% 인상하였다면 위 목표를 달성하기 위해서는 휘발유가격을 얼마나 인상하여야 하는가? [국회직 8급 17]

① 5% ② 7.5% ③ 10%
④ 12.5% ⑤ 15%

정답 및 해설

18 ③ 1) 시장수요곡선은 개별수요곡선의 합이다.
2) A의 수요곡선은 $Q=10-2P$, B의 수요곡선은 $Q=45-3P$이므로 시장수요곡선은 $Q=55-5P$이다.
3) 수요의 점탄력성의 공식에 따라 $5\times\frac{2}{45}=\frac{2}{9}$이다.

19 ③ 1) 탄력성 공식은 $\frac{\Delta Q}{\Delta P}\cdot\frac{P}{Q}$이다.
2) 시장수요곡선은 개별수요곡선의 합이므로 $Q_D=25-5P$이다.
3) 이를 대입하면 $-5\times\frac{2.5}{12.5}=-1$이다. 수요의 가격탄력성은 절댓값으로 표시하므로 1이다.

20 ① 1) 경유자동차의 구매수요의 경유가격탄력성이 3이므로 경유가격을 10% 인상하면 경유자동차의 구매수요량은 30% 감소한다.
2) 정부의 목표는 경유자동차의 구매수요를 20% 감소시키는 것이므로 휘발유 가격의 상승을 통하여 구매 수요를 10% 증가시켜야 한다.
3) 따라서 경유자동차의 구매수요의 휘발유가격탄력성이 2이므로 휘발유가격을 5% 인상하면 경유자동차의 구매수요가 10% 증가한다.

21 상중하 주요 공공교통수단인 시내버스와 지하철의 요금은 지방정부의 통제를 받는다. 지하철 회사가 지하철 수요의 탄력성을 조사해 본 결과, 지하철 수요의 가격탄력성은 1.2, 지하철 수요의 소득탄력성은 0.2, 지하철 수요의 시내버스 요금에 대한 교차탄력성은 0.4인 것으로 나타났다. 앞으로 지하철 이용자의 소득이 10% 상승할 것으로 예상하여, 지하철 회사는 지방정부에 지하철 요금을 5% 인상해 줄 것을 건의하였다. 그런데, 이 건의에는 시내버스의 요금 인상도 포함되어 있었다. 즉 지하철 수요가 요금 인상 전과 동일한 수준으로 유지되도록 시내버스 요금의 인상을 함께 건의한 것이다. 이때 지하철 요금 인상과 함께 건의한 시내버스 요금의 인상 폭은 얼마인가? [국회직 8급 13]

① 3% ② 5% ③ 8%
④ 10% ⑤ 15%

22 상중하 수요와 공급의 탄력성에 관한 설명으로 옳은 것은? [감정평가사 21]

① 수요곡선이 수직이면 가격탄력성이 무한대이다.
② 우하향하는 수요곡선상 모든 점에서 가격탄력성은 같다.
③ 가격탄력성이 1보다 크면 비탄력적이다.
④ 우상향 직선의 공급곡선 Y축 절편이 0보다 크면 가격탄력성은 무조건 1보다 크다.
⑤ 수요의 교차탄력성이 1보다 크면 두 상품은 보완재 관계이다.

23 상중하

수요와 공급의 가격탄력성에 관한 설명으로 옳은 것을 모두 고른 것은? [감정평가사 19]

ㄱ. 대체재를 쉽게 찾을 수 있을수록 수요의 가격탄력성은 작아진다.
ㄴ. 동일한 수요곡선상에서 가격이 높을수록 수요의 가격탄력성은 항상 커진다.
ㄷ. 상품의 저장에 드는 비용이 클수록 공급의 가격탄력성은 작아진다.
ㄹ. 공급곡선이 원점을 지나고 우상향하는 직선형태일 경우, 공급의 가격탄력성은 항상 1이다.

① ㄱ, ㄴ ② ㄱ, ㄷ ③ ㄴ, ㄷ
④ ㄴ, ㄹ ⑤ ㄷ, ㄹ

정답 및 해설

21 ④ 1) 지하철 이용자의 소득 10% 인상 ➜ 지하철 수요의 소득탄력성(0.2)에 따라 지하철 수요량 2% 증가
2) 지하철 요금의 5% 인상 ➜ 지하철 수요의 가격탄력성(−1.2)에 따라 6% 감소
3) 두 요인에 의해 지하철의 수요량이 4% 감소가 이루어진다. 문제에서 지하철 수요가 동일하게 유지되는 것을 목표로 했으므로 시내버스 요금변화를 통해 지하철 수요를 4% 증가시켜야 한다.
4) 지하철 수요의 시내버스 요금에 대한 교차탄력성이 0.4이므로 지하철 수요를 4% 증가시키기 위해서는 시내버스 요금을 10% 증가시켜야 한다.

22 ④ 우상향 직선의 공급곡선이 Y축을 지나면 탄력적이다. 따라서 Y축 절편이 0보다 크면 가격탄력성은 무조건 1보다 크다.

[오답체크]
① 수요곡선이 수평이면 가격탄력성이 무한대이다.
② 우하향하는 수요곡선상 모든 점에서 가격탄력성은 다르다.
③ 가격탄력성이 1보다 크면 탄력적이다.
⑤ 수요의 교차탄력성이 1보다 크면 두 상품은 대체재 관계이다.

23 ⑤ [오답체크]
ㄱ. 대체재를 쉽게 찾을 수 있을수록 수요의 가격탄력성은 커진다.
ㄴ. 우하향하는 직선형태의 동일한 수요곡선상에서 가격이 높을수록 수요의 가격탄력성은 항상 커진다. 그러나 수직인 형태인 경우에는 성립하지 않는다.

24 상중하 다음 〈보기〉에서 옳은 것을 모두 고르면? [국회직 8급 17]

〈보기〉

ㄱ. 원유의 가격은 크게 하락하였으나 거래량은 가격 하락폭에 비해 상대적으로 하락폭이 적었다. 이는 원유의 수요와 공급이 비탄력적인 경우에 나타나는 현상이라 할 수 있다.
ㄴ. A는 항상 매달 소득의 1/5을 일정하게 뮤지컬 혹은 영화티켓 구입에 사용한다. 이 경우, 뮤지컬 혹은 영화티켓의 가격이 10% 상승하면 A의 뮤지컬 혹은 영화티켓 수요량은 10% 감소한다.
ㄷ. B기업이 판매하고 있는 C상품의 수요의 가격탄력성은 1.2이다. B기업은 최근 C상품의 가격을 인상하기로 결정했고 이로 인해 총수입이 증가할 것으로 예상하고 있다.
ㄹ. 다른 모든 요인이 일정할 때, 담배세 인상 이후 정부의 담배세 수입이 증가했다. 이는 담배 수요가 가격에 대해 탄력적임을 의미한다.

① ㄱ, ㄴ ② ㄱ, ㄷ ③ ㄴ, ㄷ
④ ㄱ, ㄴ, ㄹ ⑤ ㄴ, ㄷ, ㄹ

25 상중하 수요와 공급의 가격탄력성에 대한 설명으로 옳은 것을 〈보기〉에서 모두 고르면?

[국회직 8급 18]

〈보기〉

ㄱ. 어떤 재화에 대한 소비자의 수요가 비탄력적이라면, 가격이 상승할 경우 그 재화에 대한 지출액은 증가한다.
ㄴ. 수요와 공급의 가격탄력성이 클수록 단위당 일정한 생산보조금 지급에 따른 자중손실(deadweight loss)은 커진다.
ㄷ. 독점력이 강한 기업일수록 공급의 가격탄력성이 작아진다.
ㄹ. 최저임금이 인상되었을 때, 최저임금이 적용되는 노동자들의 총임금은 노동의 수요보다는 공급의 가격탄력성에 따라 결정된다.

① ㄱ, ㄴ
② ㄱ, ㄷ
③ ㄴ, ㄹ
④ ㄱ, ㄴ, ㄷ
⑤ ㄱ, ㄴ, ㄷ, ㄹ

정답 및 해설

24 ① ㄱ. 탄력도의 정의에 의하여 옳은 설명이다.

ㄴ. 가격에 관계없이 일정 금액을 소비하는 경우는 수요의 가격탄력성이 단위탄력적인 경우이다. 수요의 가격탄력성이 단위탄력적인 경우 '가격의 변화율 = 수요량의 변화율'이 성립하여 1이 도출된다. 따라서 가격이 10% 상승하면 수요량은 10% 감소한다.

[오답체크]

ㄷ.과 ㄹ.은 다음의 표에 의해 옳지 않다.

구분	$\epsilon_d > 1$이면 $\frac{\Delta P}{P} < \frac{\Delta Q}{Q}$	$\epsilon_d < 1$이면 $\frac{\Delta P}{P} > \frac{\Delta Q}{Q}$
가격 상승 시	가격상승률 < 수요량 감소율 ➜ 소비자 지출액은 감소	가격상승률 > 수요량 감소율 ➜ 소비자 지출액은 증가
가격 하락 시	가격하락률 < 수요량 증가율 ➜ 소비자 지출액은 증가	가격하락률 > 수요량 증가율 ➜ 소비자 지출액은 감소

25 ① ㄱ. 어떤 재화에 대한 소비자의 수요가 비탄력적이라면, 가격이 상승할 경우 수요량의 감소율이 적으므로 그 재화에 대한 지출액은 증가한다.

ㄴ. 탄력적일수록 가격변화에 민감하므로 자중손실은 커진다.

[오답체크]

ㄷ. 독점력은 시장을 지배하는 것이므로 수요의 가격탄력성과 연관이 있다. 독점력이 강할수록 대체재가 적으므로 수요의 가격탄력성이 비탄력적이다.

ㄹ. 최저임금제는 노동수요의 임금탄력성이 비탄력적일 때 그 실효성이 있다.

STEP 3 실전문제

26 상중하

X재 시장은 완전경쟁시장이고 수요자는 A, B, C만 존재한다. 아래는 X재 수요표이다.

구분	A	B	C
2,000원/개	3개	5개	3개
4,000원/개	2개	3개	1개

시장공급함수가 $Q = \frac{1}{500}P$ (P는 가격, Q는 공급량)일 때 다음 설명 중 옳은 것을 모두 고르면? [회계사 22]

가. $P = 2{,}000$인 경우 1개의 초과수요가 발생하며, 가격은 상승할 것이다.
나. $P = 4{,}000$인 경우 2개의 초과공급이 발생하며, 가격은 하락할 것이다.
다. X재가 거래되는 시장에서 공급의 법칙은 성립하나 수요의 법칙은 성립하지 않는다.
라. X재 가격에 대한 공급탄력성은 1이다.

① 가, 나 ② 가, 다 ③ 가, 라
④ 나, 다 ⑤ 나, 라

27 다음 세 가지 경우의 가격탄력성(절댓값 기준) A, B, C 크기를 올바르게 비교한 것은? (단, Q_D는 수요량, P는 가격을 나타낸다.)
상중하 [회계사 22]

- 한계비용이 10으로 일정한 독점기업이 이윤극대화를 위해 가격을 20으로 책정하였다. 이윤극대화 가격에서 시장수요의 가격탄력성 (A)
- 시장수요가 $Q_D = 50 - 2P$인 시장에서 $P = 10$이다. 이 가격에서 시장수요의 가격탄력성 (B)
- 소비자 갑의 X재에 대한 지출액은 X재 가격에 관계없이 일정하다. X재에 대한 소비자 갑의 수요의 가격탄력성 (C)

① A > B > C ② A > C > B ③ B > A > C
④ B > C > A ⑤ C > B > A

정답 및 해설

26 ⑤ 나. $P = 4{,}000$인 경우 시장수요량은 6개이고 공급량 $Q = \frac{1}{500} \times 4{,}000 = 8$이므로 2개의 초과공급이 발생하여 가격은 하락할 것이다.
라. 공급곡선이 원점을 통과하는 선형이므로 단위탄력적이다.

[오답체크]

가. $P = 2{,}000$인 경우 시장수요량은 11개이고 공급량은 $Q = \frac{1}{500} \times 2{,}000 = 4$이므로 7개의 초과수요가 발생한다.
다. 둘 다 성립한다.

27 ② 1) A
이윤극대화 조건은 MR = MC이고 아모르소 - 로빈슨 공식에 대입하면 다음과 같다.
$MR = P(1 - \frac{1}{e_d})$ ➜ $10 = 20(1 - \frac{1}{e_d})$ ➜ $e_d = 2$이다.

2) B
수요의 가격탄력성 $e_d = -\frac{\Delta Q}{\Delta P} \cdot \frac{P}{Q}$이므로 조건을 대입하면 $2 \cdot \frac{P}{50 - 2P}$이다. 가격이 10이므로
$2 \cdot \frac{10}{50 - 20} = \frac{2}{3}$이다.

3) C
가격에 관계없이 일정 금액을 소비하면 단위탄력적이므로 수요의 가격탄력성은 1이다.

28 상중하 X재를 생산하며 이윤극대화를 추구하는 어느 기업은 X재의 단위당 생산 비용이 10% 증가하여 가격 인상을 고려하고 있다. 다음 설명 중 옳지 않은 것은? [회계사 17]

① X재의 수요의 가격탄력성이 비탄력적인 경우, 가격을 인상하면 X재의 판매수입이 증가한다.
② X재의 수요의 가격탄력성이 탄력적인 경우, 가격을 인상하면 X재의 판매수입이 감소한다.
③ X재의 수요의 가격탄력성이 단위탄력적인 경우, 가격을 인상하면 X재로부터 얻는 이윤은 변화하지 않으나 판매수입은 증가한다.
④ X재의 수요의 가격탄력성이 무한대인 경우, 가격을 인상하면 X재에 대한 수요가 0이 된다.
⑤ X재의 수요의 가격탄력성이 0인 경우, 가격을 인상하면 X재의 판매수입이 증가한다.

29 다음은 X재 수요에 대한 분석 결과이다.
상중하

- Y재 가격 변화에 대한 수요의 교차가격 탄력성: −0.5
- Z재 가격 변화에 대한 수요의 교차가격 탄력성: 0.6
- 수요의 소득탄력성: −0.5

다음 중 X재 수요를 가장 크게 증가시키는 경우는? (단, Y재 가격 변화 시 Z재 가격은 불변이고, Z재 가격 변화 시 Y재 가격은 불변이다) [회계사 20]

① Y재 가격 1% 인상과 소득 1% 증가
② Y재 가격 1% 인상과 소득 1% 감소
③ Y재 가격 1% 인하와 소득 1% 증가
④ Z재 가격 1% 인상과 소득 1% 감소
⑤ Z재 가격 1% 인하와 소득 1% 감소

정답 및 해설

28 ③ X재의 수요의 가격탄력성이 단위탄력적인 경우, 가격을 인상하면 판매수입이 일정하다.

29 ④ ① Y재 가격 1% 인상은 X재 수요 −0.5%, 소득 1% 증가는 X재 수요 −0.5% ➜ −1%
② Y재 가격 1% 인상은 X재 수요 −0.5%, 소득 1% 감소는 X재 수요 +0.5% ➜ 0%
③ Y재 가격 1% 인하는 X재 수요 +0.5%, 소득 1% 증가는 X재 수요 −0.5% ➜ 0%
④ Z재 가격 1% 인상은 X재 수요 +0.6%, 소득 1% 감소는 X재 수요 +0.5% ➜ 1.1%
⑤ Z재 가격 1% 인하는 X재 수요 −0.6%, 소득 1% 감소는 X재 수요 +0.5% ➜ −0.1%

제3장

소비자이론

Topic 4 한계효용이론
Topic 5 무차별곡선이론(1) – 기본이론
Topic 6 무차별곡선이론(2) – 사회보장제도, 2기간모형, 여가-소득모형
Topic 7 현시선호이론, 기대효용이론

Topic 4

한계효용이론

01 한계효용이론

개념	(1) 총효용: 일정 기간 동안 얻을 수 있는 주관적인 만족도의 총량 (2) 한계효용: ㉮ ______________ 증가할 때 변화하는 ㉯ ______________ (3) 효용의 기수적 측정이 가능하다는 전제 (4) ㉰ ______________: 물보다 다이아몬드가 비싼 이유를 설명할 수 있음 ➜ 다이아몬드가 총효용은 작지만 한계효용이 크므로 시장가격이 높음
총효용과 한계효용의 관계	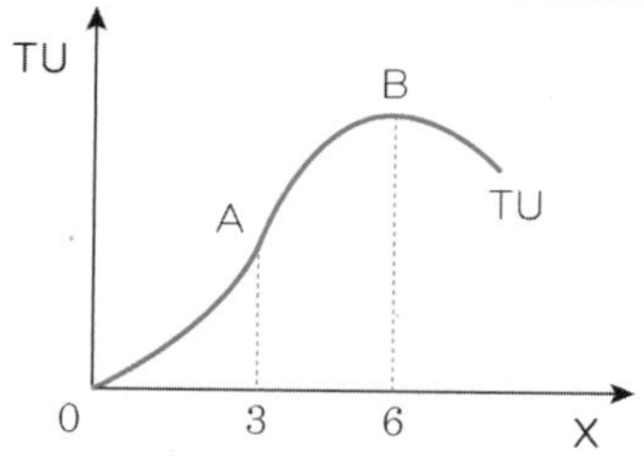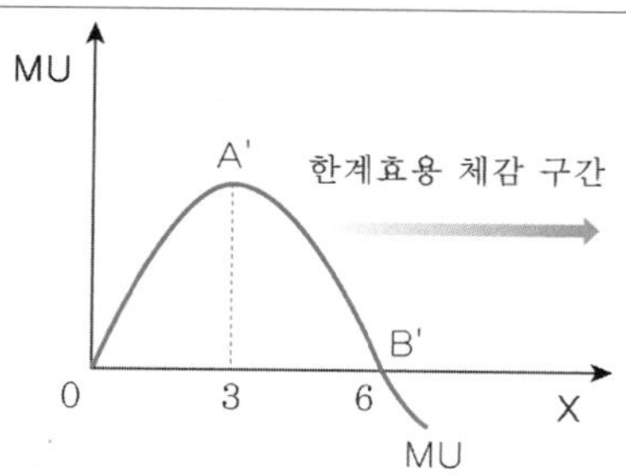 (1) 한계효용곡선은 총효용곡선을 미분한 값으로서, 총효용곡선상 각 점에서의 접선의 기울기와 같음 (2) 총효용의 증가(OB구간) ↔ 한계효용 > 0 (3) 총효용의 극대(B점) ↔ 한계효용 = 0 (4) 총효용의 감소(B점 이후 구간) ↔ 한계효용 < 0 (5) 총효용의 체증적 증가(OA구간) ↔ 한계효용 체증(OA′구간) (6) 총효용의 체감적 증가(AB구간) ↔ 한계효용 ㉱ ________(A′B′구간)
한계효용 체감의 법칙	(1) 다른 재화의 소비량이 고정된 상태에서 한 상품의 소비량이 추가적으로 증가하면 그 상품의 한계효용은 점차 감소함 (2) 합리적인 소비자라면 한계효용이 (+)값을 가지는 수준까지만 소비량을 증가시킴

핵심키워드

㉮ 소비량 1단위가 추가적으로, ㉯ 총효용의 증가분, ㉰ 가치의 역설, ㉱ 체감

02 소비자 선택의 조건

<table>
<tr><td>소득이
무한정일 경우</td><td>X, Y를 각각 한계효용이 '0'이 될 때까지 소비하면 총효용이 극대화됨</td></tr>
<tr><td>소득이
한정된 경우</td><td>(1) 예산제약: $P_X \cdot X + P_Y \cdot Y = I$
(2) 한계효용 균등의 원칙: $\frac{MU_X}{P_X} = \frac{MU_Y}{P_Y}$ 또는 $\frac{MU_X}{MU_Y} = \frac{P_X}{P_Y}$
(3) 설명
① 한계효용이 균등하지 않을 경우 지출의 증가 없이 소비조정을 통해서 총효용을 증가시킬 수 있기 때문임
② 소득제약조건하 X재 1원어치의 한계효용과 Y재 1원어치의 한계효용이 ㉮ ________ 구입량을 결정하면 최대만족을 얻게 됨
<table>
<tr><th>상황</th><th colspan="2">소비 조정</th></tr>
<tr><td>$\frac{MU_X}{P_X} > \frac{MU_Y}{P_Y}$</td><td>X재 소비의 증가
➜ MU_X의 감소</td><td>Y재 소비의 감소
➜ MU_Y의 증가</td></tr>
<tr><td>$\frac{MU_X}{P_X} = \frac{MU_Y}{P_Y}$</td><td colspan="2">효용극대화 조건 충족</td></tr>
<tr><td>$\frac{MU_X}{P_X} < \frac{MU_Y}{P_Y}$</td><td>X재 소비의 감소
➜ MU_X의 증가</td><td>Y재 소비의 증가
➜ MU_Y의 감소</td></tr>
</table></td></tr>
</table>

핵심키워드

㉮ 균등하도록

STEP 1 기본문제

01 상중하

갑은 주어진 돈을 모두 X재와 Y재 소비에 지출하여 효용을 최대화하고 있으며, X재의 가격은 100원이고 Y재의 가격은 50원이다. 이때 X재의 마지막 1단위의 한계효용이 200이라면 Y재 마지막 1단위의 한계효용은? [국가직 7급 12]

① 50
② 100
③ 200
④ 400

02 상중하

다음 글에 대한 설명으로 옳은 것은? [노무사 10]

甲과 乙은 X재와 Y재만을 소비한다. X재의 가격은 10, Y재의 가격은 20이다. 현재 소비점에서 X재, Y재 소비의 한계효용은 각각 다음과 같다(단, 한계효용은 체감한다).

구분	X재 소비의 한계효용	Y재 소비의 한계효용
甲	10	5
乙	3	6

① 甲은 현재 소비점에서 효용극대화를 달성하고 있다.
② 甲은 X재 소비를 줄이고 Y재 소비를 늘려 효용을 증가시킬 수 있다.
③ 甲은 X재 소비를 늘리고 Y재 소비를 줄여 효용을 증가시킬 수 있다.
④ 乙은 X재 소비를 줄이고 Y재 소비를 늘려 효용을 증가시킬 수 있다.
⑤ 乙은 X재 소비를 늘리고 Y재 소비를 줄여 효용을 증가시킬 수 있다.

정답 및 해설

01 ② 1) 한계효용 균등의 법칙은 각 재화의 1원어치의 한계효용($\frac{MU_X}{P_X} = \frac{MU_Y}{P_Y}$)이 동일해야 한다.

2) $\frac{200}{100} = \frac{Y\text{재의 한계효용}}{50}$이 성립해야 하므로 Y재의 한계효용은 100이다.

02 ③ 1) 효용극대화 원리는 1원당 한계효용이 같아지도록 소비하는 것이다.

2) 甲은 $\frac{MU_X(10)}{P_X(10)} > \frac{MU_Y(5)}{P_Y(20)}$이므로 X재 소비를 늘리고 Y재 소비를 줄여 효용을 증가시킬 수 있다.

3) 乙은 $\frac{MU_X(3)}{P_X(10)} = \frac{MU_Y(6)}{P_Y(20)}$이므로 현재 효용극대화를 달성하고 있다.

03 상중하

주어진 예산으로 효용극대화를 추구하는 어떤 사람이 일정 기간에 두 재화 X와 Y만 소비한다고 하자. X의 가격은 200원이고, 그가 얻는 한계효용이 600이 되는 수량까지 X를 소비한다. 아래 표는 Y의 가격이 300원일 때 그가 소비하는 Y의 수량과 한계효용 사이의 관계를 보여준다. 효용이 극대화되는 Y의 소비량은? [노무사 17]

Y의 수량	1개	2개	3개	4개	5개
한계효용	2,600	1,900	1,300	900	800

① 1개 ② 2개 ③ 3개
④ 4개 ⑤ 5개

04 상중하

표는 갑이 X재와 Y재의 소비로 얻는 한계효용을 나타낸다. X재와 Y재의 가격은 각각 개당 3과 1이다. 갑이 14의 예산으로 두 재화를 소비함으로써 얻을 수 있는 최대의 소비자잉여는? [보험계리사 20]

수량	X재의 한계효용	Y재의 한계효용
1	18	10
2	12	8
3	6	6
4	3	4
5	1	2
6	0.6	1

① 8 ② 14
③ 52 ④ 66

정답 및 해설

03 ④ 1) 효용극대화가 이루어지려면 한계효용 균등의 원리($\frac{MU_X}{P_X} = \frac{MU_Y}{P_Y}$)가 성립하도록 각 재화를 구입해야 한다.

2) X재의 한계효용 $MU_X = 600$이고, X재 가격 $P_X = 200$이므로 $\frac{MU_X}{P_X} = 3$이다.

3) Y재의 가격 $P_Y = 300$이므로 $\frac{MU_Y}{P_Y} = 3$이 되려면 $MU_Y = 900$이 되어야 한다. 그러므로 효용이 극대화되는 Y재 구입량은 4개이다.

04 ③ 1) 가격 1당 한계효용과 효용이 높은 순서는 다음과 같다.

수량	가격 1당 X재의 한계효용	가격 1당 Y재의 한계효용
1	6 ③	10 ①
2	4 ④	8 ②
3	2 ⑤	6 ③
4	1 ⑥	4 ④
5	$\frac{1}{3}$ ⑦	2 ⑤
6	0.2 ⑧	1 ⑥

2) 14를 순서대로 가격 1당 한계효용이 높은 순서대로 쓰면 다음과 같다.
① 1번째 Y(1사용) ➜ ② 2번째 Y(1사용) ➜ ③ 3번째 Y(1사용) & 1번째 X(3사용) ➜ ④ 4번째 Y(1사용) & 2번째 X(3사용) ➜ ⑤ 5번째 Y(1사용) & 3번째 X(3사용)

3) 총효용 = X재$(18 + 12 + 6) + Y$재$(10 + 8 + 6 + 4 + 2) = 36 + 30 = 66$

4) 소비자잉여 = 총효용 − 비용 = $66 - 14 = 52$

STEP 2 심화문제

05 상중하

다음 표는 수정과와 떡 두 가지 재화만을 소비하는 어떤 소비자의 한계효용을 나타낸 것이다. 이 소비자가 14,000원의 소득으로 효용극대화를 달성하였을 때 소비자잉여의 크기로 옳은 것은? (단, 수정과의 가격은 개당 1,000원이고 떡의 가격은 개당 3,000원이다) [국회직 8급 19]

수량	한계효용	
	수정과	떡
1개	10,000원	18,000원
2개	8,000원	12,000원
3개	6,000원	6,000원
4개	4,000원	3,000원
5개	2,000원	1,000원
6개	1,000원	600원

① 24,000　② 32,000　③ 38,000
④ 46,000　⑤ 52,000

06 다음을 참조하여 〈보기〉에서 옳은 것을 모두 고르면? [국회직 8급 14]
상중하

> 효용극대화를 추구하는 어느 소비자의 X재와 Y재에 대한 효용함수가 $U(X, Y)$로 주어져 있고, 예산제약식이 $P_XX + P_YY = I$이다. 이때, $P_X = 5$, $P_Y = 50$, $I = 10{,}000$이며, 이 예산제약선상의 어느 한 점에서 X재의 한계효용 MU_X가 120, Y재의 한계효용 MU_Y가 60이다. (단, P_X는 X재의 가격, P_Y는 Y재의 가격, I는 소득이며, X재와 Y재의 한계효용은 체감한다)

〈보기〉

ㄱ. 예산제약선을 따라 X재의 소비를 늘리고, Y재의 소비를 줄이면 총효용이 증가한다.
ㄴ. 소득 I가 12,000으로 증가하면 MU_X는 반드시 감소하고, MU_Y는 반드시 증가한다.
ㄷ. 소득 I가 12,000으로 증가하면 MU_X는 반드시 증가하고, MU_Y는 반드시 감소한다.

① ㄱ ② ㄴ ③ ㄷ
④ ㄱ, ㄴ ⑤ ㄱ, ㄷ

소비자이론

제3장

해커스 서호성 객관식 경제학

정답 및 해설

05 ⑤ 1) 효용극대화 원리는 1원당 한계효용이 같아지도록($\frac{MU_X}{P_X} = \frac{MU_Y}{P_Y}$) 소비하는 것이다.

2) 지금 떡의 가격이 3배이므로 떡의 한계효용도 3배여야 한다. 한편 예산제약하에서 소비해야 하므로 결국 수정과 5개, 떡 3개를 소비해야 한다.

3) 소비자잉여는 총효용에서 구매금액을 뺀 값이므로 재화별 소비자잉여는 다음과 같다.

㉠ 수정과: $10{,}000 + 8{,}000 + 6{,}000 + 4{,}000 + 2{,}000 - 5 \times 1{,}000 = 25{,}000$

㉡ 떡: $18{,}000 + 12{,}000 + 6{,}000 - 3 \times 3{,}000 = 27{,}000$

따라서 총 소비자잉여는 52,000원이다.

06 ① ㄱ. X재 1원당 한계효용($\frac{MU_X}{P_X} = \frac{120}{5} = 24$)이 Y재 1원당 한계효용($\frac{MU_Y}{P_Y} = \frac{60}{50} = 1.2$)보다 크므로 X재 소비를 늘리고 Y재 소비를 줄이면 총효용은 증가한다.

[오답체크]

ㄴ, ㄷ. 소득이 증가할 때 두 재화가 정상재이면 X재, Y재 소비량이 모두 증가한다. 한계효용 체감의 법칙을 가정할 때 X재 소비량이 늘면 MU_X가 감소하지만 Y재 소비량이 늘면 MU_X가 증가할 수도 있다. MU_Y도 마찬가지이다. 결국 소득이 증가할 때 MU_X, MU_Y의 변동은 알 수 없다.

STEP 3 실전문제

07
상중하

두 재화 X, Y를 통해 효용을 극대화하고 있는 소비자를 고려하자. 이 소비자의 소득은 50이고 X재의 가격은 2이다. 현재 X재의 한계효용은 2, Y재의 한계효용은 4이다. 만약 이 소비자가 X재를 3단위 소비하고 있다면, Y재의 소비량은? (단, 현재 소비점에서 무차별곡선과 예산선이 접한다)

[회계사 19]

① 7.4
② 11
③ 12
④ 22
⑤ 44

소비자이론

제3장

해커스 서호성 객관식 경제학

정답 및 해설

07 ② 1) 소비자 균형조건은 $\frac{MU_X}{P_X} = \frac{MU_Y}{P_Y}$이다.

2) 문제의 조건을 대입하면 $\frac{2}{2} = \frac{4}{P_Y}$이므로 Y재의 가격은 4이다.

3) 예산제약식은 $P_X \cdot X + P_Y \cdot Y = M$이다.

4) 주어진 것과 구한 것을 대입하면 $2 \cdot 3 + 4 \cdot Y = 50$이므로 $Y = 11$이다.

Topic 5 무차별곡선이론(1)-기본이론

01 무차별곡선과 소비자균형

무차별곡선	(1) 개념: 소비자에게 동일한 수준의 효용을 주는 X재와 Y재의 조합을 연결한 선 (2) 성질 ① 우하향의 기울기 ② 원점에서 멀어질수록 더 ㉮______ 효용 수준을 가짐 ③ 서로 교차할 수 없음 ④ 원점에 대해 볼록함. 한계대체율이 ㉯______
한계 대체율	(1) ㉰______: 동일한 효용수준에서 X재 한 단위를 위해 포기하는 Y재의 양 (2) 공식: $MRS_{XY} = -\frac{\triangle Y}{\triangle X} = \frac{MU_X}{MU_Y}$ (3) 한계대체율 체감의 법칙 ① 동일한 효용 수준을 유지하면서 X재를 Y재로 대체함에 따라 한계대체율이 점점 감소하는 현상 ② X재 소비량이 증가함에 따라 X재 1단위에 대하여 포기할 용의가 있는 Y재의 수량이 점점 감소하는 현상
예산선	(1) 개념: 주어진 소득 또는 예산을 전부 사용해서 구입할 수 있는 상품의 여러 가지 조합을 나타내는 직선 (2) 공식: $Px \cdot X + Py \cdot Y = M$ (3) 예산선의 변화 〈가격변화와 예산선의 변화〉 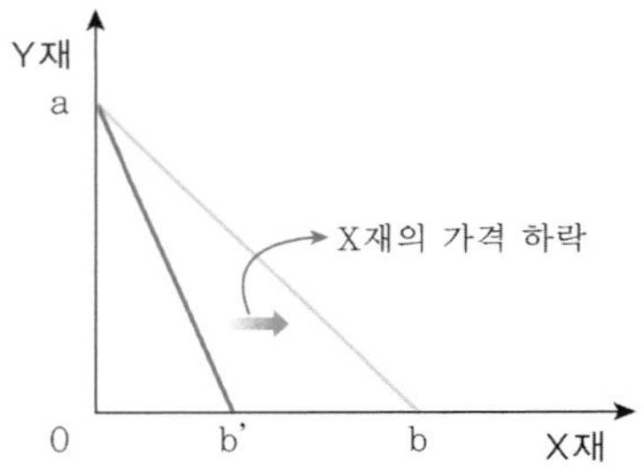 〈소득변화와 예산선의 이동〉 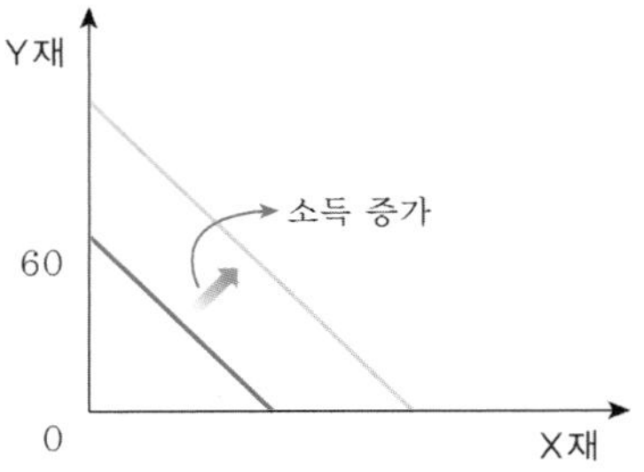 (4) 예산선 읽기 ① 소비 가능선 안쪽의 소비는 주어진 소득을 전부 소비하지 않는 것임 ② 예산선(ab) 기울기의 절댓값 = 두 상품의 가격비 또는 상대가격 ③ 가격변동이 이루어지면 가격이 ㉱______ 쪽으로 확장됨 ④ 소득변동이 이루어지면 평행하게 증가 시 ㉲______(또는 감소 시 ㉳______)

핵심키워드

㉮ 높은, ㉯ 체감함, ㉰ MRS_{XY}, ㉱ 낮아진, ㉲ 확장, ㉳ 축소

소비자 균형	(1) 개념: 주어진 소득과 가격 조건하에서 가장 큰 만족을 얻을 수 있는 조합을 선택하는 것 (2) 조건 ① ㉮ ____________________ 에서 소비자의 효용극대화가 달성 ② 소비자균형은 소비자의 주관적인 교환비율과 시장에서 결정된 두 재화의 객관적인 교환비율이 일치하는 점에서 달성 ③ 각 재화 구입에 지출된 1원의 한계효용이 동일하도록 X재와 Y재를 구입해야 효용 극대화가 달성됨을 의미 (3) 완전대체재 ① $U = aX + bY$ ② 예산선을 그린 후 무차별곡선을 접하게 해서 그림 ③ 예산선의 기울기와 무차별곡선의 기울기가 같으면 조합 가능, 다르면 구석해 발생 (4) 완전보완재 ① $U = Min\left[\frac{X}{a}, \frac{Y}{b}\right]$ ② 예산선과 추세선의 교점에서 소비자균형 (5) 콥-더글러스 효용함수 ① $U = X^{\alpha} Y^{\beta}$ ② 최적 소비량 $X = \frac{\alpha}{\alpha + \beta} \cdot \frac{M}{P_X}$ ③ 최적 소비량 $Y = \frac{\beta}{\alpha + \beta} \cdot \frac{M}{P_Y}$

02 소득소비곡선, 가격소비곡선, 가격효과

소득소비곡선 (ICC)	(1) 개념: 소득이 변화함에 따른 소비자 균형점을 연결한 곡선 (2) 수요의 소득탄력성에 따른 ICC의 형태 ① $\epsilon_M > 1$(X재 사치재)인 경우 소득이 증가함에 따라 X재가 급격히 증가하므로 ICC는 ㉯ ____________ 형태 ② $0 < \epsilon_M < 1$(X재 필수재)인 경우 소득이 증가하더라도 X재는 약간만 증가하므로 ICC는 ㉰ ____________ 형태 ③ $\epsilon_M < 0$(X재 열등재)인 경우 소득이 증가할 때 오히려 소비량이 감소하므로 좌상향의 형태 (3) 엥겔곡선(EC; Engel Curve) ① 개념: 소득의 변화에 따른 재화 구입량의 변화를 나타내는 곡선 ② 소득소비곡선에서 도출되며 형태가 ICC와 유사함 ③ $\epsilon_M > 0$인 경우 완만한 엥겔곡선, $\epsilon_M = 0$이면 수직의 엥겔곡선, $\epsilon_M < 0$이면 좌상향의 엥겔곡선이 도출됨

핵심키워드

㉮ 예산선과 무차별곡선이 서로 접하는 점, ㉯ 완만한, ㉰ 가파른

가격소비곡선 (PCC)	(1) 개념: 가격이 변화함에 따른 소비자균형점을 연결한 곡선 (2) 수요의 가격탄력성에 따른 가격소비곡선의 형태 ① $0 < \epsilon_d < 1$: 가격소비곡선(PCC)은 우상향하며 수요곡선은 우하향함 ② $\epsilon_d = 1$: 가격소비곡선(PCC)는 수평선이며 수요곡선은 ㉮ ________ 이 됨 ③ $\epsilon_d > 1$: 가격소비곡선(PCC)은 우하향하며 (통상)수요곡선은 완만해짐
가격효과	(1) 가격효과 = 소득효과 + 대체효과 (2) 소득효과 ① 가격이 변화할 때 실질소득의 변화에 따른 수요 변동분. 재화의 성격에 따라 소득효과의 방향이 달라짐 ② 가격이 하락하면 실질소득이 상승, 가격이 상승하면 실질소득이 하락함 ③ ㉯ ________ 인 경우 가격하락(상승)하면 수요량 증가(감소) ④ ㉰ ________ 인 경우 가격하락(상승)하면 수요량 감소(증가) (3) 대체효과 ① 가격이 변화할 때 상대가격변화에 따른 수요량 변동분 ② 소비자의 선호가 정상적(*MRS* 체감)일 때 상대가격이 내려간(상대적으로 싸진) 상품의 수요량은 반드시 증가하므로 대체효과는 언제나 부(−)임 ③ 즉, 가격이 내려간 재화는 소비량을 늘리고 가격이 올라간 재화는 소비량을 줄임 (4) 통상수요곡선과 보상수요곡선 ① 통상수요곡선: 소득효과와 대체효과를 모두 고려하여 나타낸 수요곡선 ② ㉱ ________ 곡선: 대체효과만을 고려한 수요곡선으로 현실적으로 관찰할 수 없는 가상의 수요곡선 ③ 기펜재: 소득효과가 대체효과보다 커서 수요법칙의 예외 발생

핵심키워드

㉮ 직각쌍곡선, ㉯ 정상재, ㉰ 열등재, ㉱ 보상수요

STEP 1 기본문제

01 상중하

양의 효용을 주는 X재와 Y재가 있을 때, 소비자의 최적선택에 관한 설명으로 옳은 것은? [노무사 20]

① 소비자의 효용극대화를 위해서는 두 재화의 시장 가격비율이 1보다 커야 한다.
② X재 1원당 한계효용이 Y재 1원당 한계효용보다 클 때 소비자의 효용은 극대화된다.
③ 가격소비곡선은 다른 조건이 일정하고 한 상품의 가격만 변할 때, 소비자의 최적선택점이 변화하는 것을 보여준다.
④ 예산제약이란 소비할 수 있는 상품의 양이 소비자의 예산범위를 넘을 수 있음을 의미한다.
⑤ 예산선의 기울기는 한 재화의 한계효용을 의미한다.

02 상중하

무차별곡선(indifference curve)에 대한 설명으로 가장 옳은 것은? [서울시 7급 17]

① 선호체계에 있어서 이행성(transitivity)이 성립한다면, 무차별곡선은 서로 교차할 수 있다.
② 두 재화가 완전대체재일 경우의 무차별곡선은 원점에 대해서 오목하게 그려진다.
③ 무차별곡선이 원점에 대해서 볼록하게 생겼다는 것은 한계대체율 체감의 법칙이 성립하고 있다는 것을 의미한다.
④ 두 재화 중 한 재화가 비재화(bads)일 경우에도 상품조합이 원점에서 멀리 떨어질수록 더 높은 효용수준을 나타낸다.

정답 및 해설

01 ③ **[오답체크]**
① 소비자의 효용극대화를 위해서는 두 재화의 시장 가격비율과 무차별곡선이 접해야 한다.
② X재 1원당 한계효용이 Y재 1원당 한계효용과 동일할 때 소비자의 효용은 극대화된다.
④ 예산제약이란 소비할 수 있는 상품의 양이 소비자의 예산범위를 넘을 수 없음을 의미한다.
⑤ 예산선의 기울기는 X재의 상대가격을 의미한다.

02 ③ 무차별곡선이 원점에 대해서 볼록하게 생겼다는 것은 한계대체율 체감의 법칙이 성립하고 있어 골고루 소비하는 것이 효용이 높다는 의미이다.

[오답체크]
① 선호체계에 있어서 이행성(transitivity)이 성립한다면 선호가 일관성이 있으므로 무차별곡선은 서로 교차할 수 없다.
② 두 재화가 완전대체재일 경우의 무차별곡선은 직선의 형태이다.
④ 두 재화 중 한 재화가 비재화(bads)일 경우에는 비재화가 원점에 가까울수록 더 높은 효용 수준을 나타낸다.

03 상중하 재화의 성질 및 무차별곡선에 대한 설명으로 옳지 않은 것은? [국가직 7급 12]

① 모든 기펜재(Giffen goods)는 열등재이다.
② 두 재화가 대체재인 경우 두 재화 간 교차탄력성은 양(+)의 값을 가진다.
③ X축에는 공해를, Y축에는 정상재를 나타내는 경우 무차별곡선은 수평이다.
④ 두 재화가 완전대체재인 경우 두 재화의 한계대체율(Marginal Rate of Substitution)은 일정하다.

04 상중하 A의 소득이 10,000원이고, X재와 Y재에 대한 총지출액도 10,000원이다. X재 가격이 1,000원이고 A의 효용이 극대화되는 소비량이 $X=6$, $Y=10$이라고 할 때, X재에 대한 Y재의 한계대체율(MRS_{XY})은 얼마인가? (단, 한계대체율은 체감한다) [노무사 15]

① 0.5
② 1
③ 1.5
④ 2
⑤ 2.5

05 어느 소비자에게 X재와 Y재는 완전대체재이며 X재 2개를 늘리는 대신 Y재 1개를 줄이더라도 동일한 효용을 얻는다. X재의 시장가격은 2만원이고 Y재의 시장가격은 6만원이다. 소비자가 X재와 Y재에 쓰는 예산은 총 60만원이다. 이 소비자가 주어진 예산에서 효용을 극대화할 때 소비하는 X재와 Y재의 양은? [서울시 7급 19]

상중하

	X재(개)	Y재(개)
①	0	10
②	15	5
③	24	2
④	30	0

정답 및 해설

03 ③ X재화가 비선호재(비효용재)이고 Y재화가 선호재(효용재)인 경우, 무차별곡선은 아래에서 볼록하면서 우상향하는 특징을 지닌다.

[오답체크]

① 기펜재(Giffen goods)는 소득효과가 대체효과보다 강한 열등재이다.

② 두 재화가 대체관계인 경우 교차탄력성은 양(+)의 값을 가지고, 보완관계를 가질 경우 교차탄력성은 음(−)의 값을 가진다.

④ 두 재화가 완전대체재인 경우, 무차별곡선은 우하향의 직선으로 두 재화의 한계대체율은 일정하다.

04 ⑤ 1) X재 가격이 1,000원이고 X재 구입량이 6단위이므로 X재 구입액은 6,000원이다.

2) 소비자는 소득 10,000원을 X재와 Y재 구입에 지출하고, X재 구입액이 6,000원이므로 Y재 구입액은 4,000원임을 알 수 있다. Y재 구입액이 4,000원이고 구입량은 10단위이므로, Y재 가격은 400원임을 추론할 수 있다.

3) 소비자균형에서는 무차별곡선과 예산선이 접하므로 한계대체율(MRS_{XY})과 두 재화의 상대가격비($\frac{P_X}{P_Y}$)가 일치한다. X재의 가격이 1,000원, Y재의 가격이 400원이므로 소비자균형에서의 한계대체율은 두 재화의 상대가격비와 동일한 2.5임을 알 수 있다.

05 ④ 1) 두 재화가 완전대체재이며, X재 2개와 Y재 1개의 효용이 동일하므로 효용함수는 $U = X + 2Y$이다. 효용함수를 Y에 대해 정리하면 $Y = -\frac{1}{2}X + \frac{1}{2}U$이므로 무차별곡선은 기울기(절댓값)가 $\frac{1}{2}$인 우하향의 직선이다.

2) 예산선의 기울기를 구하면 X재 가격은 2만원, Y재 가격은 6만원이므로 예산선의 기울기(절댓값)는 $\frac{P_X}{P_Y} = \frac{1}{3}$이다.

3) 무차별곡선이 우하향의 직선이면서 예산선보다 기울기가 더 크면 소비자균형은 항상 X축에서 이루어진다. 따라서 X재 가격이 2만원이고 소득이 60만원이므로 소비자는 X재 30단위와 Y재 0단위를 구입할 것이다.

06 상중하 두 재화 X와 Y를 소비하여 효용을 극대화하는 소비자 A의 효용함수는 $U = X + 2Y$이고, X재 가격이 2, Y재 가격이 1이다. X재 가격이 1로 하락할 때 소비량의 변화는? [노무사 13]

① X재, Y재 소비량 모두 불변
② X재, Y재 소비량 모두 증가
③ X재 소비량 감소, Y재 소비량 증가
④ X재 소비량 증가, Y재 소비량 감소
⑤ X재 소비량 증가, Y재 소비량 불변

07 상중하 X재와 Y재 두 가지 재화만을 소비하는 어떤 소비자의 효용함수는 $U(X, Y) = X + Y$이다. 이 소비자의 효용함수와 최적 소비량에 대한 다음 설명으로 옳은 것은? (단, X와 Y는 각각 X재와 Y재의 소비량을 의미하며 수평축에 X재의 수량을, 수직축에 Y재의 수량을 표시한다) [국회직 8급 18]

① 효용함수의 한계대체율(MRS_{XY})을 정의할 수 없다.
② 만약 $\frac{P_X}{P_Y} < MRS_{XY}$라면, Y재만을 소비한다.
③ $MRS_{XY} = \frac{Y}{X}$이다.
④ 이 소비자의 효용함수는 선형함수와 비선형함수의 합으로 이루어져 있다.
⑤ 만약 X재의 가격이 Y재의 가격보다 낮다면, 소득이 증가해도 X재만을 소비한다.

08 상중하 X재와 Y재에 대한 효용함수가 $U = Min[X, Y]$인 소비자가 있다. 소득이 100이고 Y재의 가격(P_Y)이 10일 때, 이 소비자가 효용극대화를 추구한다면, X재의 수요함수는? (단, P_X는 X재의 가격이다) [노무사 15]

① $X = 10 + \frac{100}{P_X}$　② $X = \frac{100}{(P_X + 10)}$　③ $X = \frac{100}{P_X}$

④ $X = \frac{50}{(P_X + 10)}$　⑤ $X = \frac{10}{P_X}$

정답 및 해설

06 ① 1) 한계대체율이 1/2로 일정한 완전대체재이다. $Px/Py = 2/1$이므로 Y재만 구입하는 것이 유리하다.
2) X재의 가격이 하락하여도 여전히 한계대체율이 작으므로 Y재만 소비하여야 한다.

07 ⑤ $MRS_{XY} = 1$이고 만약 X재의 가격이 Y재의 가격보다 낮다면, 예산선의 기울기가 1보다 작으므로 균형점은 X재만 소비하는 구석해가 존재한다. 따라서 소득이 증가해도 X재만을 소비한다.

[오답체크]
①③ $MRS_{XY} = 1$이다.
② X재만 소비한다.
④ 이 함수는 선형함수이다.

08 ② 1) 효용함수가 $U = Min[X, Y]$이므로 소비자균형에서는 항상 $X = Y$가 성립한다.
2) 또한 소비자균형은 예산선상에서 이루어지므로 예산제약식 $P_X \times X + P_Y \times Y = M$이 성립한다.
3) 두 식을 연립해서 풀면 $P_X \times X + P_Y \times X = M$, $X(P_X + P_Y) = M$이므로 X재 수요함수는 $X = \frac{M}{P_X + P_Y}$로 도출된다.
4) 이 식에 $M = 100$, $P_Y = 10$을 대입하면 $X = \frac{100}{(P_X + 10)}$이다.

09 상중하

X재와 Y재를 소비하는 소비자 A의 효용함수가 $U(x, y) = Min[3x, 5y]$이다. 두 재화 사이의 관계와 Y재의 가격은? (단, X재의 가격은 8원이고, 소비자 A의 소득은 200원, 소비자 A의 효용을 극대화하는 X재 소비량은 10단위이다) [국가직 7급 15]

① 완전보완재, 12원
② 완전보완재, 20원
③ 완전대체재, 12원
④ 완전대체재, 20원

10 상중하

소비자 A의 효용함수는 $U = XY$이고, X재, Y재 가격은 모두 10이며, A의 소득은 200이다. 소비자 A의 효용을 극대화하는 X재, Y재의 소비조합은? [노무사 16]

① 8, 12
② 9, 11
③ 10, 10
④ 10, 20
⑤ 20, 10

11 상중하 두 상품 X재와 Y재를 소비하는 홍길동의 효용함수는 $U(X,\ Y) = XY + 3$이다. 홍길동의 소득이 10,000원이고 X재와 Y재의 가격이 각각 1,000원과 500원일 때, 홍길동의 효용을 극대화하는 X재와 Y재의 소비량은? (단, X재와 Y재의 소비량은 0보다 크다) [지방직 7급 11]

① (2, 16)
② (5, 10)
③ (6, 8)
④ (8, 4)

정답 및 해설

09 ② 1) X재와 Y재는 완전보완재이다. 따라서 $U(x,\ y) = Min[3x,\ 5y]$ $3X = 5Y$, $Y = \frac{3}{5}X$가 성립한다.

2) 소비자균형에서 X재 소비량이 10단위이면 Y재 소비량은 6단위임을 알 수 있다.

3) X재 가격이 8원이고, X재 구입량이 10단위이므로 X재 구입액은 80원이다. 소득 200원 중 X재 구입액이 80원이므로 Y재 구입액은 120원이다.

4) 소비자균형에서 Y재 구입액이 120원이고, Y재 구입량이 6단위이므로 Y재 가격은 20원임을 알 수 있다.

10 ③ 1) 효용함수가 $U = XY$이므로 X재의 수요함수는 $X = \frac{M}{2P_X}$, Y재의 수요함수는 $Y = \frac{M}{2P_Y}$이다.

2) $P_X = 10$, $P_Y = 10$, $M = 200$을 각 재화의 수요함수에 대입하면 X재와 Y재의 소비량이 모두 10단위임을 알 수 있다.

11 ② 1) 소비자균형조건은 한계대체율 $MRS_{XY} = \frac{MU_X}{MU_Y} = \frac{Y}{X}$이다.

2) 또한 $\frac{P_X}{P_Y} = \frac{Y}{X}$ ➜ $P_X \cdot X = P_Y \cdot Y$가 성립한다.

3) $P_X \cdot X = P_Y \cdot Y$를 예산제약식에 대입하면 X재 소비량을 구할 수 있다.

$$P_X \cdot X + P_Y \cdot Y = M \rightarrow P_X \cdot X + P_X \cdot X = M \rightarrow X = \frac{M}{2P_X} = \frac{10,000}{2 \times 1,000} = 5$$

4) $Y = \frac{M}{2P_Y} = \frac{10,000}{2 \times 500} = 10$이다.

12 상중하

효용이 극대가 되도록 두 재화 x, y를 소비하는 을의 효용함수는 $u(x, y) = 2\sqrt{xy}$ 이다. y의 가격이 4배가 되었을 때 원래의 효용수준을 유지하기 위해 필요한 추가 소득을 구하면? (단, 가격 변화 전의 소득은 60, x와 y의 가격은 각각 1이다) [국가직 21]

① 60
② 80
③ 100
④ 120

13 상중하

어느 소비자가 재화 A를 x_A만큼 소비하고 재화 B를 x_B만큼 소비할 때 얻는 효용은 $x^{0.4}x^{0.6}$이다. 재화 A의 가격은 20이고 재화 B의 가격은 40, 그리고 이 소비자의 소득이 250일 때, 이 소비자의 효용과 최적 선택에 대한 설명으로 옳은 것은? [지방직 21]

① 재화 A의 최적 소비 단위는 4이다.
② 재화 B의 최적 소비 단위는 3.75이다.
③ 최적 선택 상태에서 한계대체율은 상대가격 비율보다 작다.
④ 두 재화의 소비를 동시에 2배 증가시킬 때, 효용은 2배보다 크게 증가한다.

정답 및 해설

12 ①

1) 콥-더글러스 효용함수의 X재와 Y재의 소비량을 구하면 X재는 $\frac{\frac{1}{2}}{\frac{1}{2}+\frac{1}{2}} \cdot \frac{60}{1} = 30$, Y재는 $\frac{\frac{1}{2}}{\frac{1}{2}+\frac{1}{2}} \cdot \frac{60}{1} = 30$이다. 값을 효용함수에 대입하면 효용은 60이다.

2) 동일한 효용을 유지하기 위해 y재의 가격이 4배 증가하더라도 $xy = 900$이 유지되어야 한다.

3) 소득의 추가분을 M이라고 하자.

4) X재: $\frac{\frac{1}{2}}{\frac{1}{2}+\frac{1}{2}} \cdot \frac{60+M}{1} = \frac{1}{2}(60+M)$

5) Y재: $\frac{\frac{1}{2}}{\frac{1}{2}+\frac{1}{2}} \cdot \frac{60+M}{4} = \frac{1}{8}(60+M)$

6) $xy = \frac{1}{2}(60+M) \cdot \frac{1}{8}(60+M) = 900$ → $(60+M)^2 = 120^2 (= 14{,}400)$

7) 따라서 $M = 60$이다.

13 ② 1) $X_A = \frac{0.4}{0.4+0.6} \times \frac{250}{20} = 5$

2) $X_B = \frac{0.6}{0.4+0.6} \times \frac{250}{40} = 3.75$

[오답체크]

① 재화 A의 최적 소비 단위는 5이다.

③ 최적 선택 상태에서 한계대체율은 상대가격 비율과 같다.

④ 콥-더글러스 효용함수는 규모에 대한 수익 불변이므로 두 재화의 소비를 동시에 2배 증가시킬 때, 효용은 2배만큼 증가한다.

14 상중하

효용극대화를 추구하는 소비자 A의 효용함수가 $U=4X^{1/2}Y^{1/2}$일 때, 이에 관한 설명으로 옳지 않은 것은? (단, A는 모든 소득을 X재와 Y재의 소비에 지출한다. P_X와 P_Y는 각각 X재와 Y재의 가격, MU_X와 MU_Y는 각각 X재와 Y재의 한계효용이다) [노무사 21]

① X재, Y재 모두 정상재이다.
② $P_X=2P_Y$일 때 최적 소비조합에서 $MU_X=0.5MU_Y$를 충족한다.
③ $P_X=2P_Y$일 때 최적 소비조합에서 $Y=2X$를 충족한다.
④ 한계대체율은 체감한다.
⑤ Y재 가격이 상승하여도 X재 소비는 불변이다.

15 상중하

소비자 선택에 관한 설명으로 옳지 않은 것은? (단, 대체효과와 소득효과의 비교는 절댓값으로 한다) [노무사 20]

① 정상재의 경우, 대체효과가 소득효과보다 크면 가격 상승에 따라 수요량은 감소한다.
② 정상재의 경우, 대체효과가 소득효과보다 작으면 가격 상승에 따라 수요량은 감소한다.
③ 열등재의 경우, 대체효과가 소득효과보다 크면 가격 상승에 따라 수요량은 감소한다.
④ 열등재의 경우, 대체효과가 소득효과보다 작으면 가격 상승에 따라 수요량은 감소한다.
⑤ 기펜재의 경우, 대체효과가 소득효과보다 작기 때문에 수요의 법칙을 따르지 않는다.

16 상중하 완전보완재 관계인 X재와 Y재를 항상 1 : 1의 비율로 사용하는 소비자가 있다. 이 소비자가 효용극대화를 추구할 때, X재의 가격소비곡선과 소득소비곡선에 관한 주장으로 옳은 것은? (단, X재와 Y재의 가격이 0보다 크다고 가정한다) [노무사 15]

① 가격소비곡선과 소득소비곡선의 기울기는 모두 1이다.
② 가격소비곡선의 기울기는 1이고 소득소비곡선은 수평선이다.
③ 가격소비곡선은 수평선이고 소득소비곡선의 기울기는 1이다.
④ 가격소비곡선은 수직선이고 소득소비곡선의 기울기는 1이다.
⑤ 가격소비곡선의 기울기는 1이고 소득소비곡선은 수직선이다.

정답 및 해설

14 ② $P_X = 2P_Y$일 때 최적조합은 무차별곡선과 예산선이 접하므로 $\frac{P_X}{P_Y} = \frac{MU_X}{MU_Y}$ ➜ $\frac{2P_Y}{P_Y} = \frac{MU_X}{MU_Y}$ ➜ 최적 소비조합에서 $MU_X = 2MU_Y$를 충족한다.

[오답체크]

① 콥-더글러스 효용함수는 원점에 대하여 볼록하므로 골고루 소비해야 한다. 따라서 소득이 증가하면 둘 다 증가하므로 X재, Y재 모두 정상재이다.

③ $\frac{MU_X}{MU_Y} = \frac{2X^{-1/2}Y^{1/2}}{2X^{1/2}Y^{-1/2}} = \frac{Y}{X}$이다. 최적조합에서는 무차별곡선과 예산선이 접하므로 $\frac{Y}{X} = \frac{P_X}{P_Y}$이다. $P_X = 2P_Y$일 때 $\frac{2P_Y}{P_Y} = \frac{Y}{X}$ ➜ $Y = 2X$이다.

④ 한계대체율은 $\frac{Y}{X}$이므로 X재가 증가할수록 작아진다. 따라서 체감한다.

⑤ 콥-더글러스 효용함수에서 X재의 수요량공식은 $\frac{\alpha}{\alpha+\beta} \times \frac{M}{P_X}$이다. 따라서 Y재 가격과 관련이 없으므로 Y재 가격이 상승하여도 X재 소비는 불변이다.

15 ④ 열등재의 경우, 대체효과가 소득효과보다 작으면 가격 상승에 따라 수요량은 상승하여 기펜재가 된다.

16 ① 1) 소비자가 완전보완재인 X재와 Y재를 항상 1 : 1로 소비한다면, 무차별곡선은 45°선상에서 꺾어진 L자 형태이다. 이 경우 재화의 가격이나 소득에 관계없이 소비자균형이 항상 45°선상에서 이루어지므로 소득소비곡선과 가격소비곡선은 모두 원점을 통과하는 45°선이 된다.

2) 따라서, 소득소비곡선과 가격소비곡선은 모두 기울기가 1인 원점을 통과하는 우상향의 직선이 된다.

17 상중하

甲은 항상 1 : 2의 비율로 X재와 Y재만을 소비한다. X재의 가격이 P_X, Y재의 가격이 P_Y일 때 甲의 X재에 대한 엥겔곡선(Engel Curve) 기울기는? (단, 기울기 = $\frac{\text{소득변화}}{\text{수요량변화}}$)

[노무사 11]

① $2P_X$
② $3P_Y$
③ $2P_X + P_Y$
④ $P_X + 2P_Y$
⑤ $\frac{P_X}{2P_Y}$

18 상중하

정상재(Normal Goods)의 수요곡선은 반드시 우하향한다. 그 이유로 가장 옳은 것은?

[서울시 7급 18]

① 소득효과와 대체효과는 같은 방향으로 움직이기 때문이다.
② 소득효과의 절대적 크기가 대체효과의 절대적 크기보다 크기 때문이다.
③ 소득효과의 절대적 크기가 대체효과의 절대적 크기보다 작기 때문이다.
④ 소득이 증가함에 따라 소비자는 재화의 소비를 줄이기 때문이다.

19 상중하 기펜재에 관한 설명으로 옳지 않은 것은? [노무사 21]

① 가격이 하락하면 재화의 소비량은 감소한다.
② 소득효과가 대체효과보다 큰 재화이다.
③ 가격 상승 시 소득효과는 재화의 소비량을 감소시킨다.
④ 기펜재는 모두 열등재이지만 열등재가 모두 기펜재는 아니다.
⑤ 가격 하락 시 대체효과는 재화의 소비량을 증가시킨다.

정답 및 해설

17 ④ 1) 항상 X : Y를 1 : 2로 소비하므로 추세선 $Y = 2X$이다.
2) Y 대신 2X를 예산선에 대입하면 $P_X \cdot X + P_Y \cdot 2X = M$이다. 따라서 기울기는 $P_X + 2P_Y$이다.

18 ① X재가 정상재인 경우에는 대체효과와 소득효과 모두 X재 구입량을 증가시키는 방향으로 작용하므로 X재 수요곡선이 반드시 우하향한다.

19 ③ 기펜재는 열등재이므로 가격 상승 시 실질소득이 하락하여 소득효과는 재화의 소비량을 증가시킨다.

[오답체크]
① 기펜재는 수요법칙의 예외이므로 가격이 하락하면 재화의 소비량은 하락한다.
②④ 열등재 중 소득효과가 대체효과보다 큰 재화를 기펜재라고 한다. 다만 열등재 중 대체효과가 큰 것도 있으므로 열등재가 모두 기펜재는 아니다.
⑤ 모든 재화는 가격 하락 시 대체효과는 재화의 소비량을 증가시킨다.

20 상중하

주어진 소득으로 밥과 김치만을 소비하는 소비자가 있다. 동일한 소득에서 김치가격이 하락할 경우 나타날 현상에 대한 설명으로 가장 옳은 것은? (단, 밥은 열등재라고 가정한다)

[서울시 7급 19]

① 밥의 소비량 감소
② 김치의 소비량 감소
③ 밥의 소비량 변화 없음
④ 김치의 소비량 변화 없음

21 상중하

효용을 극대화하는 소비자 A는 X재와 Y재, 두 재화만 소비한다. 다른 조건이 일정하고 X재의 가격만 하락하였을 경우, A의 X재에 대한 수요량이 변하지 않았다. 이에 관한 설명으로 옳은 것을 모두 고른 것은? [노무사 12]

ㄱ. 두 재화는 완전보완재이다.
ㄴ. X재는 열등재이다.
ㄷ. Y재는 정상재이다.
ㄹ. X재의 소득효과와 대체효과가 서로 상쇄된다.

① ㄱ, ㄴ
② ㄱ, ㄴ, ㄷ, ㄹ
③ ㄱ, ㄷ, ㄹ
④ ㄴ, ㄷ, ㄹ
⑤ ㄷ, ㄹ

정답 및 해설

20 ① 김치가격이 하락하면 상대적으로 밥보다 김치가격이 낮아지므로 대체효과에 의해 김치 소비량이 증가하고 밥의 소비량이 감소한다.

[오답체크]

김치가격이 가격이 하락할 때 대체효과와 소득효과 모두 김치 소비량을 증가시키고 밥의 소비량을 감소시키는 방향으로 작용한다.

21 ④ X재의 가격이 하락했을 경우 수요법칙이 성립하면 X재의 수요량이 증가했어야 한다.

ㄴ, ㄹ. 가격 하락으로 대체효과는 수요량 상승이 이루어져야 한다. 수요량이 변화가 없으므로 소득효과로 실질소득이 상승했음에도 수요량이 줄어든 것이다. 따라서 X재는 열등재이다.

ㄷ. 효용을 극대화하기 위해서 실질소득 상승 시 Y재를 더 구매했으므로 Y재는 정상재이다.

[오답체크]

ㄱ. 두 재화가 완전보완재라면 Y재도 수요량에 변화가 없었어야 한다. 그렇다면 효용을 극대화하는 것이 아니므로 옳지 않다.

STEP 2 심화문제

22 상중하

무차별곡선에 대한 설명으로 옳지 않은 것은? [감정평가사 21]

① 무차별곡선은 동일한 효용수준을 제공하는 상품묶음들의 궤적이다.
② 무차별곡선의 기울기는 한계대체율이며 두 재화의 교환비율이다.
③ 무차별곡선이 원점에 대해 오목하면 한계대체율은 체감한다.
④ 완전대체재 관계인 두 재화에 대한 무차별곡선은 직선의 형태이다.
⑤ 모서리해를 제외하면 무차별곡선과 예산선이 접한 점이 소비자의 최적점이다.

23 상중하

소비자 甲이 두 재화 X, Y를 소비하고 효용함수는 $U(x,\ y) = Min[x+2y,\ 2x+y]$이다. 소비점 (3, 3)을 지나는 무차별곡선의 형태는? (단, x는 X의 소비량, y는 Y의 소비량이다)

[감정평가사 18]

①
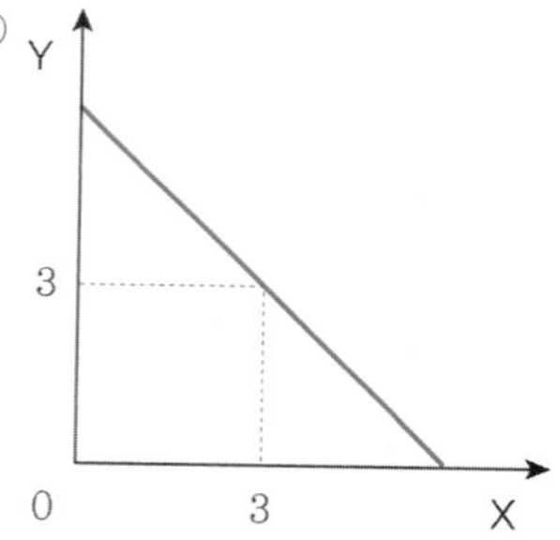

②
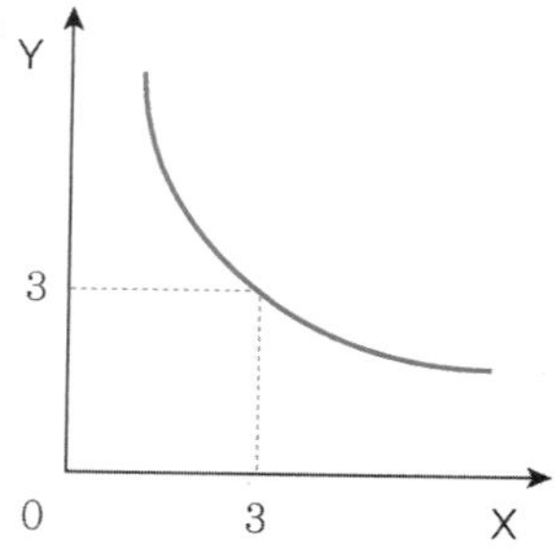

③
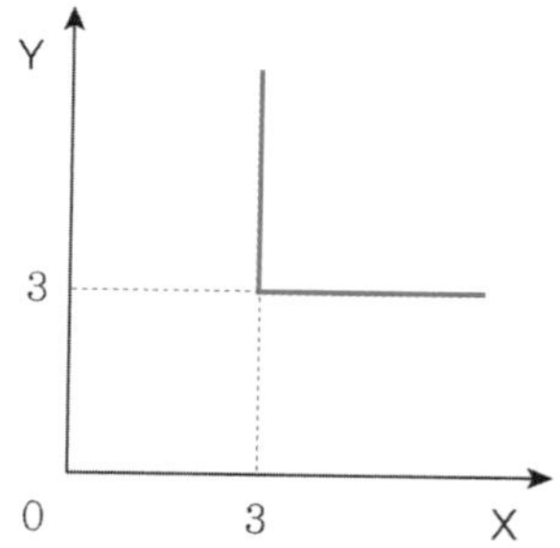

④
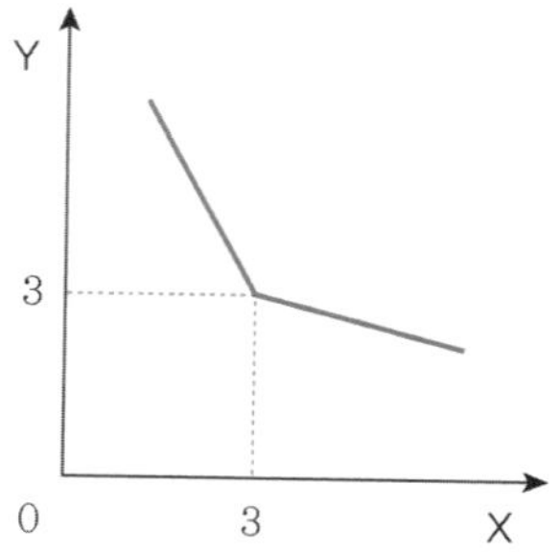

⑤
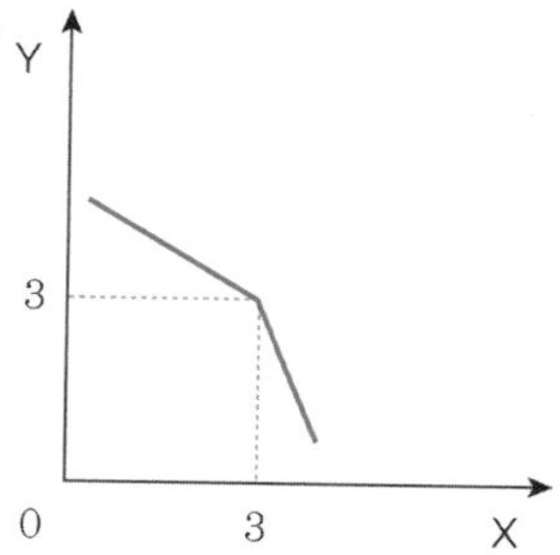

24 (ㄱ) ~ (ㄷ)에 들어갈 내용으로 옳은 것은? [감정평가사 18]
상중하

> 위험자산에 대한 투자자의 무차별곡선을 그리고자 한다. 위험자산의 수익률 평균은 수직축, 수익률 표준편차는 수평축에 나타낼 때, 투자자의 무차별곡선 형태는 위험 기피적인 경우 (ㄱ)하고, 위험 애호적인 경우 (ㄴ)하며, 위험 중립적인 경우에는 (ㄷ)이다.

① ㄱ: 우상향, ㄴ: 우상향, ㄷ: 수평
② ㄱ: 우상향, ㄴ: 우하향, ㄷ: 수평
③ ㄱ: 우상향, ㄴ: 우하향, ㄷ: 수직
④ ㄱ: 우하향, ㄴ: 우상향, ㄷ: 수평
⑤ ㄱ: 우하향, ㄴ: 우상향, ㄷ: 수직

정답 및 해설

22 ③ 무차별곡선이 원점에 대해 오목하면 한계대체율은 체증한다.

23 ④ 1) 레온티에프 함수의 형태이므로 교점은 $x + 2y = 2x + y$ ➜ $x = y$가 성립하여야 하기 때문에 (3, 3)을 모두 지나야 한다.
2) 작은 수에 의해 결정되므로 $x + 2y > 2x + y$ ➜ $y > x$인 경우에는 더 작은 수인 $2x + y$가 효용을 결정하므로 $U = 2x + y$가 성립하여 $y = -2x + U$이므로 무차별곡선의 기울기는 2이다.
3) $x + 2y < 2x + y$ ➜ $y < x$인 경우에는 더 작은 수인 $x + 2y$에 의해 결정되므로 $U = x + 2y$가 성립하여 $y = -\frac{1}{2}x + U$이므로 무차별곡선의 기울기는 $\frac{1}{2}$이다.

24 ② 1) 위험자산의 수익률 평균은 수직축, 수익률 표준편차(≒ 위험)는 수평축에 나타내는 경우 수직축은 항상 클수록 좋다.
2) 위험 기피적인 경우 위험은 작을수록 좋다. 즉, X축이 원점에 가까울수록 좋으므로 우상향하는 형태로 무차별곡선이 그려진다.
3) 위험 애호적인 경우 위험은 클수록 좋다. 즉, X축이 원점에 멀수록 좋으므로 우하향하는 일반적 형태의 무차별곡선이 그려진다.
4) 위험 중립적이면 X축이 커지더라도 관계가 없다. 따라서 Y축이 원점에서 멀어질수록 만족감의 크기가 크다.

25 상중하

소비자이론에 관한 다음 설명 중 옳지 않은 것은? [국회직 8급 15]

① 무차별곡선이 L자형이면 가격효과와 소득효과는 동일하다.
② 기펜재는 열등재이지만 모든 열등재가 기펜재는 아니다.
③ 재화의 가격이 변하더라도 무차별곡선지도는 변하지 않는다.
④ 열등재의 가격이 하락할 때 수요량이 늘어난다면 이는 대체효과가 소득효과보다 작기 때문이다.
⑤ 소득소비곡선(ICC)이 우상향하는 직선이면 두 재화 모두 정상재이다.

26 상중하

보상수요(Compensated Demand)에 관한 설명으로 옳지 않은 것은? [감정평가사 19]

① 가격변화에서 대체효과만 고려한 수요개념이다.
② 기펜재의 보상수요곡선은 우하향하지 않는다.
③ 소비자잉여를 측정하는 데 적절한 수요개념이다.
④ 수직선형태 보상수요곡선의 대체효과는 항상 0이다.
⑤ 소득효과가 0이면 통상적 수요(Ordinary Demand)와 일치한다.

27 상중하

어떤 소비자의 효용함수는 $U(x,\ y) = 20x - 2x^2 + 4y$이고, 그의 소득은 24이다. 가격이 $P_X = P_Y = 2$에서 $P_X = 6$, $P_Y = 2$로 변화했다면 가격변화 이전과 이후의 X재와 Y재의 최적 소비량은? (단, x, y는 각각 X재와 Y재의 소비량이다) [국회직 8급 18]

	가격변화 이전	가격변화 이후
①	(x = 2, y = 6)	(x = 2, y = 8)
②	(x = 2, y = 6)	(x = 4, y = 8)
③	(x = 4, y = 8)	(x = 2, y = 6)
④	(x = 4, y = 8)	(x = 4, y = 6)
⑤	(x = 4, y = 8)	(x = 6, y = 2)

정답 및 해설

25 ④ 열등재의 가격이 하락하면 대체효과에서는 수요량이 증가하고 소득효과에서는 실질소득이 증가하지만 수요량은 감소한다. 결국 열등재의 가격이 하락할 때 수요량이 늘어난다면 이는 대체효과가 소득효과보다 크기 때문이다.

[오답체크]

① 무차별곡선이 L자형이면 레온티에프 효용함수이다. 이 경우 소득효과만 존재하고 대체효과는 0이다.

② 기펜재는 열등재 중에서 대체효과보다 소득효과가 더 큰 경우이다. 하지만 일반적인 열등재는 대체효과가 소득효과보다 더 크다. 결국 기펜재는 열등재이지만 모든 열등재가 기펜재는 아니다.

③ 무차별곡선지도는 소비자의 마음속에 있는 주관적인 선호체계이다. 결국 주관적인 선호체계가 일정하다면 재화의 가격이 변하더라도 무차별곡선지도는 변하지 않는다.

⑤ 소득소비곡선이 우상향하는 직선이라는 것은 소득이 증가할 때 두 재화의 수요가 모두 증가함을 의미한다. 결국 두 재화 모두 정상재이다.

26 ② 보상수요곡선은 대체효과만 반영한 그래프이므로 모든 재화에 동일하게 수요법칙이 성립한다. 따라서 기펜재의 보상수요곡선도 우하향한다.

27 ③ 1) $MRS_{XY} = (20-4x)/4 = 5-x$ ➜ x가 클수록 MRS가 감소하므로 무차별곡선이 원점에 대해 볼록하다.

2) 이 경우 한계대체율과 상대가격이 같을 때 효용극대화가 달성된다. $5-x=1$ ➜ $x=4$

3) 예산선에 주어진 조건인 X재와 Y재의 가격을 대입한 값인 $2x+2y=24$가 성립해야 하므로 $y=8$이다.

4) 가격 변화 후에는 상대가격이 3이므로 $x=2$, $y=6$이 된다.

28 상중하

甲은 X재와 Y재 두 재화를 1 : 1 비율로 묶어서 소비한다. X재의 가격과 수요량을 각각 P_X와 Q_X라 한다. 소득이 1,000이고 Y재의 가격이 10일 때 甲의 X재 수요함수로 옳은 것은? (단, 소비자는 효용을 극대화하고 소득을 X재와 Y재 소비에 모두 지출한다) [감정평가사 16]

① $Q_X = 1{,}000/(10 + P_X)$

② $Q_X = 990 - P_X$

③ $Q_X = 500 - P_X$

④ $Q_X = 1{,}000 - P_X$

⑤ $Q_X = 500/P_X$

29 상중하

효용을 극대화하는 甲의 효용함수는 $U(x,\ y) = Min[x,\ y]$이다. 소득이 1,800, X재와 Y재의 가격은 각각 10이다. X재 가격만 8로 하락할 때, 옳은 것을 모두 고른 것은? (단, x는 X재 소비량, y는 Y재 소비량이다) [감정평가사 20]

ㄱ. X재 소비량의 변화 중 대체효과는 0이다.
ㄴ. X재 소비량의 변화 중 소득효과는 10이다.
ㄷ. 한계대체율은 하락한다.
ㄹ. X재 소비는 증가하고 Y재 소비는 감소한다.

① ㄱ, ㄴ
② ㄱ, ㄷ
③ ㄴ, ㄷ
④ ㄴ, ㄹ
⑤ ㄷ, ㄹ

30 효용함수가 $U(X, Y) = \sqrt{XY}$ 인 소비자의 소비 선택에 대한 설명으로 옳은 것을 〈보기〉에서 모두 고르면? [국회직 8급 17]

상중하

〈보기〉

ㄱ. 전체 소득에서 X재에 대한 지출이 차지하는 비율은 항상 일정하다.
ㄴ. X재 가격변화는 Y재 소비에 영향을 주지 않는다.
ㄷ. X재는 정상재이다.
ㄹ. Y재는 수요의 법칙을 따른다.

① ㄱ, ㄴ ② ㄴ, ㄷ ③ ㄱ, ㄷ, ㄹ
④ ㄴ, ㄷ, ㄹ ⑤ ㄱ, ㄴ, ㄷ, ㄹ

정답 및 해설

28 ① 1) 1 : 1의 비율로 묶어서 소비하므로 완전보완재이다.
2) $1{,}000 = P_X Q_X + 10Q_Y$ ➜ $Q_X = Q_Y$이므로 이를 대입하면 $1{,}000 = (P_X + 10)Q_X$ ➜ $Q_X = \frac{1{,}000}{P_X + 10}$ 이다.

29 ① 1) 완전보완재의 $U = X = Y$이다.
2) 예산선은 $10X + 10Y = 1{,}800$이다.
3) 두 식을 연립하여 $X = 90$, $Y = 90$이 도출된다.
4) X재 가격만 8로 하락하면 예산선이 $8X + 10Y = 1{,}800$이 되어 $X = 100$, $Y = 100$이다.
5) 완전보완재의 경우 대체효과는 발생하지 않으며 소득효과만 발생한다. X재 가격 하락으로 10이 증가한 것은 소득효과에 의한 것이다.
6) 한계대체율은 일정하고, 둘 다 동시에 증가한다.

30 ⑤ 효용함수가 $U = A\sqrt{XY}$인 경우 수요함수는 $X = \frac{1}{2} \cdot \frac{M}{P_X}$, $Y = \frac{1}{2} \cdot \frac{M}{P_Y}$ 이다.

ㄱ. 위의 수요함수에서 $P_X X = \frac{M}{2}$이 유도된다. 이는 각 재화의 지출은 가격이 변하더라도 항상 소득의 절반으로 일정하다는 의미이다.
ㄴ. X재에 대한 수요는 Y재와는 독립적이다. 즉, 두 재화는 서로 독립재이다.
ㄷ. 각 재화의 수요는 소득의 변화율과 같이 변하므로 소득탄력도가 모두 1이다.
ㄹ. X, Y재 두 수요곡선은 모두 직각쌍곡선의 형태를 갖는다.

31 상중하

효용을 극대화하는 甲의 효용함수는 $U(x,\ y) = xy$이고, 甲의 소득은 96이다. X재 가격이 12, Y재 가격이 1이고 X재 가격만 3으로 하락할 때, (ㄱ) X재의 소비 변화와 (ㄴ) Y재의 소비 변화는? (단, x는 X재 소비량, y는 Y재 소비량)

[감정평가사 20]

① ㄱ: 증가, ㄴ: 증가
② ㄱ: 증가, ㄴ: 불변
③ ㄱ: 증가, ㄴ: 감소
④ ㄱ: 감소, ㄴ: 불변
⑤ ㄱ: 감소, ㄴ: 증가

32 상중하

소비자이론에 관한 설명으로 옳은 것은? (단, 소비자는 X재와 Y재만 소비한다)

[감정평가사 16]

① 소비자의 효용함수가 $U = 2XY$일 때, 한계대체율은 체감한다.
② 소비자의 효용함수가 $U = \sqrt{XY}$일 때, X재의 한계효용은 체증한다.
③ 소비자의 효용함수가 $U = Min[X,\ Y]$일 때, 수요의 교차탄력성은 0이다.
④ 소비자의 효용함수가 $U = Min[X,\ Y]$일 때, 소득소비곡선의 기울기는 음(-)이다.
⑤ 소비자의 효용함수가 $U = X + Y$일 때, X재의 가격이 Y재의 가격보다 크더라도 X재와 Y재를 동일 비율로 소비한다.

33 상중하 소비자 甲의 효용함수가 $U = Min[X + 2Y,\ 2X + Y]$이다. 甲의 소득은 150, X재의 가격은 30, Y재의 가격은 10일 때, 효용을 극대화하는 甲의 Y재 소비량은? (단, 甲은 X재와 Y재만 소비한다)

[감정평가사 19]

① 0 ② 2.5 ③ 5
④ 7.5 ⑤ 15

정답 및 해설

31 ② 1) 효용함수가 콥-더글라스 효용함수인 형태에서 수요함수는 $Q = \frac{M}{2P}$이다.

2) 최초에 X재 가격이 12일 때 X재 수요량은 4(= $\frac{96}{2 \cdot 12}$), Y재 가격이 1일 때 48(= $\frac{96}{2 \cdot 1}$)이다.

3) X재 가격만 3으로 하락하면 X재 수요량은 16(= $\frac{96}{2 \cdot 3}$)이고 Y재 가격은 변하지 않았으므로 불변이다.

32 ① 한계대체율은 $\frac{MU_X}{MU_Y} = \frac{Y}{X}$이므로 한계대체율은 체감한다.

[오답체크]

② 소비자의 효용함수가 $U = \sqrt{XY}$일 때, X재의 한계효용은 $\frac{1}{2}\sqrt{\frac{Y}{X}}$이므로 X재의 소비량이 증가하면 X재의 한계효용은 감소한다.
③ 소비자의 효용함수가 $U = Min[X,\ Y]$일 때, 완전보완재의 수요의 교차탄력성은 (-)이다.
④ 소비자의 효용함수가 $U = Min[X,\ Y]$일 때, 소득소비곡선의 기울기는 1이다.
⑤ 소비자의 효용함수가 $U = X + Y$일 때, X재의 가격이 Y재의 가격보다 높다면 Y재만 소비할 것이다.

33 ⑤ 1) 레온티에프 효용함수의 형태이므로 $U = X + 2Y = 2X + Y$이다.
2) 이는 추세선 $X = Y$를 기준으로 $X > Y$이면 $U = X + 2Y$이고 $X < Y$이면 $U = 2X + Y$이다.
2) 주어진 조건으로 예산선을 도출하면 $30X + 10Y = 150$이다.
3) 예산선의 기울기가 3으로 항상 무차별곡선의 기울기보다 완만하므로 소비자 균형은 Y축에 이루어진다. 따라서 $Y = 15$이다.

34 상중하 다음 중 옳은 것을 〈보기〉에서 모두 고르면? [국회직 8급 16]

〈보기〉

ㄱ. 가격소비곡선이 우하향하는 경우 수요곡선은 우하향할 수 있다.
ㄴ. 동일한 수요곡선상에 있는 서로 다른 재화묶음을 소비하더라도 소비자가 느끼는 만족감은 동일하다.
ㄷ. 우상향하는 엥겔곡선은 해당 재화가 열등재임을 의미한다.
ㄹ. 소득소비곡선과 엥겔곡선의 기울기는 수요의 소득탄력성의 부호에 의해 결정된다.
ㅁ. 수요곡선은 대체효과의 절댓값이 소득효과의 절댓값보다 클 경우에 우하향한다.

① ㄱ, ㄴ, ㄷ ② ㄱ, ㄷ, ㄹ ③ ㄱ, ㄹ, ㅁ
④ ㄴ, ㄹ, ㅁ ⑤ ㄷ, ㄹ, ㅁ

35 상중하 X재와 Y재 소비에 대한 乙의 효용함수는 $U = 12x + 10y$이고, 소득은 1,500이다. X재의 가격이 15일 때 乙은 효용극대화를 위해 X재만 소비한다. 만약 乙이 Y재를 공동구매하는 클럽에 가입하면 Y재를 단위당 10에 구매할 수 있다. 乙이 클럽에 가입하기 위해 지불할 용의가 있는 최대금액은? (단, x는 X재 소비량, y는 Y재 소비량이다) [감정평가사 17]

① 120 ② 200 ③ 300
④ 400 ⑤ 600

정답 및 해설

34 ③ ㄱ. 가격소비곡선이 우하향하는 경우 수요곡선은 탄력적이 되므로 수요곡선은 우하향할 수 있다.
ㄹ. 소득소비곡선과 엥겔곡선의 기울기는 수요의 소득탄력성의 부호에 의해 결정된다. 소득탄력성에 따른 앵겔곡선은 다음과 같다.

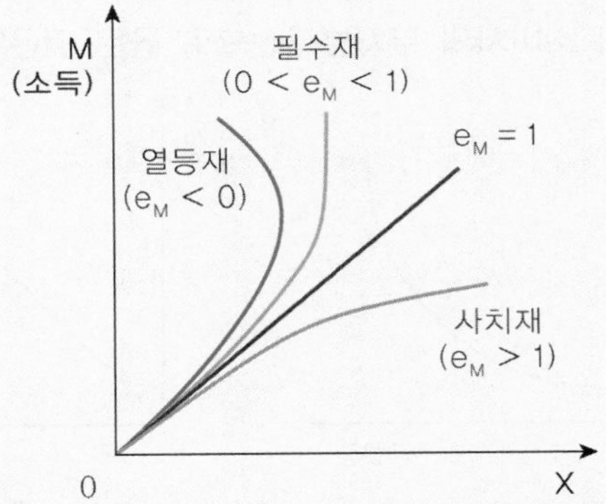

ㅁ. 수요곡선은 대체효과의 절댓값이 소득효과의 절댓값보다 클 경우에 우하향한다. 만약 열등재이면서 소득효과가 크다면 기펜재이다.

[오답체크]

ㄴ. 동일한 수요곡선이 아닌 동일한 무차별곡선상에 있는 서로 다른 재화묶음을 소비하더라도 소비자가 느끼는 만족감은 동일하다.
ㄷ. 좌상향하는 엥겔곡선은 해당 재화가 열등재임을 의미한다.

35 ③ 1) 무차별곡선의 형태가 완전대체재이다.
2) X재만 소비하므로 소득이 1,500이고 가격이 15일 때 소비량은 100이다. 따라서 효용은 1,200이다.
3) Y재 가격이 10일 때 Y재만 사용한다면 효용은 1,500이다.
4) 따라서 클럽에 가입하기 위해 지불해야 하는 돈은 두 효용의 차이인 300이다.

STEP 3 실전문제

36 무차별곡선에 대한 다음 설명 중 옳은 것은? [회계사 16]
상중하

> 가. 한계대체율 체감의 법칙이 성립하면 무차별곡선은 원점에 대해서 볼록하다.
> 나. 서수적 효용의 개념에 기초한 효용함수는 무차별곡선으로 표현할 수 없다.
> 다. 가로축을 왼쪽 장갑으로, 세로축을 오른쪽 장갑으로 한 경우에 그려지는 무차별곡선은 이 두 재화가 완전보완재이므로 L자 형태이다.
> 라. 가로축을 5만원권으로, 세로축을 1천원권으로 한 경우에 그려지는 무차별곡선은 이 두 재화가 완전대체재이므로 원점에 대해서 강볼록(Strictly Convex)하면서 우하향한다.

① 가, 나　　② 가, 다　　③ 나, 다
④ 나, 라　　⑤ 다, 라

37 어떤 소비자에게 공산품 소비가 늘어날수록 한계효용이 감소하고, 오염물질이 증가할수록 한계비효용은 증가한다고 한다. 다음 중 이 소비자의 무차별곡선으로 옳은 것은? [회계사 15]
상중하

①
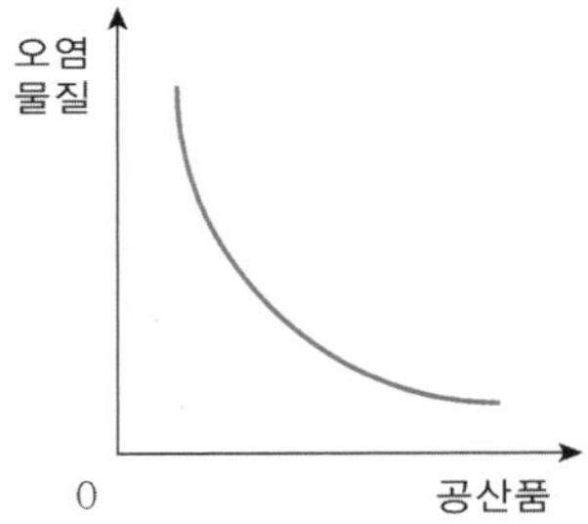

②
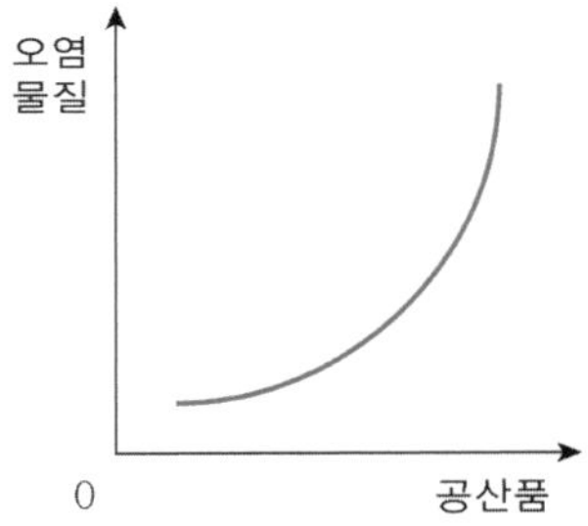

③
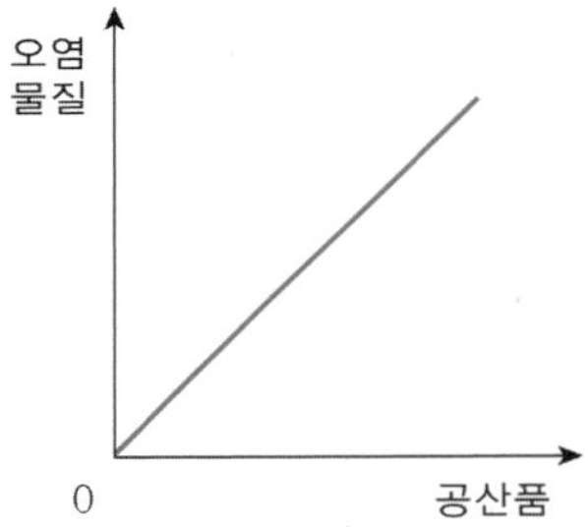

④
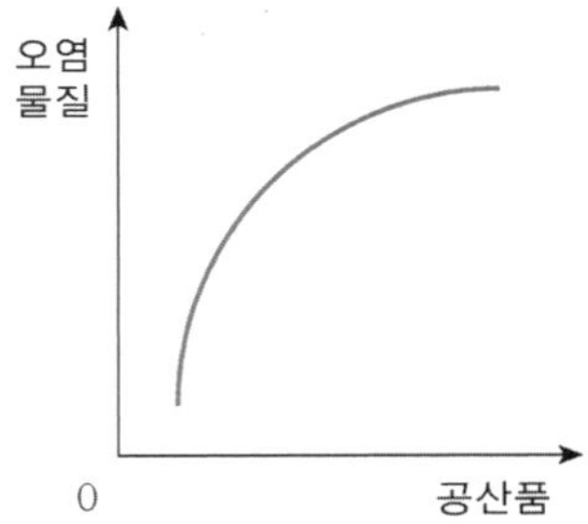

⑤
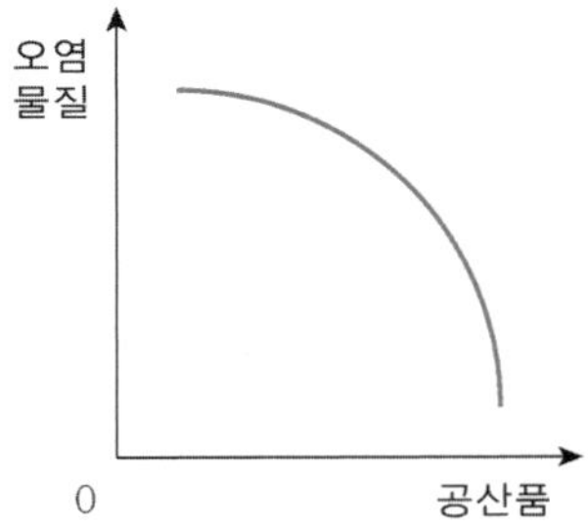

정답 및 해설

36 ② 가. 한계대체율 체감의 법칙이 성립하면 무차별곡선의 기울기는 점점 감소하므로 무차별곡선은 원점에 대해서 볼록하다.

다. 왼쪽 장갑과 오른쪽 장갑은 완전보완재 관계이므로 가로축을 왼쪽 장갑으로, 세로축을 오른쪽 장갑으로 한 경우에 그려지는 무차별곡선은 L자 형태(레온티에프 함수)이다.

[오답체크]

나. 무차별곡선은 서수적 효용을 나타낸다.

라. 가로축을 5만원권으로, 세로축을 1천원권으로 한 경우에 그려지는 무차별곡선은 이 두 재화가 완전대체재이므로 선형인 무차별곡선이 그려진다.

37 ④ 1) 오염물질은 비효용재로 소비량이 작을수록 좋고, 공산품은 효용재이므로 소비량이 클수록 좋다.

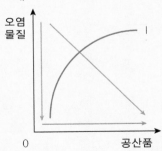

2) 그래프

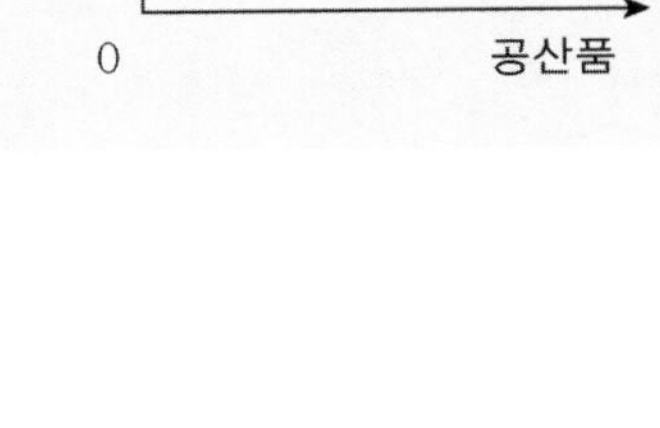

38 상중하

어느 대학생이 왕대박 교수와 왕소금 교수의 경제원론 강의 중 하나를 수강신청 했다. 수업 첫 시간에 왕대박 교수는 중간시험과 기말시험 중 높은 점수를 최종 점수로 부여하고, 왕소금 교수는 두 시험 중 낮은 점수를 최종점수로 부여한다고 발표하였다. 이 학생은 최종 점수에만 관심이 있으며, 높은 최종 점수를 선호한다. 중간시험 점수(x)를 가로축, 기말시험 점수(y)를 세로축에 표시할 때, $(x, y) = (85, 60)$에서 이 학생의 무차별곡선의 기울기가 0이었다. 다음 설명 중 옳은 것은? (단, 수강 변경은 없다고 가정) [회계사 14]

① 이 학생은 왕소금 교수의 강의를 듣고 있다.
② 이 학생은 왕대박 교수의 강의를 듣고 있다.
③ 위의 정보로부터 이 학생이 어느 교수의 강의를 듣고 있는지 알 수 없다.
④ 이 학생의 무차별곡선은 모든 점에서 수평이다.
⑤ 어느 교수의 강의를 듣고 있더라도 (85, 60)에서 무차별곡선의 기울기는 0이다.

39 상중하

휴대전화 서비스와 빵만을 소비하는 한 소비자가 있다. 빵의 가격은 개당 1이고 휴대전화 서비스의 가격은 다음과 같이 결정된다. 사용량이 100분 이하이면 기본료 없이 분당 2이고, 사용량이 100분을 초과하면 기본료가 20이고 100분까지는 분당 2, 100분을 초과한 부분에 대해서는 분당 1이다. 이 소비자의 소득이 300이라면 예산집합의 면적은? [회계사 16]

① 21,450(분·개)
② 22,200(분·개)
③ 23,200(분·개)
④ 24,350(분·개)
⑤ 27,000(분·개)

정답 및 해설

38 ① 1) 왕대박교수는 높은 점수를 사용하므로 $U = Max[x,\ y]$이다.

2) 왕소금교수는 낮은 점수를 사용하므로 $U = Min[x,\ y]$이다.

3) 문제에서 제시한 점수를 각 효용함수에 대입하면 다음과 같다.

(a) 왕대박 교수로부터 수업을 들을 때 **(b) 왕소금 교수로부터 수업을 들을 때**

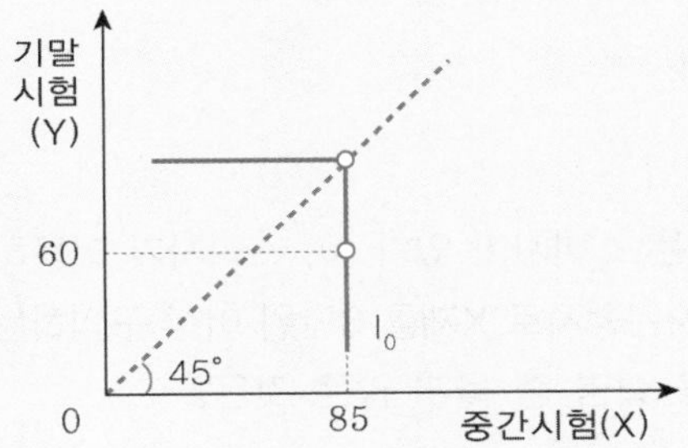

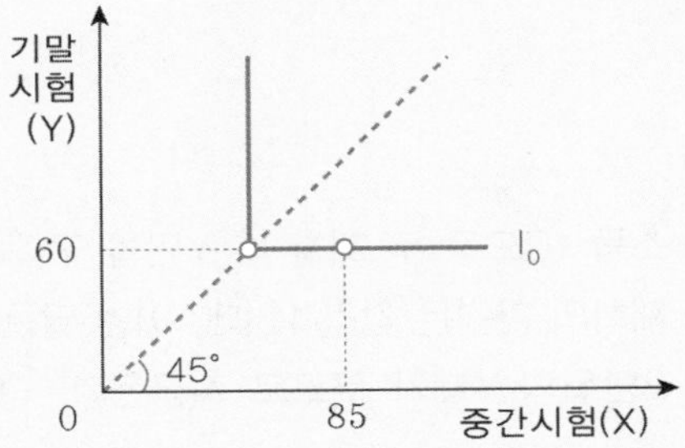

4) 왕대박 교수의 강의를 들을 때는 $\Delta X = 0$이므로 무차별곡선의 기울기는 ∞이고 왕소금 교수의 강의를 들으면 $\Delta Y = 0$이므로 무차별곡선의 기울기는 0이다.

39 ③ 1) 문제의 조건을 그래프로 나타내면 다음과 같다.

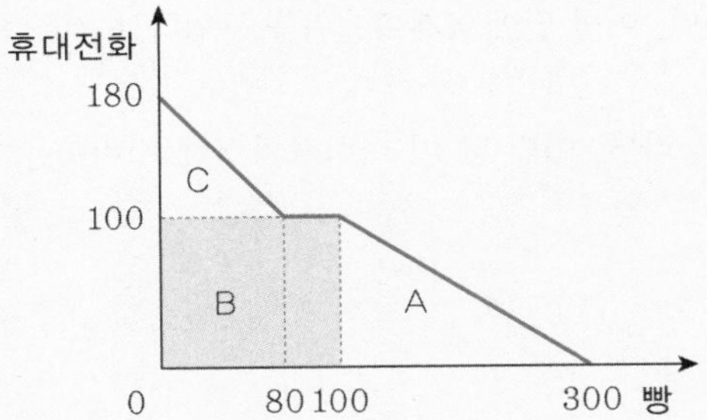

2) A의 면적 $= \frac{1}{2} \times 200 \times 100 = 10,000$

3) B의 면적 $= 100 \times 100 = 10,000$

4) C의 면적 $= \frac{1}{2} \times 80 \times 80 = 3,200$

5) 따라서 총 예산집합의 면적은 23,200이다.

40 상중하

소득 20으로 X재와 Y재만을 구매하는 소비자가 있다. 이 소비자가 이용하는 상점에서 X재와 Y재의 가격은 각각 1이었는데, 최근 이 상점에서 개업 기념으로 X재를 10단위 이상 구입하는 경우 구입한 X재 전체에 대해 가격을 0.5로 할인해주는 행사를 실시하였다. X재를 10단위 미만으로 구입하는 경우에는 할인이 적용되지 않는다. 이로 인해 늘어난 예산집합의 면적은? [회계사 21]

① 100
② 175
③ 200
④ 325
⑤ 375

41 상중하

월 소득 10으로 두 재화 X, Y만을 구매하는 소비자가 있다. 이 소비자가 이용하는 상점에서 두 재화의 가격은 각각 1인데, 이번 달은 사은행사로 X재를 6단위 이상 구입하는 소비자에게는 2단위의 Y재가 무료로 지급된다. 다음 설명 중 옳지 않은 것은? [회계사 19]

① 지난 달에 X재 1단위 소비의 기회비용은 Y재 1단위이다.
② 행사로 인해 예산집합의 면적이 8 증가한다.
③ 이번 달 예산선의 우하향하는 부분의 기울기는 지난 달 예산선의 기울기와 같다.
④ 이 소비자의 선호가 단조성을 만족하면, 이번 달에 X재 5단위를 구입하는 것은 최적선택이 될 수 없다.
⑤ 이 소비자의 효용함수가 $u(x, y) = xy$라면, 이번 달 이 소비자의 X재 소비량은 Y재 소비량보다 크다.

정답 및 해설

40 ② 1) 그래프

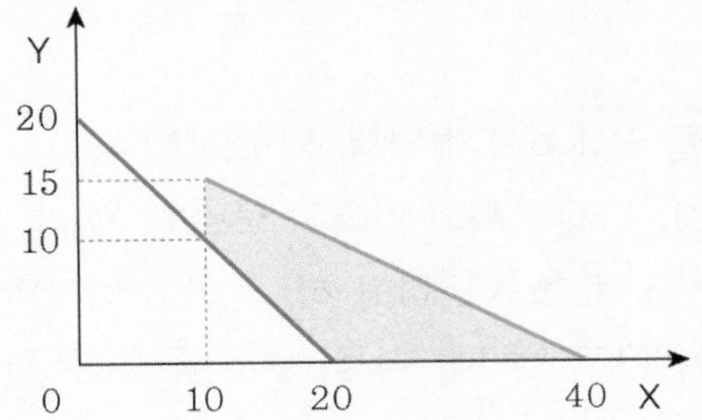

2) 늘어난 예산집합의 면적은 $\frac{1}{2}(40-10)\times 15-\frac{1}{2}(20-10)\times 10=225-50=175$이다.

41 ⑤ 1) 그래프

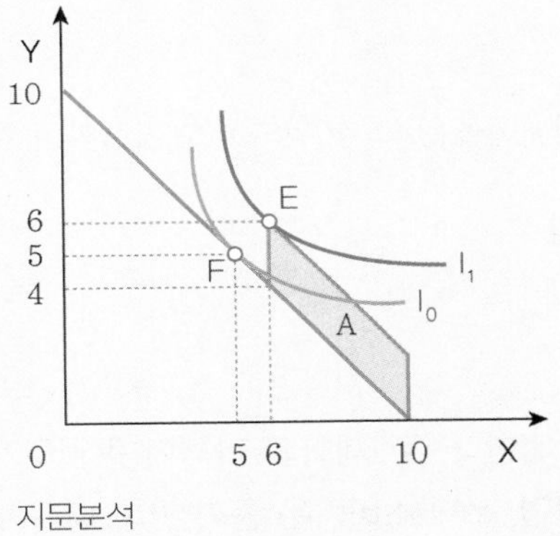

2) 지문분석

⑤ 이 소비자의 효용함수가 $u(x,\ y)=xy$라면, 골고루 소비하는 것이 좋은 콥-더글러스 효용함수이므로 이번 달 이 소비자의 X재 소비량은 Y재 소비량과 같다.

[오답체크]

① 지난 달에는 두 재화의 가격이 같으므로 X재 1단위 소비의 기회비용은 Y재 1단위이다.

② 행사로 인해 예산집합의 면적이 $4\times 4\times \frac{1}{2}=8$ 증가한다.

③ 재화의 가격이 변하지 않았으므로 이번 달 예산선의 우하향하는 부분의 기울기는 지난 달 예산선의 기울기와 같다.

④ 단조성은 더 많이 소비하면 효용이 높아진다는 것으로 두 재화 모두 6단위 소비하는 것이 최적선택이다.

42 상중하

두 재화 X, Y만을 구매하여 효용을 극대화하는 소비자가 있다. X재는 정상재인 반면 Y재는 열등재이다. X재 가격이 상승할 때 두 재화의 구매량 변화로 옳은 것은? [회계사 19]

	X재	Y재
①	증가	감소
②	감소	감소
③	감소	증가
④	감소	불확실
⑤	불확실	불확실

43 상중하

두 재화 X, Y만을 소비하는 소비자가 효용을 극대화하기 위해 소비조합 $(x, y) = (5, 5)$를 선택하였다(x는 X재 소비량, y는 Y재 소비량). 이제 X재의 가격이 오르고 Y재의 가격은 하락하면서 새로운 예산선이 소비조합 $(x, y) = (5, 5)$를 지난다고 하자. 이 소비자의 무차별곡선이 원점에 대해 강볼록(strictly convex)하다고 할 때, 다음 설명 중 옳은 것은? [회계사 15]

① 가격변화 이후에도 이 소비자의 효용은 동일하다.
② 가격변화 이후 이 소비자의 효용은 감소한다.
③ X재의 소비량이 감소한다.
④ Y재의 소비량이 감소할 수도 있다.
⑤ 새로운 최적 소비조합에서 이 소비자의 한계대체율은 $(x, y) = (5, 5)$에서의 한계대체율과 동일하다.

44 상중하

진영이는 고정된 소득으로 X재와 Y재만을 소비한다. 두 재화의 가격이 동일하게 10% 하락할 때, 진영이의 X재 소비량은 변하지 않는 반면, Y재 소비량은 증가한다. 다음 설명 중 옳은 것은? [회계사 15]

① 진영이에게 X재는 정상재이다.
② 진영이에게 X재는 열등재이다.
③ 진영이에게 Y재는 정상재이다.
④ 진영이에게 X재와 Y재는 완전대체재이다.
⑤ 진영이에게 X재와 Y재는 완전보완재이다.

정답 및 해설

42 ③ 1) X재의 가격 상승 ➜ X재의 가격효과 발생
소득효과와 대체효과 모두 X재의 수요량을 늘려준다.
2) X재의 가격 상승 ➜ Y재의 상대가격 하락 ➜ Y재의 수요량을 늘리는 대체효과 발생 ➜ 실질소득 감소 ➜ Y재의 수요량을 늘리는 소득효과 발생

43 ③ 1) 그래프

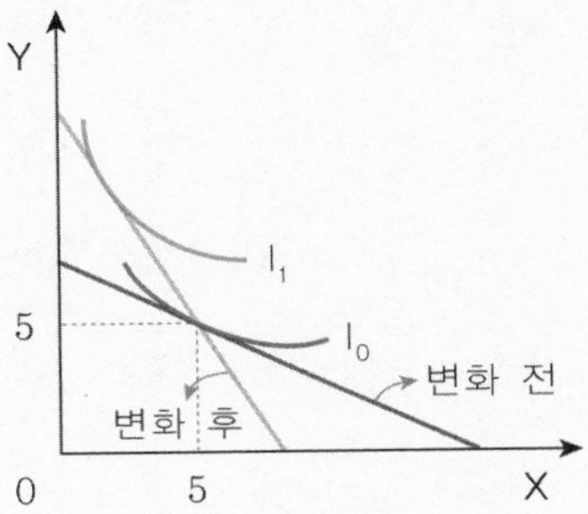

2) 지문분석
③ 효용이 증가하기 위해서는 X재의 소비량이 감소해야 한다.

[오답체크]
①② 가격변화 이후에 이 소비자의 효용은 증가할 것이다.
④ 효용이 증가하기 위해서는 Y재의 소비량이 증가해야 한다.
⑤ 예산선의 기울기가 바뀌었으므로 한계대체율이 증가한다.

44 ③ 1) 두 재화의 가격이 동시에 하락하면 기울기는 변화가 없고 소득이 증가한 것과 같다.
2) 그래프

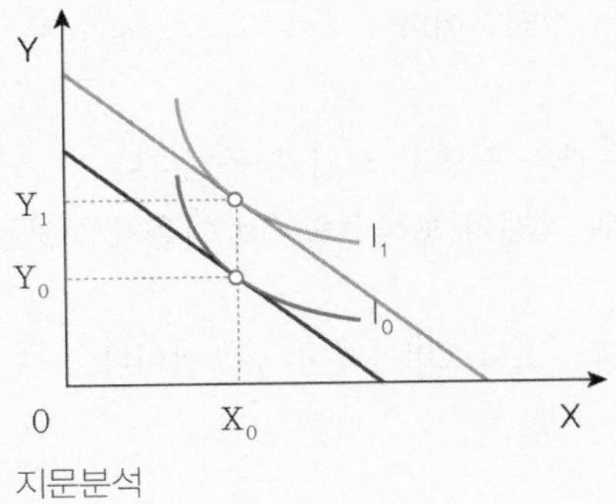

3) 지문분석
③ Y재는 정상재이다.

[오답체크]
①② X재의 소득탄력성은 0이다.
④ 알 수 없다.
⑤ 완전보완재라면 소비의 비율이 지켜져야 하므로 완전보완재는 될 수 없다

45 상중하

다음은 기펜재(Giffen good)에 대한 설명이다. (가)와 (나)를 바르게 짝지은 것은?

[회계사 16]

- 기펜재의 가격이 오르면 기펜재의 소비량은 늘고 소비자의 효용은 (가)한다.
- 두 재화를 소비하는 소비자에게 한 재화가 기펜재일 때 그 재화의 가격이 오르면 다른 재화의 수요량은 (나)한다.

	(가)	(나)
①	증가	증가
②	증가	감소
③	감소	증가
④	감소	감소
⑤	증가	불변

46 상중하

어느 소비자는 X재와 Y재만을 소비하고, 우하향하고 원점에 대해 볼록한 무차별곡선을 가지며 주어진 가격에서 이 소비자의 효용극대화 소비점은 $a=(X_a,\ Y_a)$이다. X재의 가격이 하락하고 Y재의 가격은 변화하지 않은 경우, 효용극대화 소비점은 $b=(X_b,\ Y_b)$가 된다. 다음 설명 중 옳지 않은 것은?

[회계사 17]

① $X_a=X_b$인 경우, X재의 보통의 수요곡선은 수직선이다.

② $X_a=X_b$인 경우, X재는 열등재이다.

③ $X_a=X_b$인 경우, X재의 대체효과와 소득효과의 절댓값 크기가 동일하다.

④ 대체효과에 따른 X재의 소비량이 X_b인 경우, X재의 보상수요곡선 기울기가 보통의 수요곡선 기울기보다 가파르다.

⑤ 대체효과에 따른 X재의 소비량이 X_b인 경우, 소득소비곡선이 수직선이다.

정답 및 해설

45 ④ 1) 기펜재의 가격이 오르면 기펜재의 소비량은 늘고 소비자의 효용은 감소한다.

2) 기펜재의 가격이 오르면 기펜재의 소비는 반드시 증가해야 하므로 다른 재화의 수요량은 반드시 감소한다.

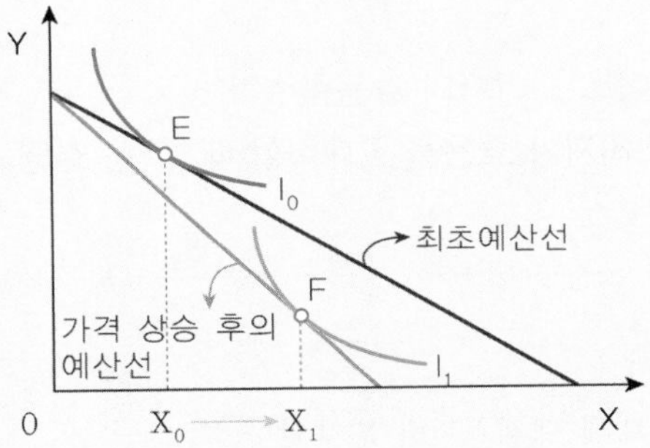

46 ④ 1) X재 가격만 변하는 경우 가격효과 = 소득효과 + 대체효과이다.

2) 대체효과에 따른 X재의 소비량이 X_b인 경우, X재가 정상재이면 소득효과와 대체효과 모두 X재의 소비량을 증가시키지만 X재의 보상수요곡선은 대체효과만 반영되므로 보상수요곡선의 기울기가 보통의 수요곡선 기울기보다 가파르다. 다만 X재가 열등재인 경우는 소득효과에 의해 소비량이 감소하므로 보상수요곡선의 기울기가 통상수요곡선의 기울기보다 완만하다.

[오답체크]

① $X_a = X_b$인 경우, 가격이 하락해도 동일한 수요량이므로 X재의 보통의 수요곡선은 수직선이다.

②③ $X_a = X_b$인 경우, 대체효과에 의해 소비량이 증가하지만 소득효과에 의해 대체효과로 인한 증가분만큼 감소해야 하므로 X재는 열등재이다.

⑤ 대체효과에 따른 X재의 소비량이 X_b인 경우 소득효과가 없다. 즉, 소득이 증가해도 소비량이 동일하므로 소득소비곡선이 수직선이다.

47 상중하 A는 자신의 소득을 모두 사용하여 X재와 Y재만을 소비하고 이를 통해 효용을 얻는다. X재 가격은 10, Y재 가격은 4이다. A는 소득이 100일 때 X재 6개와 Y재 10개를 소비하고, 소득이 130일 때 X재 7개와 Y재 15개를 소비했다. A의 수요에 대한 설명 중 옳은 것을 모두 고르면? [회계사 20]

> 가. X재는 열등재이고, Y재는 정상재이다.
> 나. X재는 사치재이고, Y재는 필수재이다.
> 다. 소득을 세로축에 두었을 때 X재의 엥겔곡선 기울기는 Y재보다 더 가파르다.
> 라. 소득확장경로는 우상향한다.

① 가, 나 ② 가, 다 ③ 나, 다
④ 나, 라 ⑤ 다, 라

48 상중하 소득 M으로 X재와 Y재만을 소비하는 어느 소비자의 효용함수가 $u(x, y) = x + y$이다. X재의 가격은 P, Y재의 가격은 1이다. 이 소비자가 효용을 극대화할 때, 다음 설명 중 옳은 것만을 모두 고르면? [회계사 21]

> 가. P가 하락하면 효용은 항상 증가한다.
> 나. 효용의 변화율은 M의 변화율과 같다.
> 다. P가 2에서 0.5로 하락하면 X재에 대해 대체효과만 발생한다.

① 가 ② 나 ③ 다
④ 가, 나 ⑤ 나, 다

정답 및 해설

47 ⑤ 다. X재가 필수재에 더 가깝기 때문에 X재의 엥겔곡선 기울기는 Y재의 엥겔곡선 기울기 보다 더 가파르다.

라. 두 재화 모두 소득 증가 시 소비량이 모두 증가하므로 소득확장경로는 우상향한다.

[오답체크]

가. 소득이 증가했을 때 X재의 소비가 증가했으므로 X재는 정상재이다.

나. 소득이 30% 증가했을 때 Y재는 50% 증가했으므로 Y재는 사치재이다.

48 ② 1) 무차별곡선은 완전대체재 $y = -x + U$이므로 한계대체율은 −1이다.

2) Y재의 가격이 1이므로 예산선은 $P \cdot X + Y = M$이다.

3) 예산선의 기울기인 P의 크기에 따라 소비자 균형은 다음과 같다.

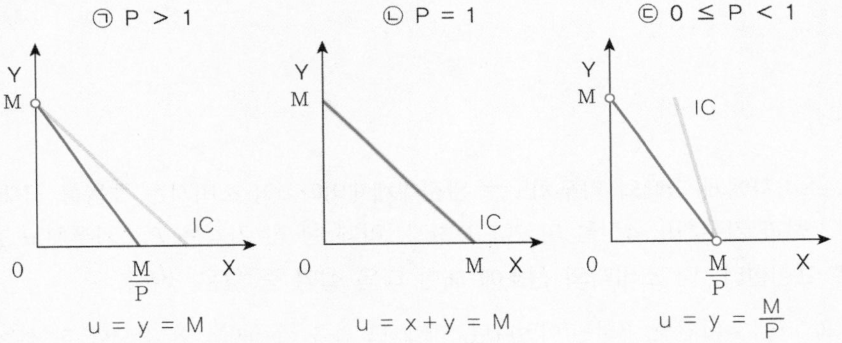

4) 지문분석

나. 효용은 모두 소득과 관련되어 있으므로 효용의 변화율은 M의 변화율과 같다.

[오답체크]

가. P가 하락하면 첫 번째와 두 번째는 효용의 변함이 없지만 세 번째 경우는 가격이 하락하면 효용이 증가한다.

다. 소득효과와 대체효과가 모두 발생한다.

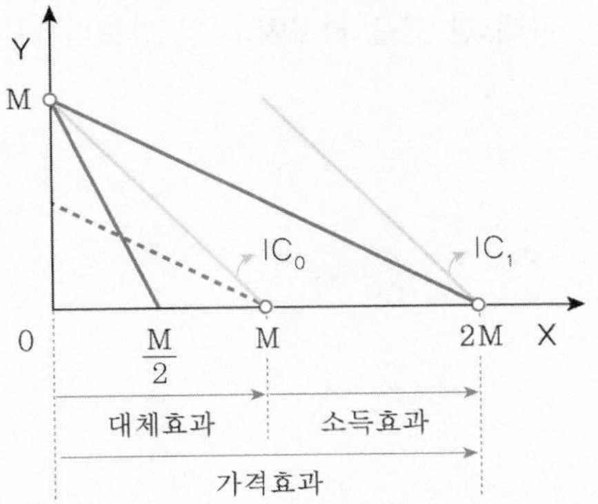

49 상중하

소득 m으로 두 재화를 소비하는 한 소비자의 효용함수가 $u(x, y) = 3x + y$이다. Y재의 시장 가격이 1일 때, 다음 설명 중 옳은 것은? (단, $0 < m < \infty$) [회계사 18]

> 가. X재에 대한 수요곡선은 45°선을 기준으로 대칭이다.
> 나. X재에 대한 수요곡선은 가격탄력성이 무한(∞)인 점을 갖는다.
> 다. X재의 가격이 2에서 4로 상승하면 소득효과는 $\frac{m}{3}$이다.
> 라. X재의 가격이 4에서 2로 하락하면 대체효과는 $\frac{m}{3}$이다.

① 가, 나 ② 가, 다 ③ 나, 다
④ 나, 라 ⑤ 다, 라

50 상중하

어느 소비자에게 라떼와 카푸치노는 완전대체재이다. 이 소비자는 효용을 극대화하기 위해 라떼 2잔과 카푸치노 4잔을 마셨다고 하자. 라떼 한 잔 가격은 P_L, 카푸치노 한 잔 가격은 P_C로 표현한다. 이 소비자의 선호에 대한 다음 설명 중 옳은 것은? [회계사 14]

① (P_L, P_C) = (4천원, 6천원)이었다면, 라떼 한 잔을 카푸치노 한 잔보다 더 선호했다.
② (P_L, P_C) = (4천원, 6천원)이었다면, 라떼 한 잔과 카푸치노 한 잔 중 어느 것을 선호했는지 알 수 없다.
③ (P_L, P_C) = (4천원, 6천원)이었다면, 라떼 5잔과 카푸치노 2잔을 마셨더라도 이 소비자의 효용은 극대화되었다.
④ (P_L, P_C) = (4천원, 4천원)이었다면, 카푸치노 한 잔을 라떼 한 잔보다 더 선호했다.
⑤ (P_L, P_C) = (4천원, 4천원)이었다면, 라떼 한 잔을 카푸치노 한 잔보다 더 선호했다.

정답 및 해설

49 ④ 나. 두 재화가 완전대체재일 때는 수요곡선이 수직선인 구간도 있고, 수평선인 구간도 있고, 직각쌍곡선인 구간도 있다.

라. X재의 가격이 4에서 2로 하락하면 Y재만 소비하다가 X재만 소비하게 된다. 최초의 예산선에서 X재만 소비하면 $\frac{m}{4}$에서 $\frac{m}{2}$으로 증가한다. 소득효과에 의한 것을 판단하기 위해 변화한 예산선과 평행하게 그려보면 $\frac{m}{3}$이므로 소득효과는 $\frac{m}{3}$임을 알 수 있다.

가격효과 = 소득효과 + 대체효과 ➜ $\frac{m}{2} = \frac{m}{3}$ + 대체효과 ➜ 대체효과 = $\frac{m}{3}$

[오답체크]

가. 대칭인 것은 아니다.

다. X재 가격이 2이면 X재만 구입하는 경우 $\frac{m}{2}$개 구입 가능하며 이때 예산선의 기울기는 2이다. 예산선의 기울기보다 무차별곡선의 기울기가 크므로 X재만 구입한다. 그런데 X재의 가격이 4로 상승하면 예산선의 기울기보다 무차별곡선의 기울기가 작아지므로 Y재만 구입한다. 따라서 대체효과는 $\frac{m}{2}$이 발생한다.

1) 가격 상승 시 가격효과

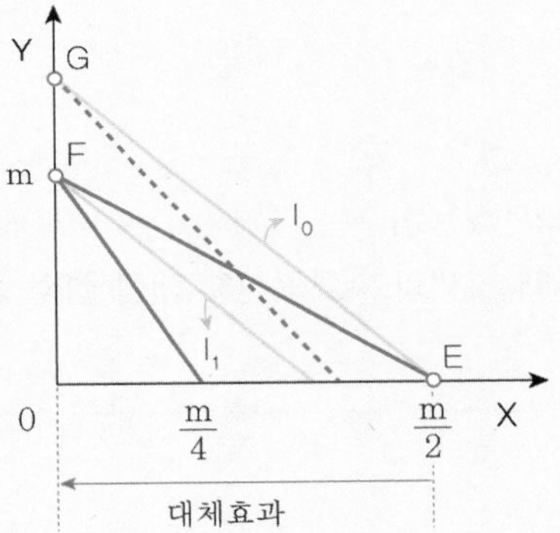

2) 가격 하락 시 가격효과

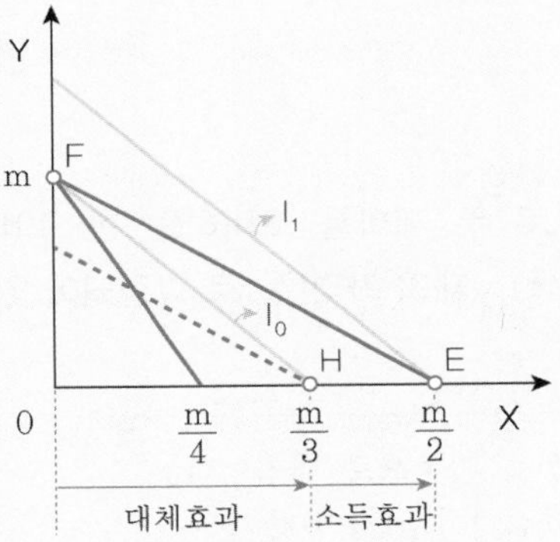

50 ③ 1) 완전대체재인 경우, 무차별곡선의 기울기와 예산선의 기울기가 다른 경우 구석해가 발생한다.

2) 여러 재화를 동시에 소비하므로 두 재화의 가격비와 무차별곡선의 기울기가 동일하다.

3) 라떼 2잔과 카푸치노 4잔을 마셨으므로 (P_L, P_C) = (4천원, 6천원)인 경우를 그래프로 표현하면 다음과 같다.

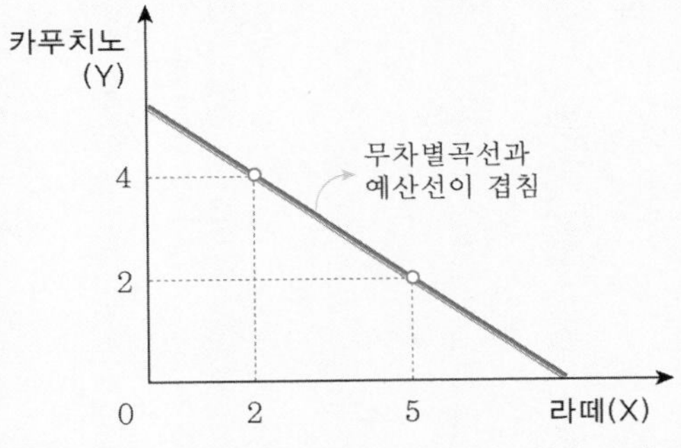

4) 따라서 라떼 5잔과 카푸치노 2잔을 마셨더라도 이 소비자의 효용은 극대화되었다는 것을 알 수 있다.

51 상중하 어느 소비자의 효용함수가 $u(x, y) = x + 2y$(x는 X재 소비량, y는 Y재 소비량)이다. Y재의 가격은 5천원이다. 효용을 극대화하는 이 소비자는 30만원을 가지고 Y재만을 소비하고 있다. 그런데 이 소비자가 어떤 회원제 마트에 회원으로 가입하면 X재를 2천원에 구입할 수 있다. 이 때 이 소비자가 회원으로 가입하기 위해 최대한 얼마를 회비로 낼 용의가 있는가?

[회계사 14]

① 0원 ② 3만원 ③ 5만원
④ 6만원 ⑤ 10만원

52 상중하 소득 m으로 두 재화를 소비하는 한 소비자의 효용함수는 $U(x, y) = Min[x, y]$이다. (단, $0 < m < \infty$) y재의 가격은 1로 고정되어 있을 때, x재의 수요곡선에 대한 설명 중 옳은 것은?

[회계사 16]

가. 45°선을 기준으로 대칭이다.
나. 모든 점에서 연속이다.
다. 가격탄력성이 무한인 점이 존재한다.
라. 우하향한다.

① 가, 나 ② 가, 다 ③ 나, 다
④ 나, 라 ⑤ 다, 라

정답 및 해설

51 ④ 1) $U = X + 2Y$ ➔ $Y = -\frac{1}{2}X + \frac{U}{2}$ 인 완전대체재이다.

2) 현재 Y재만 소비하고 있으므로 30만원으로 60개를 소비할 수 있고 이 경우 총효용은 120이다.

3) X재 소비로 120의 총효용을 만들려면 X재 120개를 소비해야하며 24만원이 소요된다.

4) 따라서 Y재에 비해 6만원이 적게 소요되므로 이를 회비로 낼 수 있다.

52 ④ 나. 라. 소비자균형은 무차별곡선과 예산선이 접하는 경우이다.

예산선 $M = P_X \cdot X + P_Y \cdot Y$인데 Y재의 가격이 1이므로 $M = P_X \cdot X + Y$ ➔ 효용극대화 조건을 넣으면 $M = P_X \cdot X + X$ ➔ $X = \frac{M}{P_X + 1}$ 이다. 따라서 모든 점에서 연속이며 우하향하는 수요곡선이 도출된다.

[오답체크]

가. 효용함수는 완전보완재의 형태이므로 1 : 1의 조합의 추세선인 $Y = X$선을 지나는 무차별곡선을 가진다. 따라서 수요곡선이 아닌 무차별곡선은 45°선을 기준으로 대칭이며 수요곡선이 대칭인 것은 아니다.

다. 수요곡선이 우하향하는 곡선이므로 수요의 가격탄력성이 무한대인 점은 존재하지 않는다.

53 상중하 두 재화 X, Y만을 소비하는 어느 소비자의 효용함수가 $u(x,\ y) = Min[x+2y,\ 5y]$ (x는 X재 소비량, y는 Y재 소비량)이다. 이 소비자의 선택과 관련한 다음 설명 중 옳지 않은 것은?

[회계사 15]

① 소득소비곡선은 원점에서 우상향하는 직선이다.
② 소득소비곡선과 가격소비곡선은 동일하다.
③ X재에 대한 수요의 가격탄력성은 1보다 크다.
④ Y재의 가격이 하락하는 경우 X재의 소비는 증가한다.
⑤ X재와 Y재의 가격이 동일한 비율로 상승할 경우 X재와 Y재의 소비는 동일한 비율로 감소한다.

정답 및 해설

53 ③ 1) 추세선: $X+2Y=5Y$ ➜ $Y=\frac{1}{3}X$

2) 그래프

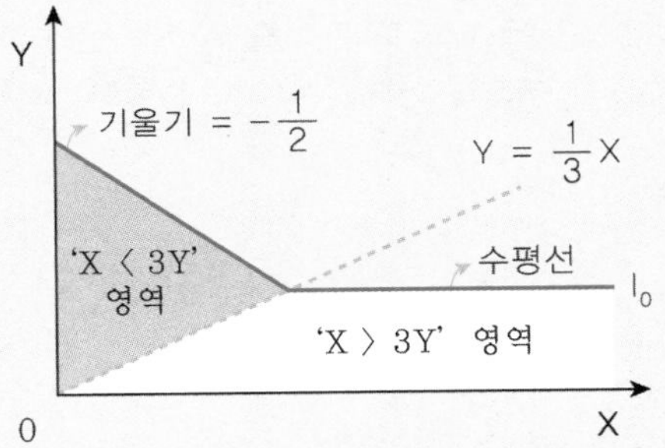

3) 무차별곡선이 위와 같은 형태이면 소비자 균형은 항상 무차별곡선이 꺾어진 지점에서 이루어진다. 이는 완전보완재와 유사하다.

4) 따라서 소득소비곡선과 가격소비곡선은 모두 기울기가 $\frac{1}{3}$인 원점을 통과하는 직선의 형태로 도출된다. 소득소비곡선이 원점을 통과하는 우상향의 직선인 경우 두 재화의 소득탄력성은 모두 1이다.

5) 가격소비곡선이 우상향의 형태로 도출되는 것은 X재 수요곡선의 가격탄력성이 1보다 작은 때이다.

54 소득 m으로 두 재화 X_1과 X_2를 소비하는 소비자의 효용함수가 $u(x_1, x_2) = Min[2x_1 + x_2, x_1 + 2x_2]$로 주어져 있다. x_2의 가격이 1일 때, x_1의 수요곡선에 관한 설명 중 옳은 것을 모두 고르면? (단, $0 < m < \infty$이다)

상중하

[회계사 19]

가. 가격탄력성이 0인 점이 있다.
나. 가격탄력성이 무한(∞)인 점이 있다.
다. 수요량은 모든 가격에서 0보다 크다.
라. 가격이 3/2에서 2/3로 하락하면 대체효과가 소득효과보다 크다.

① 가, 나 ② 가, 다 ③ 나, 다
④ 나, 라 ⑤ 다, 라

정답 및 해설

54 ① 1) 무차별곡선은 추세선을 통과하는 구간별 완전대체재의 형태를 가지고 있다.
2) $2x_1 + x_2 = x_1 + 2x_2$ ➔ 추세선은 $x_2 = x_1$
3) $x_2 > x_1$이면 $U = 2x_1 + x_2$이고, $x_2 < x_1$이면 $U = x_1 + 2x_2$이다. 이를 무차별곡선의 형태로 나타내면 다음과 같다.

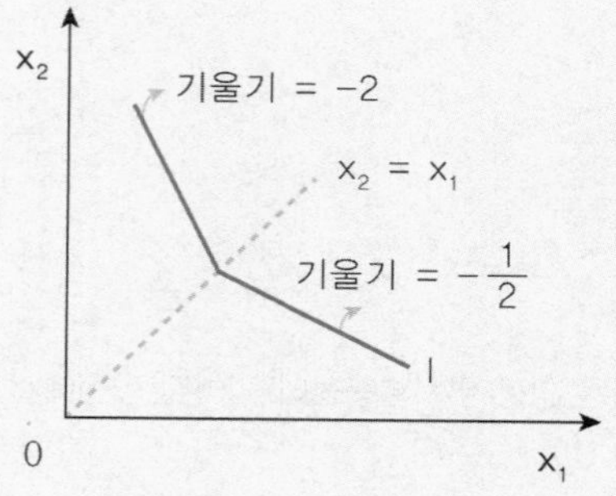

4) x_2의 가격이 1로 주어졌으므로 예산선의 기울기는 $\frac{P_X}{P_Y} = \frac{P_{x_1}}{P_{x2}} = \frac{P_{x_1}}{1}$이다.
5) P_{x_1}의 가격이 2보다 높다면 소득 전부를 x_2에 쓸 것이다(점 a).

6) P_{x_1}의 가격이 2이면 무차별곡선($U = 2x_1 + x_2$)과 예산선이 겹치게 된다. 이때 선분 a-b구간에서 모든 점이 소비자균형이므로 수요곡선이 수평선이 된다.

7) P_{x_1}의 가격이 더 하락하면 추세선상에서 소비자균형이 이루어지며, 가격이 하락할수록 x_1의 구입량이 늘어나므로 수요곡선이 우하향의 형태가 된다.

8) P_{x_1}의 가격이 $\frac{1}{2}$이면 무차별곡선($U = x_1 + 2x_2$)과 예산선이 겹치게 된다. 이때 선분 d-e구간에서 모든 점이 소비자균형이므로 수요곡선이 수평선이 된다.

9) P_{x_1}의 가격이 $\frac{1}{2}$보다 낮다면 무차별곡선이 예산선보다 급경사이므로 소득 전부를 x_1에 쓸 것이다. 그러므로 수요곡선이 직각쌍곡선의 형태로 도출된다.

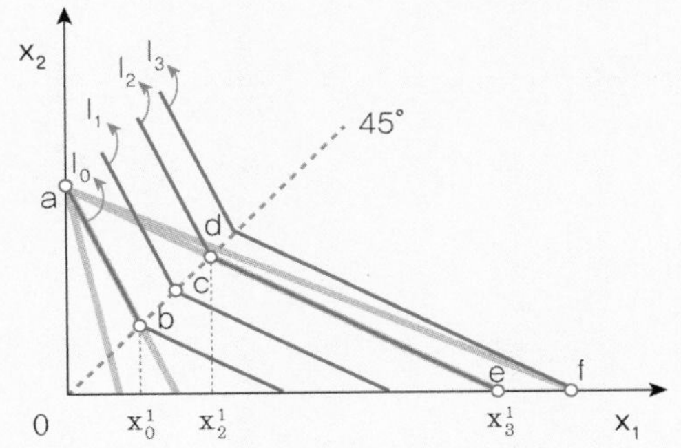

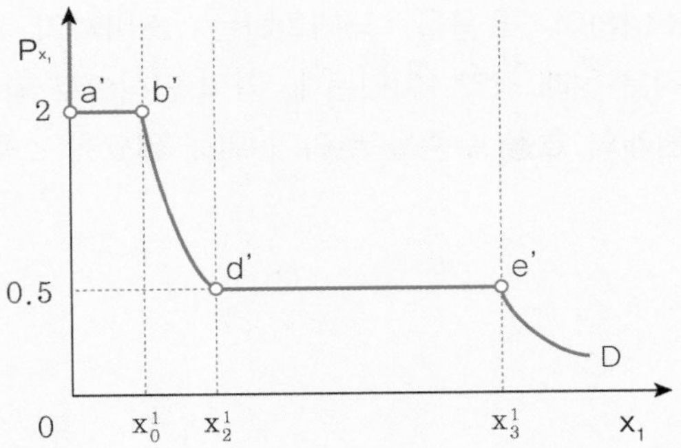

[오답체크]

다. 수요량이 0인 지점이 존재한다.

라. 대체효과는 발생하지 않고 소득효과만 발생한다.

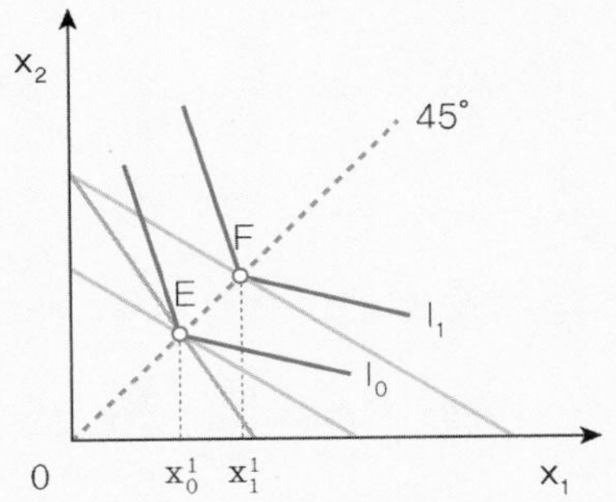

55 상중하

한 소비자의 효용함수는 $U = 4XY$이다. 이 소비자의 소득은 400이고, X재 가격은 10, Y재 가격은 40이다. 이 소비자가 효용극대화할 때의 X재 소비량은? (단, U는 효용수준, X는 X재 소비량, Y는 Y재 소비량이다)

[회계사 16]

① 5 ② 10 ③ 15
④ 20 ⑤ 25

56 상중하

소득 20으로 X재와 Y재만을 소비하여 효용을 극대화하는 소비자의 효용함수가 $u(x,\ y) = \sqrt{xy}$ 이다. X재, Y재의 가격은 원래 각각 1이었는데, 가격 인상으로 각각 2와 8이 되었다. 가격 인상 후 이 소비자가 원래의 효용 수준을 누리기 위해 필요한 소득 증가분의 최솟값은?

[회계사 21]

① 20 ② 30 ③ 40
④ 60 ⑤ 80

정답 및 해설

55 ④ 1) 콥-더글러스 효용함수의 X재 소비량은 $X = \frac{\alpha}{\alpha+\beta} \cdot \frac{M}{P_X}$ 이다.

2) $X = \frac{1}{1+1} \cdot \frac{400}{10} = 20$

56 ⑤ 1) $X = \frac{\frac{1}{2}}{\frac{1}{2}+\frac{1}{2}} \times \frac{20}{1} = 10$ ➔ $Y = \frac{\frac{1}{2}}{\frac{1}{2}+\frac{1}{2}} \times \frac{20}{1} = 10$이므로 효용은 $u = \sqrt{10 \cdot 10} = 10$

2) $X = \frac{\frac{1}{2}}{\frac{1}{2}+\frac{1}{2}} \times \frac{M}{2} = \frac{M}{4}$ ➔ $Y = \frac{\frac{1}{2}}{\frac{1}{2}+\frac{1}{2}} \times \frac{M}{8} = \frac{M}{16}$이므로 효용은 $u = \sqrt{\frac{M}{4} \cdot \frac{M}{16}} = 10$이 성립해야 한다.

$\frac{M}{8} = 10$이므로 $M = 80$이다.

57 상중하 X재와 Y재만을 소비하는 A의 효용함수는 $U(X, Y) = \sqrt{X} + Y$이고, 예산제약선은 $P_xX + P_yY = M$이다. A는 예산제약하에서 효용을 극대화한다. P_x, P_y, M은 각각 X재 가격, Y재 가격 및 소득이다. $P_x = 1$, $P_y = 10$일 때 다음 중 옳은 것을 모두 고르면? (단, $X \geq 0$, $Y \geq 0$)

[회계사 22]

가. $M = 20$일 때, A는 X재만 소비한다.
나. $M \geq 30$일 때, A의 소득소비곡선은 수직이다. (단, 가로축은 X재의 소비량, 세로축은 Y재의 소비량을 나타낸다)
다. $M \leq 20$일 때, A의 Y재 엥겔곡선은 우상향하는 직선이다.

① 가 ② 나 ③ 가, 나
④ 가, 다 ⑤ 나, 다

정답 및 해설

57 ③ 1) 문제에 주어진 조건으로 예산선을 도출하면 $X+10Y=M$이고 상대가격은 $\frac{P_x}{P_y}=\frac{1}{10}$이다.

2) $MRS_{xy}=\frac{MU_x}{MU_y}=\frac{\frac{1}{2\sqrt{x}}}{1}=\frac{1}{2\sqrt{x}}$이다.

3) 소비자 균형에서는 한계대체율과 예산선의 기울기가 일치하므로 $\frac{1}{2\sqrt{x}}=\frac{1}{10}$ ➜ $x=25$이고

이를 예산선에 대입하면 $25+10Y=M$ ➜ $Y=\frac{1}{10}(M-25)$이다.

4) $0\leq M\leq 25$인 경우 Y재를 소비하지 않고 X재 25개만 소비하게 된다.

5) $M>25$인 경우 X재 25개와 Y재 공식에 따른 $Y=\frac{1}{10}(M-25)$를 소비하게 된다.

6) 지문분석

가. $M=20$일 때, Y는 음수이므로 X재만 소비한다.

나. 아래와 같이 그려지므로 옳은 지문이다.

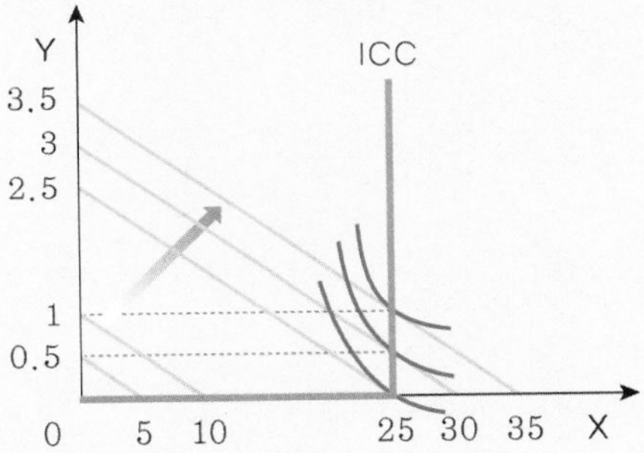

[오답체크]

다. Y의 엥겔곡선을 그리면 다음과 같다.

$$\begin{cases} Y=0, & 0\leq M\leq 25 \\ Y=\frac{1}{10}(M-25), & M>25 \end{cases}$$

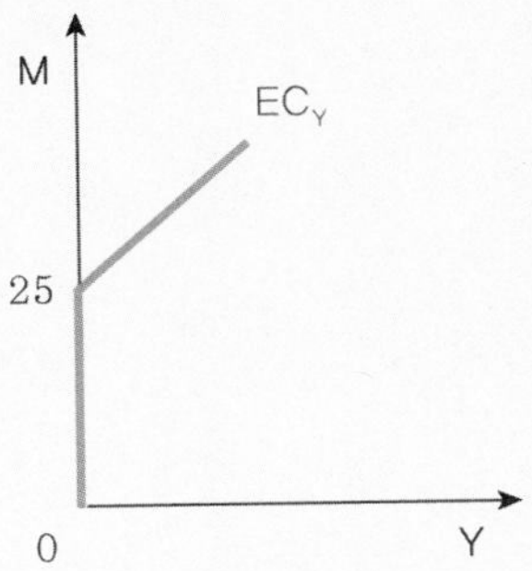

따라서 $M>25$일 때, A의 Y재 엥겔곡선은 우상향하는 직선이다.

58 상중하 두 재화 X와 Y를 통해 효용을 극대화하는 소비자의 소득은 10이고 효용함수는 $u(x, y) = 4\sqrt{x} + 2y$이다. Y재의 가격이 1일 때, 다음 설명 중 옳은 것을 모두 고르면? [회계사 20]

> 가. X재의 가격이 0.5일 때, X재의 소비량은 4단위이다.
> 나. X재의 가격이 0.5에서 0.2로 하락하면, X재의 소비량은 10단위로 증가한다.
> 다. X재의 가격이 0.5에서 0.2로 하락하면, 대체효과만 발생하고 소득효과는 발생하지 않는다.
> 라. Y재의 소비가 증가할 때, Y재의 한계효용은 감소한다.

① 가, 나　　② 가, 다　　③ 나, 다
④ 나, 라　　⑤ 다, 라

정답 및 해설

58 ② 1) 소비자균형은 $MRS_{XY} = \frac{P_X}{P_Y}$이다.

2) $MRS_{XY} = \frac{MU_X}{MU_Y} = \frac{\frac{4}{2\sqrt{x}}}{2} = \frac{1}{\sqrt{x}}$이다. $P_Y = 1$이므로 효용극대화 조건에 대입하면 $\frac{1}{\sqrt{x}} = P_x$ 이다. ➜ $x = \frac{1}{P_x^2}$

3) 이를 예산제약식인 $M = P_x \cdot x + P_y \cdot y$에 주어진 조건을 대입하면 $10 = \frac{1}{P_x} + y$이다.

➜ $y = 10 - \frac{1}{P_x}$

4) 지문분석

가. X재의 가격이 0.5일 때 X재의 소비량은 $x = \frac{1}{(\frac{1}{2})^2} = 4$이다.

다. X재의 가격이 0.5일 경우 X재의 소비량은 4, Y재의 소비량은 8, 효용은 $8 + 16 = 24$이다.
X재의 가격이 0.2일 경우 X재의 소비량은 25, Y재의 소비량은 5, 효용은 $20 + 10 = 30$이다.

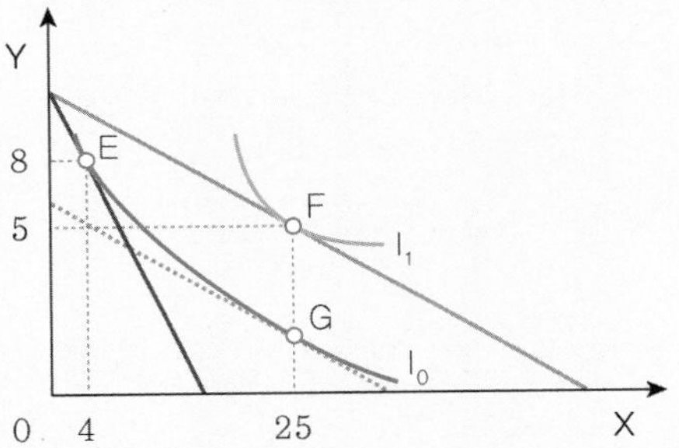

㉠ 위의 그림에서 E점이 최초의 균형점, F점이 X재 가격 하락 이후의 균형점이므로 E점에서 F점으로 옮겨가는 것이 가격효과이다. 가격효과를 대체효과와 소득효과로 분리해 내기 위해 원래 무차별곡선과 접하면서 바뀐 예산선과 평행한 보조선을 그리면 G점을 찾아낼 수 있다.

㉡ G점에서도 무차별곡선과 예산선이 접하므로 $MRS_{XY} = \frac{1}{\sqrt{x}} = \frac{P_X}{P_Y} = \frac{0.2}{1}$ ➜ $x = 25$이다.

㉢ G점은 효용수준이 E점과 동일하므로 $4\sqrt{x} + 2y = 24$ ➜ $4\sqrt{25} + 2y = 24$ ➜ $y = 2$이다.

㉣ 대체효과로 인해서는 X재의 수량이 증가하고 소득효과로 인해서는 X재의 수량이 변하지 않았으므로 소득효과는 존재하지 않는다.

[오답체크]

나. X재의 가격이 0.5일 때 X재의 소비량은 $x = \frac{1}{(\frac{1}{2})^2} = 4$이고 0.2로 하락하면, X재의 소비량은 $x = \frac{1}{(\frac{1}{5})^2} = 25$단위로 증가한다.

라. Y재의 한계효용은 2이므로 Y재의 소비가 증가하더라도 Y재의 한계효용은 일정하다.

59 상중하 두 재화 X와 Y를 통해 효용을 얻는 소비자의 효용함수가 $u(x,\ y) = xy + 10x$이고, $I = 10$, $P_X = 1$, $P_Y = 2$일 때, 효용을 극대화하는 X재와 Y재의 소비묶음은? (단, I는 소득, P_X는 X의 가격, P_Y는 Y의 가격이다) [회계사 20]

① (0, 5)
② (2, 4)
③ (5, 2.5)
④ (6, 2)
⑤ (10, 0)

정답 및 해설

59 ⑤ 1) 소비자균형은 $MRS_{XY} = \frac{P_X}{P_Y}$이다.

2) $MRS_{XY} = \frac{MU_X}{MU_Y} = \frac{y+10}{x}$이다. 효용극대화 조건을 대입하면 $\frac{y+10}{x} = \frac{1}{2}$ ➜ $x = 2y + 20$이다.

3) 예산제약식 $M = P_X \cdot X + P_Y \cdot Y$에 효용극대화 조건과 문제의 조건을 대입하면 $10 = 2y + 20 + 2y$
➜ $y = -2.5,\ x = 15$이다.

4) y는 (−)가 될 수 없으므로 $x = 10,\ y = 0$이다.

60 상중하

X재와 Y재만을 소비하며 소득이 1인 어느 소비자의 효용함수가 $u(x, y) = -\frac{1}{x} + y$이다. X재의 가격은 P, Y재의 가격은 1이다. 다음 설명 중 옳은 것은? [회계사 21]

① 이 소비자에게 X재는 비재화이다.
② y값이 같다면 한계대체율은 x값에 관계없이 일정하다.
③ X재 수요곡선에 수평인 부분이 존재한다.
④ X재 수요곡선은 45°선을 기준으로 대칭이다.
⑤ X재에 대한 지출이 극대화되는 가격이 여러 개 존재한다.

정답 및 해설

60 ⑤ 1) 소비자균형은 한계대체율 = 예산선의 기울기이다.

2) 효용함수는 $U = -\frac{1}{x} + y$이고 문제에 주어진 조건을 예산선에 대입하면 $P \cdot x + y = 1$이다.

이를 x에 대한 함수로 변형하면 $U = -\frac{1}{x} + 1 - P \cdot x$이다. 효용이 (−)가 되지 않으므로 x의 범위는 $0 \leq x \leq \frac{1}{P}$이다.

3) 효용함수를 통해 한계효용을 도출하면 $MU_x = \frac{1}{x^2} - P$이고 이를 그래프로 표현하면 다음과 같다.

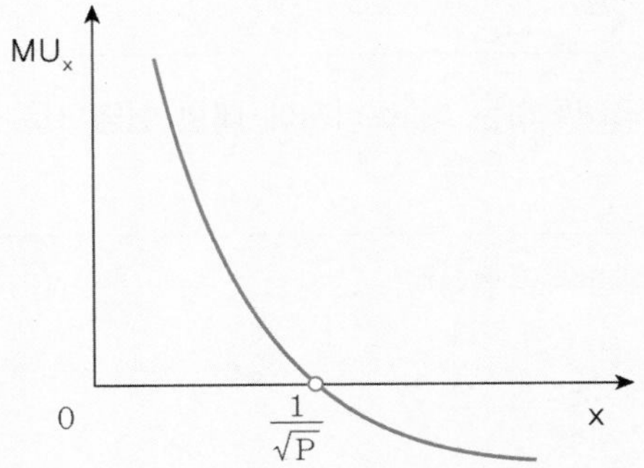

4) 예산제약의 최댓값인 $\frac{1}{P}$과 한계효용이 0이 되는 $\frac{1}{\sqrt{P}}$의 두 개의 x재의 범위가 존재한다. 한계효용이 0보다 큰 $\frac{1}{\sqrt{P}}$보다 X재의 소비량이 작다면 X재만 소비할 것이다. 따라서 $\frac{1}{P}$과 $\frac{1}{\sqrt{P}}$의 가격범위에 따라 다른 소비량이 존재한다.

㉠ $\frac{1}{P} \leq \frac{1}{\sqrt{P}}$ ➜ $\sqrt{P} \leq P$ ➜ $P \leq P^2$ ➜ $1 \leq P$ ➜ 이 경우 주어진 소득인 1을 X재만 사용하므로 $P \cdot x = 1$ ➜ $x = \frac{1}{P}$이다.

㉡ $\frac{1}{P} > \frac{1}{\sqrt{P}}$ ➜ $\sqrt{P} > P$ ➜ $0 \leq P < 1$ ➜ 이 경우 한계효용이 0이므로 $0 = \frac{1}{x^2} - P$ ➜ $P = \frac{1}{x^2}$ 이다.

5) 이를 수요함수로 표현하면 다음과 같다.

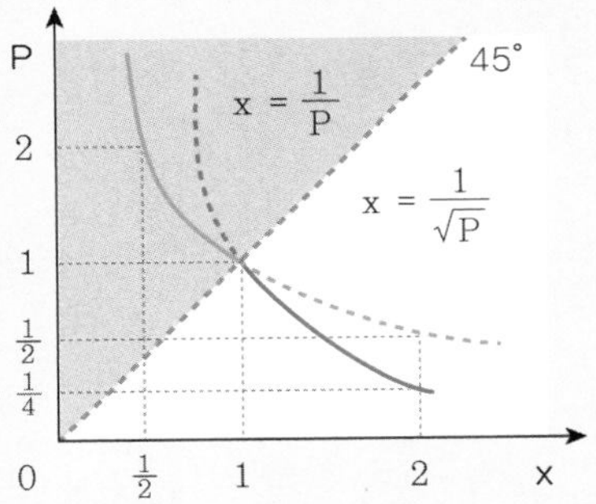

6) 지문분석

⑤ X재에 대한 지출이 극대화되는 가격은 모든 소득을 X재의 지출에 사용할 때이다. 이는 $1 \leq P$이면 모두 성립한다.

[오답체크]

① 한계효용이 $\frac{1}{x^2}$이므로 효용재이다.

② 한계대체율은 $MRS_{xy} = \frac{MU_x}{MU_y} = \frac{\frac{1}{x^2}}{1} = \frac{1}{x^2}$이므로 x값에 의해 결정된다.

③ X재 수요곡선에 수평인 부분이 존재하지 않는다.

④ X재 수요곡선은 45°선을 기준으로 대칭이 아니다.

61 상중하 X재와 Y재만을 소비하는 어느 소비자의 효용함수가 다음과 같다.

$$u(x,\ y) = Max[2x + y,\ x + 2y]$$

Y재의 가격이 1로 주어진 경우, 효용을 극대화하는 이 소비자에 대한 설명으로 옳은 것만을 모두 고르면? [회계사 21]

가. X재 가격의 각 수준에 대해 효용극대점은 유일하다.
나. 두 재화의 소비량이 같은 효용극대점이 존재한다.
다. X재 수요가 단위 탄력적인 점이 존재한다.
라. X재 수요가 완전 비탄력적인 점이 존재한다.

① 가, 나 ② 가, 다 ③ 나, 다
④ 나, 라 ⑤ 다, 라

정답 및 해설

61 ⑤ 1) 주어진 효용함수가 둘 중 큰 것에 의해 결정되므로 두 개의 함수가 도출된다.

㉠ $2x + y \geq x + 2y$ ➜ $U = 2x + y$

㉡ $2x + y < x + 2y$ ➜ $U = x + 2y$

㉢ 이를 그래프로 나타내면 다음과 같다.

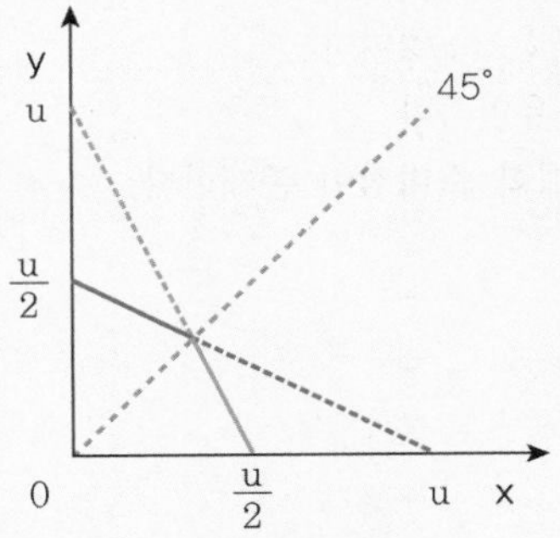

2) 주어진 조건으로 예산선을 구하면 $P \cdot x + y = M$이다. ➜ 예산선의 기울기: P

3) 소비자균형을 그래프로 나타내면 다음과 같다.

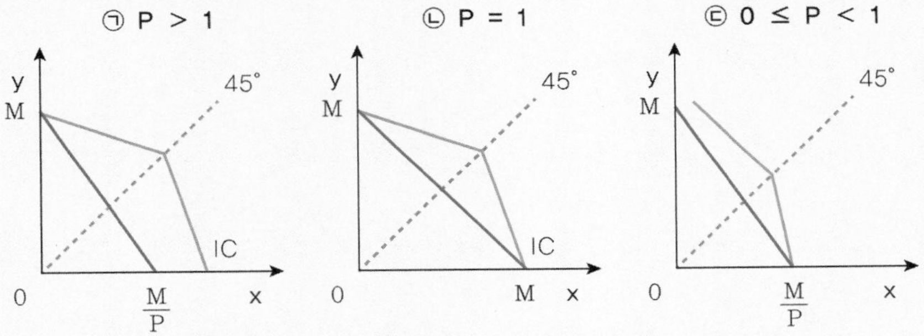

4) 이를 바탕으로 수요곡선을 그리면 다음과 같다.

$$D(x) = \begin{cases} x = 0, & P > 1 \\ x = \dfrac{M}{P}, & 0 \leq P < 1 \end{cases}$$

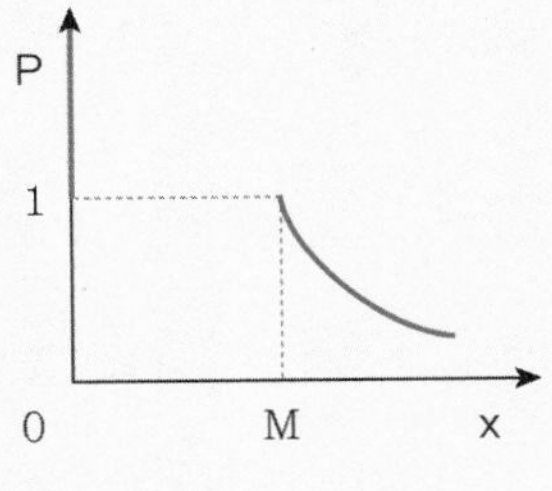

5) 지문분석

다. P가 $0 \leq P < 1$일 경우 X재 수요가 단위탄력적이다.

라. $P > 1$이면 X재의 소비량이 0이므로 수요의 가격탄력성이 완전비탄력적이다.

[오답체크]

가. X재 가격의 각 수준에 대해 효용극대점은 여러 개이다.

나. 두 재화의 소비량이 같은 효용극대점이 존재하지 않는다.

62 상중하

소득 m을 갖는 소비자가 두 재화 X와 Y를 통해 $u(x, y) = x^2 + y^2$의 효용을 얻는다. Y재의 가격이 1일 때, 효용을 극대화하는 이 소비자에 대한 다음 설명 중 옳은 것은? (단, $0 < m < \infty$)

[회계사 20]

① X재 수요가 가격에 단위탄력적인 점이 있다.
② X재의 가격이 1이면 두 재화의 소비량은 같다.
③ X재의 가격이 2에서 0.5로 떨어지면 대체효과는 $m/2$이다.
④ X재의 모든 가격하에서 효용극대화 소비점은 유일하다.
⑤ 한계대체율이 X재의 가격과 같아지는 효용극대화 소비점이 존재한다.

정답 및 해설

62 ① 1) $u(x, y) = x^2 + y^2$은 원의 방정식이므로 형태를 그래프로 그리면 다음과 같다.

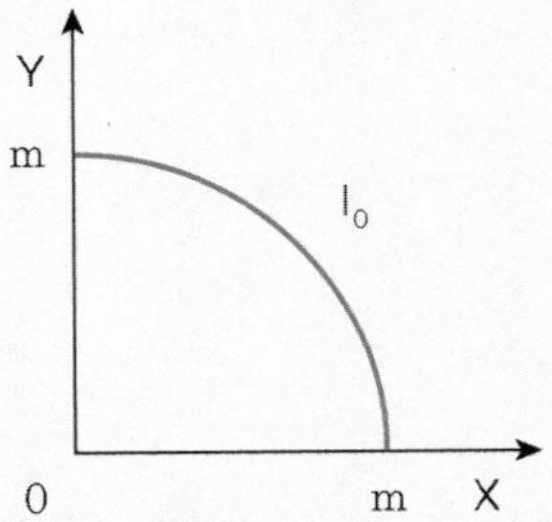

2) X재 가격이 1보다 낮은 구간에서는 X재 가격이 점점 더 하락하더라도 소비자는 항상 소득 전부를 X재 구입에 지출할 것이므로 X재 구입액과 소득이 일치한다. ➜ $P_X \cdot X = m$ ➜ $X = \dfrac{m}{P_X}$

3) X재 가격이 1보다 낮은 구간에서 X재 수요곡선은 $X = \dfrac{m}{P_X}$ 이므로 직각쌍곡선(= 수요의 가격탄력성 1)의 형태이다.

[오답체크]

② X재의 가격이 1이면 두 재화 중 하나만 선택할 것이다.

③ X재의 가격이 2에서 0.5로 떨어지면 대체효과는 m이다.

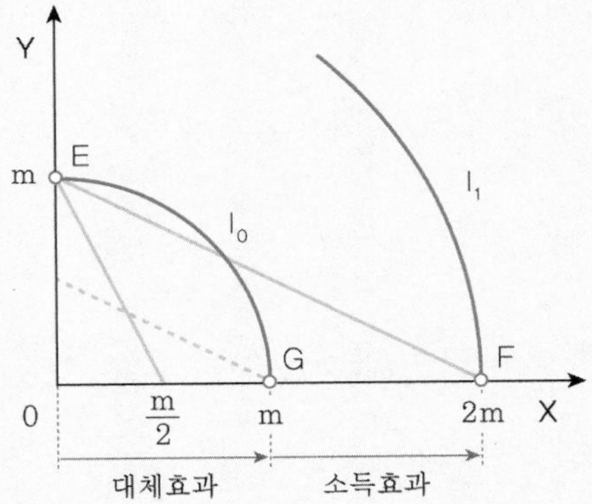

④ X재가 Y재보다 비싸지면 Y재만 소비한다.

⑤ 소비자균형은 한 재화만 소비하므로 예산선의 기울기와 무차별곡선의 기울기는 항상 다르다.

63 두 재화 X, Y를 통해 효용을 극대화하는 소비자의 효용함수가 다음과 같다.

상중하

$$u(x,\ y) = -(x-a)^2 - (y-b)^2$$

a, b는 양(+)의 상수이다. 이 소비자에 대한 설명으로 옳은 것은? [회계사 19]

① 두 재화가 모두 비재화(Bads)인 부분이 존재한다.

② 초기부존점이 $(a,\ b)$라면 예산선 위의 모든 점에서 효용이 극대화된다.

③ 주어진 소득 수준에서 효용을 극대화하는 소비점이 여러 개 존재할 수 있다.

④ 효용함수 $u(x,\ y) = -|x-a| - |y-b|$도 같은 선호체계를 나타낸다.

⑤ 선호체계가 이행성(Transitivity)을 위배한다.

정답 및 해설

63 ①

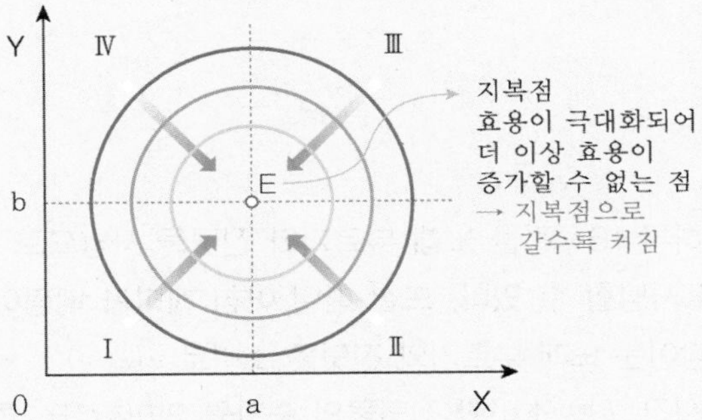

1) Ⅰ영역은 두 재화 모두 효용재이다.
2) Ⅱ영역은 X재는 비효용재, Y재는 효용재이다.
3) Ⅲ영역은 두 재화 모두 비효용재이다.
4) Ⅳ영역은 X재는 효용재, Y재는 비효용재이다.

[오답체크]

② 초기부존점에서만 효용이 극대화된다.
③ 효용을 극대화하는 점인 지복점은 하나이다.
④ 다른 선호체계를 나타낸다.

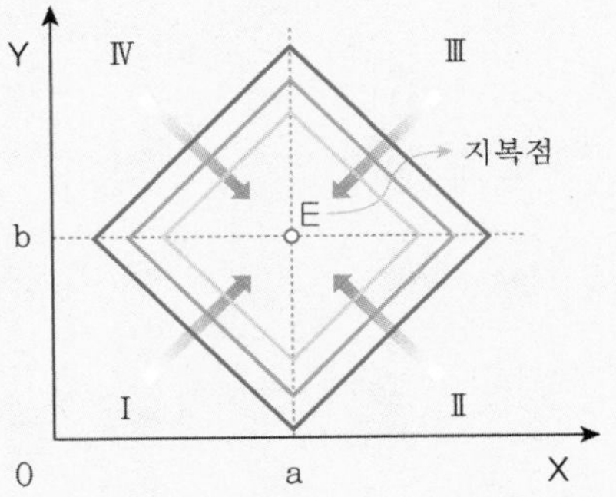

⑤ 이행성을 위배하지 않는다.

64 상중하

어느 마을에 폐기물 처리장이 들어설 예정이다. 주민들의 효용(u)은 일반재화 소비량(y)과 폐기물 처리장 규모(x)의 함수로서 모두 $u = y - 2x$로 동일하다. 폐기물 처리장의 최대 가능 규모는 40이다. 개별주민의 소득이 100이며 일반재화의 가격은 1이고 폐기물 처리장 규모 한 단위당 정부가 주민 각자에게 1씩을 보조해준다고 하자. 주민들의 효용을 극대화하는 (x, y) 조합은? [회계사 15]

① (0, 100) ② (10, 110) ③ (10, 130)
④ (20, 150) ⑤ (40, 140)

65 상중하

베짱이는 잠자는 8시간을 제외한 하루 16시간을 노래 부르기와 진딧물 사냥으로 보낸다. 베짱이는 시간당 30마리의 진딧물을 사냥할 수 있다. 또한 매일 아침 개미가 베짱이에게 진딧물 60마리를 공짜로 제공한다. 베짱이는 노래 부르기와 진딧물 소비로 $u(s, b) = s^{2/3}b^{1/3}$의 효용을 얻는다(단, s는 노래 부르는 시간, b는 소비한 진딧물의 숫자를 의미한다). 효용을 극대화하는 베짱이의 노래 부르는 시간과 진딧물 소비량은? [회계사 16]

	노래 부르는 시간(s)	진딧물 소비량(b)
①	8	300
②	8	240
③	12	180
④	12	120
⑤	16	60

66 A는 매일 자가운전으로 출근한다. A가 자동차 주행속도를 S로 선택했을 때 사고 없이 직장에 도착하는 데 소요되는 시간은 $\frac{1}{S}$이고, 만약 사고가 날 경우 추가적으로 소요되는 시간은 16이다. 사고가 날 확률(π)은 자동차 주행속도의 함수로서 $\pi(S) = Min[S, 1]$이다. A의 기대 출근소요시간을 최소화하기 위한 주행속도는? [회계사 20]

상중하

① $\frac{1}{32}$ ② $\frac{1}{16}$ ③ $\frac{1}{8}$

④ $\frac{1}{4}$ ⑤ $\frac{1}{2}$

정답 및 해설

64 ① 1) 일반재화의 가격이 1이므로 1만큼의 보조금을 지급받으면 주민들의 효용이 1만큼 증가한다. 주민들의 효용함수가 $u = y - 2x$이므로 폐기물 처리장 규모가 한 단위 커질때마다 주민들의 순증가분은 −1이다.

2) 따라서 폐기물을 소비하지 않는 (0, 100)일때 효용이 극대화된다.

65 ③ 1) $MRS_{sb} = \frac{MU_s}{MU_b} = \frac{\frac{2}{3}s^{-\frac{1}{3}}b^{\frac{2}{3}}}{\frac{1}{3}s^{\frac{2}{3}}b^{-\frac{2}{3}}} = \frac{2b}{s}$

2) 예산선을 진딧물로 표현하면 $b = 60 + (16 - s)30$ ➜ $b = 540 - 30s$이다.

3) 소비자균형은 무차별곡선의 기울기와 예산선의 기울기가 동일하므로 $\frac{2b}{s} = 30$ ➜ $b = 15s$이다.

4) 이를 예산제약식에 대입하면 $15s = 540 - 30s$ ➜ $s = 12,\ b = 180$이다.

66 ④ 1) 주행속도 S가 1보다 클 경우 사고 날 확률이 1이므로 반드시 사고가 일어난다. 따라서 기대출근시간은 $\frac{1}{S} + 16$이다.

2) S가 1보다 작은 경우 사고가 날 확률은 S, 사고가 나지 않을 확률은 $1 - S$이므로 기대출근시간은 $[S \times (\frac{1}{S} + 16)] + [(1 - S) \times \frac{1}{S}] = 16S + \frac{1}{S}$이다.

3) 기대출근시간이 최소가 되는 주행속도를 구하기 위해 기대출근시간 계산식을 S로 미분하고 0으로 두면 $16 - \frac{1}{S^2} = 0,\ S = \frac{1}{4}$이다. 이를 기대출근시간 계산식에 대입하면 8이다.

4) S가 1보다 크면 $\frac{1}{S} + 16$이므로 16시간 이상 걸리고, $S = \frac{1}{4}$이면 기대출근시간이 8이므로 $S = \frac{1}{4}$이다.

67 상중하 소비자 선택은 주어진 소득으로 효용을 극대화하는 문제로 접근(효용극대화 접근방법)하거나, 주어진 효용을 달성하기 위해 지출을 극소화하는 문제로 접근(지출극소화 접근방법)할 수 있다. 다음 설명 중 옳은 것을 모두 고르면? [회계사 22]

> 가. 효용극대화 접근방법으로 도출된 수요함수는 가격과 효용의 함수이다.
> 나. 소득 $\overline{M}$으로 효용을 극대화하는 경우 극대화된 효용이 U^*라고 하면, U^*의 효용을 달성하기 위해 극소화된 지출은 $\overline{M}$이다.
> 다. 지출극소화 접근방법으로 도출된 수요곡선은 우상향할 수 없다.

① 가 ② 나 ③ 다
④ 가, 나 ⑤ 나, 다

정답 및 해설

67 ⑤ 1) 효용극대화 접근방법은 주어진 예산으로 효용을 극대화하는 것을 의미한다.

$Max[x,\ y]:\ U = U(X,\ Y)$

s.t. $P_X \cdot X + P_Y \cdot Y = \overline{M}$

2) 지출극소화 접근방법은 주어진 효용을 달성하기 위해 지출을 극소화하는 것을 의미한다.

$Min[x,\ y]:\ E = P_X \cdot X + P_Y \cdot Y$

s.t. $U(X,\ Y) = \overline{U}$

3) 지문분석

나. 그래프를 통해 알 수 있듯이 소득 $\overline{M}$으로 효용을 극대화하는 경우 극대화된 효용을 U^*라고 하면, U^*의 효용을 달성하기 위해 극소화된 지출은 $\overline{M}$이다.

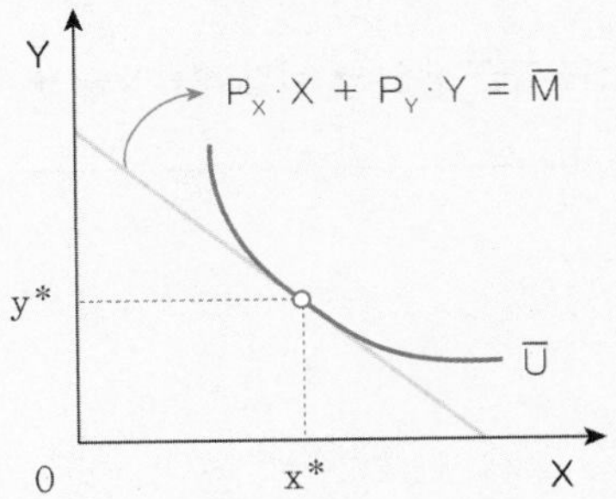

다. 지출극소화 접근방법으로 도출된 수요곡선은 보상수요곡선이다. 보상수요곡선은 대체효과만 반영하므로 수요법칙의 예외가 될 수 없어 우상향할 수 없다.

[오답체크]

가. 효용극대화 접근방법으로 도출된 수요함수는 다음과 같은 보통수요함수이다.

$x^* = f(P_x,\ P_y,\ \overline{M})$

$y^* = f(P_x,\ P_y,\ \overline{M})$

보통수요함수는 가격과 소득의 함수이다. 반면 지출극소화 접근방법으로 도출된 수요함수는 보상수요함수로 다음과 같다.

$x_c = h(P_x,\ P_y,\ \overline{U})$

$y_c = h(P_x\ ,\ P_y,\ \overline{U})$

이는 가격과 효용의 함수이다.

Topic 6 무차별곡선이론(2)-사회보장제도, 2기간모형, 여가-소득모형

사회보장제도	(1) ㉮ ________: 현금보조 ≥ 현물보조 > 가격보조 (2) ㉯ ________________: 가격보조 > 현물보조 ≥ 현금보조
2기간모형	(1) 효용극대화 조건: ㉰ ________ (2) 이자율 상승 시 소득효과와 대체효과 ① ㉱ ________ ㉠ 저축자: 이자율 상승 ➜ 현재소비의 기회비용 상승 ➜ 현재소비 감소 (저축 증가) ㉡ 차입자: 이자율 상승 ➜ 기회비용 상승 ➜ 현재소비 감소 (차입 감소) ② ㉲ ________ ㉠ 저축자: 이자율 상승 ➜ 이자수입 증가 ➜ 소득 증가 ➜ 현재소비 증가 ㉡ 차입자: 이자율 상승 ➜ 이자부담 증가 ➜ 소득 감소 ➜ 현재소비 감소
여가-소득모형	(1) 효용극대화 조건: ㉳ ________ (2) 임금 상승 시 소득효과와 대체효과 ① 대체효과: 실질임금 상승 ➜ 여가의 상대가격 상승 ➜ 여가소비 감소 ➜ 노동공급 증가 ② 소득효과 ㉠ 여가가 ㉴ ______인 경우: 실질임금 상승 ➜ 실질소득 상승 ➜ 여가소비 증가 ➜ 노동공급 감소 ㉡ 여가가 ㉵ ______인 경우: 실질임금 상승 ➜ 실질소득 상승 ➜ 여가소비 감소 ➜ 노동공급 증가

핵심키워드

㉮ 효용수준, ㉯ 정부의 목표달성, ㉰ $MRS_{c1c2} = 1 + r$, ㉱ 대체효과, ㉲ 소득효과, ㉳ $MRS_{lM} = w$, ㉴ 정상재, ㉵ 열등재

STEP 1 기본문제

01 상중하 다음 중 이자율이 소비에 미치는 영향에 대한 설명으로 옳지 않은 것은? [국회직 8급 17]

① 이자율이 상승하면 현재소비의 기회비용은 증가한다.
② 이자율이 상승하면 정상재의 경우 소득효과에 의해 현재소비가 증가한다.
③ 이자율이 상승하면 대체효과에 의해 현재소비가 감소한다.
④ 이자율이 상승하면 대체효과에 의해 미래소비가 증가한다.
⑤ 이자율이 상승하면 현재소비는 증가하지만 미래소비는 증가하거나 감소할 수 있다.

02 상중하 피셔(Fisher)의 2기간 최적소비선택모형에서 제1기의 소득이 소비보다 큰 소비자에 관한 설명으로 옳은 것을 모두 고른 것은? (단, 기간별 소비는 모두 정상재이며, 저축과 차입이 자유롭고 저축이자율과 차입이자율이 동일한 완전자본시장을 가정한다) [노무사 12]

> ㄱ. 제1기의 소득 증가는 제1기의 소비를 증가시킨다.
> ㄴ. 제2기의 소득 증가는 제2기의 소비를 감소시킨다.
> ㄷ. 실질이자율이 증가하면 제2기의 소비는 증가한다.

① ㄱ ② ㄱ, ㄴ, ㄷ ③ ㄱ, ㄷ
④ ㄴ ⑤ ㄴ, ㄷ

정답 및 해설

01 ⑤ 1) 대체효과
이자율 상승은 현재소비의 상대가격을 상승시키므로 대체효과는 소비자가 현재 저축자인지 차입자인지에 관계없이 항상 현재소비를 줄이고 미래소비를 증가시킨다.
2) 소득효과
㉠ 저축자(소득효과 > 대체효과): 이자율 상승 ➔ 현재소비 증가(저축 감소)
㉡ 저축자(소득효과 < 대체효과): 이자율 상승 ➔ 현재소비 감소(저축 증가), 미래소비 증가
3) 따라서 이자율이 상승하면 현재소비는 증가할 수도 감소할 수도 있다.

02 ③ ㄱ. 제1기의 소비가 정상재이므로 제1기의 소득 증가는 제1기의 소비를 증가시킨다.
ㄷ. 실질이자율이 증가하면 대체효과에 의해 제1기 소비의 상대가격 상승, 제2기의 소비의 상대가격 하락으로 제2기의 소비는 증가하고 소득효과에 의해 소득이 증가하므로 제2기의 소비는 증가한다.

[오답체크]
ㄴ. 제2기가 정상재이므로 제2기의 소득 증가는 제2기의 소비를 증가시킨다.

03 상중하

2기간 소비선택모형에서 소비자의 효용함수는 $U(C_1, C_2) = C_1C_2$이고, 예산제약식은 $C_1 + \frac{C_2}{1+r} = Y_1 + \frac{Y_2}{1+r}$이다. 이 소비자의 최적소비 행태에 대한 설명으로 옳지 않은 것은? (단, C_1은 1기의 소비, C_2는 2기의 소비, Y_1은 1기의 소득으로 100, Y_2는 2기의 소득으로 121, r은 이자율로 10%이다) [지방직 7급 17]

① 한계대체율과 $(1+r)$이 일치할 때 최적소비가 발생한다.
② 1기보다 2기에 소비를 더 많이 한다.
③ 1기에 이 소비자는 저축을 한다.
④ 유동성제약이 발생하면 1기의 소비는 감소한다.

04 상중하

다음은 두 기간에 걸친 어느 소비자의 균형조건을 보여준다. 이 소비자의 소득 부존점은 E이고 효용극대화 균형점은 A이며, 이 경제의 실질이자율은 r이다. 이에 대한 설명으로 옳지 않은 것은? (단, 원점에 볼록한 곡선은 무차별곡선이다) [지방직 7급 18]

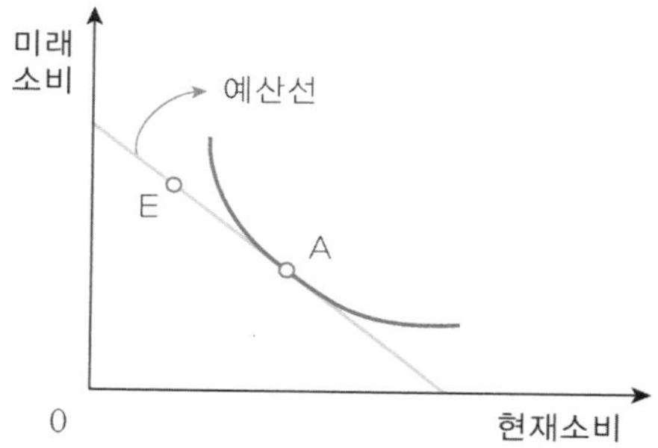

① 실질이자율(r)이 하락하면, 이 소비자의 효용은 감소한다.
② 효용극대화를 추구하는 이 소비자는 차입자가 될 것이다.
③ 현재소비와 미래소비가 모두 정상재인 경우, 현재소득이 증가하면 소비평준화(Consumption smoothing) 현상이 나타난다.
④ 유동성 제약이 있다면, 이 소비자의 경우 한계대체율은 r보다 클 것이다.

정답 및 해설

03 ③ 1) 현재소비와 미래소비 간의 한계대체율을 구해보면 $MRS_{C_1C_2} = \frac{MU_{C_1}}{MU_{C_2}} = \frac{C_2}{C_1}$ 이다.

2) 소비자균형에서는 예산선과 무차별곡선이 접하므로 $MRS_{C_1C_2} = (1+r)$ ➜ $\frac{C_2}{C_1} = 1.1$, $C_2 = 1.1C_1$ 이 성립한다.

3) $C_1 + \frac{C_2}{1.1} = 100 + \frac{121}{1.1}$ 에 대입하면 $2C_1 = 210$, $C_1 = 105$, $C_2 = 115.5$로 계산된다. 1기 소득이 100이고 1기 소비가 105이므로 이 소비자는 차입자임을 알 수 있다.

04 ① 소비자균형인 A점에서의 현재소비가 부존점인 E점의 현재소득보다 많으므로 이 소비자는 차입자이다. 실질이자율(r)이 하락하면 차입자인 이 소비자의 소비가능영역이 커지므로 이 소비자의 효용수준은 증가하게 된다.

[오답체크]

② 효용극대화를 추구하는 이 소비자는 차입자가 될 것이다.

③ 현재소비와 미래소비가 모두 정상재인 경우, 현재소득이 증가하면 소비평준화(Consumption smoothing) 현상. 즉 증가한 현재소득을 전부 현재소비에만 사용하는 것이 아니라 일부는 미래소비 증가에 사용된다.

④ 유동성 제약이 있다면, 부존점에서 소비해야 하므로 이 소비자의 경우 한계대체율은 r보다 클 것이다.

05 상중하 다음은 2기간 소비선택모형이다. 이에 대한 설명으로 옳지 않은 것은? [지방직 7급 17]

> 소비자의 효용함수는 $U(C_1, C_2) = \ln(C_1) + \beta\ln(C_2)$이다. 여기서 C_1은 1기 소비, C_2는 2기 소비, $\beta \in (0, 1)$, ln은 자연로그이다. 소비자의 1기 소득은 100이며, 2기 소득은 0이다. 1기의 소비 중에서 남은 부분은 저축 할 수 있으며, 저축에 대한 이자율은 r로 일정하다.

① 소비자의 예산제약식은 $C_1 + \frac{C_2}{1+r} = 100$이다.
② $\beta(1+r) = 1$이면, 1기의 소비와 2기의 소비는 같다.
③ $\beta > \frac{1}{1+r}$이면, 1기의 소비가 2기의 소비보다 크다.
④ 효용함수가 $U(C_1, C_2) = C_1 C_2^{\beta}$인 경우에도, 1기 소비와 2기 소비의 균형은 변하지 않는다.

06 상중하 ( )에 들어갈 내용으로 옳은 것은? [노무사 17]

> 여가가 정상재인 상황에서 임금이 상승할 경우 (ㄱ) 효과보다 (ㄴ) 효과가 더 크다면 노동공급은 임금 상승에도 불구하고 감소하게 된다. 만약 (ㄷ)의 기회비용 상승에 반응하여 (ㄷ)의 총사용량을 줄인다면, 노동공급곡선은 정(+)의 기울기를 가지게 된다.

① ㄱ: 대체, ㄴ: 소득, ㄷ: 여가
② ㄱ: 대체, ㄴ: 소득, ㄷ: 노동
③ ㄱ: 소득, ㄴ: 대체, ㄷ: 여가
④ ㄱ: 소득, ㄴ: 대체, ㄷ: 노동
⑤ ㄱ: 가격, ㄴ: 소득, ㄷ: 여가

07 상중하

소득-여가 선택모형에서 효용극대화를 추구하는 개인의 노동공급 의사결정에 관한 설명으로 옳지 않은 것은? (단, 대체효과와 소득효과의 비교는 절댓값으로 한다) [노무사 20]

① 소득과 여가가 정상재인 경우, 임금률 상승 시 대체효과가 소득효과보다 크면 노동공급은 증가한다.

② 소득과 여가가 정상재인 경우, 임금률 하락 시 소득효과가 대체효과보다 크면 노동공급은 감소한다.

③ 소득과 여가가 정상재인 경우, 임금률 하락 시 대체효과는 노동공급 감소요인이다.

④ 소득과 여가가 정상재인 경우, 임금률 상승 시 소득효과는 노동공급 감소요인이다.

⑤ 소득은 정상재이지만 여가가 열등재인 경우, 임금률 상승은 노동공급을 증가시킨다.

정답 및 해설

05 ③ $\beta > \frac{1}{1+r}$이면, 1기의 소비가 2기의 소비보다 작다.

[오답체크]

① 소비자의 1기 소득은 100, 2기 소득은 0이므로 예산제약식은 $C_1 + \frac{C_2}{1+r} = 100$이다.

② 효용함수 $U(C_1, C_2) = \ln(C_1) + \beta\ln(C_2)$을 C_1에 대해 미분하면 $MU_{C_1} = \frac{1}{C_1}$이고, C_2에 대해 미분하면 $MU_{C_2} = \frac{\beta}{C_2}$이므로 한계대체율 $MRS_{C_1C_2} = \frac{MU_{C_1}}{MU_{C_2}} = \frac{\frac{1}{C_1}}{\frac{\beta}{C_2}} = \frac{C_2}{\beta C_1}$이다. 예산선의 기울기는 $(1+r)$이고 소비자균형에서는 무차별곡선과 예산선이 서로 접하므로 $MRS_{C_1C_2} = \frac{C_2}{\beta C_1} = (1+r)$로 두면 $C_2 = \beta(1+r)C_1$의 관계를 구할 수 있다. 따라서 $\beta(1+r) = 1$이면 1기와 2기의 소비는 같다.

④ 효용함수가 $U(C_1, C_2) = C_1C_2^{\beta}$인 경우에도 한계대체율이 문제에 주어진 효용함수와 동일하므로 1기 소비와 2기 소비의 균형은 변하지 않는다.

06 ① 1) 여가가 정상재일 때 임금이 상승하면 대체효과에 의해서는 노동공급이 증가하나, 소득효과에 의해서는 노동공급이 감소한다.

2) 그러므로 대체효과가 소득효과보다 크면 노동공급이 증가하나, 소득효과가 대체효과보다 큰 경우에는 노동공급이 감소한다.

07 ② 1) 임금률 하락 시 대체효과에 의해 여가의 상대가격이 하락하여 여가소비 증가 ➜ 노동공급 감소

2) 임금률 하락 시 여가가 정상재인 경우 소득효과에 의해 여가소비 감소 ➜ 노동공급 증가

3) 따라서 소득효과가 크면 노동공급이 증가하고, 대체효과가 크면 노동공급이 감소한다.

08 상중하 병은 하루 24시간을 여가시간(l)과 노동시간(L)으로 나누어 사용한다. 효용은 노동을 통해 얻는 근로소득(Y)과 여가시간을 통해서만 결정된다고 할 때, 병의 노동공급곡선에 대한 설명으로 옳은 것은? (단, $Y = wL$이며 w는 시간당 임금이다) [국가직 21]

① 여가가 열등재일 경우 노동공급곡선의 후방굴절(backward bending)이 나타날 수 있다.
② 시간당 임금 상승으로 인한 대체효과는 노동공급량을 증가시킨다.
③ 여가가 정상재일 경우 시간당 임금 상승 시 소득효과가 대체효과보다 더 크면 노동공급량이 증가한다.
④ 근로소득과 여가가 완전보완관계일 경우 시간당 임금 상승 시 소득효과가 발생하지 않는다.

09 상중하 소득-여가 선택 모형에서 효용극대화를 추구하는 개인의 노동공급 의사결정에 관한 설명으로 옳지 않은 것은? [단, 여가(L)와 소득(Y)은 효용을 주는 재화이며 한계대체율($MRS_{XY} = \left|\frac{\triangle Y}{\triangle L}\right|$)은 체감한다] [노무사 21]

① 여가가 정상재인 경우 복권당첨은 근로시간의 감소를 초래한다.
② 여가가 열등재라면 노동공급곡선은 우하향한다.
③ 임금률이 한계대체율보다 크다면 효용극대화를 위해 근로시간을 늘려야 한다.
④ 개인 간 선호의 차이는 무차별곡선의 모양차이로 나타난다.
⑤ 시장임금이 유보임금(reservation wage)보다 낮다면 노동을 제공하지 않는다.

정답 및 해설

08 ② 1) 대체효과

임금 상승 시 여가의 상대가격이 상승하여 여가소비가 감소하고 이로 인해 노동공급이 증가한다.

2) 소득효과

㉠ 임금 상승 시 실질소득이 증가한다.

㉡ 여가가 정상재인 경우 여가소비가 증가하여 노동공급이 감소한다.

㉢ 여가가 열등재인 경우 여가소비가 감소하여 노동공급이 감소한다.

3) 결론

㉠ 여가가 열등재이면 임금 상승 시 노동공급이 증가한다.

㉡ 여가가 정상재이면 임금 상승 시 소득효과가 대체효과보다 작으면 노동공급이 증가한다.

㉢ 여가가 정상재이면 임금 상승 시 소득효과가 대체효과보다 크면 노동공급이 감소한다.

4) 지문분석

② 시간당 임금 상승으로 인한 대체효과는 여가의 상대가격을 상승시키므로 여가소비가 감소하여 노동공급량을 증가시킨다.

[오답체크]

① 여가가 정상재일 경우 노동공급곡선의 후방굴절(backward bending)이 나타날 수 있다.

③ 여가가 정상재일 경우 시간당 임금 상승 시 소득효과가 대체효과보다 더 크면 노동공급량이 감소한다.

④ 근로소득과 여가가 완전보완관계일 경우 시간당 임금 상승 시 대체효과가 발생하지 않는다.

09 ② 여가가 열등재라면 소득효과와 대체효과의 방향이 동일하여 공급법칙에 따른다. 따라서 임금 상승 시 노동량이 증가하므로 노동공급곡선은 우상향한다.

[오답체크]

① 여가가 정상재인 경우 복권당첨은 소득을 증가시키므로 여가소비를 증가시켜 근로시간의 감소를 초래한다.

③ 임금률이 한계대체율보다 크다면 여가를 줄여야 하므로 효용극대화를 위해 근로시간을 늘려야 한다.

④ 개인 간 선호의 차이는 볼록한 경우, 선형, L자형 등 무차별곡선의 모양차이로 다양하게 나타날 수 있다.

⑤ 시장임금이 자신이 꼭 받고자 하는 유보임금(reservation wage)보다 낮다면 노동을 제공하지 않는다.

10 상중하

소득-여가 선택모형에서 A의 효용함수가 $U = Y + 2L$이고, 총가용시간은 24시간이다. 시간당 임금이 변화할 때, A의 노동공급시간과 여가시간에 관한 설명으로 옳은 것을 모두 고른 것은? (단, $U =$ 효용, $Y =$ 소득, $L =$ 여가시간이다) [노무사 18]

> ㄱ. 시간당 임금의 상승은 언제나 노동공급시간을 증가시킨다.
> ㄴ. 시간당 임금이 1이면 노동공급시간은 3이다.
> ㄷ. 시간당 임금이 3이면 여가시간은 0이다.
> ㄹ. 시간당 임금이 3에서 4로 상승하면 임금 상승에도 불구하고 노동공급시간은 더 이상 증가하지 않는다.

① ㄱ, ㄴ
② ㄴ, ㄷ
③ ㄷ, ㄹ
④ ㄱ, ㄴ, ㄷ
⑤ ㄴ, ㄷ, ㄹ

11 상중하

갑의 효용함수는 $U(m, l) = ml$이고, 예산 제약식은 $w(24 - l) + A = m$이다. 갑이 효용을 극대화할 때 이에 관한 설명으로 옳지 않은 것은? [단, m은 소득, l은 여가, $(24 - l) \geq 0$은 근로시간, A는 보조금, w는 시간당 임금이다] [보험계리사 20]

① 보조금이 증가하면 근로시간은 감소한다.
② 보조금이 시간당 임금의 두 배이면 최적 여가는 13이다.
③ 보조금이 존재할 때, 시간당 임금이 상승하면 여가는 감소한다.
④ 보조금이 없을 때 근로시간은 시간당 임금에 비례하여 증가한다.

12 근로장려세제(EITC; Earned Income Tax Credit)에 관한 설명으로 옳지 않은 것은?
상중하

[보험계리사 19]

① EITC는 최저임금제와는 달리 고용주들에게 저임금근로자를 해고할 유인을 제공하지 않는다.
② EITC는 저소득 근로자에게 추가적 소득을 제공한다.
③ 실업자도 EITC의 수혜대상이 된다.
④ EITC를 확대 실시하면 재정부담이 커진다.

정답 및 해설

10 ③ ㄷ. 시간당 임금이 3이면 소비자균형은 이루어지므로 여가시간은 0, 노동시간은 24시간이 된다.
ㄹ. 시간당 임금이 2보다 높은 경우 개인 A는 24시간을 모두 노동공급에 투입할 것이므로 시간당 임금이 3에서 4로 상승하더라도 노동시간은 더 이상 증가하지 않는다.

[오답체크]
ㄱ. 효용함수 $U = Y + 2L$을 Y에 대해 정리하면 $Y = -2L + U$이므로 무차별곡선은 기울기가 2(절댓값)인 우하향의 직선이다.
ㄴ. 시간당 임금이 1이면 소비자균형은 이루어지므로 노동시간은 0, 여가시간은 24시간이 된다.

11 ④ 1) 노동시장의 효용극대화조건은 $MRS_{lm} = \frac{MU_l}{MU_M} = w$이다.

2) $MRS_{lm} = \frac{m}{l} = w$이므로 $m = lw$가 성립한다.

3) 이를 예산선에 대입하면 $24w - lw + A = m$ ➜ $24w - lw + A = lw$ ➜ $l = \frac{A}{2w} + 12$이다.

4) 지문분석
④ 보조금이 없을 때 $A = 0$이므로 여가시간은 12시간이다. 여가시간이 변하지 않으면 노동시간도 변하지 않는다.

[오답체크]
① 보조금 A가 증가하면 여가시간이 증가하므로 근로시간은 감소한다.
② 보조금이 시간당 임금의 두 배이면 $A = 2w$이므로 $l = 1 + 12$가 성립하여 최적 여가는 13이다.
③ 보조금이 존재할 때, 여가는 임금에 반비례하므로 시간당 임금이 상승하면 여가는 감소한다.

12 ③ EITC는 소득에 비례하여 보조금을 지급하는 제도이다. 실업자는 근로소득이 없으므로 EITC의 수혜대상이 되지 않는다.

[오답체크]
① EITC는 정부가 주는 보조금이므로 기업이 제공해야 하는 최저임금제와는 달리 고용주들에게 저임금근로자를 해고할 유인을 제공하지 않는다.
② EITC는 저소득 근로자에게 보조금의 형태로 추가적 소득을 제공한다.
④ EITC를 확대 실시하면 보조금이 많이 지출되므로 재정부담이 커진다.

STEP 2 심화문제

13 상중하 A시의 70세 이상 노인들에 대한 다음 설명 중 옳은 것은? [국회직 8급 14]

> A시의 시민은 대중교통(X재)과 그 밖의 재화(Y재)를 소비하여 효용을 얻는다. 현재 A시의 70세 이상 노인은 X재를 반값에 이용하고 있다. 이제 A시에서 70세 이상 노인에게 X재 요금을 할인해 주지 않는 대신, 이전에 할인받던 만큼을 현금으로 지원해 주기로 했다(이하 현금 지원정책).

① 현금지원정책 시 예산선의 기울기가 대중교통요금 할인 시 예산선의 기울기와 같다.
② X재 소비가 현금지원정책 실시 전에 비해 증가한다.
③ Y재 소비가 현금지원정책 실시 전에 비해 감소한다.
④ 소득으로 구매할 수 있는 X재의 최대량이 현금지원정책 실시 이전보다 증가한다.
⑤ 효용이 현금지원정책 실시 전에 비해 감소하지 않는다.

14 상중하 〈보기〉와 같은 상황에서 2015년의 연금지급액이 200이었다면 2016년에 대한 설명으로 옳은 것은? [국회직 8급 16]

> 〈보기〉
> - X와 Y 두 재화만을 소비하는 연금수령자가 2015년 현재 $P_x = P_y = 1$에서 X와 Y를 각각 100단위씩 소비하고 있다.
> - 연금수령자의 효용함수는 $U(X, Y) = \sqrt{XY}$ 이며 연금수령자는 매기 효용을 극대화한다.
> - 2016년에는 P_y는 그대로인데 $P_x = 1.1$로 상승함에 따라 정부가 연금지급액을 조정한다.

① 연금수령자가 이전과 동일한 소비량을 유지하기 위해서는 연금지급액이 220으로 증가해야 한다.
② 연금수령액이 200에서 213으로 증가할 경우 연금수령자는 이전과 동일한 소비량을 선택할 것이다.
③ 연금수령액이 200에서 220으로 증가할 경우 연금수령자는 이전과 동일한 소비량을 선택할 것이다.
④ 연금수령자에 대한 소비자물가지수(CPI)는 2015년을 기준연도로 할 때 2016년에는 107이 된다.
⑤ 연금수령자가 이전과 동일한 효용을 유지하기 위해서는 연금지급액이 200과 210 사이의 값으로 증가해야 한다.

정답 및 해설

13 ⑤ 현금보조가 가격보조보다 효용수준이 높으므로 효용이 현금지원정책 실시 전에 비해 감소하지 않는다.

[오답체크]

① 현금지원정책 시 가격보조를 철회하므로 예산선의 기울기는 급해지지만 소비가능영역이 확장된다.

② 소비조합에 따라 달라지므로 X재 소비가 현금지원정책 실시 전에 비해 증가한다고 단정지어 말할 수 없다.

③ 소비조합에 따라 달라지므로 Y재 소비가 현금지원정책 실시 전에 비해 감소한다고 단정지어 말할 수 없다.

④ 소득으로 구매할 수 있는 X재의 최대량은 동일하다.

14 ⑤ 1) 효용함수가 $U = AX^{\alpha} \cdot Y^{\beta}$인 경우 수요함수와 최적수요량을 구하면 다음과 같다.

Max: $U = AX^{\alpha} \cdot Y^{\beta}$

s. t (제약조건): $P_X \cdot X + P_Y \cdot Y = M$

위 식을 풀이한 결과는 $X = \frac{\alpha}{\alpha+\beta} \cdot \frac{M}{P_X}$, $Y = \frac{\beta}{\alpha+\beta} \cdot \frac{M}{P_Y}$이다.

2) 연금수령자의 효용함수는 $U(X, Y) = \sqrt{XY}$인데, X와 Y재 100단위씩 소비하고 있으므로 효용함수는 다음과 같다.

$U(X, Y) = \sqrt{100 \times 100} = 100$

3) 2016년에는 P_y는 그대로인데 $P_x = 1.1$로 상승함에 따라 연금수령자가 이전과 동일한 효용을 유지하기 위해서 연금지급액은 $\alpha = \beta = \frac{1}{2}$이고 $X = \frac{\alpha}{\alpha+\beta} \cdot \frac{M}{P_X} = \frac{1}{2}M$, $Y = \frac{\beta}{\alpha+\beta} \cdot \frac{M}{P_Y} = \frac{1}{2}\frac{M}{1.1}$이므로 $U(X, Y) = \sqrt{\frac{1}{2}M \times \frac{1}{2}\frac{M}{1.1}} = 100 \rightarrow \frac{M^2}{4.4} = 100^2 \rightarrow \sqrt{4.4} \times 100 < 210$이다. 따라서 연금수령자가 이전과 동일한 효용을 유지하기 위해서는 연금지급액이 200과 210 사이의 값으로 증가해야 한다.

[오답체크]

① 동일한 소비량인 (100, 100)을 소비하려면 210이 필요하다.

②③ 210보다 크므로 다른 소비량을 선택할 것이다.

④ 소비자물가지수는 기준연도의 수량을 사용한다.

따라서 소비자물가지수는 $\frac{100 \times 1.1 + 100 \times 1}{100 \times 1 + 100 \times 1} \times 100 = 105$이다.

15 상중하 다음을 참조할 때 A가 선호하는 지원방식을 순서대로 나열한 것은? [국회직 8급 14]

> A는 월 60만원의 소득을 음식(F)과 의복(C)을 소비하는 데 모두 지출하여 그의 효용함수는 $U=2FC$이고, 음식의 가격은 2만원, 의복의 가격은 1만원이다. 정부에서 A의 음식 소비를 지원하기 위해 다음 3가지 방안을 고려하고 있다. (단, U는 효용을 나타내고, $a > b$는 a를 b보다 선호하고, $a \sim b$는 a와 b에 대한 선호가 무차별함을 의미한다)

> ㄱ. 음식 1단위당 5천원의 보조
> ㄴ. 10만원의 정액보조
> ㄷ. 음식 5단위를 구입할 수 있는 음식바우처(음식만 구입 가능) 지급

① ㄱ > ㄴ > ㄷ
② ㄱ ~ ㄴ ~ ㄷ
③ ㄴ > ㄱ > ㄷ
④ ㄴ ~ ㄷ > ㄱ
⑤ ㄴ > ㄷ > ㄱ

16 상중하 피셔(I. Fisher)의 기간 간 선택(intertemporal choice)모형에서 최적소비선택에 관한 설명으로 옳은 것을 모두 고른 것은? (단, 기간은 현재와 미래이며, 현재소비와 미래소비는 모두 정상재이다. 무차별곡선은 우하향하며 원점에 대하여 볼록한 곡선이다) [감정평가사 19]

> ㄱ. 실질이자율이 상승하면, 현재 대부자인 소비자는 미래소비를 증가시킨다.
> ㄴ. 실질이자율이 하락하면, 현재 대부자인 소비자는 현재저축을 감소시킨다.
> ㄷ. 실질이자율이 상승하면, 현재 차입자인 소비자는 현재소비를 감소시킨다.
> ㄹ. 미래소득이 증가하여도 현재 차입제약에 구속된(binding) 소비자의 현재소비는 변하지 않는다.

① ㄱ, ㄴ
② ㄴ, ㄷ
③ ㄷ, ㄹ
④ ㄱ, ㄷ, ㄹ
⑤ ㄴ, ㄷ, ㄹ

정답 및 해설

15 ④ 1) 주어진 함수의 한계대체율 $MRS_{FC} = \frac{C}{F}$이다.

2) 효용극대화 조건 $MRS_{FC} = \frac{P_F}{P_C}$에 대입하면 $\frac{C}{F} = 2$이므로 $C = 2F$이다.

3) 예산제약 2만 $\times F +$ 1만 $\times C =$ 60만에 $C = 2F$를 대입하면 $F = 15$개, $C = 30$개가 도출된다. 즉 최초에는 $F = 15$개, $C = 30$개를 소비하고 있다는 것이다.

4) 지문분석

ㄱ. 음식 1단위당 5천원을 보조하면 음식 가격은 1.5만원이다. 효용극대화 조건은 $\frac{C}{F} = 1.5$이므로 $C = 1.5F$이다. 예산제약 1.5만 $\times F +$ 1만 $\times C =$ 60만에 $C = 1.5F$를 대입하면 $F = 20$개, $C = 30$개가 도출된다. 이를 효용함수 $U = 2FC$에 대입하면 효용은 1,200이 된다.

ㄴ. 효용극대화 조건은 $\frac{C}{F} = 2$이므로 $C = 2F$이다. 예산제약 2만 $\times F +$ 1만 $\times C =$ 70만에 $C = 2F$를 대입하면 $F = 17.5$개, $C = 35$개가 도출된다. 이를 효용함수 $U = 2FC$에 대입하면 효용은 1,225가 된다.

ㄷ. 음식 5단위에 음식가격 2만원을 곱하면 실질적으로 보조금은 10만원이 된다. 따라서 현금보조와 동일하게 $F = 17.5$개, $C = 35$개를 소비하므로 효용도 1,225가 된다.

5) 현금보조와 현물보조의 효용은 동일하고 가격보조의 효용은 낮으므로 가격보조보다 현금보조, 현물보조를 더 선호한다.

16 ④ 1) 저축자(대부자)의 경우 실질이자율이 상승하면 부존점을 중심으로 현재소비의 상대가격이 상승한다. 따라서 대체효과가 발생하여 현재소비가 감소하고 저축이 증가한다.

2) 저축자의 경우 실질이자율이 상승하면 소득이 상승하여 현재소비가 증가한다. 따라서 저축이 감소한다.

3) 저축자의 경우 소득효과가 크면 저축이 감소하고 대체효과가 크면 저축이 증가한다.

4) 저축자의 경우 소득효과 대체효과 모두 미래소비를 증가시킨다.

5) 차입자의 경우 이자율이 상승하면 비용이 증가하므로 현재소비를 감소시킨다.

6) 차입자의 경우 차입제약에 있다면 소비를 늘리는 것이 불가능하므로 소비자의 현재소비는 변하지 않는다.

[오답체크]

ㄴ. 실질이자율이 하락하면, 현재 대부자인 소비자는 현재저축을 감소시킨다고 단정지을 수 없다.

17 상중하

효용을 극대화하는 甲은 1기의 소비(c_1)와 2기의 소비(c_2)로 구성된 효용함수 $U=(c_1, c_2)=c_1c_2^2$을 가지고 있다. 甲은 시점 간 선택(intertemporal choice) 모형에서 1기에 3,000만원, 2기에 3,300만원의 소득을 얻고, 이자율 10%로 저축하거나 빌릴 수 있다. 1기의 최적 선택에 관한 설명으로 옳은 것은? (단, 인플레이션은 고려하지 않는다) [감정평가사 18]

① 1,000만원을 저축할 것이다.
② 1,000만원을 빌릴 것이다.
③ 저축하지도 빌리지도 않을 것이다.
④ 1,400만원을 저축할 것이다.
⑤ 1,400만원을 빌릴 것이다.

18 상중하

여가(L) 및 복합재(Y)에 대한 甲의 효용은 $U(L, Y)=\sqrt{L}+\sqrt{Y}$이고, 복합재의 가격은 1이다. 시간당 임금이 w일 때, 甲의 여가시간이 L이면, 소득은 $w(24-L)$이 된다. 시간당 임금 w가 3에서 5로 상승할 때, 효용을 극대화하는 甲의 여가시간 변화는? [감정평가사 20]

① 1만큼 증가한다.
② 2만큼 증가한다.
③ 변화가 없다.
④ 2만큼 감소한다.
⑤ 1만큼 감소한다.

19 상중하

甲의 효용함수는 $U=\sqrt{LF}$이며 하루 24시간을 여가(L)와 노동($24-L$)에 배분한다. 甲은 노동을 통해서만 소득을 얻으며, 소득은 모두 식품(F)을 구매하는 데 사용한다. 시간당 임금은 10,000원, 식품의 가격은 2,500원이다. 甲이 예산제약하에서 효용을 극대화할 때, 여가시간과 구매하는 식품의 양은? [감정평가사 18]

① $L=8$, $F=64$
② $L=10$, $F=56$
③ $L=12$, $F=48$
④ $L=14$, $F=40$
⑤ $L=16$, $F=32$

정답 및 해설

17 ① 1) 소비자균형은 $MRS_{c1,c2}=1+r$이다.

2) $MRS_{c1,c2}=\frac{MU_{c1}}{MU_{c2}}=\frac{c_2^2}{2c_1c_2}=\frac{c_2}{2c_1}$

3) 이자율은 10%이므로 $\frac{c_2}{2c_1}=1.1$ ➜ $c_2=2.2c_1$이다.

4) 예산제약식 $Y_1+\frac{Y_2}{1+r}=c_1+\frac{c_2}{1+r}$에 대입하면 $3,000+\frac{3,300}{1.1}=c_1+\frac{2.2c_1}{1.1}$ ➜ $6,000=3c_1$ ➜ $c_1=2,000$이다.

5) 따라서 현재소득이 3,000만원이고 현재소비가 2,000만원이므로 1,000만원을 저축한다는 것을 알 수 있다.

18 ④ 1) 주어진 효용함수의 한계대체율을 구하면 $\frac{MU_L}{MU_Y}=\frac{\frac{1}{2\sqrt{L}}}{\frac{1}{2\sqrt{Y}}}=\frac{\sqrt{Y}}{\sqrt{L}}$이다.

2) 주어진 소득으로 복합재를 구입하므로 예산선은 $Y=w(24-L)$이다.

3) 합리적 선택은 예산선의 기울기와 무차별곡선의 기울기가 접하는 점이므로 $\frac{\sqrt{Y}}{\sqrt{L}}=w$가 성립한다.

4) $w=3$일 때 $\frac{\sqrt{Y}}{\sqrt{L}}=3$ ➜ $Y=9L$이고 이를 예산선에 대입하면 $9L=3(24-L)$ ➜ $12L=72$ ➜ $L=6$이다.

5) $w=5$일 때 $\frac{\sqrt{Y}}{\sqrt{L}}=5$ ➜ $Y=25L$이고 이를 예산선에 대입하면 $25L=5(24-L)$ ➜ $30L=120$ ➜ $L=4$이다.

6) 따라서 여가시간은 2만큼 감소한다.

19 ③ 1) 소비자균형에서는 예산선과 무차별곡선이 접하므로 예산선의 기울기 = 무차별곡선의 기울기이다.

2) 무차별곡선의 기울기는 $MRS_{LF}=\frac{MU_L}{MU_F}=\frac{F}{L}$이다.

3) 소득은 모두 식품을 구매하는데 사용하므로 $M=2,500F$이다. 이를 바탕으로 여가-소득모형의 예산선은 $2,500F=10,000(24-L)$이다. 따라서 $F=96-4L$이다.

4) 예산선의 기울기와 무차별곡선의 기울기가 같아야 하므로 $4=\frac{F}{L}$ ➜ $F=4L$이다.

5) 예산선에 대입하면 $4L=96-4L$ ➜ $L=12$, $F=48$이다.

STEP 3 - 실전문제

20 상중하

소비자 A와 B는 자신의 모든 소득을 옷과 식료품에만 사용한다. 동일한 소비조합을 선택하고 있던 두 소비자에게 정부가 10만원의 보조금을 지급한다고 하자. 이 때 A는 이 보조금을 식료품 구입에만 사용해야 하는 반면, B는 자신이 원하는 대로 사용할 수 있다. 다음 설명 중 옳은 것은? [회계사 15]

① 보조금 지급 이후 A의 새로운 예산선의 기울기는 예산선상의 모든 점에서 동일하다.
② 보조금 지급 이후 B의 새로운 예산선의 기울기는 예산선상의 모든 점에서 동일하다.
③ 보조금 지급으로 B의 새로운 예산선은 기존 예산선보다 완만해진다.
④ 보조금 지급으로 B의 새로운 예산선은 기존 예산선보다 가팔라진다.
⑤ 보조금 지급 이후 A의 소비조합은 B의 소비조합과 같을 수 없다.

21 상중하

어느 소비자의 효용함수는 $U(X, Y) = Min[2X, Y]$이고, 소득은 M이다. 효용을 극대화하는 이 소비자에 대한 다음의 설명 중 옳은 것은? (단, $0 < M < \infty$) [회계사 17]

① X재를 2단위 소비하는 경우, Y재를 1단위 소비한다.
② S원의 현금을 보조하는 경우와 S원어치의 X재를 현물로 보조하는 경우의 최적 소비점은 항상 동일하다.
③ X재의 가격소비곡선 기울기와 소득소비곡선 기울기는 동일하다.
④ X재의 수요곡선은 우하향하는 직선이다.
⑤ 소득이 2배가 되면, X재 소비량은 2배, Y재 소비량은 4배가 된다.

정답 및 해설

20 ② 1) A는 현물보조, B는 현금보조이다. 그래프로 나타내면 다음과 같다.

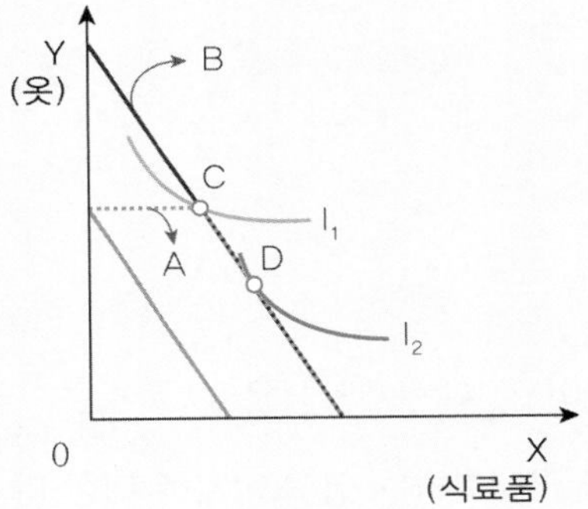

[오답체크]

① A의 경우 C점과 D점의 기울기가 다르다.

③④ 기울기의 변화는 없다.

⑤ 겹치는 부분에서 같을 수 있다.

21 ③ 1) 효용함수의 형태로 X와 Y는 완전보완재임을 알 수 있다. 이 함수는 $2X = Y$의 추세선을 지나야 한다.

2) 소비자 균형은 무차별곡선과 예산선이 접하는 경우이다. 예산선 $M = P_X \cdot X + P_Y \cdot Y$에 효용극대화조건을 넣으면 $M = P_X \cdot X + P_Y \cdot 2X \rightarrow X = \dfrac{M}{P_X + 2P_Y}$ 이다. 따라서 모든 점에서 연속이며 우하향하는 수요곡선이 도출된다.

3) 지문분석

③ 완전보완재는 대체효과가 없으므로 소득효과 = 가격효과이다. 따라서 X재의 가격소비곡선 기울기와 소득소비곡선 기울기는 동일하다.

[오답체크]

① X재를 1단위 소비하는 경우, Y재를 2단위 소비한다.

② S원의 현금을 보조하는 경우와 S원어치의 X재를 현물로 보조하는 경우 예산선이 다르기 때문에 최적 소비점이 항상 동일한 것은 아니다.

④ X재의 수요곡선은 우하향하는 곡선이다.

⑤ 소득이 2배가 되면 X재 소비량은 2배, Y재 소비량은 2배가 되어야 비율이 유지된다.

22 상중하

어떤 소비자가 1기에 얻은 소득(Y)을 1기와 2기의 소비로 배분하여 효용을 극대화하고자 한다. 이 소비자의 예산제약식은 $C_1 + \frac{C_2}{1+r} = Y$ (C_1, C_2는 각각 1기와 2기의 소비량, r은 실질이자율)이고, 효용함수는 U(C_1, C_2) = $C_1 C_2$라고 하자. 1기의 한계소비성향은? [회계사 14]

① $\frac{1}{2(1+r)}$
② $\frac{1}{2}$
③ $\frac{1+r}{2}$
④ 1
⑤ $\frac{1}{1+r}$

23 상중하

어느 소비자의 효용함수는 U(C_1, C_2) = $C_1 C_2$이고, 예산제약식은 $C_1 + \frac{C_2}{1+r} = Y_1 + \frac{Y_2}{1+r}$이다. 주어진 소득($Y_1 = Y_2 = 100$)에서 효용을 극대화하는 이 소비자에 대한 다음의 설명 중 옳은 것은? (단, C_1과 C_2는 1기와 2기의 소비량, Y_1과 Y_2는 1기와 2기의 소득, r은 이자율이고, 0 < r < 1이라고 가정한다) [회계사 17]

① 효용극대화 소비점에서 2기 소비로 표시한 1기 소비의 한계대체율은 1/(1 + r)이다.
② 1기에 차용을 하는 소비자이다.
③ 이자율이 높아지면 극대화된 효용은 항상 증가한다.
④ 이자율이 높아지면 1기의 소비량이 1기의 소득보다 커진다.
⑤ 이자율이 높아지면 실질소득의 증가로 1기와 2기의 소비량 모두 증가한다.

24 주어진 소득과 이자율하에서 효용을 극대화하는 소비자의 효용함수가 다음과 같다.
상중하

$$U(C_1, C_2) = \sqrt{C_1} + \sqrt{C_2}$$

C_1과 C_2는 각각 1기와 2기의 소비를 나타낸다. 이 소비자의 소득은 1기에 0이고 2기에 1,300이다. 만약 이 소비자가 1기에 400까지만 차입할 수 있다면, 이 소비자의 효용은? (단, 이자율은 0이다) [회계사 19]

① 38 ② 40 ③ 45
④ 48 ⑤ 50

정답 및 해설

22 ② 1) 한계소비성향은 $MPC = \frac{\Delta C}{\Delta Y}$이다.

2) 효용극대화 조건은 $MRS_{c1c2} = 1 + r$ ➜ $\frac{C_2}{C_1} = 1 + r$ ➜ $C_2 = C_1(1 + r)$

3) 위의 조건을 예산선에 대입하면 $C_1 + \frac{C_1(1+r)}{1+r} = Y$ ➜ $C_1 = \frac{1}{2}Y$ ➜ $MPC = \frac{1}{2}$이다.

23 ③ 1) 주어진 함수의 $MRS_{c1c2} = \frac{C_2}{C_1}$이다.

2) 소비자균형은 무차별곡선과 예산선이 접하므로 $(1+r) = \frac{C_2}{C_1}$ ➜ $C_2 = (1+r)C_1$이다.

3) 주어진 소득이 100이므로 위의 조건과 함께 제약식에 대입하면 $2C_1 = 100 + \frac{100}{1+r}$ ➜ $C_1 = 50 + \frac{50}{1+r}$ ➜ $C_2 = 50(1+r) + 50$이다.

4) 이자율이 0과 1의 사이값이므로 C_1은 항상 100보다 작기 때문에 저축자이다.

5) 이자율이 상승할수록 현재소비가 감소하며 이는 저축이 증가함을 의미한다. 따라서 이자율이 상승하면 저축자의 소비가능영역이 커지므로 저축자의 효용은 반드시 증가한다.

24 ⑤ 1) $MRS_{c1c2} = \frac{MU_{c1}}{MU_{c2}} = \frac{\sqrt{C_2}}{\sqrt{C_1}} = 1 + r$ ➜ 이자율이 0이므로 $\sqrt{C_2} = \sqrt{C_1}(1+0)$ ➜ $C_2 = C_1$이다.

2) 예산제약식은 $C_1 + \frac{C_2}{1+r} = Y_1 + \frac{Y_2}{1+r}$이고, 문제의 조건을 대입하면 $C_1 + C_1 = 0 + 1{,}300$ ➜ $C_1 = 750$이다.

3) 400까지만 차용이 가능하므로 $C_1 = 400$, $C_2 = 900$이고, 이를 효용함수에 대입하면 $U = 20 + 30 = 50$이다.

25 상중하 두 기간 생존하는 소비자 A와 B로만 이루어진 가상의 경제를 고려하자. A는 1기에만 1의 소득을, B는 2기에만 1.5의 소득을 얻으며, A와 B 사이에서는 자금의 대차가 가능하다. 각 소비자는 다음의 효용극대화 조건을 만족한다.

$$\frac{C_2}{C_1} = 1 + r$$

C_1과 C_2는 각각 1기와 2기의 소비를 나타내고, r은 자금 대차에 적용되는 이자율이다. 이때 자금의 수요와 공급을 일치시키는 균형이자율과 A의 1기 소비를 올바르게 짝지은 것은? (단, 채무불이행 위험은 없다) [회계사 22]

	균형이자율	A의 1기 소비
①	0.5	1/2
②	0.5	3/4
③	0.2	1/4
④	0.2	1/2
⑤	0.0	3/4

26 상중하 주어진 소득과 이자율하에서 2기에 걸쳐 소비를 선택하는 소비자의 효용함수와 예산제약은 다음과 같다. 소비선택의 최적조건에서 1기의 소비와 2기의 소비는 그 크기가 같다고 할 때, 이자율과 할인인자의 관계를 올바르게 나타낸 것은? [회계사 16]

- 효용함수: $U(C_1, C_2) = \sqrt{C_1} + \beta\sqrt{C_2}$
- 예산제약: $C_1 + \frac{1}{1+r}C_2 = Y_1 + \frac{1}{1+r}Y_2$

(단, Y_1, Y_2, C_1, C_2, β, r은 각각 1기의 소득, 2기의 소득, 1기의 소비, 2기의 소비, 할인인자, 이자율을 나타낸다)

① $\beta(1+r)=1$
② $\beta(2+r)=1$
③ $2\beta r=1$
④ $r(1+\beta)=1$
⑤ $r(2+\beta)=1$

27 상중하 하루 24시간 중 잠자는 8시간을 제외한 16시간을 여가(l)와 노동에 사용하는 노동자가 있다. 이 노동자의 시간당 임금은 10이고, 주어진 자본소득은 10이라고 가정한다. 노동소득과 자본소득이 모두 소비(c)에 사용될 때, 노동자의 효용 $u(l, c) = lc$를 극대화하는 소비량 c는? (단, 소비재의 가격은 1이라고 가정) [회계사 15]

① 80 ② 85 ③ 90
④ 95 ⑤ 100

정답 및 해설

25 ① 1) 2기간모형의 예산제약은 $C_1 + \frac{C_2}{1+r} = Y_1 + \frac{Y_2}{1+r}$이다.

2) 소비자 A의 예산제약은 $C_1 + \frac{C_2}{1+r} = 1$이다. 효용극대화 조건인 $\frac{C_2}{C_1} = 1+r$ ➜ $C_2 = (1+r)C_1$을 대입하면 $C_1 + \frac{(1+r)C_2}{1+r} = 1$ ➜ $C_1 = \frac{1}{2}$이므로 소비자 A는 $\frac{1}{2}$을 저축한다.

3) 소비자 B의 예산제약은 $C_1 + \frac{C_2}{1+r} = \frac{1.5}{1+r}$이다. 위와 마찬가지로 효용극대화 조건을 대입하면 $2C_1 = \frac{1.5}{1+r}$이다. B는 소득이 없으므로 1기에 소비를 하려면 소비자 A의 저축을 써야 한다. 따라서 $C_1 = \frac{1}{2}$을 대입하면 $1 = \frac{1.5}{1+r}$ ➜ $r = 0.5$이다.

26 ① 1) 효용극대화 조건은 $MRS_{c1c2} = 1+r$이다.

2) $MRS_{c1c2} = \frac{MU_{c1}}{MU_{c2}} = \frac{\frac{1}{2\sqrt{c_1}}}{\frac{\beta}{2\sqrt{c_2}}} = \frac{1}{\beta}\sqrt{\frac{C_2}{C_1}}$이다.

3) 효용극대화 조건에 따르면 $\frac{1}{\beta}\sqrt{\frac{C_2}{C_1}} = 1+r$이다.

4) $C_1 = C_2$이므로 이를 대입하면 $1 = \beta(1+r)$이 성립한다.

27 ② 1) 예산제약은 $C = 10 + 10(16 - l)$이다.

2) $MRS_{lc} = \frac{c}{l}$ ➜ 임금이 10이므로 효용극대화 조건에 따라 $\frac{c}{l} = 10$ ➜ $l = \frac{c}{10}$이다.

3) 따라서 $c = 10 + 160 - c$ ➜ $2c = 170$ ➜ $c = 85$이다.

28 상중하

어느 소비자가 취침 등 생활에 필수적인 일에 하루 10시간을 쓰고, 나머지 14시간을 노동(L)과 여가($l = 14 - L$)에 배분한다. 이 소비자의 소득은 노동소득뿐이며, 임금은 최초 8시간까지는 시간당 1만원이나, 8시간을 초과하면 초과 시간당 1.5만원을 받는다. 이 소비자는 노동소득을 모두 소비에 사용하며, 소비하는 재화의 단위당 가격은 1만원이다. 이 소비자의 효용함수는 $u(l, C) = l^{a}C^{1-a}$(0 < α < 1, C는 재화의 소비량)이다. 다음 설명 중 옳은 것은? [회계사 14]

① 여가와 소비를 두 축으로 해서 예산제약선을 그렸을 때 예산제약선의 기울기는 일정하다.
② 이 소비자의 노동시간은 항상 8시간 미만이다.
③ 이 소비자의 노동시간은 항상 8시간을 초과한다.
④ α의 크기에 따라 이 소비자에게 두 개의 최적선택이 존재할 수 있다.
⑤ 8시간을 초과할 때 받는 초과 시간당 임금이 상승하면 이 소비자의 노동시간도 항상 증가한다.

29 상중하

소비자가 하루 중 취침 시간을 제외한 16시간을 여가(l)와 노동에 배분하여 효용을 극대화한다. 이 소비자는 노동수입으로 가격이 1인 식료품(c)을 구입하며 효용함수는 $u(l, c) = l^{1/2}c^{1/2}$이다. 시간당 임금률은 8시간까지는 10이고 8시간을 초과하는 노동에 대해서는 $(10 + \alpha)$이다. 만약 이 소비자가 10시간의 노동을 공급하고 있다면 α는? [회계사 19]

① 8 ② 9 ③ 10
④ 11 ⑤ 12

정답 및 해설

28 ④ 1) 효용극대화모형을 구하면 $MRS_{lc} = \frac{M_l}{M_c} = \frac{\alpha l^{\alpha-1}C^{1-\alpha}}{1-\alpha l^{\alpha}C^{-\alpha}} = \frac{\alpha}{1-\alpha} \cdot \frac{C}{l}$이다.

2) 노동을 할 경우 8시간까지는 시간당 1만원의 임금을 받고, 노동시간이 8시간을 초과할 때는 시간당 1.5만원을 받으므로 예산선은 꺾인 형태가 되고, 효용함수가 원점에 대해 볼록한 형태이므로 아래와 같이 A, B점 두 개의 균형이 존재할 수도 있다.

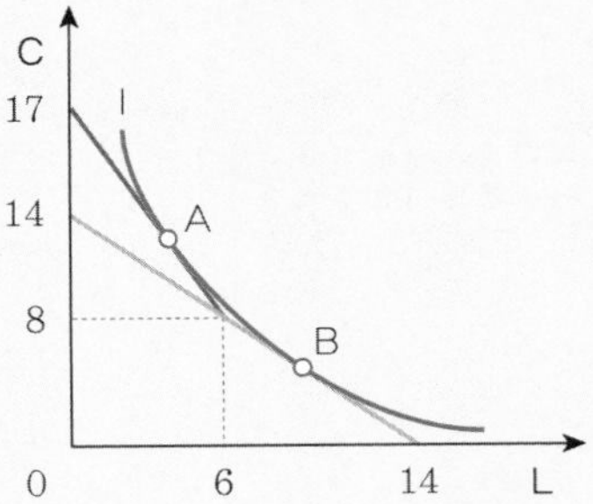

3) 지문분석

④ 그림처럼 α의 크기에 따라 이 소비자에게 두 개의 최적선택이 존재할 수 있다.

[오답체크]

① 여가와 소비를 두 축으로 해서 예산제약선을 그렸을 때 예산제약선의 기울기는 다르다.

②③ 단정 지을 수 없다.

⑤ 여가가 정상재인 경우 소득효과와 대체효과를 모두 고려해야 한다.

29 ③ 1) 여가소득모형에서 소득에 해당하는 부분을 식료품을 먹고 있으므로 $M = c$로 변환 가능하다.

2) 10시간의 노동을 하고 있으므로 예산선의 기울기가 $10+\alpha$이고 소비자균형은 $MRS_{lc} = 10+\alpha$ ➜

$\dfrac{\frac{\sqrt{c}}{2\sqrt{l}}}{\frac{\sqrt{l}}{2\sqrt{c}}} = 10+\alpha$ ➜ $\frac{c}{l} = 10+\alpha$ ➜ 여가시간이 6시간이므로 $\frac{c}{6} = 10+\alpha$ ➜ $c = 60+6\alpha$이다.

3) 예산제약식은 $c = (10\times 8) + (10+\alpha)\times 2$이다.

4) 2)와 3)에서 도출한 식을 활용하면 α를 구할 수 있다.

$60+6\alpha = 80+20+2\alpha$ ➜ $\alpha = 10$

5) 그래프

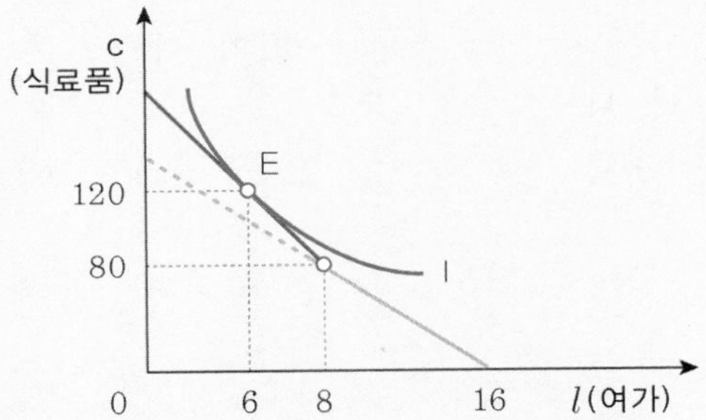

30 상중하 시간만을 부존(endowments)으로 하는 여가-노동공급 결정모형을 가정하자. 〈표〉는 정부가 저소득층 소득 증대와 노동참여 활성화를 위해 도입한 정책을 나타낸다. 이 정책에 따라 예산선은 다음 〈그림〉의 가는 실선에서 굵은 실선으로 변경되었다.

〈표〉

소득	보조금 지급액
100만원 미만	50%
100만원 이상 ~ 300만원 미만	50만원
300만원 이상 ~ 500만원 미만	50만원 - 소득 1원당 10%

〈그림〉

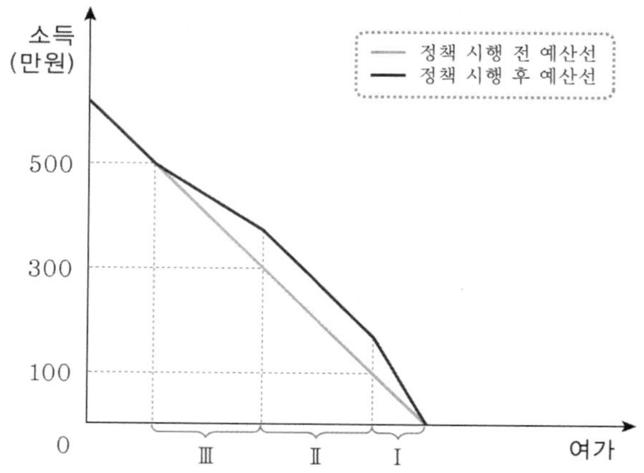

여가는 정상재라고 가정할 때, 정책시행에 따른 노동공급 변화에 대한 다음 설명 중 옳은 것만을 모두 고르면? (단, 무차별곡선은 원점에 대해 강볼록하다) [회계사 20]

가. 정책시행 전 Ⅰ구간에 속한 사람에게는 대체효과와 소득효과가 노동공급에 대해 반대방향으로 작용하므로, 노동공급이 증가할지 감소할지 명확하지 않다.
나. 정책시행 전 Ⅱ구간에 속한 사람에게는 대체효과와 소득효과 모두 노동공급에 대해 같은 방향으로 작용하므로, 노동공급은 감소할 것이다.
다. 정책시행 전 Ⅲ구간에 속한 사람에게는 대체효과와 소득효과 모두 노동공급에 대해 같은 방향으로 작용하므로, 노동공급은 감소할 것이다.

① 가　② 가, 나　③ 가, 다
④ 나, 다　⑤ 가, 나, 다

정답 및 해설

30 ③

구분	대체효과	소득효과
Ⅰ - 점증구간	여가의 상대가격 상승 ➜ 여가소비 감소 ➜ 노동공급 증가	소득증가로 여가소비 증가 ➜ 노동공급 감소
Ⅱ - 평탄구간	없음	소득증가로 여가소비 증가 ➜ 노동공급 감소
Ⅲ - 점감구간	여가의 상대가격 하락 ➜ 여가소비 증가 ➜ 노동공급 감소	소득증가로 여가소비 증가 ➜ 노동공급 감소

[오답체크]

나. 정책시행 전 Ⅱ구간에 속한 사람에게는 대체효과가 발생하지 않는다.

31
상중하

대표적 소비자의 생애효용함수가 다음과 같다.

$$U(c_1,\ c_2) = \sqrt{c_1} + \frac{1}{1+r}\sqrt{c_2}$$

이 소비자는 1기에 근로소득 y를 얻는 반면, 2기에는 근로소득이 없다. 이 소비자가 1기에 s를 저축하면 2기에 원리금 $(1+r)s$를 돌려받는다. 정부가 1기에 τy를 걷은 다음, 2기에 원리금 $(1+r)\tau y$를 돌려주는 공적연금정책을 도입하려 한다. 이에 따른 각 시기의 예산제약식은 다음과 같다.

- 1기: $c_1 = (1-\tau)y - s$
- 2기: $c_2 = (1+r)(\tau y + s)$

이 경우 공적연금이 개인저축을 구축하며 τ^* 이상에서는 개인저축이 0이다. τ^*의 최솟값은? (단, c_t는 t기의 소비를 나타낸다) [회계사 21]

① $\frac{1}{1+r}$ ② $\frac{1}{2+r}$ ③ $\frac{1}{3+r}$
④ $\frac{r}{1+r}$ ⑤ $\frac{r}{2+r}$

정답 및 해설

31 ② 1) 1기 예산제약식을 변형하면 $c_1 = (1-\tau)y - s$ ➜ $s + \tau y = y - c_1$이다.

2) 2기 예산제약식은 $c_2 = (1+r)(\tau y + s)$인데, 변형한 1기 제약식을 대입하면 $c_2 = (1+r)(y - c_1)$

➜ $y = c_1 + \dfrac{c_2}{1+r}$이다.

3) 소비자 균형을 구하면 $MRS_{c_1c_2} = \dfrac{\dfrac{1}{2\sqrt{c_1}}}{\dfrac{\frac{1}{1+r}}{2\sqrt{c_2}}} = \dfrac{(1+r)\sqrt{c_2}}{\sqrt{c_1}}$이고 예산제약의 기울기는 1 + r이므로

$\dfrac{(1+r)\sqrt{c_2}}{\sqrt{c_1}} = 1+r$ ➜ $c_1 = c_2$가 성립한다.

4) 예산제약식에 대입하면 $y = c_1 + \dfrac{c_2}{1+r}$ ➜ $y = c_1 + \dfrac{c_1}{1+r}$ ➜ $y = \dfrac{(1+r)c_1 + c_1}{1+r} = \dfrac{(2+r)c_1}{1+r}$

➜ $c_1 = \dfrac{1+r}{2+r}y$이다.

5) 공적연금이 개인저축을 구축한다는 것은 개인저축을 줄인다는 것이므로 1기의 예산제약식을 변형하면

$s = (1-\tau)y - c_1 \le 0$ ➜ $s = (1-\tau)y - \dfrac{1+r}{2+r}y \le 0$ ➜ $s = (1 - \tau - \dfrac{1+r}{2+r})y \le 0$

➜ $s = 1 - \tau - \dfrac{1+r}{2+r} \le 0$ ➜ $s = 1 - \dfrac{1+r}{2+r} \le \tau$ ➜ $s = \dfrac{2+r-1-r}{2+r} \le \tau$ ➜ $s = \dfrac{1}{2+r} \le \tau$이다.

6) 따라서 최솟값은 $\dfrac{1}{2+r}$이다.

Topic 7 현시선호이론, 기대효용이론

01 현시선호이론

현시선호	주어진 소득과 시장가격하에서 소비자의 실제 소비행위
효용함수가 갖추어야 할 기본적인 가정	(1) ㉮ ________(Completeness) 두 상품묶음 중에서 어느 묶음을 더 선호하는지를 또는 아무런 차이가 없는지를 판단할 수 있는 성질 예 내가 자장면보다 짬뽕을 더 선호한다면 완비성을 가지고 있는 것임 (2) 이행성(Transitivity) 소비의 일관성을 의미하는 것으로 $A \gtrsim B$이고 $B \gtrsim C$이면 반드시 $A \gtrsim C$가 성립함 예 자장면 < 짬뽕, 짬뽕 < 탕수육이라면 자장면 < 탕수육이 되는 것이 이행성이 있는 것임 (3) 연속성(Continuity) 소비자의 선호가 변하여 나갈 때 갑작스런 변화 없이 연속적으로 변화하는 것을 의미함 (4) ㉯ ________(Strong Monotonicity) 많으면 많을수록 더 좋다는 의미. 즉, 다다익선(多多益善)이 성립함
약공리	(1) 개념 ① 만약 한 상품묶음인 Q_0가 Q_1보다 직접 현시선호되면 어떠한 경우라도 Q_1이 Q_0보다 직접 현시선호 될 수 없음 ② 이는 소비행위에 일관성을 보장하는 공리임 (2) 최초의 구입점 Q_0, 예산선이 AB에서 CD로 바뀌는 경우 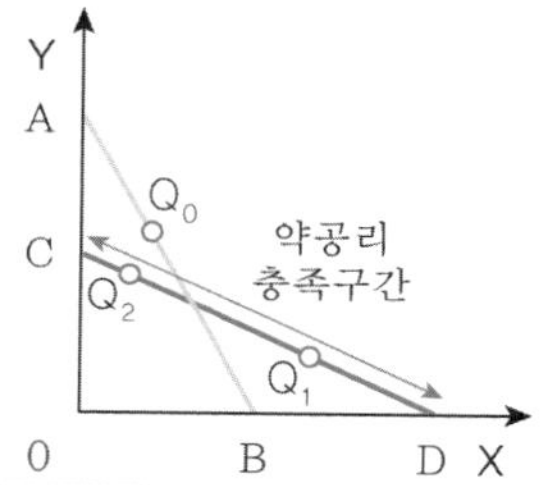 ▪ Q_0 선택 불가능 • Q_0는 새로운 예산선 CD에서 구입 불가능하므로 어느 상품묶음을 선택하여도 약공리에 충족됨 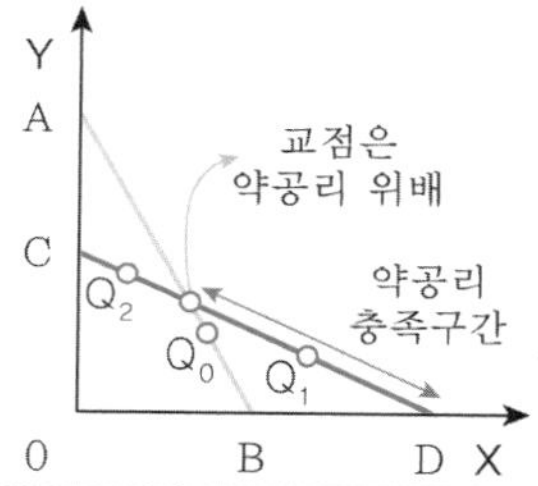 ▪ Q_0 선택 가능 • 이전의 예산하에 구입할 수 없었던 상품묶음을 선택하여야 약공리에 충족됨 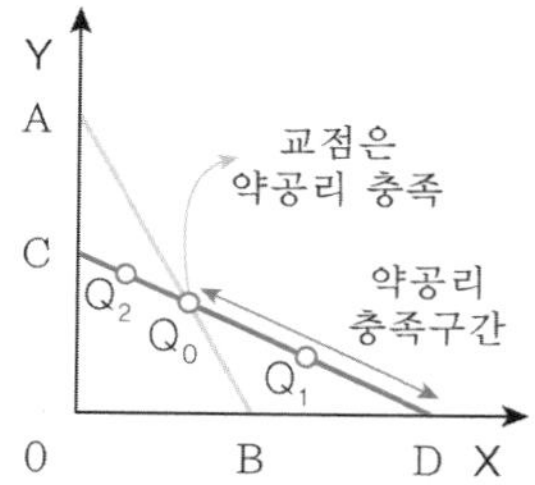 ▪ Q_0가 교점일 때 • 이전에도 구입한 경우이고 지금도 선택이 가능하므로 약공리에 충족됨
지수	(1) 생활수준의 명백한 개선: ㉰ ________, $N \geq L_P$ (2) 생활수준의 명백한 악화: ㉱ ________, $N \leq P_P$

핵심키워드

㉮ 완비성, ㉯ 강단조성, ㉰ $P_Q \geq 1$, ㉱ $L_Q \leq 1$

02 기대효용이론

기대치와 기대효용	(1) 기대치(기대소득) ① 개념: 불확실한 상황에서 예상되는 금액(소득)의 크기 ② 기대소득 = ㉮ ________________(소득 w_1을 얻을 확률이 p, 소득 w_2를 얻을 확률이 $1-p$) (2) 기대효용 ② 개념: 불확실한 상황에서 얻을 것으로 예상되는 효용의 기대치 ③ 기대효용 = ㉯ ________________
확실성등가와 위험프리미엄	(1) 확실성등가 ㉰ ________에서 기대되는 효용의 기대치인 기대효용과 ㉱ ______ 효용을 주는 확실한 자산의 크기 (2) 위험프리미엄 ① 불확실한 자산을 확실한 자산으로 교환하기 위하여 지불할 용의가 있는 금액으로, 위험한 기회를 선택하도록 유도하기 위해 필요한 최소한의 추가보상임 ② 위험프리미엄 = ㉲ ________________ ③ 위험에 대한 태도와 위험프리미엄 ㉠ 위험기피자: 위험프리미엄 > 0 ㉡ 위험선호자: 위험프리미엄 < 0 ㉢ 위험중립자: 위험프리미엄 = 0 (3) 보험인 경우 공정한 보험료와 최대한의 보험료 ① 공정한 보험료 = 자산의 최초가치 – 기대치 ② 최대한의 보험료 = 자산의 최초가치 – 확실성 등가

핵심키워드

㉮ $E(w)=p \cdot w_1+(1-p)w_2$, ㉯ $E(U)=p \cdot U(w_1)+(1-p)U(w_2)$, ㉰ 불확실한 상태, ㉱ 동일한,
㉲ 기대치 – 확실성 등가

STEP 1 기본문제

01 상중하

갑은 사업안 A와 B를 고려하고 있다. 두 안의 성공 및 실패에 따른 수익과 확률은 다음과 같다. 이에 대한 설명으로 옳은 것만을 모두 고르면? (단, 위험은 분산으로 측정한다)

[지방직 7급 20]

구분 / 사업안	성공		실패	
	확률	수익(만원)	확률	수익(만원)
A	0.9	+ 100	0.1	+ 50
B	0.5	+ 200	0.5	− 10

> ㄱ. A안의 기대수익은 95만원이다.
> ㄴ. B안의 기대수익은 95만원이다.
> ㄷ. 갑이 위험을 회피하는(risk averse) 사람인 경우 A안을 선택할 가능성이 더 크다.
> ㄹ. A안의 기대수익에 대한 위험은 B안의 기대수익에 대한 위험보다 더 크다.

① ㄱ, ㄴ, ㄷ
② ㄱ, ㄴ, ㄹ
③ ㄱ, ㄷ, ㄹ
④ ㄴ, ㄷ, ㄹ

02 상중하

다음과 같은 조건에서 어떤 투자자가 두 주식 A 또는 B에 투자하거나, A와 B에 각각 50%씩 분산투자하는 포트폴리오 C에 투자할 계획을 갖고 있다. A, B, C 간의 기대수익률을 비교한 결과로 옳은 것은?

[지방직 7급 13]

> • A의 수익률은 좋은 해와 나쁜 해에 각각 20% 및 −10%이다.
> • B의 수익률은 좋은 해와 나쁜 해에 각각 10% 및 5%이다.
> • 올해가 좋은 해일 확률은 60%이고 나쁜 해일 확률은 40%이다.

① A > C > B
② A < C < B
③ A = B > C
④ A = B = C

03 상중하 X원에 대한 A의 효용함수는 $U(w) = \sqrt{w}$ 이다. A는 50%의 확률로 10,000원을 주고, 50%의 확률로 0원을 주는 복권 L을 가지고 있다. 다음 중 옳은 것은? [국가직 7급 15]

① 복권 L에 대한 A의 기대효용은 5,000이다.
② 누군가 현금 2,400원과 복권 L을 교환하자고 제의한다면, A는 제의에 응하지 않을 것이다.
③ A는 위험중립적인 선호를 가지고 있다.
④ A에게 40%의 확률로 100원을 주고, 60%의 확률로 3,600원을 주는 복권 M과 복권 L을 교환할 수 있는 기회가 주어진다면, A는 새로운 복권 M을 선택할 것이다.

소비자이론

제3장

해커스 서호성 객관식 경제학

정답 및 해설

01 ① ㄱ. A안 기대수익은 $0.9 \times 100 + 0.1 \times 50 = 95$만원이다.
ㄴ. B안 기대수익은 $0.5 \times 200 + 0.5 \times -10 = 95$만원이다.
ㄷ. 성공 시의 수익과 실패 시의 수익이 더 적게 차이나면서 기대수익이 같은 A안이 위험회피자가 선호하는 안이 된다.

[오답체크]
ㄹ. 명백히 B안의 기대수익에 대한 위험(실패 시의 손실)이 A안에 비해 더 크다.

02 ④ 1) 올해가 좋은 해일 확률이 60%이고, 나쁜 해일 확률이 40%이다.
2) 주식 A에 투자할 때: $(0.6 \times 20\%) + (0.4 \times (-10\%)) = 8\%$
3) 주식 B에 투자할 때: $(0.6 \times 10\%) + (0.4 \times 5\%) = 8\%$
4) 포트폴리오 C에 투자할 때: $(0.5 \times 8\%) + (0.5 \times (8\%)) = 8\%$
5) 각각의 기대수익률이 모두 8%로 동일함을 알 수 있다.

03 ② 1) 개인 A가 10,000원을 받을 확률이 50%이고, 0원을 받을 확률이 50%인 복권 L을 갖고 있을 때 상금의 기대치와 기대효용을 계산해 보면 각각 다음과 같다.

$$\begin{cases} \text{상금의 기대치} = (0.5 \times 10{,}000) + (0.5 \times 0) = 5{,}000\text{원} \\ \text{기대효용} = (0.5 \times \sqrt{10{,}000}) + (0.5 \times \sqrt{0}) = 50 \end{cases}$$

2) 개인 A가 현금 2,400원을 갖고 있다면 그때의 효용 $U = \sqrt{2{,}400} = 49$이다. 현재의 기대효용 50보다 작으므로 누군가 현금 2,400원과 복권 L을 교환하자고 제의한다면, A는 제의에 응하지 않을 것이다.

[오답체크]
① 복권 L에 대한 A의 기대효용은 50이다.
③ 개인 A의 효용함수 $U = \sqrt{w}$는 아래쪽에서 오목한 형태이므로 개인 A는 위험기피자이다.
④ 기대효용 $E(U) = (0.4 \times \sqrt{100}) + (0.6 \times \sqrt{3{,}600}) = 4 + 36 = 40$이다. 복권 L의 기대효용이 50이고, 복권 M의 기대효용이 40이므로 개인 A는 복권 L을 M과 교환할 수 있는 기회가 주어지더라도 여전히 복권 L을 선택할 것이다.

04 상중하

甲의 효용함수는 $U(x)=\sqrt{x}$ 로 표현된다. 甲은 현재 소득이 0원이며, $\frac{1}{3}$ 의 당첨 확률로 상금 100원을 받는 복권을 갖고 있다. 상금의 일부를 포기하는 대신에 당첨될 확률을 $\frac{2}{3}$ 로 높일 수 있을 때, 甲이 포기할 용의가 있는 최대금액은? (단, x는 원으로 표시된 소득이다)

[국가직 7급 18]

① $\frac{100}{3}$원 ② 50원

③ $\frac{200}{3}$원 ④ 75원

05 상중하

어떤 소비자의 효용함수 $U=X^{0.5}$(X는 자산금액)이다. 이 소비자는 현재 6,400만원에 거래되는 귀금속 한 점을 보유하고 있다. 이 귀금속을 도난당할 확률은 0.5인데, 보험에 가입할 경우에는 도난당한 귀금속을 현재 가격으로 전액 보상해준다고 한다. 보험에 가입하지 않은 상황에서 이 소비자의 기대효용과 이 소비자가 보험에 가입할 경우 낼 용의가 있는 최대 보험료는 각각 얼마인가?

[서울시 7급 16]

	기대효용	최대 보험료
①	40	2,800만원
②	40	4,800만원
③	60	2,800만원
④	60	4,800만원

06 화재가 발생하지 않는 경우 철수 집의 자산가치는 10,000이고, 화재가 발생하는 경우 철수 집의 자산가치는 2,500이다. 철수 집에 화재가 발생하지 않을 확률은 0.8이고, 화재가 발생할 확률은 0.2이다. 위험을 기피하는 철수의 효용함수는 $U(X) = X^{\frac{1}{2}}$ 이다. 화재의 위험에 대한 위험프리미엄(risk premium)은? (단, X는 자산가치이다) [지방직 7급 16]
상중하

① 200
② 300
③ 400
④ 500

정답 및 해설

04 ④ 1) 甲의 효용함수가 $u = \sqrt{x}$ 이므로 $\frac{1}{3}$의 확률로 100원을 받는 복권을 갖고 있을 때의 기대효용은 다음과 같다. $E(u) = (\frac{2}{3} \times \sqrt{0}) + (\frac{1}{3} \times \sqrt{100}) = \frac{10}{3}$

2) 당첨확률이 $\frac{2}{3}$로 높아지는 대신 상금 중 x원을 포기할 때의 기대효용은 다음과 같다.

$E(u) = (\frac{1}{3} \times \sqrt{0}) + (\frac{2}{3} \times \sqrt{100 - x}) = \frac{2\sqrt{100 - x}}{3}$

3) 당첨확률이 높아지는 대신 포기할 용의가 있는 최대금액은 두 경우의 기대효용이 같아지는 수준일 것이므로 $\frac{10}{3} = \frac{2\sqrt{100 - x}}{3}$로 두면 $x = 75$로 계산된다. 당첨확률이 $\frac{2}{3}$로 높아질 때 상금 중 75원을 포기하면 그 이전과 기대효용이 같아지므로, 당첨확률이 높아질 때 甲이 포기할 용의가 있는 최대금액은 75원이 된다.

05 ② 1) 효용함수가 $U = \sqrt{X}$ 이고, 도난을 당한 확률이 0.5이므로 자산의 기대치와 기대효용을 계산해 보면 각각 다음과 같다.

㉠ 기대치 $= (0.5 \times 0) + (0.5 \times 6,400) = 3,200$

㉡ 기대효용 $= (0.5 \times \sqrt{0}) + (0.5 \times \sqrt{6,400}) = 40$

2) $\sqrt{확실성등가} = 40$으로 두면 확실성등가 $CE = 1,600$으로 계산된다.

3) 자산의 기대치가 3,200만원이고, 확실성등가가 1,600만원이므로 기대치에서 확실성등가를 뺀 위험프리미엄은 1,600만원이다.

4) 도난당할 확률이 0.5이고, 도난당할 때의 손실액이 6,400만원이므로 기대손실액은 3,200만원이다.

5) 최대 보험료는 기대손실액에 위험프리미엄을 더한 것이므로 4,800만원이다.

06 ③ 1) 철수의 효용함수가 $U = \sqrt{X}$ 이므로 자산의 기대치와 기대효용을 계산해 보면 각각 다음과 같다.

$$\begin{cases} E(X) = (0.2 \times 2,500) + (0.8 \times 10,000) = 8,500 \\ E(U) = (0.2 \times \sqrt{2,500}) + (0.8 \times \sqrt{10,000}) = 10 + 80 = 90 \end{cases}$$

2) 화재가 발생할지 모르는 불확실한 상태에서의 기대효용이 90이다. 불확실한 상태에서와 동일한 효용을 얻을 수 있는 확실한 현금의 크기인 확실성등가를 구하기 위해 $\sqrt{확실성등가} = 90$으로 두면 확실성등가(CE) = 8,100으로 계산된다.

3) 그러므로 자산의 기대치에서 확실성등가를 뺀 위험프리미엄은 400임을 알 수 있다.

07 상중하

A는 현재 시가로 1,600만원인 귀금속을 보유하고 있는데, 이를 도난당할 확률이 0.4라고 한다. A의 효용함수는 $U = 2\sqrt{W}$(W는 보유자산의 화폐가치)이며, 보험에 가입할 경우 도난당한 귀금속을 현재 시가로 전액 보상해준다고 한다. 보험 가입 전 A의 기대효용과 A가 보험에 가입할 경우 지불할 용의가 있는 최대 보험료는? [서울시 7급 19]

	기대효용	최대보험료
①	36	1,276만원
②	48	1,024만원
③	36	1,024만원
④	48	1,276만원

08 상중하

(가)와 (나)에 해당하는 값을 바르게 연결한 것은? [국가직 21]

> (가) 갑의 재산 x에 대한 효용함수는 $u(x) = \sqrt{x}$ 이며, 재산은 사고가 없을 때 100원, 사고가 나면 0원이 되고, 사고가 날 가능성이 20%일 때 갑의 위험프리미엄
> (나) (가)와 같은 상황에서 사고 시 보험료 지불 후의 최종 재산이 64원이 되도록 보장하는 보험에 가입한다면 지불할 용의가 있는 최대 보험료

	(가)	(나)
①	8원	32원
②	8원	36원
③	16원	32원
④	16원	36원

소비자이론

제3장

해커스 서호성 객관식 경제학

정답 및 해설

07 ② 1) 재산의 기대치와 기대효용을 계산해보면 각각 다음과 같다.

$$\begin{cases} \text{기대치: } E(W) = (0.4 \times 0) + (0.6 \times 1{,}600) = 960 \\ \text{기대효용: } E(U) = (0.4 \times 2\sqrt{0}) + (0.6 \times 2\sqrt{1{,}600}) = 48 \end{cases}$$

2) 확실성등가를 계산해보면 $2\sqrt{\text{확실성등가}} = 48$이므로 확실성 등가는 576만원이다.

3) 재산의 크기에서 확실성등가를 차감하면 최대 보험료는 1,024(=1,600 − 576)만원으로 계산된다.

08 ④ 1) 기대소득: $100 \times 0.8 + 0 \times 0.2 = 80$

2) 기대효용: $\sqrt{100} \times 0.8 + \sqrt{0} \times 0.2 = 8$

3) 확실성등가: $\sqrt{\text{확실성등가}} = 8$ ➜ 확실성등가 $= 64$

4) 위험프리미엄: 기대소득 − 확실성등가 = 16

5) 최대 보험료: 자산가치 − 확실성등가 $= 100 - 64 = 36$

STEP 2 심화문제

09 상중하

빵과 옷만을 소비하는 A씨의 선호체계는 완비성, 이행성, 연속성, 단조성을 모두 만족시킨다. A씨가 주어진 예산제약 아래 빵과 옷 두 재화만을 소비하여 효용을 극대화할 때 A씨의 빵과 옷의 소비에 대한 설명으로 옳은 것은? [국회직 8급 20]

① A씨는 항상 빵과 옷을 모두 소비한다.
② A씨는 항상 자신의 예산을 모두 사용한다.
③ 예산제약 아래 A씨가 가장 선호하는 빵과 옷에 대한 소비량은 항상 유일하다.
④ 빵의 가격이 상승하면 A씨의 빵에 대한 소비량은 감소한다.
⑤ A씨의 소득이 증가할 때 A씨의 빵과 옷에 대한 소비량은 모두 증가한다.

10 상중하

현시선호이론에 대한 설명으로 옳은 것을 〈보기〉에서 모두 고르면? [국회직 8급 18]

〈보기〉

ㄱ. 소비자의 선호체계에 이행성이 있다는 것을 전제로 한다.
ㄴ. 어떤 소비자의 선택행위가 현시선호이론의 공리를 만족시킨다면, 이 소비자의 무차별곡선은 우하향하게 된다.
ㄷ. $P_0Q_0 \geq P_0Q_1$일 때, 상품묶음 Q_0가 선택되었다면, Q_0가 Q_1보다 현시선호되었다고 말한다. (단, P_0는 가격벡터를 나타낸다)
ㄹ. 강공리가 만족된다면 언제나 약공리는 만족된다.

① ㄱ, ㄴ ② ㄴ, ㄷ ③ ㄴ, ㄹ
④ ㄱ, ㄴ, ㄷ ⑤ ㄴ, ㄷ, ㄹ

11 상중하 甲의 소득은 24이고, X재와 Y재만 소비한다. 甲은 두 재화의 가격이 $P_X = 4$, $P_Y = 2$일 때 A($x = 5$, $y = 1$)를 선택했고, 두 재화의 가격이 $P_X = 3$, $P_Y = 3$으로 변화함에 따라 B($x = 2$, $y = 6$)를 선택했다. 甲의 선택에 관한 설명으로 옳은 것을 모두 고른 것은? (단, x는 X재 소비량, y는 Y재 소비량이다) [감정평가사 20]

> ㄱ. 甲은 가격 변화 전 B를 선택할 수 있었음에도 불구하고 A를 선택했다.
> ㄴ. 甲은 가격 변화 후 A를 선택할 수 없었다.
> ㄷ. 甲의 선택은 현시선호 약공리를 만족하지 못한다.
> ㄹ. 甲은 주어진 예산제약하에서 효용을 극대화하는 소비를 하고 있다.

① ㄱ, ㄴ ② ㄱ, ㄷ ③ ㄴ, ㄷ
④ ㄴ, ㄹ ⑤ ㄷ, ㄹ

정답 및 해설

09 ② A씨는 강단조성을 만족시키므로 효용을 극대화하기 위해서 자신의 예산을 모두 사용한다.

[오답체크]
① 골고루 소비한다는 볼록성이 제시되어 있지 않으므로 A씨는 항상 빵과 옷을 모두 소비한다고 단정지을 수 없다.
③ 두 재화가 주는 효용이 동일하다면 유일한 소비량이 존재하는 것은 아니다.
④ 빵이 주는 효용이 매우 크다면 빵의 가격이 상승한다고 해서 A씨의 빵에 대한 소비량이 감소하지 않을 수 있다.
⑤ A씨의 소득이 증가할 때 한 재화가 열등재라면 A씨의 빵과 옷에 대한 소비량은 모두 증가한다고 볼 수 없다.

10 ⑤ **[오답체크]**
ㄱ. 현시선호이론은 선호체계에 대한 가정을 하지 않는다.

11 ② ㄱ. 甲은 가격 변화 전 B조합에 들어가는 비용으로 $(4 \times 2) + (2 \times 6) = 20$의 지출을 하였다. 주어진 소득보다 적었으므로 B를 선택할 수 있었음에도 불구하고 A를 선택했다.
ㄷ. 甲의 선택은 예산조합이 변화했을 때 둘 다 선택이 가능한데 최초의 선택을 변경하였으므로 이행성을 만족하지 못한다. 따라서 현시선호 약공리를 만족하지 못한다.

[오답체크]
ㄴ. 甲은 가격 변화 후 A조합에 들어가는 비용은 $(3 \times 5) + (3 \times 1) = 18$이므로 가격변화 후에도 A 선택이 가능하다.
ㄹ. 甲은 약공리를 만족하지 못했으므로 주어진 예산제약하에서 효용을 극대화하는 소비를 하고 있다고 볼 수 없다.

12 상중하

소비자 甲은 X재와 Y재만 소비하여 효용을 극대화한다. 제1기의 X재 가격은 3이고, Y재 가격은 6이었을 때, 소비조합 ($X = 3$, $Y = 5$)를 선택하였다. 제2기에는 동일한 소득에서 X재와 Y재의 변동된 가격 P_X, P_Y에서 소비조합 ($X = 6$, $Y = 3$)을 선택하였다. 甲의 선택이 현시선호 약공리(weak axiom)를 만족하기 위한 조건은? [감정평가사 19]

① $2P_X < 3P_Y$

② $2P_X > 3P_Y$

③ $3P_X < 2P_Y$

④ $3P_X > 2P_Y$

⑤ $P_X < P_Y$

13 상중하

투자자 甲은 100으로 기업 A, B의 주식에만 (기업 A에 x, 기업 B에 $100 - x$) 투자한다. 표는 기업 A의 신약 임상실험 성공 여부에 따른 기업 A, B의 주식투자 수익률이다. 임상실험의 결과와 관계없이 동일한 수익을 얻을 수 있도록 하는 x는? [감정평가사 18]

기업 A의 임상실험 성공 여부 / 주식투자 수익률	성공	실패
기업 A	30%	0%
기업 B	−10%	10%

① 20 ② 25 ③ 30

④ 40 ⑤ 50

14 상중하

〈보기〉와 같은 경제상황에서 어떤 보험회사가 개인 A에게 100% 확률로 일정한 소비수준을 보장해 준다고 한다면 개인 A가 동의할 수 있는 소비수준의 최젓값이 존재한다. 이 때 경제 내에 개인 A와 같은 개인들이 무수히 많다면 보험회사가 받을 수 있는 개인당 보험료 수입의 최고값은? [국회직 8급 16]

〈보기〉

- 개인 A의 소비는 50%의 확률로 1, 나머지 50%의 확률로 4의 값을 가진다.
- 개인 A의 효용함수는 $U(C) = \sqrt{C}$이다. (단, U는 효용, C는 소비이다)
- 모든 개인은 기대효용을 극대화하며, 각 개인들의 소비는 서로 독립적으로 실현된다.

① $\frac{1}{4}$ ② $\frac{1}{2}$ ③ $\frac{\sqrt{2}}{2}$

④ $\frac{3}{2}$ ⑤ $\frac{7}{4}$

정답 및 해설

12 ③ 1) 문제의 조건에서 1기에 Q_2를 구입할 수 있었음에도 불구하고 Q_1을 구입한 것을 알 수 있다.

2) 2기에 가격체계와 소비조합이 변경되었을 때 2기의 Q_1를 구입할 수 없어야 Q_2를 구입한 것이 약공리를 충족한다.

3) 이를 식으로 표현하면 $P_2Q_1 > P_2Q_2$이고, $P_2Q_1 = (P_X \times 3) + (P_Y \times 5) > P_2Q_2 = (P_X \times 6) + (P_Y \times 3)$

➜ $3P_X < 2P_Y$가 성립한다.

13 ④ 1) 기업 A의 임상실험이 성공할 경우: $(0.3 \times x) + (-0.1 \times (100 - x)) = 0.4x - 10$

2) 기업 B의 임상실험이 실패할 경우: $(0 \times x) + (0.1 \times (100 - x)) = -0.1x + 10$

3) 문제의 조건에서 임상실험의 결과와 관계없이 동일한 수익을 얻는 것이므로 위의 두 수익률은 동일해야 한다.

4) 따라서 $0.4x - 10 = -0.1x + 10$ ➜ $0.5x = 20$ ➜ $x = 40$이다.

14 ⑤ 1) 기대소득: $E(w) = p \times w_1 + (1-p)w_2 = \frac{1}{2} \times 1 + \frac{1}{2} \times 4 = \frac{5}{2}$

2) 기대효용: $E(U) = p \times U(w_1) + (1-p)w_2 = \frac{1}{2} \times 1 + \frac{1}{2} \times 4 = \frac{5}{2}$

3) 확실성등가 = $\sqrt{\text{확실성등가}} = \frac{3}{2}$ ➜ 확실성등가 = $\frac{9}{4}$

4) 위험프리미엄 = 기대소득($E(w)$) − 확실성등가 = $\frac{5}{2} - \frac{9}{4} = \frac{1}{4}$

5) 최대 보험료 = 최대 가치 − 확실성등가 = $4 - \frac{9}{4} = \frac{7}{4}$

15 상중하

당첨될 경우 16, 그렇지 못할 경우 0의 상금을 얻을 수 있는 복권이 있다. 이 복권에 당첨될 확률과 그렇지 못할 확률은 동일하다. 이 복권을 구입한 효미의 효용함수는 $u(W) = \sqrt{W}$라고 한다. 이 경우 확실성등가(certainty equivalence)와 위험프리미엄(risk premium)은 각각 얼마인가? (단, u는 효미의 효용, W는 상금 규모이다) [국회직 8급 15]

① (2, 2) ② (2, 4) ③ (4, 4)
④ (4, 2) ⑤ (8, 8)

16 상중하

다음을 참조할 때 〈보기〉에서 옳은 것을 모두 고르면? [국회직 8급 14]

> 어느 기획사에 소속된 가수 A는 음반판매실적과는 관계없이 고정급으로 월 1,000만원을 받고 있다. 이 때, 기획사에서 A에게 음반판매실적이 10만장 이상인 경우에는 월 4,000만원을 지급하고 판매실적이 10만장 미만인 경우에는 월 160만원을 지급하는 새 계약을 제시했다고 하자. A의 효용함수는 $U = \sqrt{10I}$이다.(U: 효용, I: 급여)

〈보기〉

ㄱ. 음반판매실적이 10만장 이상일 확률이 50%이면 새로운 계약을 회피하기 위해 지불할 최대금액인 위험프리미엄은 650만원보다 크다.
ㄴ. 음반판매실적이 10만장 이상일 확률이 25%이면 A는 고정급 계약을 고수한다.
ㄷ. 음반판매실적이 10만장 이상일 확률이 35%이면 A는 고정급 계약 대신 새 계약을 체결한다.

① ㄱ ② ㄴ ③ ㄷ
④ ㄴ, ㄷ ⑤ ㄱ, ㄴ, ㄷ

정답 및 해설

15 ③ 1) 기대소득: $0.5 \times 16 + 0.5 \times 0 = 8$

2) 기대효용: $(0.5)\sqrt{16} + (0.5)\sqrt{0} = 2$

3) 확실성등가: 기대효용이 4이므로 $4 = \sqrt{\text{확실성등가}}$을 풀면 확실성등가는 4이다.

4) 위험프리미엄 = 기대소득 − 확실성등가 = $8 - 4 = 4$이다.

16 ② 원래 계약의 기대소득은 1,000만원이고 효용(U)은 $\sqrt{10 \times 1{,}000\text{만}}$ = 10,000이다.

ㄴ. 음반판매실적이 10만장 이상일 확률이 25%인 경우

- 새로운 계약의 기대효용은 $0.25 \times \sqrt{10 \times 4{,}000\text{만}} + 0.75 \times \sqrt{10 \times 160\text{만}} = 8{,}000$이다.
- 원래 계약의 효용이 10,000이므로 위험기피자는 원래 계약(고정급)을 선택한다.

[오답체크]

ㄱ. 음반판매실적이 10만장 이상일 확률이 50%인 경우의 선택

- 기대소득 = $0.5 \times 4{,}000\text{만} + 0.5 \times 160\text{만} = 2{,}080$만원
- 기대효용 = $0.5 \times \sqrt{10 \times 4{,}000\text{만}} + 0.5 \times \sqrt{10 \times 160\text{만}} = 12{,}000$
- 12,000 = $\sqrt{10 \times \text{확실대등액}}$이므로 확실대등액은 14,400,000원이다.
- 기대소득 2,080만원에서 확실대등액 1,440만원을 차감하면 위험프리미엄은 640만원이다. 따라서 위험프리미엄은 650만원보다 작다.

ㄷ. 음반판매실적이 10만장 이상일 확률이 35%인 경우의 선택

- 새로운 계약의 기대효용은 $0.35 \times \sqrt{10 \times 4{,}000\text{만}} + 0.65 \times \sqrt{10 \times 160\text{만}} = 9{,}600$이다.
- 원래 계약의 효용이 10,000이므로 위험기피자는 원래 계약(고정급)을 선택한다.

STEP 3 실전문제

17 상중하

다음 그림은 각각 소비자 1, 2, 3이 두 예산선하에서 선택한 점들을 나타낸다. 현시선호의 약공리를 만족하는 소비자를 모두 고르면? (단, 점 A와 점 B는 각각 예산선이 BC_A와 BC_B일 때의 선택을 나타낸다) [회계사 22]

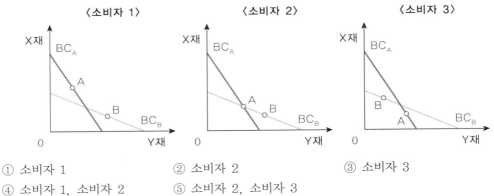

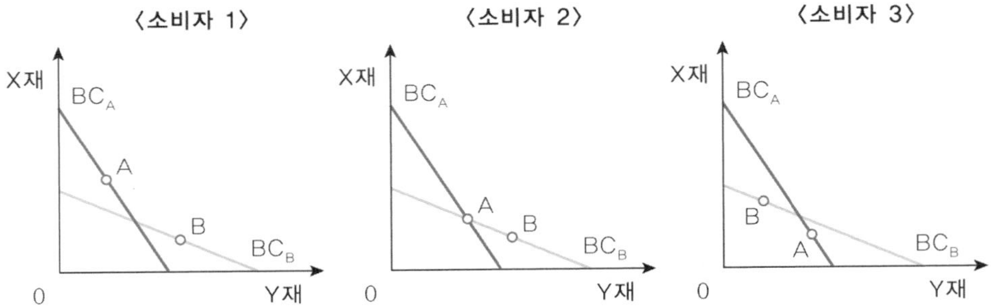

① 소비자 1
② 소비자 2
③ 소비자 3
④ 소비자 1, 소비자 2
⑤ 소비자 2, 소비자 3

18 상중하

소득 12로 X재와 Y재만을 구매하는 소비자가 있다. 이 소비자는 X재 가격이 2, Y재 가격이 1일 때 X재 2단위, Y재 8단위를 선택하였다. X재 가격이 1, Y재 가격이 2로 바뀔 때, 현시선호이론에 입각한 설명으로 옳은 것은? [회계사 21]

① $(x, y)=(2, 5)$를 선택하면 약공리가 위배된다.
② $(x, y)=(6, 3)$을 선택하면 약공리가 위배된다.
③ $(x, y)=(8, 2)$를 선택하면 약공리가 위배된다.
④ $(x, y)=(10, 1)$을 선택하면 약공리가 위배된다.
⑤ 예산선상의 어느 점을 선택하더라도 약공리가 위배되지 않는다.

정답 및 해설

17 ④ 1) 소비자 1

㉠ 최초의 예산조합(BC_A)에서 A를 선택한 경우 예산조합이 BC_B로 변화하였을 때 최초에 선택할 수 없는 B점을 선택하였으므로 약공리를 만족한다.

㉡ 최초의 예산조합(BC_B)에서 B를 선택한 경우 예산조합이 BC_A로 변화하였을 때 최초에 선택할 수 없는 A점을 선택하였으므로 약공리를 만족한다.

2) 소비자 2

㉠ 최초의 예산조합(BC_A)에서 A를 선택한 경우 예산조합이 BC_B로 변화하였을 때 최초에 선택할 수 없는 B점을 선택하였으므로 약공리를 만족한다.

㉡ 최초의 예산조합(BC_B)에서 B를 선택한 경우 예산조합이 BC_A로 변화하였을 때 B점을 선택할 수 없으므로 A점을 선택한 것은 약공리를 만족한다.

3) 소비자 3

㉠ 최초의 예산조합(BC_A)에서 A를 선택한 경우 예산조합이 BC_B로 변화하였을 때 A를 선택할 수 있음에도 B를 선택하는 것은 약공리에 위배된다.

㉡ 최초의 예산조합(BC_B)에서 B를 선택한 경우 예산조합이 BC_A로 변화하였을 때 B를 선택할 수 있음에도 A를 선택하는 것은 약공리에 위배된다.

18 ⑤ 1) 최초의 예산선 P_0는 $2X+Y=12$, 변경 후 예산선 P_1은 $X+2Y=12$이다.

2) 문제에 제시된 내용을 그래프로 표현하면 다음과 같다.

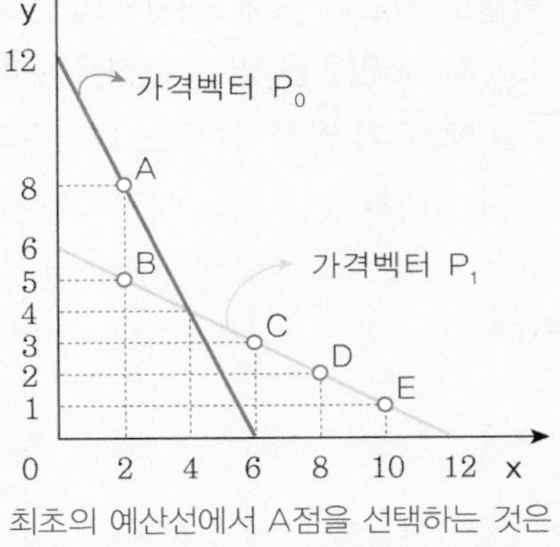

3) 최초의 예산선에서 A점을 선택하는 것은 가능하지만 변경 후에는 선택이 불가능하므로 문제에 제시된 어떤 점을 선택하더라도 약공리에 어긋나지 않는다.

19 상중하

한 소비자가 사전편찬식 선호관계(lexicographic preference relation)를 가질 때, 이 소비자의 선호관계에 대한 설명으로 옳은 것은? [회계사 16]

가. 완비성(completeness)을 위배한다. 나. 이전성(transitivity)을 위배한다. 다. 연속성(continuity)을 위배한다. 라. 선호관계를 효용함수로 나타낼 수 없다.

① 가, 나 ② 가, 다 ③ 나, 다
④ 나, 라 ⑤ 다, 라

20 상중하

X재와 Y재만을 소비하는 어느 소비자가 사전편찬식 선호(lexicographic preference)를 갖는다. 즉, 두 소비묶음 $a = (x_1,\ y_1)$과 $b = (x_2,\ y_2)$에 대해 만약 $x_1 > x_2$이거나, $x_1 = x_2$이며 $y_1 > y_2$이면, a를 b보다 선호한다. 이 소비자의 X재에 대한 수요함수와 동일한 수요함수가 도출되는 효용함수는? [회계사 21]

① $u(x,\ y) = x$ ② $u(x,\ y) = x + y$ ③ $u(x,\ y) = y$
④ $u(x,\ y) = xy$ ⑤ $u(x,\ y) = Min[x,\ y]$

21 상중하

100만원의 자동차를 가지고 있는 A는 0.1의 확률로 사고를 당해 36만원의 손해를 볼 수 있으며, 자동차 손해보험을 판매하는 B로부터 사고 시 36만원을 받는 보험을 구매할 수 있다. m원에 대한 A의 기대효용함수가 $U(m) = \sqrt{m}$일 때, B가 받을 수 있는 보험료의 최댓값은? [회계사 19]

① 0원 ② 2만 5,400원 ③ 3만 9,600원
④ 6만원 ⑤ 9만 8,000원

정답 및 해설

19 ⑤ 사전편찬식 선호는 두 개의 재화묶음 (X_1, Y_1)과 (X_2, Y_2) 간에 $X_1 > X_2$이거나 $X_1 = X_2$일 경우 $Y_1 > Y_2$이면 재화묶음 (X_1, Y_1)이 (X_2, Y_2)보다 선호되는 것을 의미한다.

다. 연속성(continuity)이란 재화묶음에 포함되어 있는 재화의 양이 약간씩 변할 때 소비자의 선호도 점진적으로 변하는 성질을 의미한다.

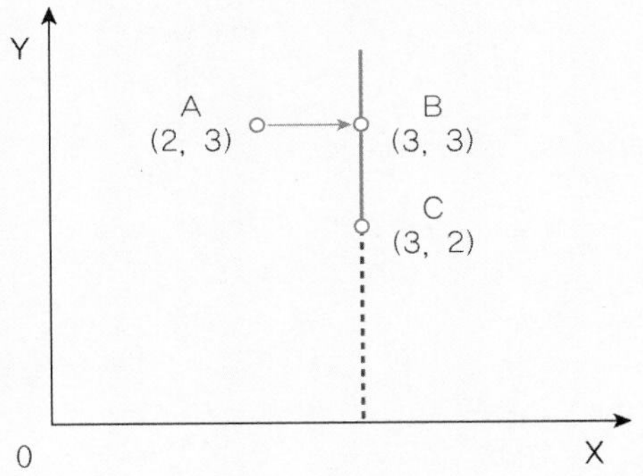

(2, 3)을 A점, (3, 3)을 B점, (3, 2)점을 C점이라 하자. 현재 효용의 크기는 B > C > A이다. A점에서 B점으로 이동하면서 X재의 소비량이 서서히 늘어나므로 효용이 연속적으로 증가한다. 그러나 B점으로 오는 순간 C점을 거치지 않고 효용이 커지므로 연속성이 충족되지 않는다.

라. 선호관계가 완비성, 이전성(= 이행성), 연속성을 충족해야 선호관계를 효용함수로 나타낼수 있으나 사전편찬식 선호체계는 연속성을 만족시키지 못하므로 선호관계를 효용함수로 나타낼 수 없다.

[오답체크]

가. 완비성(completeness)은 두 개의 재화 묶음 중 어떤 것이 선호되는지 혹은 무차별한지의 판단을 내릴수 있어야 함을 말한다. 사전편찬식 선호에서는 우선 두 재화묶음 중 첫 번째 재화가 많은 묶음을 선택하고, 첫 번째 재화의 양이 동일하면 두 번째 재화가 많은 묶음을 선호한다. 따라서 완비성이 충족된다.

나. 이행성이란 선호의 크기가 A < B, B < C인 경우에 A < C가 성립한다는 것이다. 사전편찬식 선호에서도 첫 번째 묶음의 양이 동일하다면 두 번째 재화의 양에 의해 결정될 것이므로 이행성이 충족된다.

20 ① 1) 사전편찬식 선호는 연속성이 존재하지 않는다.

2) 문제에서 X재의 수요함수와 동일한 수요함수가 도출되기 위해서는 효용함수가 X재에 의해서만 결정되어야 한다.

3) ①을 제외한 나머지는 효용이 X재의 수량에 의해서만 결정되지 않으므로 효용함수가 X재의 수요함수와 동일하게 도출되지 않는다.

21 ③ 1) 기대치: $0.9 \times 100 + 0.1 \times 64 = 90 + 6.4 = 96.4$

2) 기대효용: $0.9 \times \sqrt{100} + 0.1 \times \sqrt{64} = 9 + 0.8 = 9.8$

3) 확실성등가: $\sqrt{\text{확실성등가}} = 9.8$ ➜ 확실성등가 = 96.04

4) 최대 보험료 = 자산가치 − 확실성등가 = 100만원 − 96만 400원 = 39,600원

22 상중하

한 소비자의 돈 m원에 대한 기대효용함수는 $U(m) = 2\sqrt{m}$ 이다. 한 증권이 $\frac{1}{3}$의 확률로 81원이 되고, $\frac{2}{3}$의 확률로 36원이 될 때 이 소비자의 증권에 대한 확실성등가(certainty equivalent)와 위험프리미엄(risk premium)을 바르게 짝지은 것은? [회계사 16]

	확실성등가(원)	위험프리미엄(원)
①	14	37
②	14	2
③	49	14
④	49	2
⑤	51	14

23 상중하

16억원 가치의 상가를 보유하고 있는 A는 화재에 대비하기 위해 손해액 전부를 보상해 주는 화재보험을 가입하려고 한다. 상가에 화재가 발생하여 7억원의 손해를 볼 확률이 20%이고, 12억원의 손해를 볼 확률이 10%이다. A의 재산에 대한 폰 노이만-모겐스턴(Von Neumann-Morgenstern) 효용함수가 $u(x) = \sqrt{x}$ 라고 한다면, 기대효용을 극대화하는 조건에서 지불할 용의가 있는 최대금액의 보험료는? [회계사 18]

① 2.96억원 ② 3.04억원 ③ 3.56억원
④ 4.28억원 ⑤ 5.24억원

24 상중하 100의 재산을 가지고 있는 A가 2/5의 확률로 주차위반에 적발되면 75의 범칙금을 내야 한다. 정부는 예산절감을 위해 단속인력을 줄이고자 하나, 이 경우 적발확률은 1/3로 낮아진다. A의 재산 w에 대한 기대효용함수가 $\sqrt{w}$일 때, 만약 정부가 A의 주차위반 행위를 이전과 같은 수준으로 유지하려면 책정해야 할 주차위반 범칙금은? [회계사 20]

① 64　② 75　③ 84
④ 91　⑤ 96

정답 및 해설

22 ④ 1) 기대치 $= \frac{1}{3} \times 81 + \frac{2}{3} \times 36 = 27 + 24 = 51$

2) 기대효용 $= \frac{1}{3} \times 2\sqrt{81} + \frac{2}{3} \times 2\sqrt{36} = 6 + 8 = 14$

3) 확실성등가 $= 2\sqrt{\text{확실성등가}} = 14$ ➜ 확실성등가 $= 49$

4) 위험프리미엄 = 기대치 − 확실성 등가 $= 51 - 49 = 2$

23 ② 1) 재산의 기대치 $= (0.1 \times 4) + (0.2 \times 9) + (0.7 \times 16) = 13.4$억원

2) 기대효용 $= (0.1 \times \sqrt{4}) + (0.2 \times \sqrt{9}) + (0.7 \times \sqrt{16}) = 3.6$억원

3) $\sqrt{CE} = 3.6$억원 ➜ 확실성등가 $= 12.96$억원

4) 최대 보험료 = 재산의 크기 − 확실성등가 = 3.04억원

24 ③ 1) 최초의 기대효용 $= \frac{2}{5} \times \sqrt{25} + \frac{3}{5} \times \sqrt{100} = 8$

2) 범칙금을 변동시켰을 때 기대효용 $= \frac{1}{3} \times \sqrt{100 - x} + \frac{2}{3} \times \sqrt{100} = \frac{1}{3} \times \sqrt{100 - x} + \frac{20}{3}$

3) 두 기대효용이 동일해야 하므로 $8 = \frac{1}{3} \times \sqrt{100 - x} + \frac{20}{3}$ ➜ $24 = \sqrt{100 - x} + 20$

➜ $4 = \sqrt{100 - x}$ ➜ $16 = 100 - x$ ➜ $x = 84$이다.

25 상중하

자산이 100인 갑은 1/2의 확률로 도난에 따른 손실 51을 입을 위험에 처해 있다. 자산액을 m이라 할 때 갑의 효용은 $\sqrt{m}$이다. 갑이 가격이 19인 보험상품을 구입하면 도난 발생 시 손실의 $(\alpha \times 100)\%$를 보상받는다. 기대효용을 극대화하는 갑이 보험상품을 구입하기 위한 α의 최솟값은? (단, 구입과 비구입 간에 무차별하면 갑은 보험상품을 구입한다) [회계사 21]

① $\frac{1}{7}$ ② $\frac{1}{3}$ ③ $\frac{2}{3}$

④ $\frac{3}{4}$ ⑤ $\frac{4}{5}$

26 상중하

투자자 A와 B의 w원에 대한 폰 노이만-모겐스턴(Von Neumann-Morgenstern) 효용함수는 각각 $u_A(w) = w^{0.5}$, $u_B(w) = 2w$이다. 현재 두 사람은 각각 100만원의 투자자금으로 자금조달에 어려움을 겪고 있는 어떤 기업에 대한 투자를 고려하고 있다. 이 기업이 자금난을 극복하지 못하고 부도가 나면 투자한 금액을 전혀 돌려받지 못하나 자금난을 극복하고 새로운 기술개발에 성공하게 되면 이 기업의 주가는 1주당 10,000원으로 상승할 것으로 예상된다. 기업이 부도날 확률이 0.5인 경우 다음 설명 중 옳은 것을 모두 고르면? (단, 투자자는 투자금액 전액을 이 기업의 주식에만 투자할 것을 고려하고 있으며, 주식거래 관련 거래비용은 없다) [회계사 22]

가. 투자기회에 대한 확실성등가는 A가 B보다 크다.
나. 투자 시 A의 기대소득은 확실성등가보다 크다.
다. 투자 시 B의 위험프리미엄은 확실성등가와 같다.
라. 주가가 현재 5,000원인 경우, A는 이 기업의 주식에 투자하지 않을 것이다.

① 가, 나 ② 가, 라 ③ 나, 다

④ 나, 라 ⑤ 다, 라

정답 및 해설

25 ③ 1) 보험상품을 가입하지 않았을 때의 기대효용: $\frac{1}{2} \times \sqrt{100} + \frac{1}{2} \times \sqrt{49} = 8.5$

2) 보험상품을 가입했을 때의 기대효용: $\frac{1}{2} \times \sqrt{100-19} + \frac{1}{2} \times \sqrt{49-19+51\alpha}$

3) 구입과 비구입 간에 무차별하므로 α의 최솟값은 다음과 같이 구할 수 있다.

$8.5 = \frac{1}{2} \times \sqrt{100-19} + \frac{1}{2} \times \sqrt{49-19+51\alpha}$ ➜ $8.5 = 4.5 + \frac{1}{2} \times \sqrt{30+51\alpha}$ ➜ $8 = \sqrt{30+51\alpha}$

➜ $64 = 30 + 51\alpha$ ➜ $\alpha = \frac{2}{3}$

26 ④ 1) 투자자 A의 효용함수는 위험기피자이고, 투자자 B의 효용함수는 위험중립자이다.

2) 지문분석

나. 투자 시 A의 기대소득은 확실성등가보다 크다.

라. 주가가 현재 5,000원인 경우 투자가 성공하면 주가가 10,000원이 되므로 최종 투자수익금은 200만원이 될 것이다. 따라서 A의 기대효용은 $0.5 \times 0 + 0.5 \times \sqrt{200}$ 만원 $= 5\sqrt{2}$ 만원이다. 이때 확실성등가는 $\sqrt{CE} = 5\sqrt{2}$ 가 성립하는 50만원이다. 따라서 해당 투자의 가치는 확실한 소득 50만원이기 때문에 확실한 자산 100만원을 포기하지 않으므로, A는 이 기업의 주식에 투자하지 않을 것이다.

[오답체크]

가. 위험중립자(B)의 확실성등가가 크다.

다. 투자 시 B의 기대소득은 확실성등가와 같다.

제4장

생산자이론

Topic 8
생산자이론

01 단기생산함수

단기와 장기	(1) 단기: 기간의 장단이 아니라, ㉮ ________가 존재하는 경우 (2) 장기: 모든 투입요소가 ㉯ ________인 기간 (3) 고정투입요소와 가변투입요소 ① 고정투입요소: 공장, 설비 등 ② 가변투입요소: 노동력, 에너지 등
총생산 한계생산 평균생산	(1) $Q(=TP)=F(L,\widehat{K})$ (2) $MP_L=\frac{dQ}{dL}$ ① 노동 1단위 추가에 따르는 총생산물의 추가적 증가분 ② 총생산곡선의 각 점에서의 ㉰ ____의 기울기 ③ ㉱ ________이 적용됨(한계생산물체감의 법칙) (3) $AP_L=\frac{Q}{L}$ ① 노동 한 단위당 생산물 ② 총생산곡선의 각 점과 ㉲ ____을 연결한 직선의 기울기
그래프	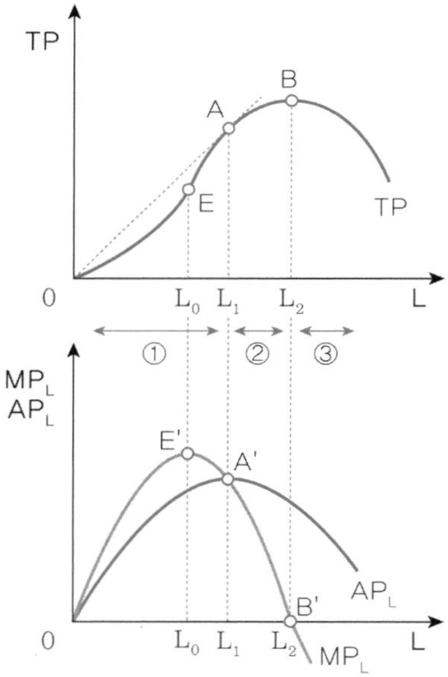 ① 생산의 제1단계: 비경제적 영역 ② 생산의 제2단계: 경제적 영역 ③ 생산의 제3단계: 비경제적 영역 AP_L 상승구간: MP_L이 위에 위치 AP_L 하강구간: MP_L이 아래에 위치 AP_L의 극대점: MP_L과 교차

핵심키워드

㉮ 고정투입요소, ㉯ 가변요소, ㉰ 접선, ㉱ 수확체감의 법칙, ㉲ 원점

평균생산과 한계생산의 관계	한계량 > 평균량 ➜ 평균량 ㉮ ________ 한계량 < 평균량 ➜ 평균량 ㉯ ________

02 장기생산함수

등량곡선	(1) 개념: 어떤 상품을 생산하는 데 있어 동일한 수준의 산출량을 효율적으로 생산해낼 수 있는 여러 가지 서로 다른 생산 요소의 조합을 연결한 곡선 (2) 성질 ① 우하향하는 형태를 보임 ② 원점으로부터 멀리 떨어진 등량곡선일수록 높은 산출량을 나타냄 ③ 서로 교차할 수 없음 ④ 일반적으로 원점에 대해 볼록한 형태 ➜ 한계기술대체율 체감 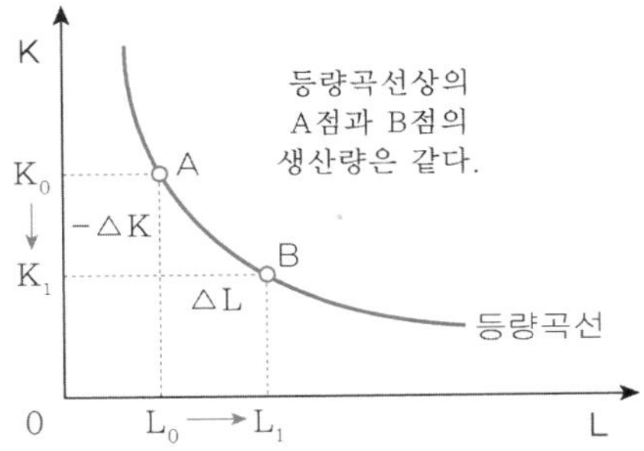 (3) ㉰ ________________(MRTS; Marginal Rate of Technical Substitution) ① 개념: 동일한 생산량을 유지하면서 노동을 추가로 1단위 더 고용하기 위하여 감소시켜야 하는 자본의 수량 ② MRTS는 등량곡선 접선의 기울기의 절댓값과 같음 (4) 한계기술대체율 체감의 법칙 ① 자본을 노동으로 대체함에 따라 노동과 자본 간의 한계기술대체율이 점점 감소하는 현상 ② 한계기술대체율 체감의 법칙이 성립하기 때문에 등량곡선이 원점에 대하여 볼록한 형태를 갖게 됨
등비용선	(1) 개념: 주어진 총비용으로 구입 가능한 생산 요소의 조합을 그림으로 나타낸 것, 소비자이론에서의 예산선과 동일한 개념 (2) 공식: $TC=wL+rK$ (3) 형태: 우하향의 직선 (4) 이동: 투입 비용의 변화, 요소 가격의 변화 등으로 인해 이동
비용극소화	(1) 조건: 등량곡선과 등비용선이 접하는 점에서 비용극소화가 달성 (2) ㉱ ________________의 법칙: 각 생산 요소의 구입에 지출된 1원어치의 한계생산물이 같도록 생산 요소를 투입하여야 비용극소화가 달성됨을 의미

핵심키워드

㉮ 증가, ㉯ 감소, ㉰ 한계기술대체율, ㉱ 한계생산물균등

생산요소 간 완전대체관계	(1) $Q = aL + bK$ (2) 등비용선의 기울기와 비교하여 구석해 결정 ① 등량곡선의 기울기 > 등비용선의 기울기 ➜ ㉮____만 고용 ② 등량곡선의 기울기 < 등비용선의 기울기 ➜ ㉯____만 고용 ③ 등량곡선의 기울기 = 등비용선의 기울기 ➜ 등비용선상의 어떤 조합도 성립함
생산요소 간 완전보완관계	(1) $Q = Min[aL, bK]$ (2) 완전보완재는 추세선인 $aL = bK$ ➜ $K = \frac{b}{a}L$을 지나므로 이를 ㉰________에 대입하여 최적조합점을 구함
콥-더글러스 생산함수	(1) $Q = L^{\alpha}K^{\beta}$ $(\alpha + \beta = 1)$ (2) ㉱____ 동차 생산함수 - 규모에 대한 수익 ㉲____ (3) 생산의 노동탄력성 α, 생산의 자본탄력성 β (4) ㉳____소득 분배율 α, ㉴____소득 분배율 β (5) 대체탄력성은 ㉵____이다.

03 단기비용함수

단기 총비용	(1) 단기총비용 = 단기총고정비용 + 단기총가변비용 ① ㉶__________: 생산수준과 무관하게 발생하는 비용 예 이자, 보험료 등 ② ㉷__________: 생산수준에 따라 변동하는 비용 예 임금, 원재료비 등 (2) 총비용함수: 각 생산량에 대응하는 최소의 총비용을 나타내는 함수 (3) 총비용곡선 ① 총가변비용곡선을 총고정비용곡선만큼 위로 들어올리면 총비용곡선이 됨 ② 총비용곡선과 총가변비용곡선의 수직선상의 높이의 차이는 총고정비용의 크기와 일치함 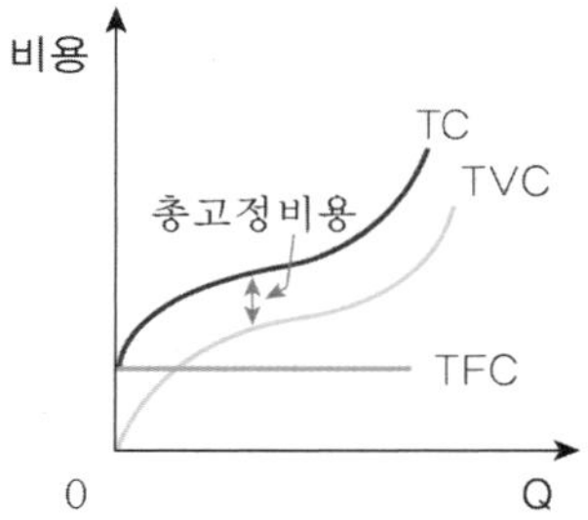

핵심키워드

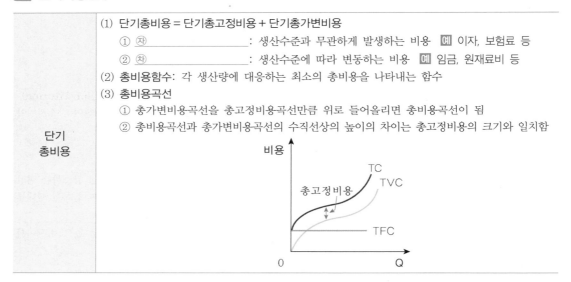

㉮ L, ㉯ K, ㉰ 등비용선, ㉱ 1차, ㉲ 불변, ㉳ 노동, ㉴ 자본, ㉵ 1, ㉶ 총고정비용(TFC), ㉷ 총가변비용(TVC)

<table>
<tr>
<td>평균비용
(AC;
Average
Cost)</td>
<td>

(1) **평균고정비용**: 총고정비용을 생산량으로 나눈 값
(2) **평균가변비용**: 총가변비용을 생산량으로 나눈 값
(3) **평균비용**: 산출량 1단위당 소요되는 비용이므로 총비용을 생산량으로 나눈 값

(a) 총고정비용

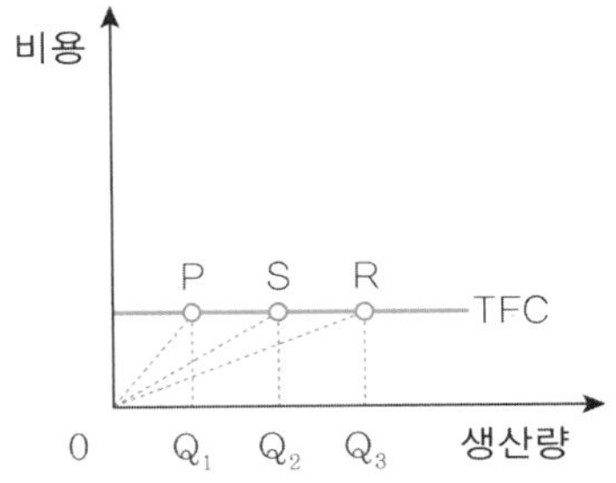

(b) 평균고정비용

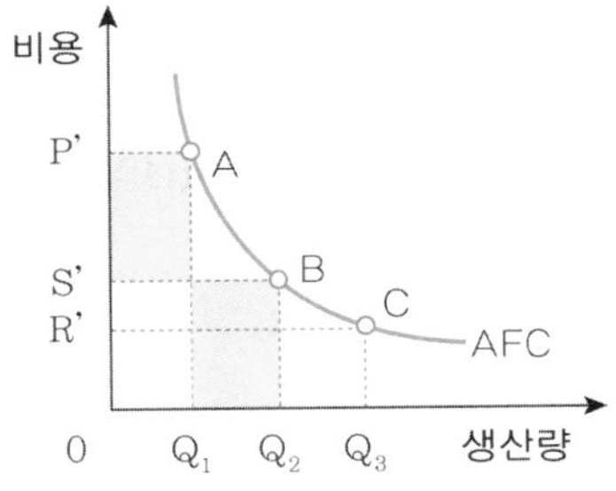

(c) 총가변비용

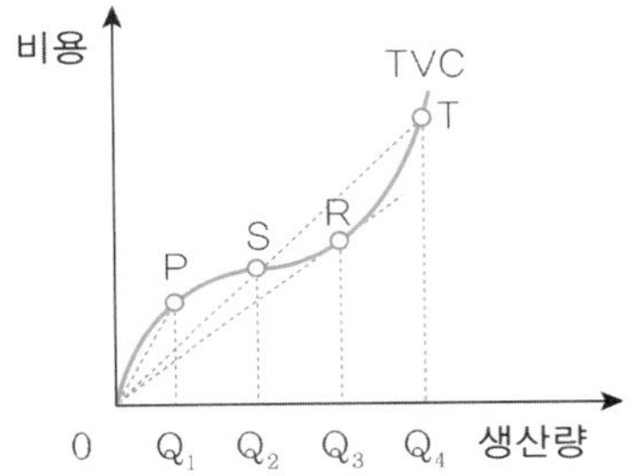

(d) 평균가변비용

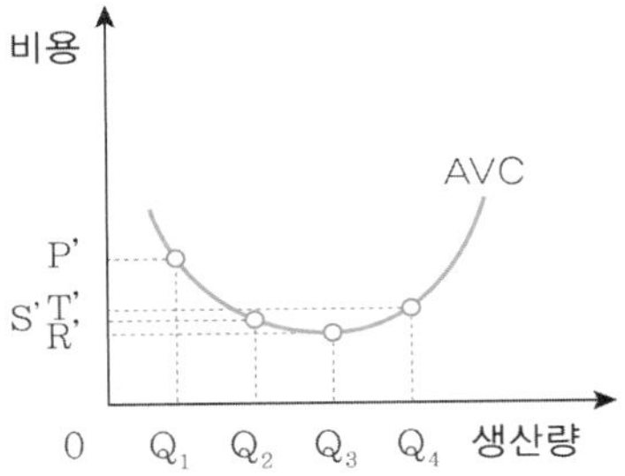

</td>
</tr>
<tr>
<td>한계비용</td>
<td>생산량을 추가적으로 증가시킬 때 증가하는 총비용의 증가분(= 총가변비용의 증가분)</td>
</tr>
<tr>
<td>비용곡선들
사이의 관계</td>
<td>

(1) *TC*는 *TVC*를 *TFC*만큼 상방으로 이동시킨 것이므로 *TC*와 *TVC*의 형태는 동일함
(2) *AC*, *AVC*, *MC*는 모두 U자형임
(3) *AVC*는 항상 *AC* 하방에 위치함
(4) 생산량이 증가함에 따라 *AFC*는 계속해서 감소하고 이에 따라 *AVC*는 점점 *AC*에 접근함
(5) *AVC*의 극소점은 *AC*의 극소점보다 왼쪽에 위치함
(6) *MC*는 *AVC* 및 *AC*의 ㉮ ________ 을 통과함
(7) *MC*는 *AC*가 감소할 때는 *AC* 하방에 위치하고, *AC*가 증가할 때는 *AC* 상방에 위치함

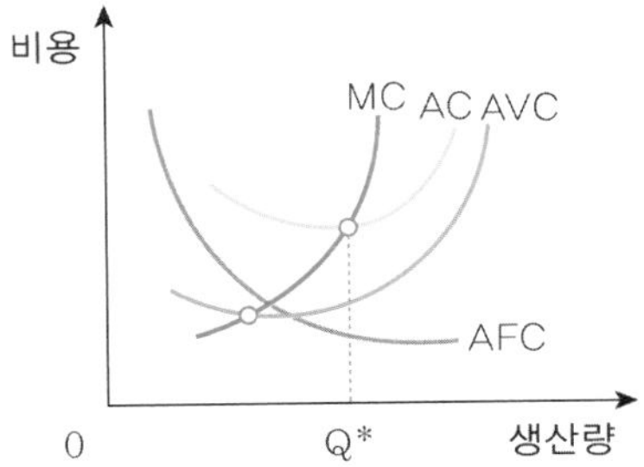

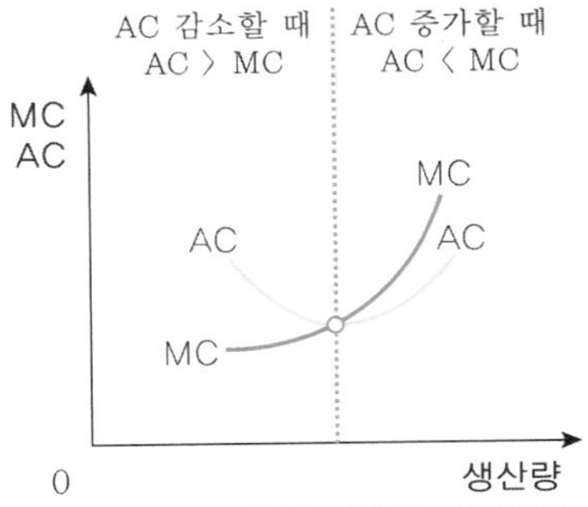

</td>
</tr>
</table>

핵심키워드

㉮ 최저점

04 장기비용함수

장기 평균비용곡선 (LAC; Long-run Average Cost)	(1) 장기총비용곡선 ① 장기에는 ㉮ ______가 존재하지 않고 모든 생산요소가 가변적 ② 장기에는 생산시설을 확장하거나 감축시킬 수 있기 때문에 무수히 많은 단기총비용곡선이 존재함 ③ 따라서 장기총비용곡선은 무수히 많은 단기총비용곡선을 감싸는 포락선 (2) 장기평균비용곡선의 도출 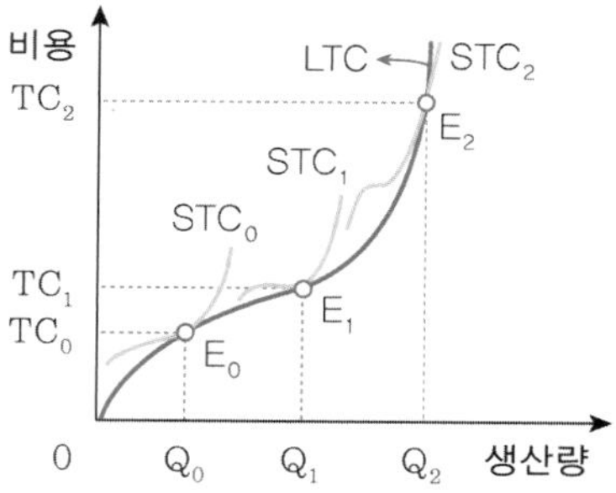 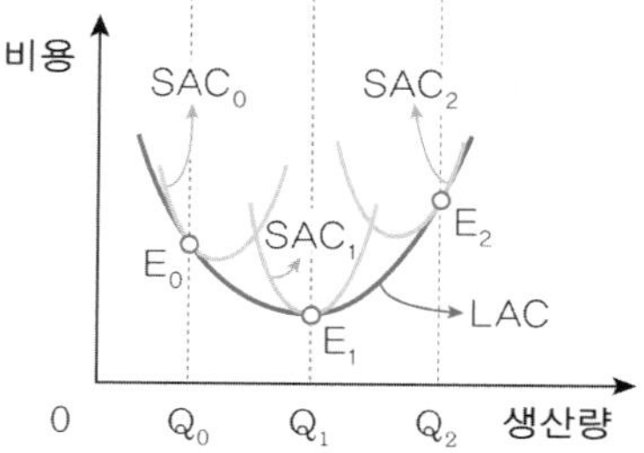 (3) 단기평균비용곡선이 U자형인 이유 ① 우하향의 기울기: 규모에 대한 보수체증(규모의 경제) ② 우상향의 기울기: 규모에 대한 보수체감(규모의 불경제)
장기평균 비용곡선과 단기평균 비용곡선의 관계	(1) 단기평균비용곡선과 장기평균비용곡선은 한 점에서 접하지만, 장기평균비용곡선의 최저점과 단기평균비용곡선의 최저점이 항상 접하는 것은 아님 (2) 장기평균비용곡선의 최저점에서만 단기평균비용곡선의 최저점이 접함 (3) 장기평균비용곡선의 최저점에서 단기평균비용곡선과 접하는 시설규모를 최적시설규모(optimum scale of plant)라고 하고, 이때의 생산량을 ㉯ ______하에서의 최적 생산량이라 함
생산함수를 비용함수로 전환하기	(1) 생산함수를 L, K의 형태로 변환 (2) 총비용함수인 $TC = wL + rK$에 대입하여 구함

핵심키워드

㉮ 고정요소, ㉯ 최적시설규모

05 이윤극대화

공식	총이윤 = ㉮ ____________
이윤극대화 생산량	(1) 한계수입(*MR*) > 한계비용(*MC*) ➜ 생산량을 늘리는 것이 기업에게 유리 (2) 한계수입(*MR*) < 한계비용(*MC*) ➜ 생산량을 줄이는 것이 기업에게 유리 (3) ㉯ ________ = ㉰ ________ 인 점에서 생산량을 결정(이윤극대화 조건은 시장 형태와 관계없이 항상 적용됨)

핵심키워드

㉮ 총수입(TR) − 총비용(TC), ㉯ 한계수입(MR), ㉰ 한계비용(MC)

STEP 1 기본문제

01 상중하

A기업의 생산함수는 $Y=\sqrt{K+L}$ 이다. 이 생산함수에 대한 설명으로 옳은 것은?

[지방직 7급 15]

① 규모에 대한 수확불변을 나타낸다.
② 자본과 노동은 완전보완관계이다.
③ 이윤극대화를 위해 자본과 노동 중 하나만 사용해도 된다.
④ 등량곡선(iso-quant curve)은 원점에 대해 볼록하다.

02 상중하

생산함수가 $Q=L^2K^2$으로 주어져 있다. 이 생산함수에 대한 설명으로 옳은 것만을 〈보기〉에서 모두 고른 것은? (단, Q는 생산량, L은 노동량, K는 자본량이다)

[국가직 7급 17]

〈보기〉

ㄱ. 2차 동차함수이다.
ㄴ. 규모에 따른 수확체증이 있다.
ㄷ. 주어진 생산량을 최소비용으로 생산하는 균형점에서 생산요소 간 대체탄력성은 1이다.

① ㄱ
② ㄴ
③ ㄱ, ㄷ
④ ㄴ, ㄷ

03 상중하

어느 경제에서 생산량과 기술 및 요소 투입 간에 $Y=AF(L, K)$의 관계가 성립하며, $F(L, K)$는 노동, 자본에 대하여 규모에 대한 수익불변(CRS)의 특징을 가지고 있다. 이에 대한 설명으로 가장 옳은 것은? (단, Y, A, L, K는 각각 생산량, 기술수준, 노동, 자본을 나타낸다)

[서울시 7급 19]

① 생산요소인 노동이 2배 증가하면 노동단위 1인당 생산량은 증가한다.
② 생산요소인 노동과 자본이 각각 2배 증가하면 노동단위 1인당 생산량은 증가한다.
③ 생산요소인 노동과 자본이 각각 2배 증가하고 기술수준이 2배로 높아지면 노동단위 1인당 생산량은 2배 증가한다.
④ 생산요소인 자본이 2배 증가하고 기술수준이 2배로 높아지면 노동단위 1인당 생산량은 2배 증가한다.

정답 및 해설

01 ③ 1) K와 L을 모두 t배하면 $\sqrt{tK+tL} = \sqrt{t(K+L)} = \sqrt{t} \times \sqrt{K+L} = t^{0.5}\sqrt{K+L}$이므로 문제에 주어진 생산함수는 0.5차 동차함수이다.

2) 생산함수의 양변을 제곱하면 $Y^2 = K+L$이고, 이를 정리하면 $K = -L + Y^2$이므로 등량곡선이 기울기(절댓값)가 1인 우하향의 직선임을 알 수 있다. 등량곡선이 우하향의 직선의 형태로 도출되는 것은 노동과 자본이 완전대체적인 생산요소일 때이다. 따라서 이윤극대화를 위해 자본과 노동 중 하나만 사용해도 된다.

[오답체크]

① A기업의 생산함수는 규모에 대한 수익이 체감한다.
② 자본과 노동은 완전대체관계이다.
④ 등량곡선(iso-quant curve)은 직선의 형태이다

02 ④ 1) 생산함수의 L과 K를 모두 t배하면 $(tL)^2(tK)^2 = t^4L^2K^2 = t^4Q$이므로 문제에 주어진 생산함수는 4차 동차 콥-더글라스 생산함수이다.

2) 생산함수가 1차 동차보다 크면 규모에 따른 수확체증 현상이 나타난다.

3) 콥-더글라스 생산함수는 대체탄력성이 항상 1이다.

03 ③ 노동과 자본이 모두 2배 증가하는 것은 1인당 생산량에 영향을 미치지 않지만, 기술수준이 2배가 되면 1인당 생산량도 2배 증가한다. $AP_L = A(\frac{K}{L})^{1-a}$ 에다 A 대신 $2A$, L 대신 $2L$, K 대신 $2K$를 대입하면 1인당 생산량이 2배 증가한다.

[오답체크]

① 노동이 2배 증가하면 1인당 자본량이 감소하므로 1인당 생산량이 감소한다. 즉, $AP_L = A(\frac{K}{L})^{1-a}$ 이므로 L이 증가하면 1인당 생산량이 감소한다.

② 노동과 자본이 모두 2배 증가하여도 1인당 자본량이 불변이므로 1인당 생산량은 변하지 않는다. $AP_L = A(\frac{K}{L})^{1-a}$ 에다 L 대신 $2L$, K 대신 $2K$를 대입해도 1인당 생산량이 변하지 않음을 알 수 있다.

④ 자본이 2배 증가하면 1인당 자본량의 증가로 1인당 생산량이 증가하므로 자본이 2배 증가하는 동시에 기술수준도 2배로 높아지면 1인당 생산량은 2배보다 크게 증가한다. $AP_L = A(\frac{K}{L})^{1-a}$ 에다 A 대신 $2A$, L 대신 $2L$, K 대신 $2K$를 대입하면 1인당 생산량이 2배보다 크게 증가함을 알 수 있다.

04 상중하 콥-더글라스(Cobb-Douglas) 생산함수 $Q = AK^{a}L^{(1-a)}$에 관한 설명으로 옳지 않은 것은? (단, K는 자본, L은 노동, Q는 생산량, $0 < a < 1$, A는 상수, $A > 0$이다) [노무사 15]

① 규모에 대한 수익불변의 특성을 갖는다.
② 1차 동차성을 갖는다.
③ 자본의 평균생산은 체증한다.
④ 노동의 한계생산은 체감한다.
⑤ 생산요소 간 대체탄력성은 1로 일정하다.

05 상중하 A기업의 생산함수는 $Q = 12L^{0.5}K^{0.5}$이다. A기업의 노동과 자본의 투입량이 각각 $L = 4$, $K = 9$일 때, 노동의 한계생산(MP_L)과 평균생산(AP_L)은? [노무사 18]

① $MP_L = 0$, $AP_L = 9$
② $MP_L = 9$, $AP_L = 9$
③ $MP_L = 9$, $AP_L = 18$
④ $MP_L = 12$, $AP_L = 18$
⑤ $MP_L = 18$, $AP_L = 9$

06 상중하

노동(L)과 자본(K)을 생산요소로 투입하여 비용을 최소화하는 기업의 생산함수는 $Q = L^{0.5}K$ 이다(Q는 생산량). 이에 관한 설명으로 옳지 않은 것은? [노무사 13]

① 규모에 대한 수익이 체증한다.
② 노동투입량이 증가할수록 노동의 한계생산은 감소한다.
③ 노동투입량이 증가할수록 자본의 한계생산은 증가한다.
④ 노동과 자본의 단위당 가격이 동일할 때 자본투입량은 노동투입량의 2배이다.
⑤ 자본투입량이 증가할수록 자본의 한계생산은 증가한다.

정답 및 해설

04 ③ 1) 주어진 생산함수는 1차 동차의 콥-더글라스 생산함수이므로 규모에 대한 수익불변이고, 대체탄력성은 항상 1이다.

2) 생산함수를 L에 대해 미분하면 $MP_L = (1-a)AK^aL^{-a} = (1-a)A(\frac{K}{L})^a$이므로 노동투입량($L$)이 증가하면 MP_L이 감소한다. 즉, 노동의 한계생산물이 체감한다.

3) 생산함수를 K로 나누면 자본의 평균생산물 $AP_K = \frac{Q}{K} = \frac{AK^aL^{1-a}}{K} = AK^{a-1}L^{1-a} = A(\frac{L}{K})^{1-a}$ 이므로 자본투입량(K)이 증가하면 AP_K가 감소한다. 그러므로 자본의 평균생산물도 체감함을 알 수 있다.

05 ③ 1) 생산함수를 Q에 대해 미분하면 $MP_L = \frac{dQ}{dL} = 6L^{-0.5}K^{0.5} = 6(\frac{K}{L})^{0.5} = 6\sqrt{\frac{K}{L}}$ ➜ $L=4$, $K=9$를 대입하면 $MP_L = 9$이다.

2) 생산함수를 L로 나누면 $AP_L = \frac{Q}{L} = \frac{12L^{0.5}K^{0.5}}{L} = 12(\frac{K}{L})^{0.5} = 12\sqrt{\frac{K}{L}}$ 이므로 $L=4$, $K=9$를 대입하면 $AP_L = 18$로 계산된다.

06 ⑤ 자본의 한계생산은 $\sqrt{L}$이므로 자본투입량과 관련이 없다.

07 상중하

어느 기업의 생산함수는 $Q=2LK$이다. 단위당 임금과 단위당 자본비용이 각각 2원 및 3원으로 주어져 있다. 이 기업의 총사업자금이 60원으로 주어졌을 때, 노동의 최적 투입량은? (단, Q는 생산량, L은 노동투입량, K는 자본투입량이며, 두 투입요소 모두 가변투입요소이다)

[국가직 7급 16]

① $L=10$
② $L=15$
③ $L=20$
④ $L=25$

08 상중하

생산요소로 노동(L)과 자본(K)만을 사용하는 생산물시장에서 독점기업의 등량곡선과 등비용선에 관한 설명으로 옳지 않은 것은? (단, MP_L은 노동의 한계생산, w는 노동의 가격, MP_K는 자본의 한계생산, r은 자본의 가격이다)

[노무사 15]

① 등량곡선과 등비용선만으로 이윤극대화 생산량을 구할 수 있다.
② 등비용선 기울기의 절댓값은 두 생산요소 가격의 비율이다.
③ 한계기술대체율이 체감하는 경우, $(\frac{MP_L}{w}) > (\frac{MP_K}{r})$인 기업은 노동투입을 증가시키고 자본투입을 감소시켜야 생산비용을 감소시킬 수 있다.
④ 한계기술대체율은 등량곡선의 기울기를 의미한다.
⑤ 한계기술대체율은 두 생산요소의 한계생산물 비율이다.

09 상중하

현재 생산량 수준에서 자본과 노동의 한계생산물이 각각 5와 8이고, 자본과 노동의 가격이 각각 12와 25이다. 이윤극대화를 추구하는 기업의 의사결정으로 옳은 것은? (단, 한계생산물 체감의 법칙이 성립한다) [노무사 19]

① 노동 투입량을 증가시키고 자본 투입량을 감소시킨다.
② 노동 투입량을 감소시키고 자본 투입량을 증가시킨다.
③ 두 요소의 투입량을 모두 감소시킨다.
④ 두 요소의 투입량을 모두 증가시킨다.
⑤ 두 요소의 투입량을 모두 변화시키지 않는다.

정답 및 해설

07 ② 1) 생산함수가 $Q=2LK$이므로 한계기술대체율 $MRTS_{LK}=\frac{MP_L}{MP_K}=\frac{K}{L}$이다.

2) 생산자균형에서는 등량곡선과 등비용선이 접하므로 $MRTS_{LK}=\frac{w}{r}$로 두면 $\frac{K}{L}=\frac{2}{3}$가 성립한다.

3) 비용제약이 $2L+3K=60$이므로 이를 연립해서 풀면 $L=15$, $K=10$으로 계산된다.

08 ① 등량곡선과 등비용선이 접하는 생산자균형점은 일정한 생산량을 최소비용으로 생산하는 점으로 이윤극대화가 아니라 비용극소화가 달성되는 점이다. 기업의 이윤극대화 생산량은 한계수입과 한계비용이 일치하는 생산량 수준에서 결정된다.

09 ② 1) 1원당 노동의 한계생산과 자본의 한계생산이 동일해야 이윤극대화가 이루어진다.

2) 자본 1원당 한계생산이 노동 1원당 한계생산보다 크므로($\frac{5}{12}>\frac{8}{25}$), 자본을 늘리고 노동을 줄여야 한다.

10 상중하

A기업의 생산함수는 $Q = L + 2K$이다(Q는 생산량, L은 노동, K는 자본, $Q > 0$, $L > 0$, $K > 0$). 생산량이 일정할 때 A기업의 한계기술대체율(Marginal Rate of Technical Substitution)은?

[노무사 11]

① 노동과 자본의 투입량에 관계없이 일정하다.
② 노동의 투입량이 증가하면 한계기술대체율은 증가한다.
③ 노동의 투입량이 증가하면 한계기술대체율은 감소한다.
④ 자본의 투입량이 증가하면 한계기술대체율은 증가한다.
⑤ 자본의 투입량이 증가하면 한계기술대체율은 감소한다.

11 상중하

기업 A의 생산함수는 $Q = Min[2L, K]$이다. 고정비용이 0원이고 노동과 자본의 단위당 가격이 각각 2원과 1원이라고 할 때, 기업 A가 100단위의 상품을 생산하기 위한 총비용은? (단, L은 노동투입량, K는 자본투입량이다)

[국가직 7급 18]

① 100원
② 200원
③ 250원
④ 500원

12 경쟁시장에서 기업의 비용곡선에 관한 설명으로 옳지 않은 것은? [노무사 20]
상중하

① 생산이 증가함에 따라 한계비용이 증가한다면, 이는 한계생산물이 체감하기 때문이다.
② 생산이 증가함에 따라 평균가변비용이 증가한다면, 이는 한계생산물이 체감하기 때문이다.
③ 한계비용이 평균총비용보다 클 때는 평균총비용이 하락한다.
④ 한계비용곡선은 평균총비용곡선의 최저점을 통과한다.
⑤ U자 모양의 평균총비용곡선 최저점의 산출량을 효율적 생산량이라고 한다.

정답 및 해설

10 ① 선형생산함수이므로 한계대체율이 일정하다.

11 ② 1) 생산함수가 $Q = Min[2L, K]$이므로 100단위의 재화를 생산하려면 $2L = K = 100$이 성립해야 하므로 노동 50단위, 자본 100단위를 투입해야 한다.
2) 노동의 단위당 가격이 2원, 자본의 단위당 가격이 1원이므로 100단위의 재화를 생산하는 데는 200원$(= 2 \times 50 + 1 \times 100)$의 비용이 소요된다.

12 ③ 한계비용이 평균총비용보다 클 때는 평균총비용이 증가한다.

13 상중하 비용에 대한 설명으로 옳은 것은? [지방직 7급 11]

① 매몰비용은 경제적 의사결정을 하는 데 있어서 고려되어서는 안 된다.
② 공장부지나 재판매가 가능한 생산시설을 구입하는 데 지출된 비용은 고정비용이자 매몰비용이다.
③ 평균비용곡선이 U자 형태로 되어있을 때, 한계비용곡선은 평균비용곡선의 최저점을 통과할 수 없다.
④ 수입보다 비용이 커서 손실이 발생한 기업은 조업을 중단하여야 한다.

14 상중하 생산함수가 $Q(L, K) = \sqrt{LK}$이고 단기적으로 K가 1로 고정된 기업이 있다. 단위당 임금과 단위당 자본비용이 각각 1원 및 9원으로 주어져 있다. 단기적으로 이 기업에서 규모의 경제가 나타나는 생산량 Q의 범위는? (단, Q는 생산량, L은 노동투입량, K는 자본투입량이다) [지방직 17]

① $0 \leq Q \leq 3$
② $0 \leq Q \leq 4.5$
③ $4.5 \leq Q \leq 6$
④ $3 \leq Q \leq 6$

15 상중하 생산자비용 및 생산자선택이론에 대한 설명으로 옳은 것은? [국가직 7급 12]

① 생산량 증가 시 한계비용이 평균비용보다 크면 평균비용은 하락한다.
② 공급곡선이 원점을 통과하여 우상향하는 직선인 경우 공급의 가격탄력성은 기울기에 관계없이 모두 1이다.
③ 한 재화의 생산량 증가에 따라 평균비용이 감소하는 것을 범위의 경제라 한다.
④ 총비용곡선이 직선인 경우에도 기업의 이윤극대화 산출량은 0이나 무한대가 될 수 없다.

16 U자 형태의 평균비용곡선과 한계비용곡선 간의 관계에 대한 설명으로 옳지 않은 것은?

상중하

[국가직 7급 16]

① 한계비용이 평균비용보다 낮을 때에는 평균비용곡선이 음의 기울기를 갖게 된다.
② 평균비용곡선과 한계비용곡선이 서로 교차하는 점에서 평균비용은 최소가 된다.
③ 한계비용이 최소가 되는 점에서 평균비용곡선은 한계비용곡선을 아래에서 위로 교차하며 지나간다.
④ 평균비용이 최소가 되는 점보다 생산량을 증가시키는 경우에는 한계비용이 평균비용보다 높다.

정답 및 해설

13 ① 매몰비용은 회수불가능한 비용이므로 고려대상이 아니다.

[오답체크]
② 고정비용은 생산량의 크기와 무관하게 지출하는 비용을 말한다.
③ 평균비용곡선이 U자 형태로 되어있을 때, 한계비용곡선은 평균비용곡선의 최저점을 통과한다.
④ 단기에 가격이 평균비용보다 낮아서 손실이 발생하는 경우라도 평균가변비용보다 가격이 높다면 고정비용이 일부라도 회수가 가능하므로 조업을 계속하는 것이 유리하다.

14 ① 1) $K=1$로 고정되어 있으므로 이를 생산함수에 대입하면 $Q=\sqrt{L},\ L=Q^2$이다.
2) 그러므로 이 기업의 비용함수는 $C=wL+rK=(1\times Q^2)+(9\times 1)=9+Q^2$이다.
3) 비용함수를 Q로 나누어주면 $AC=\frac{9}{Q}+Q$이다. 평균비용이 최소가 되는 점을 구하기 위해 Q에 대해 미분한 뒤 0으로 두면 $\frac{dAC}{dQ}=-\frac{9}{Q^2}+1=0,\ Q=3$이다.
4) $Q=3$일 때 평균비용이 최소가 되므로 규모의 경제가 나타나는 구간은 $0\leq Q\leq 3$이다.

15 ② 원점을 통과하는 선형의 공급곡선은 기울기에 관계없이 공급의 가격탄력성이 1이다.

[오답체크]
① 한계비용이 평균비용보다 크면 평균비용은 증가한다.
③ 한 재화의 생산량이 증가할 때 평균비용이 감소하는 현상은 범위의 경제가 아닌 규모의 경제이다. 범위의 경제는 두 재화를 따로 생산할 때보다 함께 생산할 때 비용이 절감되는 현상이다. 규모의 경제와 범위의 경제는 아무런 체계적 관련이 없다.
④ 총비용곡선이 직선인 경우에는 한계비용이 일정한 경우이다. 한계수입이 일정하면서 한계비용보다 큰 경우에는 산출량이 무한대가 될 수 있다.

16 ③ 평균비용이 최소가 되는 점에서 한계비용곡선은 평균비용곡선을 아래에서 위로 교차하며 지나간다.

17 상중하

A기업의 장기 총비용곡선은 $TC(Q) = 40Q - 10Q^2 + Q^3$이다. 규모의 경제와 규모의 비경제가 구분되는 생산규모는? [국가직 7급 17]

① $Q = 5$

② $Q = \frac{20}{3}$

③ $Q = 10$

④ $Q = \frac{40}{3}$

18 상중하

A기업의 단기 생산비용에 대한 정보는 다음 표와 같다. 괄호 안의 값의 크기를 옳게 비교한 것은? (단, Q는 생산량, TC는 총비용, MC는 한계비용, ATC는 평균총비용, AVC는 평균가변비용, AFC는 평균고정비용, FC는 고정비용이다) [노무사 11]

Q	TC	MC	ATC	AVC	AFC	FC
3	60	-		(ㄱ)	10	30
4		(ㄴ)	18			30
5		(ㄷ)		11		30

① ㄱ < ㄴ < ㄷ

② ㄴ < ㄱ < ㄷ

③ ㄱ < ㄷ < ㄴ

④ ㄷ < ㄴ < ㄱ

⑤ ㄷ < ㄱ < ㄴ

19 A기업의 총비용곡선이 아래와 같다. 이에 관한 설명으로 옳지 않은 것은? [노무사 19]

상중하

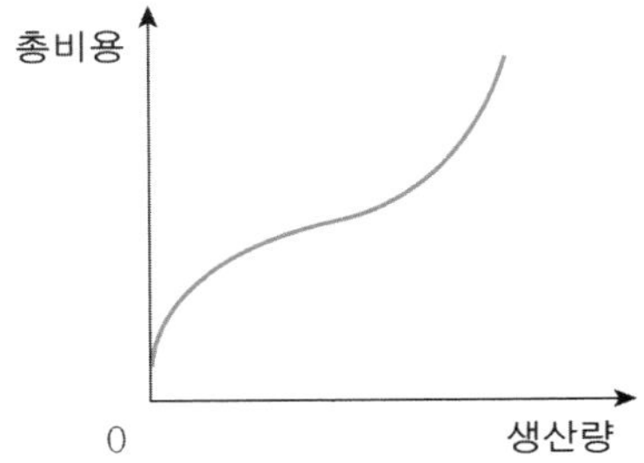

① 평균비용곡선은 평균가변비용곡선의 위에 위치한다.

② 평균비용곡선이 상승할 때 한계비용곡선은 평균비용곡선 아래에 있다.

③ 원점을 지나는 직선이 총비용곡선과 접하는 점에서 평균비용은 최소이다.

④ 원점을 지나는 직선이 총가변비용곡선과 접하는 점에서 평균가변비용은 최소이다.

⑤ 총비용곡선의 임의의 한 점에서 그은 접선의 기울기는 그 점에서의 한계비용을 나타낸다.

정답 및 해설

17 ① 1) 규모의 경제와 규모의 불경제가 구분되는 생산규모는 U자형의 장기평균비용곡선 최소점이 된다.
2) 장기총비용을 Q로 나누어 주면 장기평균비용 $LAC = 40 - 10Q + Q^2$이다.
3) 장기평균비용곡선 최소점에서의 생산규모를 찾기 위해 장기평균비용곡선식을 Q에 대해 미분한 후 0으로 두면 $-10 + 2Q = 0$, $Q = 5$이다.
4) 그러므로 규모의 경제와 규모의 불경제가 구분되는 생산규모 $Q = 5$이다.

18 ①

Q	TC	MC	ATC	AVC	AFC	FC
3	60	–		$(\frac{60-30}{3} = 10)$	10	30
4	72	(12)	18			30
5	30 + 11 × 5 = 85	(13)		11		30

19 ② 평균비용곡선이 상승할 때 한계비용이 평균비용보다 커야 하므로 한계비용곡선은 평균비용곡선 위에 있다.

20 상중하 기업의 이윤극대화에 대한 설명으로 옳은 것만을 모두 고른 것은? [지방직 7급 13]

〈보기〉

ㄱ. 한계수입(MR)이 한계비용(MC)과 같을 때 이윤극대화의 1차 조건이 달성된다.
ㄴ. 한계비용(MC)곡선이 한계수입(MR)곡선을 아래에서 위로 교차하는 영역에서 이윤극대화의 2차 조건이 달성된다.
ㄷ. 평균비용(AC)곡선과 평균수입(AR)곡선이 교차할 때의 생산수준에서 이윤극대화가 달성된다.

① ㄱ, ㄴ
② ㄱ, ㄷ
③ ㄴ, ㄷ
④ ㄱ, ㄴ, ㄷ

21 상중하 가나다구두회사의 하루 구두 생산비용이 아래 표와 같을 때, 구두가격이 5만원이라면 이 회사의 이윤은? (단, 구두시장은 완전경쟁적이라고 가정한다) [지방직 7급 10]

구두생산량 (켤레/일)	0	1	2	3	4	5
총비용 (만원)	3	5	8	13	20	28

① 0원
② 2만원
③ 5만원
④ 10만원

22 상중하

A기업의 수요곡선은 $Q^d = 100 - N - P$이고 비용곡선은 $C = 4Q$이다. A기업이 이윤극대화를 할 때 이에 관한 설명으로 옳지 않은 것은? (단, P는 가격, Q는 생산량, N은 기업의 수이다)

[보험계리사 20]

① 기업의 수가 60이면 최적 생산량은 18이다.
② 기업의 이윤이 0이 되는 기업의 수는 95이다.
③ 기업의 수가 증가함에 따라 균형가격은 하락한다.
④ 기업의 수가 증가함에 따라 A기업의 생산량은 감소한다.

정답 및 해설

20 ① 이윤극대화의 조건은 한계수입과 한계비용이 일치하며 한계수입곡선이 위에 있어야 한다.

[오답체크]

ㄷ. 평균수입곡선과 평균비용곡선이 교차하는 것은 이윤극대화 조건과는 아무런 관계가 없다.

21 ② 1) 생산량 0에서 고정비용은 3만원이다. 또한 한계수입 = 한계비용 = 5만원이다.

2) 한계비용을 도출하면 다음과 같다.

구두생산량 (켤레/일)	0	1	2	3	4	5
총비용 (만원)	3	5	8	13	20	28
한계비용	고정비용	2	3	5	7	8

이윤이 극대가 되는 생산량(한계수입 = 한계비용)은 3이다.

3) 초과이윤 = 판매수입 − 경제적 비용(고정비용 + 가변비용) = 15만원 − 13만원 = 2만원이다.

22 ② 1) 기업의 이윤극대화 조건은 $MR = MC$이다.

2) $Q = 100 - N - P$ ➜ $P = 100 - N - Q$ ➜ $MR = 100 - N - 2Q$

3) $C = 4Q$ ➜ $MC = 4$

4) $100 - N - 2Q = 4$ ➜ $Q = 48 - \frac{1}{2}N$이다.

5) 이를 수요곡선에 대입하면 $P = 52 - \frac{1}{2}N$이다.

6) 이윤 = 총수입 − 총비용 = $(52 - \frac{1}{2}N)(48 - \frac{1}{2}N) - 4(48 - \frac{1}{2}N) = 0$ ➜ $(52 - \frac{1}{2}N) - 4 = 0$

➜ $N = 96$이므로 기업의 이윤이 0이 되는 기업의 수는 96이다.

[오답체크]

① 기업의 수가 60이면 Q = 48 − 30 = 18이다. 따라서 최적 생산량은 18이다.

③ $Q = 48 - \frac{1}{2}N$이므로 기업의 수가 증가함에 따라 균형가격은 하락한다.

④ $Q = 48 - \frac{1}{2}N$이므로 기업의 수가 증가함에 따라 A기업의 생산량은 감소한다.

STEP 2 심화문제

23 상중하 기업생산이론에 관한 설명으로 옳은 것을 모두 고른 것은? [감정평가사 21]

ㄱ. 장기(long-run)에는 모든 생산요소가 가변적이다.
ㄴ. 다른 생산요소가 고정인 상태에서 생산요소 투입 증가에 따라 한계생산이 줄어드는 현상이 한계생산 체감의 법칙이다.
ㄷ. 등량곡선이 원점에 대해 볼록하면 한계기술대체율 체감의 법칙이 성립한다.
ㄹ. 비용극소화는 이윤극대화의 필요충분조건이다.

① ㄱ, ㄴ ② ㄷ, ㄹ ③ ㄱ, ㄴ, ㄷ
④ ㄴ, ㄷ, ㄹ ⑤ ㄱ, ㄴ, ㄷ, ㄹ

24 상중하 기업의 단기한계비용곡선이 통과하는 점으로 옳은 것만을 〈보기〉에서 모두 고르면? [국회직 8급 19]

〈보기〉

ㄱ. 단기총비용곡선의 최저점
ㄴ. 단기평균고정비용곡선의 최저점
ㄷ. 단기평균가변비용곡선의 최저점
ㄹ. 단기평균총비용곡선의 최저점

① ㄱ, ㄴ ② ㄴ, ㄷ ③ ㄷ, ㄹ
④ ㄱ, ㄴ, ㄷ ⑤ ㄴ, ㄷ, ㄹ

정답 및 해설

23 ③ **[오답체크]**

ㄹ. 비용극소화가 달성된다고 해서 이윤극대화가 달성되는 것은 아니다. 왜냐하면 이윤극대화는 판매와 관련된 수요의 영역과 관련되어 있기 때문이다. 비용극소화는 생산의 영역이므로 이윤극대화의 필요충분조건이 될 수 없다.

24 ② 단기한계비용곡선은 단기평균가변비용곡선과 단기평균고정비용곡선의 최저점을 지난다.

25 상중하 다음은 규모에 대한 수익과 비용곡선에 관한 설명이다. 〈보기〉 중 옳지 않은 것은 모두 몇 개인가? [국회직 8급 14]

〈보기〉

ㄱ. 규모에 대한 수익불변의 경우 모든 생산요소가격이 일정하게 유지된다면 생산요소투입량이 3배로 증가할 때 총비용도 3배로 증가한다.
ㄴ. 생산기술이 규모에 대한 수익불변이면 규모의 불경제가 발생할 수 없다.
ㄷ. 장기한계비용곡선은 단기한계비용곡선의 포락선이다.
ㄹ. 규모에 대한 수익불변의 경우 모든 생산요소가격이 일정하게 유지된다면 생산량과 총비용이 정비례하므로 장기평균비용곡선이 수직선이다.
ㅁ. 생산량의 증가로 요소수요가 증가할 때 생산요소가격이 상승한다면 단위당 생산비용이 상승하게 되므로 장기평균 비용곡선은 우상향의 형태가 된다.

① 1개 ② 2개 ③ 3개
④ 4개 ⑤ 5개

26 상중하 비용에 관한 설명으로 옳은 것을 〈보기〉에서 모두 고른 것은? [감정평가사 17]

〈보기〉

ㄱ. 기회비용은 어떤 선택을 함에 따라 포기해야 하는 여러 대안들 중에 가치가 가장 큰 것이다.
ㄴ. 생산이 증가할수록 기회비용이 체감하는 경우에는 두 재화의 생산가능곡선이 원점에 대해 볼록한 형태이다.
ㄷ. 모든 고정비용은 매몰비용이다.
ㄹ. 동일한 수입이 기대되는 경우, 기회비용이 가장 작은 대안을 선택하는 것이 합리적이다.

① ㄱ, ㄴ ② ㄱ, ㄹ
③ ㄴ, ㄷ ④ ㄱ, ㄴ, ㄹ

27 상중하 단기비용곡선에 관한 설명으로 옳은 것을 모두 고른 것은? (단, 양(+)의 고정비용과 가변비용이 소요된다) [감정평가사 19]

ㄱ. 평균비용은 총비용곡선 위의 각 점에서의 기울기다.
ㄴ. 한계비용곡선은 고정비용 수준에 영향을 받지 않는다.
ㄷ. 생산량이 증가함에 따라 평균비용과 평균가변비용 곡선 간의 차이는 커진다.
ㄹ. 생산량이 증가함에 따라 평균비용이 증가할 때 평균가변비용도 증가한다.

① ㄱ, ㄴ ② ㄱ, ㄹ ③ ㄴ, ㄷ
④ ㄴ, ㄹ ⑤ ㄷ, ㄹ

정답 및 해설

25 ③ ㄴ. 규모에 대한 수익 불변이란 모든 생산요소를 10배 늘릴 때 생산량이 10배 증가하는 것을 의미한다. 규모의 불경제란 생산량이 증가할 때 평균비용이 상승하는 것을 의미한다. 생산요소의 가격이 일정하다면 규모에 대한 수익 불변일 때 평균비용은 일정하므로 규모의 불경제가 발생하지 않는다. 하지만 생산요소의 가격이 상승한다면 총비용이 10배보다 더 크게 늘어나므로 평균비용이 상승하여 규모의 불경제가 발생할 수 있다.

ㄷ. 장기한계비용곡선은 단기한계비용곡선의 포락선이 아니다.

ㄹ. 생산요소의 가격이 일정하게 유지된다면 생산요소가 10배 증가할 때 총비용도 10배 늘어난다. 결국 생산량과 총비용이 정비례하므로 평균비용은 일정하고 평균비용곡선은 수평선으로 나타난다.

[오답체크]

ㄱ. 총비용은 노동비용 + 자본비용 = $wL + rK$이다. 생산요소의 가격(w, r)이 일정할 때 생산요소의 투입량(L, K)이 3배 증가하면 총비용도 3배 증가한다. 규모의 대한 수익은 관련이 없다.

ㅁ. 요소수요가 증가하여 요소수요곡선이 우측으로 이동한다면 생산요소의 가격이 상승한다. 요소수요가 늘면 총비용이 상승하고, 생산요소의 가격이 상승해도 총비용은 상승한다. 결국 생산량이 증가하지만 총비용이 더 크게 상승하므로 평균비용은 증가하고 평균비용곡선은 우상향의 형태가 된다.

26 ④ **[오답체크]**

ㄷ. 기계설비는 재판매가 가능한 경우가 있으므로 모든 고정비용이 매몰비용인 것은 아니다.

27 ④ **[오답체크]**

ㄱ. 평균비용은 원점과 총비용곡선 위의 점을 연결한 기울기다.

ㄷ. 생산량이 증가함에 따라 평균고정비용이 감소하므로 평균비용과 평균가변비용곡선 간의 차이는 작아진다.

28 상중하

우하향하는 장기평균비용에 관한 설명으로 옳은 것은? [감정평가사 21]

① 생산량이 서로 다른 기업의 평균비용은 동일하다.
② 진입장벽이 없는 경우 기업의 참여가 증가한다.
③ 소규모 기업의 평균비용은 더 낮다.
④ 장기적으로 시장에는 한 기업만이 존재하게 된다.
⑤ 소규모 다품종을 생산하면 평균비용이 낮아진다.

29 상중하

소규모 기업인 A기업의 생산함수가 $Y=L^2$로 주어져 있다고 하자. 이에 대한 설명으로 옳지 않은 것은? (단, L은 노동, Y는 생산량을 나타낸다) [국회직 8급 13]

① 규모의 경제가 나타난다.
② 노동투입이 증가함에 따라서 노동의 한계생산은 증가한다.
③ 생산요소시장이 완전경쟁적일 때, 평균비용은 우하향한다.
④ 생산요소시장이 완전경쟁적일 때, 한계비용은 우하향한다.
⑤ 한계비용이 평균비용을 통과하는 점에서 효율적 생산량이 존재한다.

30 상중하

어떤 기업의 생산함수는 $Q=\frac{1}{2,000}KL^{\frac{1}{2}}$이고 임금은 10, 자본임대료는 20이다. 이 기업이 자본 2,000단위를 사용한다고 가정했을 때, 이 기업의 단기 비용함수는? (단, K는 자본투입량, L은 노동투입량이다) [국회직 8급 18]

① $10Q^2+20,000$
② $10Q^2+40,000$
③ $20Q^2+10,000$
④ $20Q^2+20,000$
⑤ $20Q^2+40,000$

31 기업 A의 생산함수가 $Q = Min[L,\ 3K]$이다. 생산요소 조합 ($L = 10$, $K = 5$)에서 노동과 자본의 한계생산은 각각 얼마인가? (단, Q는 생산량, L은 노동량, K는 자본량이다)
상중하

[감정평가사 19]

① 0, 1 ② 1, 0 ③ 1, 3
④ 3, 1 ⑤ 10, 5

생산자이론 제4장 해커스 서호성 객관식 경제학

정답 및 해설

28 ④ 우하향하는 장기평균비용은 규모의 경제를 의미한다. 일반적으로 대규모 생산을 하는 독점기업에서 발생하므로 장기적으로 시장에는 한 기업만 존재하게 된다.

29 ⑤ 1) $Y = L^2$ ➜ $L = \sqrt{Y}$

2) $TC = wL = w\sqrt{Y}$ ➜ $MC = \frac{w}{2\sqrt{Y}}$, $AC = \frac{TC}{Q} = \frac{w\sqrt{Y}}{Y} = \frac{w}{\sqrt{Y}}$

3) MC가 AC를 통과하지 않는다.

[오답체크]

① 평균비용이 $\frac{w}{\sqrt{Y}}$이므로 규모의 경제가 나타난다.

② $MP = 2L$이므로 노동투입이 증가함에 따라서 노동의 한계생산은 증가한다.

③ 생산요소시장이 완전경쟁적일 때, 평균비용은 $\frac{w\sqrt{Y}}{Y} = \frac{w}{\sqrt{Y}}$ 우하향한다.

④ 생산요소시장이 완전경쟁적일 때, 한계비용은 $\frac{w}{2\sqrt{Y}}$ 우하향한다.

30 ② 1) $K = 2{,}000$이므로 $Q = L^{\frac{1}{2}}$ ➜ $L = Q^2$이다.

2) 총비용함수에 대입하면 $TC = wL + rK = 10L + 40{,}000 = 10Q^2 + 40{,}000$

31 ② 1) 주어진 함수에 주어진 조건을 넣으면 $Q = Min[10,\ 15]$이이므로 $Q = 10$이다.

2) 노동의 한계생산을 구하기 위해 노동을 하나 더 넣으면 $Q = Min[11,\ 15]$이 되므로 $Q = 11$이다. 따라서 노동의 한계생산은 1이다.

3) 자본의 한계생산을 구하기 위해 자본을 하나 더 넣으면 $Q = Min[10,\ 16]$이 되므로 $Q = 10$이다. 따라서 자본의 한계생산은 0이다.

32 상중하

두 생산요소 노동(L)과 자본(K)을 투입하는 생산함수 $Q = 2L^2 + 2K^2$에서 규모 수익 특성과 노동의 한계생산으로 각각 옳은 것은? [감정평가사 18]

① 규모 수익 체증, $4L$
② 규모 수익 체증, $4K$
③ 규모 수익 체감, $4L$
④ 규모 수익 체감, $4K$
⑤ 규모 수익 불변, $4L$

33 상중하

기업의 생산기술이 진보하는 경우에 관한 설명으로 옳은 것을 모두 고른 것은? [감정평가사 19]

ㄱ. 자본절약적 기술진보가 일어나면 평균비용곡선이 하방 이동한다.
ㄴ. 자본절약적 기술진보가 일어나면 등량곡선이 원점에서 멀어진다.
ㄷ. 노동절약적 기술진보가 일어나면 한계비용곡선이 하방 이동한다.
ㄹ. 중립적 기술진보가 일어나면 노동의 한계생산 대비 자본의 한계생산은 작아진다.

① ㄱ, ㄴ
② ㄱ, ㄷ
③ ㄴ, ㄷ
④ ㄴ, ㄹ
⑤ ㄷ, ㄹ

34 상중하

기업 A의 생산함수는 $Q = Min[L, K]$이다. 이에 관한 설명으로 옳은 것을 모두 고른 것은? (단, Q는 산출량, w는 노동 L의 가격, r은 자본 K의 가격이다) [감정평가사 18]

ㄱ. 생산요소 L과 K의 대체탄력성은 0이다.
ㄴ. 생산함수는 1차 동차함수이다.
ㄷ. 비용함수는 $C(w, r, Q) = Q^{w+r}$로 표시된다.

① ㄱ ② ㄴ ③ ㄱ, ㄴ
④ ㄴ, ㄷ ⑤ ㄱ, ㄴ, ㄷ

생산자이론

제4장

해커스 서호성 객관식 경제학

정답 및 해설

32 ① 1) 규모의 수익을 구하기 위해 $L \rightarrow tL$, $K \rightarrow tK$를 대입하면 $Q = 2t^2L^2 + 2t^2K^2 = t^2 \times (2L^2 + 2K^2)$이다 지수가 2이므로 규모 수익 체증이다.
2) 노동한계생산을 구하기 위해 L로 미분하면 $4L$이다.

33 ② **[오답체크]**
ㄴ. 자본절약적 기술진보가 일어나면 동일한 자원으로 더 많이 생산이 가능하므로 등량곡선이 원점에 가까워진다.
ㄹ. 중립적 기술진보가 일어나면 노동의 한계생산 대비 자본의 한계생산은 변함이 없다.

34 ③ ㄱ. $Q = Min[L, K]$ 함수의 형태가 완전보완관계에 있으므로 대체탄력성은 0이다.
ㄴ. $Q = Min[L, K] \rightarrow Min[tL, tK] \rightarrow t \cdot Min[L, K]$이므로 1차 동차 생산함수이다.

[오답체크]
ㄷ. 1) $Q = Min[L, K]$인 경우 생산자 균형에서는 $Q = L = K$가 성립한다.
2) 비용함수는 $C = wL + rK$인데 위의 조건을 대입하면 $C = (w + r)Q$이다.

35 상중하

A기업의 생산함수가 $Q=4L+8K$이다. 노동가격은 3이고 자본가격은 5일 때, 재화 120을 생산하기 위해 비용을 최소화하는 생산요소 묶음은? (단, Q는 생산량, L은 노동, K는 자본이다)

[감정평가사 20]

① $L=0$, $K=15$
② $L=0$, $K=25$
③ $L=10$, $K=10$
④ $L=25$, $K=0$
⑤ $L=30$, $K=0$

36 상중하

노동(L)과 자본(K)만 이용하여 재화를 생산하는 기업의 생산함수가 $Q=Min[\frac{L}{2}, K]$이다. 노동가격은 2원이고 자본가격은 3원일 때 기업이 재화 200개를 생산하고자 할 경우 평균비용은(원)은? (단, 고정비용은 없다)

[감정평가사 21]

① 6 ② 7 ③ 8
④ 9 ⑤ 10

37 상중하

A기업의 생산함수는 $Q=5L^{0.5}K^{0.5}$이다. 장기에 생산량이 증가할 때, 이 기업의 (ㄱ) 평균비용의 변화와 (ㄴ) 한계비용의 변화는? (단, L은 노동, K는 자본, Q는 생산량) [감정평가사 20]

① ㄱ: 증가, ㄴ: 증가
② ㄱ: 증가, ㄴ: 감소
③ ㄱ: 일정, ㄴ: 일정
④ ㄱ: 감소, ㄴ: 증가
⑤ ㄱ: 감소, ㄴ: 일정

38 두 생산요소 x_1, x_2로 구성된 기업 A의 생산함수가 $Q = Max[2x_1,\ x_2]$이다. 생산요소의 가격이 각각 w_1과 w_2일 때, 비용함수는?

상중하

[감정평가사 18]

① $(2w_1 + w_2)Q$

② $(2w_1 + w_2)/Q$

③ $(w_1 + 2w_2)Q$

④ $Min[\frac{w_1}{2},\ w_2]Q$

⑤ $Max[\frac{w_1}{2},\ w_2]Q$

정답 및 해설

35 ① 1) 생산자의 합리적 선택은 등량곡선과 등비용선이 접해야 하므로 한계기술대체율과 등량곡선의 기울기가 같아야 한다.

2) 문제의 생산함수는 완전대체관계이며 등량곡선 기울기의 절댓값은 $\frac{1}{2}$이다.

3) 등비용선은 $3L + 5K = TC$이므로 등비용선 기울기의 절댓값은 $\frac{3}{5}$이다.

4) 등량곡선의 기울기가 등비용선의 기울기보다 완만하므로 K를 모두 사용하여 생산하는 것이 합리적이다.

5) 생산함수에 대입하면 $120 = 0 + 8K$이므로 $K = 15,\ L = 0$이다.

36 ② 1) 문제의 함수가 완전보완관계이므로 $Q = \frac{L}{2} = K$의 관계를 가진다.

2) 200개를 생산하므로 $L = 400,\ K = 200$이다.

3) 따라서 총비용은 $2 \times 400 + 3 \times 200 = 1400$이다.

4) 평균비용 $= \frac{1,400}{200} = 7$이다.

37 ③ 1) 생산함수가 콥-더글러스 생산함수이므로 규모에 대한 수익불변이다.

2) 규모에 대한 수익불변이면 장기총비용곡선이 원점을 통과하는 직선이므로 장기총비용곡선과 원점에서 연결한 기울기인 평균비용은 언제나 일정하다.

3) 또한 원점을 통과하는 직선이면 접선의 기울기인 한계비용도 언제나 일정하다.

38 ④ 1) 생산함수가 $Q = Max[2x_1,\ x_2]$이므로 $2x_1$, x_2 중에 생산물이 많이 나오는 것으로 결정된다.

2) x_1의 생산요소가격이 x_2의 2배 이상이면 x_2만 투입할 것이다. x_2만 투입되면 생산량은 n개가 생산되므로 w_2가 비용이 된다.

3) x_1의 생산요소가격이 x_2의 2배 미만이면 x_1만 투입할 것이다. x_1이 투입되면 생산량은 2n개가 생산되므로 $\frac{1}{2}w_1$이 비용이 된다.

4) 비용은 작은 수에 의해 결정되므로 $Min[\frac{w_1}{2},\ w_2]Q$가 된다.

STEP 3 실전문제

39 상중하 두 생산요소 L과 K를 이용하여 Y재를 생산하는 기업의 생산함수가 $y = Min\left[2L,\ \frac{1}{2}(L+K),\ 2K\right]$일 때, 이 기업의 등량곡선의 모양으로 옳은 것은? [회계사 19]

①
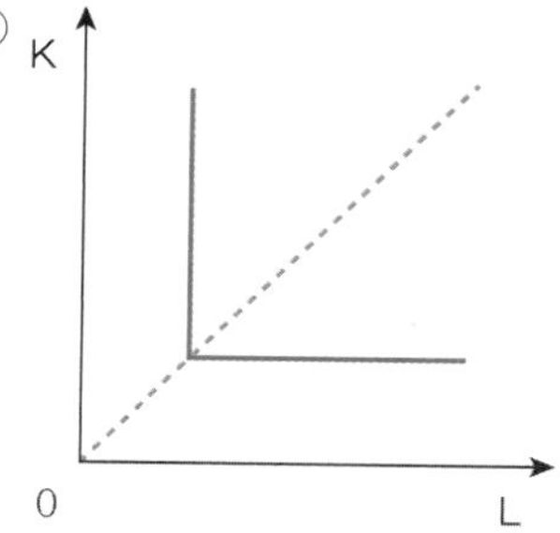

②
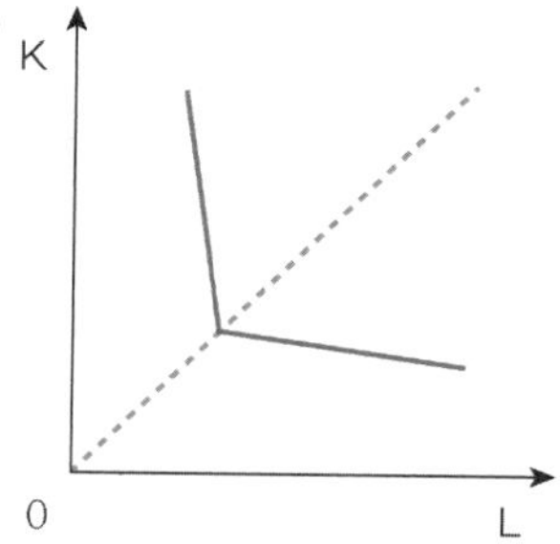

③
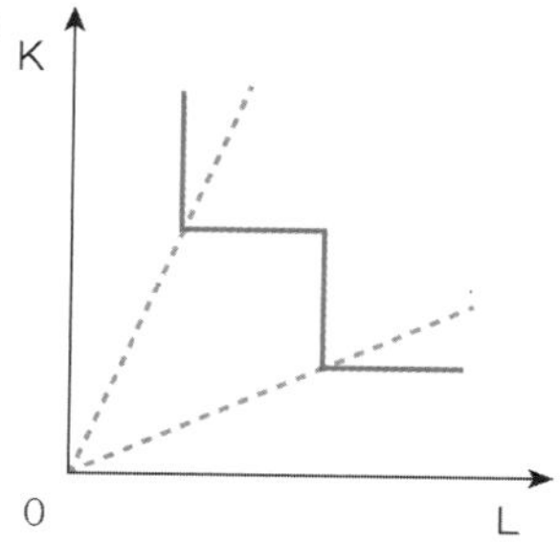

④
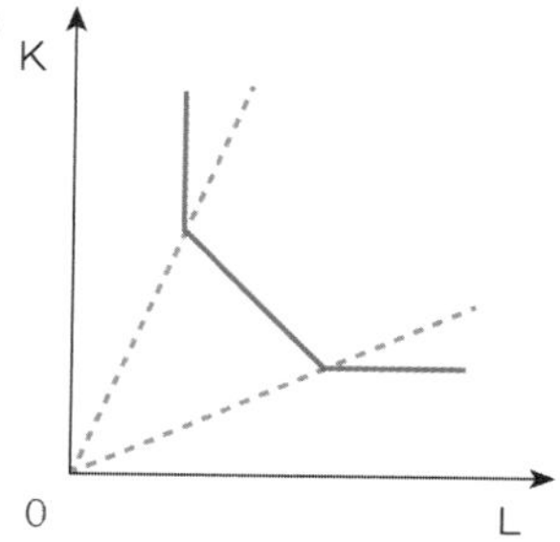

⑤
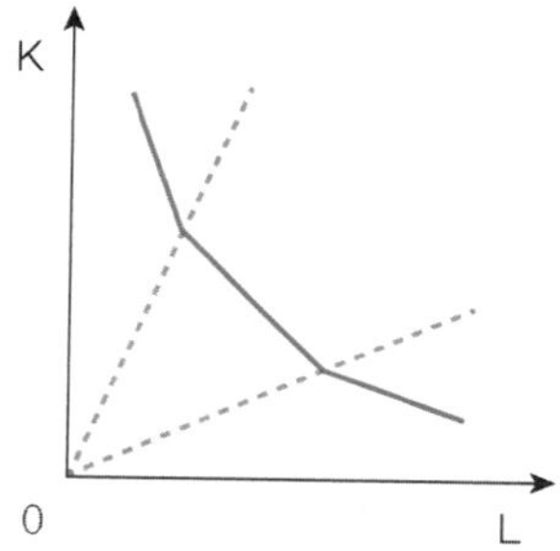

40 상중하

A국과 B국 모두에서 노동투입량(L)과 자본투입량(K)이 각각 300으로 동일하다고 하자. 두 나라의 생산함수는 다음과 같이 주어져 있다.

> • A국의 생산함수: $Y = L^{0.25}K^{0.75}$
> • B국의 생산함수: $Y = L^{0.75}K^{0.25}$

두 나라의 노동의 한계생산물(MPL_A와 MPL_B)과 노동소득 분배율(ℓ_A와 ℓ_B)을 비교한 것으로 옳은 것은? [회계사 18]

① $MPL_A > MPL_B$, $\ell_A < \ell_B$
② $MPL_A > MPL_B$, $\ell_A < \ell_B$
③ $MPL_A < MPL_B$, $\ell_A < \ell_B$
④ $MPL_A < MPL_B$, $\ell_A > \ell_B$
⑤ $MPL_A = MPL_B$, $\ell_A = \ell_B$

정답 및 해설

39 ④ 1) 추세선이 범위로 나타난 경우이다.
2) $2L = \frac{1}{2}(L+K)$ ➜ $\frac{3}{2}L = \frac{1}{2}K$ ➜ $K = 3L$이다.
3) $\frac{1}{2}(L+K) = 2K$ ➜ $\frac{1}{2}L = \frac{3}{2}K$ ➜ $K = \frac{1}{3}L$이다. 따라서 추세선이 2개이다.
4) $K > 3L$이면 $2L$이 등량곡선이고 생산량이 노동량에 의해서만 결정되므로 수직선이다.
5) $\frac{1}{3}L < K < 3L$이면 $Q = \frac{1}{2}(L+K)$ ➜ $K = -L + 2Q$이므로 기울기가 -1인 우하향하는 등량곡선이 도출된다.
6) $K < \frac{1}{3}L$이면 $2K$가 등량곡선이고 생산량이 자본량에 의해서만 결정되므로 수평선이다.

40 ③ 1) $MP_L^A = 0.25(\frac{K}{L})^{0.75}$ ➜ 노동과 자본투입량이 300이므로 대입하면 0.25
2) $MP_L^B = 0.75(\frac{K}{L})^{0.25}$ ➜ 노동과 자본투입량이 300이므로 대입하면 0.75
3) 콥-더글러스 생산함수의 노동소득 분배율은 L위의 지수이므로 $\ell_A = 0.25$, $\ell_B = 0.75$이다.

41 상중하 노동과 자본을 사용하여 100단위의 제품을 생산해야 하는 기업이 비용 최소화를 위해 현재 노동 10단위와 자본 20단위를 사용하고 있다. 노동의 단위당 임금과 자본의 단위당 임대료는 각각 20, 10으로 일정하다. 이 기업에게 노동과 자본은 완전대체가 가능하다. 다음 설명 중 옳은 것은? [회계사 15]

① 노동과 자본의 가격변화가 없을 때, 노동 8단위와 자본 24단위를 사용해도 동일한 생산비용으로 100단위를 생산할 수 있다.
② 자본의 단위당 가격이 상승하면 노동 12단위, 자본 16단위를 사용하는 것이 최적이 될 수 있다.
③ 노동의 단위당 가격이 상승하면 노동 7단위, 자본 25단위를 사용하는 것이 최적이 될 수 있다.
④ 현재 노동의 한계생산과 자본의 한계생산은 동일하다.
⑤ 주어진 정보로부터 노동의 한계생산과 자본의 한계생산의 비율을 알 수 없다.

42 상중하 노동(L)과 자본(K)을 이용하여 두 재화 X재와 Y재만을 생산하는 경제를 고려하자. 각 재화의 생산함수는 $Q_x = L_x + K_x$, $Q_y = L_y^{1/2}K_y^{1/2}$이고, 노동과 자본은 10단위씩 주어져 있다. 생산이 효율적으로 이루어질 때, X재 생산을 한 단위 늘리기 위해 포기해야 하는 Y재 생산량, 즉 한계변환율(Marginal Rate of Transformation)은? [회계사 19]

① 1/4 ② 1/2 ③ 1
④ 2 ⑤ 4

정답 및 해설

41 ① 1) 완전대체관계인데 골고루 투입하므로 $MRTS_{LK} = \frac{w}{r} = \frac{20}{10} = 2$이며, 등량곡선은 $Q = 2L + K$이다.

2) 그래프

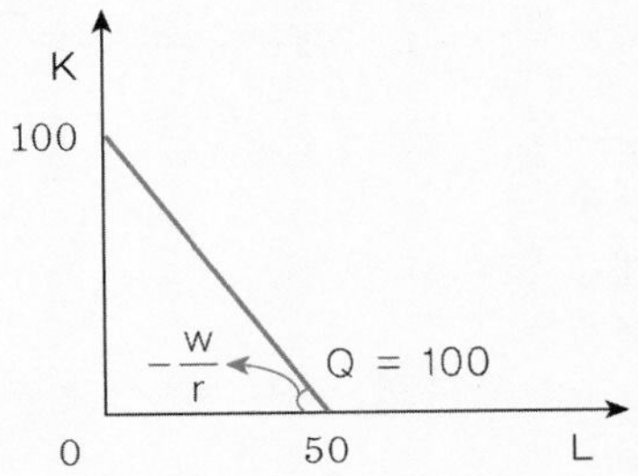

3) 지문분석

① 노동과 자본의 가격변화가 없을 때, 노동이 2개 감소하여 노동 8단위와 자본 4단위가 증가하여 자본 24단위를 사용해도 비율이 유지되므로 동일한 생산비용으로 100단위를 생산할 수 있다.

[오답체크]

②③ $\frac{w}{r}$가 변하면 상대적으로 싼 것만 구매하게 된다.

④⑤ $MRTS_{LK} = \frac{2}{1} = \frac{MP_L}{MP_K}$

42 ② 1) 주어진 노동과 자본 10단위를 모두 X재에 투입하면 $Q_x = 10+10 = 20$이다.

2) X재에 투입된 노동과 자본을 Y재에 투입하게 되면 $Q_x = 9+9 = 18$이 되어 2단위가 감소하고 $Q_y = \sqrt{1 \times 1} = 1$이므로 1단위가 증가한다.

3) 이런 방식으로 Y에 생산요소를 투입하면 $Q_y = \sqrt{10 \times 10} = 10$이므로 Y재만 생산하면 10단위 생산이 가능하다.

4) 그래프

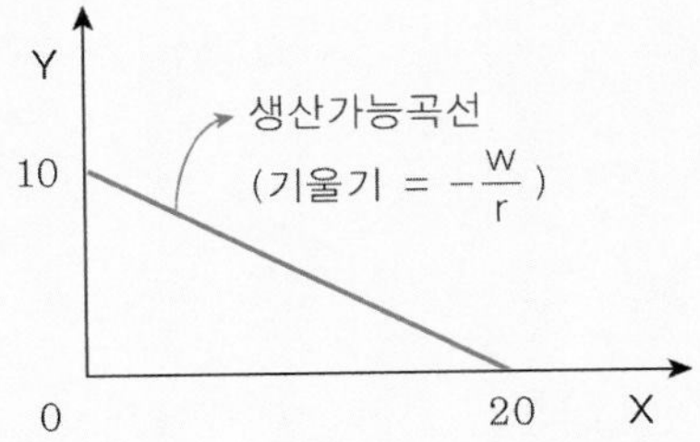

따라서 생산가능곡선의 기울기인 한계변환율은 $\frac{1}{2}$이다.

43 상중하

다음 그림은 X재와 Y재의 등량곡선을 나타낸 것이다. X재와 Y재의 생산함수에 대한 특성을 바르게 짝지은 것은? (단, Q_A, Q_B, Q_C는 등량곡선을 의미한다) [회계사 17]

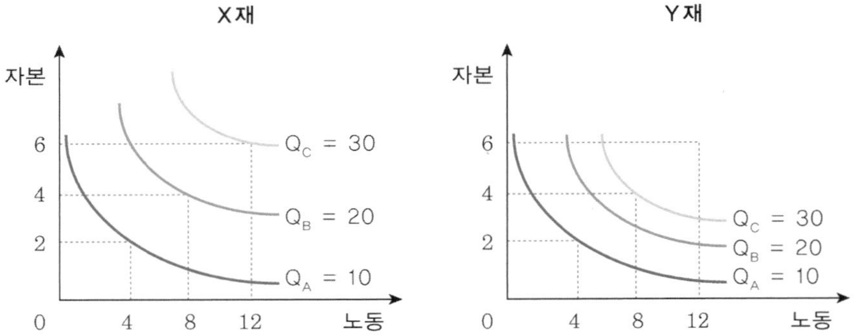

	X재 생산	Y재 생산
①	규모에 대한 수확불변	규모에 대한 수확체증
②	규모에 대한 수확불변	규모에 대한 수확체감
③	규모에 대한 수확체증	규모에 대한 수확체감
④	규모에 대한 수확체증	규모에 대한 수확불변
⑤	규모에 대한 수확체감	규모에 대한 수확체증

44 규모수익불변의 생산기술을 나타내는 생산함수를 모두 고르면? (단, $0<\alpha<1$ 이다)
상중하

[회계사 19]

가. $f(x_1,\ x_2)=x_1^{\alpha}+x_2^{1-\alpha}$
나. $f(x_1,\ x_2)=x_1^{\alpha}x_2^{1-\alpha}$
다. $f(x_1,\ x_2)=\sqrt{\alpha x_1+(1-\alpha)x_2}$
라. $f(x_1,\ x_2)=\left(\alpha\sqrt{x_1}+(1-\alpha)\sqrt{x_2}\right)^2$

① 가, 나
② 가, 다
③ 나, 다
④ 나, 라
⑤ 다, 라

생산자이론

제4장

해커스 서호성 객관식 경제학

정답 및 해설

43 ① 1) X재는 노동과 자본을 동시에 배수로 늘려감에 따라 동일하게 생산량이 증가하고 있다. 이를 통해 규모에 대한 수확불변임을 알 수 있다.
2) Y재는 노동과 자본을 동시에 배수로 전보다 적게 늘림에도 생산량이 증가하고 있다. 이를 통해 규모에 대한 수확체증임을 알 수 있다.

44 ④ 나. $f(x_1,\ x_2)=x_1^{\alpha}x_2^{1-\alpha}$ ➜ 콥-더글러스 형태이므로 규모에 대한 수익 불변이다.
라. $f(x_1,\ x_2)=\left(\alpha\sqrt{x_1}+(1-\alpha)\sqrt{x_2}\right)^2$ ➜ $\left(\alpha\sqrt{tx_1}+(1-\alpha)\sqrt{tx_2}\right)^2$
➜ $\left(\alpha\sqrt{t}\sqrt{x_1}+(1-\alpha)\sqrt{t}\sqrt{x_2}\right)^2$ ➜ $(\sqrt{t})^2\left(\alpha\sqrt{x_1}+(1-\alpha)\sqrt{x_2}\right)^2$
➜ $t\left(\alpha\sqrt{x_1}+(1-\alpha)\sqrt{x_2}\right)^2$ ➜ 1차 동차 생산함수이므로 규모에 대한 수익 불변이다.

[오답체크]
가. $f(x_1,\ x_2)=x_1^{\alpha}+x_2^{1-\alpha}$ ➜ $(tx_1)^{\alpha}+(tx_2)^{1-\alpha}$이므로 규모에 대한 수익 체감이다.
다. $f(x_1,\ x_2)=\sqrt{\alpha x_1+(1-\alpha)x_2}$ ➜ $\sqrt{\alpha tx_1+(1-\alpha)tx_2}$ ➜ $\sqrt{t}\times\sqrt{\alpha x_1+(1-\alpha)x_2}$ ➜ 0.5차 동차 함수이므로 규모에 대한 수익 체감이다.

45 상중하 다음은 기업 A, B의 총비용곡선이다. 이에 대한 설명 중 옳은 것은? [회계사 14]

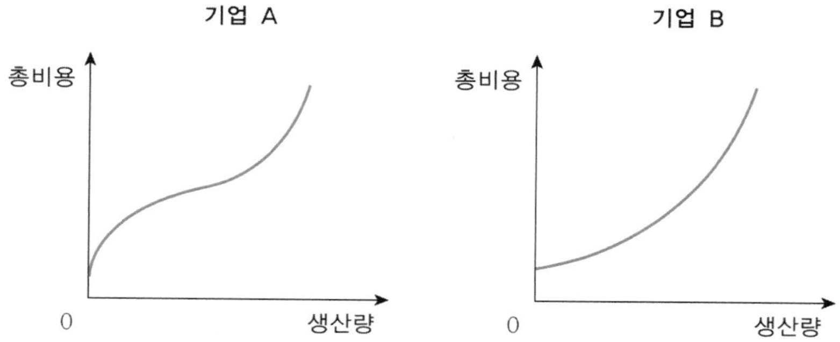

	기업 A	기업 B
①	한계비용곡선이 우상향	평균비용곡선이 U자형
②	평균비용곡선이 U자형	한계비용곡선이 우상향
③	한계비용곡선이 우상향	평균비용곡선이 U자형
④	한계비용곡선이 우상향	한계비용곡선이 우상향
⑤	평균비용곡선이 U자형	평균비용곡선이 우상향

46 상중하

다음 그림은 완전경쟁시장에서 조업하는 어느 기업의 총비용곡선을 나타낸다. 다음 설명 중 옳지 않은 것은? [회계사 19]

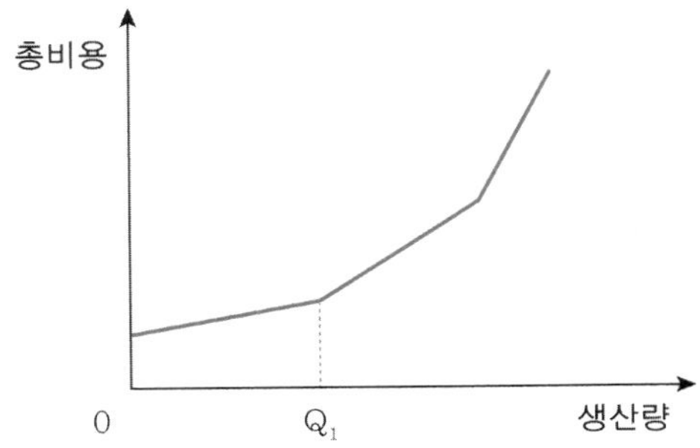

① 장기가 아닌 단기의 비용곡선을 나타낸다.
② 규모의 경제가 발생하는 구간이 존재한다.
③ 생산량이 Q_1보다 작은 구간에서 생산량이 증가함에 따라 평균가변비용이 증가한다.
④ 평균비용은 Q_1에서 최소가 된다.
⑤ 조업중단가격은 생산량이 Q_1보다 작은 구간에서의 한계비용과 일치한다.

정답 및 해설

45 ② 1) 평균비용은 원점에서 그은 기울기이다.
2) 한계비용은 접선에서 그은 기울기이다.

46 ③ 평균가변비용은 총가변비용에서 원점에서 그은 기울기이므로 생산량이 Q_1보다 작은 구간에서 생산량이 증가함에 따라 평균가변비용이 감소한다.

[오답체크]
① 생산량이 0일때도 비용이 발생하므로 장기가 아닌 단기의 비용곡선을 나타낸다.
② 생산량이 Q_1보다 작은 구간에서 생산량이 증가함에 따라 평균비용이 감소한다. 따라서 규모의 경제가 발생하는 구간이 존재한다.
④ 평균비용은 Q_1까지 감소하다가 그 이후에 증가하므로 Q_1에서 최소가 된다.
⑤ 조업중단가격은 평균가변비용의 최저점이므로 생산량이 Q_1보다 작은 구간에서의 한계비용과 일치한다.

47 상중하 기업의 생산함수가 $Y = Min\left[\frac{L}{2},\ K\right]$ (Y는 생산량, L은 노동투입량, K는 자본투입량)이다. 노동의 단위당 임금이 100, 자본의 단위당 임대료가 50인 경우에 이 기업의 한계비용은?

[회계사 14]

① 50 ② 100 ③ 150
④ 200 ⑤ 250

48 상중하 노동(L)과 자본(K)을 이용해 상품 Y를 생산하는 기업이 다음과 같은 세 가지 생산공정을 가지고 있다.

[회계사 21]

- 공정 1: $y = Min\left[L,\ \frac{K}{3}\right]$
- 공정 2: $y = Min\left[\frac{2}{3}L,\ \frac{2}{3}K\right]$
- 공정 3: $y = Min\left[\frac{L}{3},\ K\right]$

노동과 자본의 가격이 각각 w와 r일 때, 다음 설명 중 옳은 것은?

① $w > r$이면 공정 1만 사용된다.
② $w < r$이면 공정 2만 사용된다.
③ $w = r$이면 공정 2와 공정 3이 동시에 사용될 수 있다.
④ 규모수익이 증가한다.
⑤ 이 기업의 비용함수는 선형이다.

정답 및 해설

47 ⑤ 1) $Y = \frac{L}{2} = K$

2) $TC = wL + rK$이므로 $TC = 100 \cdot \frac{L}{2} + 50K$ ➜ $TC = 100L + 25L = 125L$ ➜ $TC = 250Q$

3) 따라서 $MC = 250$이다.

48 ⑤ 1) 레온티에프 생산함수의 형태이며 등비용선은 $TC = wL + rK$이다.

2) 공정 1: $y = Min\left[L, \frac{K}{3}\right]$ ➜ $y = L = \frac{K}{3}$ ➜ $L = y,\ K = 3y$이다. 이를 비용함수에 대입하면 $TC = wy + r3y = (w + 3r)y$이다.

3) 공정 2: $y = Min\left[\frac{2}{3}L, \frac{2}{3}K\right]$ ➜ $y = \frac{2}{3}L = \frac{2}{3}K$ ➜ $L = \frac{3}{2}y,\ K = \frac{3}{2}y$이다. 이를 비용함수에 대입하면 $TC = w\frac{3}{2}y + r\frac{3}{2}y = \frac{3}{2}(w + r)y$이다.

4) 공정 3: $y = Min\left[\frac{L}{3}, K\right]$ ➜ $y = \frac{L}{3} = K$ ➜ $L = 3y,\ K = y$이다. 이를 비용함수에 대입하면 $TC = w3y + ry = (3w + r)y$이다.

5) 비용이 공정 1 = 공정 2인 경우 $(w + 3r)y = \frac{3}{2}(w + r)y$ ➜ $w = 3r$이 성립한다.

6) 비용이 공정 1 = 공정 3인 경우 $(w + 3r)y = (3w + r)y$ ➜ $w = r$이 성립한다.

7) 비용이 공정 2 = 공정 3인 경우 $\frac{3}{2}(w + r)y = (3w + r)y$ ➜ $w = \frac{1}{3}r$이 성립한다.

8) 위의 상황을 그림으로 나타내면 다음과 같다.

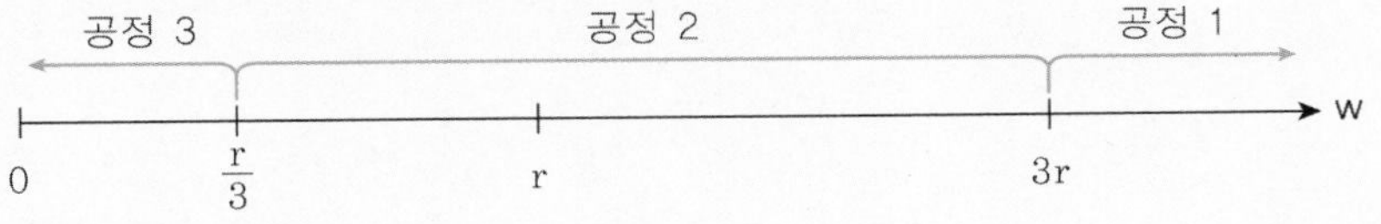

9) 지문분석

⑤ w, r이 상수이고 비용은 생산량에 비례하므로 이 기업의 비용함수는 선형이다.

[오답체크]

① $w > r$이면 공정 1, 2가 사용된다.

② $w < r$이면 공정 2, 3이 사용된다.

③ $w = r$이면 공정 2가 사용된다.

④ 레온티에프 생산함수는 1차 동차 생산함수이므로 규모수익은 불변이다.

49 상중하 어느 기업의 생산함수는 $Q = L + 2K$(Q는 생산량, L은 노동투입량, K는 자본투입량)이다. 노동의 단위당 임금이 1이고 자본의 단위당 임대료가 3인 경우 이 기업의 비용함수(C)는?

[회계사 15]

① $C = \frac{1}{2}Q$ ② $C = Q$ ③ $C = \frac{3}{2}Q$
④ $C = 2Q$ ⑤ $C = 3Q$

50 상중하 어느 기업의 생산함수는 $Q = \sqrt{L + 2K}$이다. Q는 생산량, L은 노동투입량, K는 자본투입량이며 노동과 자본의 단위당 가격은 각각 w와 r이다. 다음 설명 중 옳지 않은 것은?

[회계사 22]

① 생산함수는 규모에 대한 수익체감을 나타낸다.
② 생산요소 간 대체탄력성이 1이다.
③ 한계기술대체율은 일정하다.
④ $w = 1$, $r = 3$인 경우, 총비용함수는 $TC(Q) = Q^2$이다.
⑤ $w = 2$, $r = 1$인 경우, 총비용함수는 $TC(Q) = \frac{1}{2}Q^2$이다.

정답 및 해설

49 ② 1) $TC = wL + rK$ ➜ $TC = L + 3K$

2) $MRTS_{LK} = \frac{1}{2}$이고 $\frac{w}{r} = \frac{1}{3}$

3) 그래프

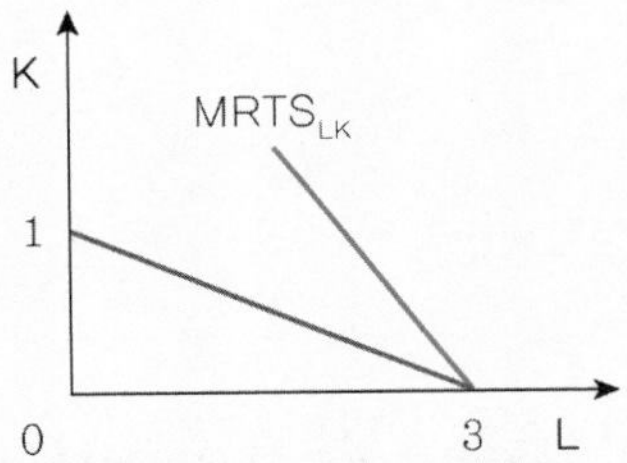

4) 노동만 투입하므로 $Q = L$이다. 따라서 $TC = Q$이다.

50 ② 1) 생산함수를 변형하면 $Q^2 = L + 2K$ ➜ $K = -\frac{1}{2}L + \frac{1}{2}Q^2$이므로 완전대체관계이다.

2) 지문분석

② 완전대체관계의 생산요소 간 대체탄력성이 무한대이다.

[오답체크]

① 생산함수는 $Q = \sqrt{tL + 2tK} = t^{\frac{1}{2}}\sqrt{L + 2K}$이므로 0.5차 동차생산함수이다. 따라서 규모에 대한 수익체감을 나타낸다.

③ 한계기술대체율은 $\frac{1}{2}$로 일정하다.

④ $w = 1$, $r = 3$인 경우, 생산자균형은 한계기술대체율이 등비용선의 기울기보다 급하므로 노동만 사용할 것이다. 따라서 생산함수는 $Q = \sqrt{L}$이다. 비용함수는 $TC = wL + rK$에서 노동만으로 변형하면 $TC = L$ ➜ $TC(Q) = Q^2$이다.

⑤ $w = 2$, $r = 1$인 경우, 생산자균형은 한계기술대체율이 등비용선의 기울기보다 완만하므로 자본만 사용할 것이다. 따라서 생산함수는 $Q = \sqrt{2K}$이다. 비용함수는 $TC = wL + rK$에서 자본만으로 변형하면 $TC = K$ ➜ $TC(Q) = \frac{1}{2}Q^2$이다.

51 상중하

어느 기업이 10단위의 제품을 생산하고 있다. 이때 평균비용과 한계비용이 모두 200이라고 한다. 다음 중 이 기업의 비용함수는? (단, C는 총비용, Q는 생산량) [회계사 15]

① $C = 500 + 200Q$

② $C = 500 + 10Q^2$

③ $C = 1000 + 200Q$

④ $C = 1000 + 10Q^2$

⑤ $C = 1500 + 5Q^2$

52 상중하

노동(L)과 자본(K)을 이용해 Y재를 생산하는 어느 기업의 생산함수가 다음과 같다.

$$y = L^{1/2}K^{1/2}$$

노동과 자본의 가격은 모두 1로 동일할 때 이 기업의 한계비용함수는? [회계사 21]

① $2y$

② $\sqrt{2}\,y$

③ 2

④ $\sqrt{2}$

⑤ $\frac{1}{\sqrt{2}}$

53 상중하

어느 기업의 장기총비용곡선은 우상향하는 곡선이고, 장기평균비용곡선과 단기평균비용곡선은 U자형이다. 현재 생산량에서 장기평균비용이 60이고, 장기한계비용이 60이다. 그리고 생산량과 관계없이 생산요소가격은 일정하다. 이 기업에 대한 다음 설명 중 옳은 것을 모두 고르면? [회계사 17]

가. 현재 생산량에서 장기평균비용곡선은 단기평균비용곡선의 최저점에서 접한다.
나. 생산량이 현재의 2배가 되면, 총비용은 현재의 2배보다 크다.
다. 생산량이 현재의 0.5배가 되면, 총비용은 현재의 0.5배보다 크다.
라. 모든 생산량에서 장기총비용은 단기총비용보다 작거나 같다.

① 가, 나

② 가, 라

③ 가, 나, 다

④ 나, 다, 라

⑤ 가, 나, 다, 라

정답 및 해설

51 ④ 1) 문제의 조건에서 $Q = 10$일 때 $MC = AC = 200$이다.

2) 지문분석

① $C = 500 + 200Q = 500 + 2,000 = 2500$ ➜ $AC = 250$

② $C = 500 + 10Q^2 = 500 + 1,000 = 1,500$ ➜ $AC = 150$

③ $C = 1000 + 200Q = 1,000 + 2,000 = 3,000$ ➜ $AC = 300$

④ $C = 1000 + 10Q^2 = 1,000 + 1,000 = 2,000$ ➜ $AC = 200$

⑤ 한계비용 $MC = 10Q$로, 문제에 제시된 조건에 부합하지 않는다.

52 ③ 1) 비용극소화조건 $MRTS_{LK} = \frac{w}{r}$ ➜ $\dfrac{\frac{\sqrt{K}}{2\sqrt{L}}}{\frac{\sqrt{L}}{2\sqrt{K}}} = 1$ ➜ $K = L$이다. 이를 생산함수에 대입하면 $y = L$이다.

2) 비용함수 $TC = wL + rK$ ➜ 조건을 대입하면 $TC = L + L = 2L$ ➜ $y = L$, $TC = 2y$이므로 이를 y로 미분하면 $MC = 2$이다.

53 ⑤ 가. 장기한계비용곡선은 장기평균비용곡선의 최저점을 통과하므로 현재 생산량 수준에서 장기평균비용과 장기한계비용이 일치한다는 것은 현재 장기평균비용곡선의 최소점에서 생산하고 있음을 의미한다.

나. 생산량을 현재 수준의 2배로 증가시키면 장기평균비용이 상승하므로 장기총비용은 현재의 2배보다 크게 증가한다.

다. 생산량을 현재의 0.5배로 감소시키더라도 장기평균비용이 상승하므로 총비용은 0.5배보다 클 수 밖에 없다.

라. 장기에는 설비규모를 최적으로 조정할 수 있으므로 모든 생산량 수준에서 장기총비용은 단기총비용보다 작거나 같다. 그리고 장기평균비용곡선 최소점에서는 장기평균비용곡선 최소점과 단기평균비용곡선 최소점에서 접한다.

54 상중하

기업 A는 자본(K)과 노동(L)만을 생산요소로 투입하여 최종산출물(Q)을 생산하며, 생산함수는 $Q = K^{1/2}L^{1/2}$이다. K와 L의 가격이 각각 r과 w일 때, 다음 설명 중 옳은 것을 모두 고르면? [회계사 20]

> 가. 생산함수는 규모수익불변이다.
> 나. 비용(C)과 노동은 $C = 2wL$을 만족한다.
> 다. 비용극소화조건은 $K = \frac{r}{w}L$로 표현할 수 있다.
> 라. r은 100, w는 1이고, 목표산출량이 50이라면 최적 요소투입량은 노동 500단위, 자본 6단위이다.

① 가, 나 ② 가, 다 ③ 나, 다
④ 나, 라 ⑤ 다, 라

55 상중하

한 기업이 임금률 w인 노동(L), 임대율 r인 자본(K)을 고용하여 재화 y를 다음과 같이 생산하고 있다.

$$y(L, K) = \sqrt{L} + \sqrt{K}$$

y의 가격이 p로 주어진 경우 이 기업의 이윤극대화 생산량은? [회계사 16]

① $\frac{w+r}{2wr}p$ ② $\frac{2wr}{w+r}p$ ③ $\frac{w+r}{wr}p$
④ $\frac{wr}{w+r}p$ ⑤ $\frac{wr}{2(w+r)}p$

정답 및 해설

54 ① 1) 콥-더글러스 생산함수이므로 규모에 대한 수익불변이다.

2) 한계대체율은 $\frac{MP_L}{MP_K} = \frac{K}{L}$이다.

3) 생산자균형에서는 등비용선과 등량곡선이 접하므로 $\frac{MP_L}{MP_K} = \frac{K}{L} = \frac{w}{r}$ ➜ 비용극소화조건은 $K = \frac{w}{r}L$이다.

4) 생산함수에 비용극소화 조건을 대입하면 $Q = \sqrt{\frac{w}{r}L^2}$ ➜ $L = \frac{\sqrt{r}}{\sqrt{w}}Q$이다. 이를 다시 $K = \frac{w}{r}L$에 대입하면 $K = \frac{\sqrt{w}}{\sqrt{r}}Q$이다.

5) 이를 비용함수식에 대입하면 다음과 같다.

$TC = wL + rK$ ➜ $TC = w\frac{\sqrt{r}}{\sqrt{w}}Q + r\frac{\sqrt{w}}{\sqrt{r}}Q = 2\sqrt{wr} \cdot Q = 2\sqrt{wr} \cdot \frac{\sqrt{w}}{\sqrt{r}}L = 2wL$

6) 라. 조건을 대입하면 $L = \frac{\sqrt{100}}{\sqrt{1}} \cdot 50 = 500$, $K = \frac{\sqrt{1}}{\sqrt{100}} \cdot 50 = 5$이다.

55 ① 1) 이윤함수: 이윤 = 총수입 - 총비용이다.

$\pi = py - (wL + rK) = p(\sqrt{L} + \sqrt{K}) - (wL + rK)$

2) 이윤이 극대화되는 노동 투입량: L로 미분 ➜ $\frac{p}{2\sqrt{L}} - w = 0$ ➜ $\sqrt{L} = \frac{p}{2w}$

3) 이윤이 극대화되는 자본 투입량: K로 미분 ➜ $\frac{p}{2\sqrt{K}} - r = 0$ ➜ $\sqrt{K} = \frac{p}{2r}$

4) 이윤이 극대화되는 노동과 자본의 투입량을 생산함수에 대입하면 $y = \frac{p}{2w} + \frac{p}{2r} = (\frac{w+r}{2wr})p$이다.

제5장

시장이론

Topic 9 완전경쟁시장

01 시장의 구조에 따라 기초구분

시장

생산물 또는 생산요소 등을 사려는 사람과 팔려는 사람의 거래가 자유로이 이루어지는 장소나 매개체

시장의 종류

(1) 거래되는 상품의 종류에 따른 분류
- ① 생산물시장 예 농산물 시장, 자동차 시장 등
- ② 생산요소시장 예 노동 시장, 자본 시장 등

(2) 시장의 구조에 따른 분류

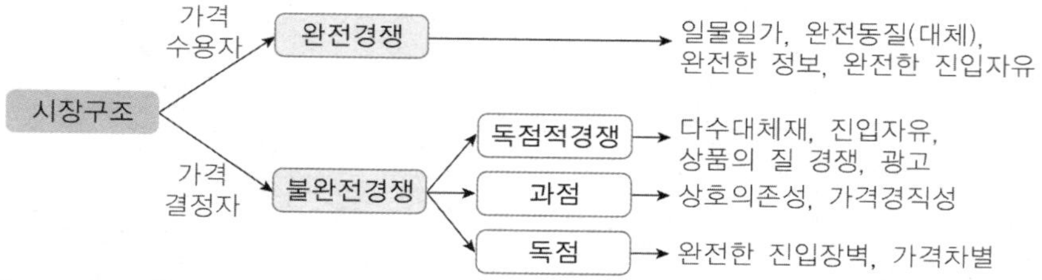

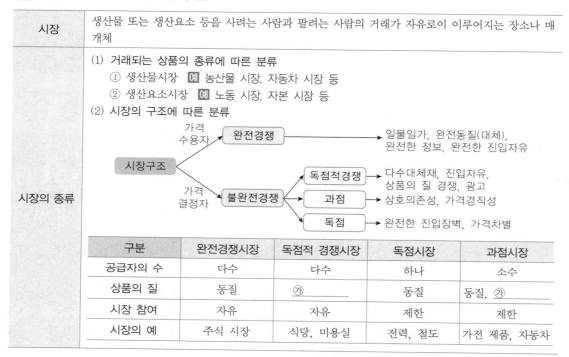

구분	완전경쟁시장	독점적 경쟁시장	독점시장	과점시장
공급자의 수	다수	다수	하나	소수
상품의 질	동질	㉮ ______	동질	동질, ㉮ ______
시장 참여	자유	자유	제한	제한
시장의 예	주식 시장	식당, 미용실	전력, 철도	가전 제품, 자동차

핵심키워드

㉮ 이질

02 완전경쟁시장

특징

(1) ㉮ ________: 다수의 구매자와 판매자가 있어 모두가 가격을 주어진 것으로 받아들임
(2) **동질적 재화:** 이 시장에서 거래되는 모든 상품이 동질적이어야 함
(3) **자원의 완전한 이동성:** 진입장벽이 존재하지 않아 이 시장으로 진입하는 것과 이로부터 이탈하는 것이 완전히 자유로워야 함
(4) **완전정보:** 이 시장에 참여하는 모든 경제 주체가 완전한 정보를 갖고 있어야 함
(5) 개별 기업이 직면하는 수요곡선의 가격탄력성은 무한대(= 수평선)
(6) 일물일가의 법칙 적용

$P = MR$ 성립

가격(P)	수량(Q)	총수입(TR)	평균수입(AR)	한계수입(MR)
100	1	100	100	100
100	2	200	100	100
100	3	300	100	100
100	4	400	100	100

단기 균형

(1) P > AC: $\pi > 0$ 초과이윤 ➜ 차기 신규기업 진입 ➜ 시장공급곡선 우측이동
(2) P = AC: $\pi = 0$ 정상이윤만 누림
(3) ㉯ ________: 단기적으로 고정비용 차감 가능하므로 생산, 장기적으로 중단
(4) P < AC: $\pi < 0$ 손실 ➜ 차기 기존기업 철수 ➜ 시장공급곡선 좌측이동

장기 균형

㉰ ________만 존재함

평가

(1) 장점
① **효율적인 자원 배분:** 장·단기에 항상 ㉱ ________가 성립하므로 사회적인 관점에서 가장 효율적으로 생산이 이루어지며, 사회 후생이 극대화 됨
② ㉲ ________**에서 생산:** 장기 균형에서 $P = MR = LAC$의 요건이 충족되며, 개별 기업은 장기평균비용(LAC)의 최저점에서 생산 가능 ➜ 최적 시설 규모에서 최적 산출량만큼의 재화 생산
③ **정상 이윤 획득:** 장기에서 개별기업은 정상 이윤만 획득
④ **의사 결정의** ㉳ ________: 모든 경제 주체의 경제적 자유와 균등한 기회가 보장됨

(2) 단점
① 완전경쟁시장의 조건을 모두 충족하는 시장은 현실적으로 존재하지 않음
② 자원 배분의 효율성은 달성되나 소득 분배의 ㉴ ________은 보장되지 않음

핵심키워드
㉮ 가격 수용자, ㉯ AVC < P < AC, ㉰ 정상이윤, ㉱ P = MC, ㉲ 최적 시절 규모, ㉳ 분권화, ㉴ 형평성

STEP 1 기본문제

01 상중하

완전경쟁시장에서 A기업의 단기 총비용함수가 $TC(Q)=4Q^2+2Q+10$이다. 재화의 시장가격이 42인 경우 극대화된 단기 이윤은? (단, Q는 생산량, $Q>0$이다) [노무사 21]

① 10
② 42
③ 52
④ 84
⑤ 90

02 상중하

단기의 완전경쟁시장에서 기업 A의 고정비용은 0이고, 평균가변비용이 $AVC(q)=q^2-6q+18$ (q는 생산량)이라 할 때 옳지 않은 것은? [국가직 21]

① 시장가격이 6일 때 한계비용이 최소가 된다.
② 시장가격이 7이면 기업은 생산을 중단하는 편이 낫다.
③ 시장가격이 8이면 생산하는 것이 하지 않는 것보다 순손실을 줄일 수 있다.
④ 시장가격이 9일 때 기업의 경제적 이윤이 0이 된다.

03 상중하

완전경쟁시장에서 이윤극대화를 추구하는 개별기업에 관한 설명으로 옳은 것은? (단, 개별기업의 평균비용곡선은 U자 형태로 동일하며, 생산요소시장도 완전경쟁이다) [노무사 21]

① 한계수입곡선은 우하향 하는 형태이다.
② 이윤은 단기에도 항상 영(0)이다.
③ 수요의 가격탄력성은 영(0)이다.
④ 단기에는 평균가변비용곡선의 최저점이 조업중단점이 된다.
⑤ 이윤극대화 생산량에서의 평균수입은 한계비용보다 크다.

정답 및 해설

01 ⑤ 1) 완전경쟁시장의 이윤극대화 조건은 $P = MC$이다.
2) 문제의 총비용함수를 미분하면 $MC = 8Q + 2$이다.
3) 이윤극대화 조건에 대입하면 $42 = 8Q + 2$ ➜ $Q = 5$이다.
4) 총이윤 = 총수입 − 총비용이므로 $(42 \times 5) - (4 \times 25 + 2 \times 5 + 10) = 210 - 120 = 90$이다.

02 ③ 1) 완전경쟁시장의 개별기업의 이윤극대화는 $P = MC$이다.
2) 한계비용은 총가변비용을 미분한 값이다.
3) $AVC(q) = q^2 - 6q + 18$ ➜ $TVC(q) = q^3 - 6q^2 + 18q$ ➜ $MC(q) = 3q^2 - 12q + 18$
4) 고정비용이 존재하지 않으므로 총가변비용이 총비용이다.
5) 평균가변비용의 최저점이 조업중단점이고 평균가변비용을 미분하면 $2q - 6 = 0$이므로 $q = 3$이다. 이때 조업중단점인 가격은 $9 - 18 + 8 = 9$이다.
6) 다만 이 문제에서는 고정비용이 존재하지 않으므로 손익분기점과 조업중단점이 동일하다.
7) 지문분석
③ 시장가격이 8이면 조업중단보다 낮으므로 생산하지 않는 것이 순손실을 줄일 수 있다.

[오답체크]

① 한계비용의 최솟값을 구하기 위해 미분하여 0으로 두면 $6q - 12 = 0$ ➜ $q = 2$이다. 이를 한계비용 함수에 대입하면 $12 - 24 + 18 = 6$이다. 따라서 시장가격이 6일 때 한계비용이 최소가 된다.
② 시장가격이 7이면 조업중단점보다 낮으므로 기업은 생산을 중단하는 편이 낫다.
④ 시장가격이 9일 때 조업중단점이므로 경제적 이윤은 0이다.

03 ④ 단기에는 평균비용곡선의 최저점이 손익분기점, 평균가변비용곡선의 최저점이 조업중단점이 된다.

[오답체크]

① 한계수입곡선은 수요곡선이므로 단기에는 수평이다.
② 이윤은 장기에 항상 영(0)이다. 다만 단기에는 판단이 불가능하다.
③ 수요곡선이 수평선이므로 수요의 가격탄력성은 무한대이다.
⑤ 이윤극대화 생산량에서의 평균수입은 가격이다. 완전경쟁시장은 $P = MC$이므로 따라서 평균수입과 한계비용은 동일하다.

04 상중하

완전경쟁시장에서 기업 A의 총비용함수는 $TC = 10Q^2 + 4Q + 10$이다. 기업 A가 생산하는 재화의 시장가격이 64일 때 생산자잉여는? (단, Q는 생산량이다) [지방직 21]

① 54
② 80
③ 90
④ 128

05 상중하

완전경쟁시장에서 A기업의 단기 총비용함수가 $C(Q) = 3Q^2 + 24$이다(Q는 생산량, $Q > 0$). A기업이 생산하는 재화의 시장가격이 24일 경우 A기업의 극대화된 단기 이윤은?

[노무사 11]

① 21
② 24
③ 36
④ 42
⑤ 51

06 상중하

완전경쟁시장에서 조업하는 어떤 기업이 직면하고 있는 시장 가격은 9이고, 이 기업의 평균비용곡선은 $AC(Q) = \frac{7}{Q} + 1 + Q(Q > 0)$으로 주어져 있다. 이윤을 극대화하는 이 기업의 산출량 Q는? [서울시 14]

① 4
② 5
③ 6
④ 7
⑤ 8

07 상중하 어떤 경쟁적 기업이 두 개의 공장을 가지고 있다. 각 공장의 비용함수는 $C_1 = 2Q + Q^2$, $C_2 = 3Q^2$이다. 생산물의 가격이 12일 때 이윤극대화 총생산량은 얼마인가? [서울시 7급 14]

① 3 ② 5 ③ 7
④ 10 ⑤ 12

정답 및 해설

04 ③ 1) 생산자 잉여 = 총수입 − 총가변비용이다.
2) 완전경쟁시장의 이윤극대화 생산량은 $P = MC$에서 성립한다.
3) $64 = 20Q + 4$ ➜ $Q = 3$이 도출된다.
4) 총수입은 $64 \times 3 = 192$이다.
5) 총가변비용은 고정비용을 제외한 $10Q^2 + 4Q = 10 \times 9 + 4 \times 3 = 102$이다.
6) 따라서 생산자잉여는 $192 - 102 = 90$이다.

05 ② 1) 완전경쟁시장의 이윤극대화는 $MR = MC$에서 이루어지므로 $24 = 6Q$에서 이루어진다. 따라서 이윤극대화 생산량은 4이다.
2) 총수입은 $24 \times 4 = 96$, 총비용은 72이므로 극대화된 단기 이윤은 24이다.

06 ① 1) 평균비용이 $AC(Q) = \frac{7}{Q} + 1 + Q(Q > 0)$이므로 총비용 $TC = 7 + Q + Q^2$이다.
2) 총비용함수를 Q에 대해 미분하면 한계비용 $MC = 1 + 2Q$이다.
3) 완전경쟁기업은 가격과 한계비용이 일치하는 수준까지 재화를 생산하므로 $P = MC$로 두면 $9 = 1 + 2Q$, $Q = 4$로 계산된다.

07 ③ 1) 비용함수를 Q에 대해 미분하면 각 공장의 한계비용은 각각 $MC_1 = 2 + 2Q$, $MC_2 = 6Q$이다.
2) 경쟁적인 기업은 완전경쟁시장을 의미하며 $P = MC$인 점에서 생산량을 결정하므로 $P = MC_1$으로 두면 $12 = 2 + 2Q$, $Q = 5$이고, $P = MC_2$로 두면 $12 = 6Q$, $Q = 2$이다.
3) 공장 1에서의 생산량은 5단위, 공장 2에서의 생산량은 2단위이므로 이 기업은 7단위의 재화를 생산함을 알 수 있다.

08 상중하

단기적으로 100개의 기업이 존재하는 완전경쟁시장이 있다. 모든 기업은 동일한 총비용함수 $TC(q)=q^2$을 가진다고 할 때, 시장 공급함수(Q)는? (단, p는 가격이고 q는 개별기업의 공급량이며, 생산요소의 가격은 불변이다) [지방직 7급 18]

① $Q=\frac{p}{2}$

② $Q=\frac{p}{200}$

③ $Q=50p$

④ $Q=100p$

09 상중하

완전경쟁시장에서 활동하는 A기업의 고정비용인 사무실 임대료가 작년보다 30% 상승했다. 단기균형에서 A기업이 제품을 계속 생산하기로 했다면 전년대비 올해의 생산량은? (단, 다른 조건은 불변이다) [지방직 7급 18]

① 30% 감축

② 30% 보다 적게 감축

③ 30% 보다 많이 감축

④ 전년과 동일

10 상중하

어떤 기업의 비용함수가 $C(Q)=100+2Q^2$이다. 이 기업이 완전경쟁시장에서 제품을 판매하며 시장가격은 20일 때, 다음 설명 중 옳지 않은 것은? (단, Q는 생산량이다)

[국회직 8급 18]

① 이 기업이 직면하는 수요곡선은 수평선이다.

② 이 기업의 고정비용은 100이다.

③ 이윤극대화 또는 손실최소화를 위한 최적산출량은 5이다.

④ 이 기업의 최적산출량 수준에서 $P \geq AVC$를 만족한다. (단, P는 시장가격이고, AVC는 평균가변비용이다)

⑤ 최적산출량 수준에서 이 기업의 손실은 100이다.

11 상중하 완전경쟁시장에서 개별기업의 평균총비용곡선 및 평균가변비용곡선은 U자형이며, 현재 생산량은 50이다. 이 생산량 수준에서 한계비용은 300, 평균총비용은 400, 평균가변비용은 200일 때 옳은 것을 모두 고른 것은? (단, 시장가격은 300으로 주어져 있다) [노무사 14]

> ㄱ. 현재의 생산량 수준에서 평균총비용곡선 및 평균가변비용곡선은 우하향한다.
> ㄴ. 현재의 생산량 수준에서 평균총비용곡선은 우하향하고 평균가변비용곡선은 우상향한다.
> ㄷ. 개별기업은 현재 양의 이윤을 얻고 있다.
> ㄹ. 개별기업은 현재 음의 이윤을 얻고 있다.
> ㅁ. 개별기업은 단기에 조업을 중단하는 것이 낫다.

① ㄱ, ㄷ ② ㄱ, ㅁ ③ ㄴ, ㄷ
④ ㄴ, ㄹ ⑤ ㄴ, ㄹ, ㅁ

정답 및 해설

08 ③ 1) 개별기업의 총비용함수를 미분하면 한계비용 $MC=2q$이다. $P=MC$로 두면 개별기업의 공급곡선식은 $P=2q$로 도출된다.
2) 공급곡선식이 동일한 기업이 100개가 있다면 시장공급곡선은 개별기업의 공급곡선과 절편은 동일하고 기울기는 완만해지므로 개별공급곡선의 $\frac{1}{100}$이 된다.
3) 따라서 시장공급곡선식은 $P=\frac{1}{50}Q$이므로 $Q=50p$이다.

09 ④ 완전경쟁기업은 $P=MC$인 점에서 재화를 생산하는데, 고정비용인 사무실 임대료의 상승은 한계비용에 아무런 영향을 미치지 않으므로 생산량도 변하지 않는다.

10 ⑤ 1) 제시된 비용함수에서 $MC=4Q$, $AVC=2Q$이다.
2) 단기공급곡선은 AVC 위의 MC이므로 주어진 상황에서는 MC곡선 자체가 공급곡선이 된다. 따라서 공급곡선 $P=4Q$ ➜ $Q=\frac{P}{4}$, 따라서 $Q=5$를 생산하고 손실은 50이다.

11 ④ 완전경쟁기업은 $P=MC$인 점까지 재화를 생산하므로 50단위의 재화를 생산할 때 한계비용이 300이라는 것은 시장가격이 300으로 주어져 있음을 의미한다. 현재 생산량 수준에서 가격이 평균가변비용보다는 높으나 평균비용보다는 낮다. 그러므로 단기적으로 손실이 발생하는 상태이다.

12 다음 공장의 손익분기점이 되는 월 생산량은? [지방직 7급 12]

상중하

> MP3플레이어를 생산하는 공장의 생산능력은 월 2,000개이고, 고정비용은 월 5,000,000원이다. 한 개당 생산에 소요되는 가변비용은 20,000원이고, 개당 판매가격은 25,000원이다.

① 1,000개
② 1,500개
③ 2,000개
④ 2,500개

13 영희는 매월 아이스크림을 50개 팔고 있다. 영희의 월간 총비용은 50,000원이고, 이 중 고정비용은 10,000원이다. 영희는 단기적으로는 이 가게를 운영하지만 장기적으로는 폐업할 계획이다. 아이스크림 1개당 가격의 범위는? (단, 아이스크림 시장은 완전경쟁적이라고 가정한다) [지방직 7급 10]

상중하

① 600원 이상 700원 미만
② 800원 이상 1,000원 미만
③ 1,100원 이상 1,200원 미만
④ 1,300원 이상 1,400원 미만

14 상중하 A기업은 완전경쟁시장에서 이윤을 극대화하는 생산량 1,000개를 생산하여 전량 판매하고 있다. 이 때 한계비용은 10원, 평균가변비용은 9원, 평균고정비용은 2원이다. 이에 관한 설명으로 옳지 않은 것은? [노무사 20]

① 총수입은 10,000원이다.
② 총비용은 11,000원이다.
③ 상품 개당 가격은 10원이다.
④ 총가변비용은 9,000원이다.
⑤ 단기에서는 조업을 중단해야 한다.

정답 및 해설

12 ① 1) 손익분기점은 경제적 이윤이 0인 생산량이다.
2) 판매가격 − 가변비용 = 1단위 생산 시 버는 금액
3) 500만원 − (5,000 × 손익분기수량) = 0이므로 손익분기수량은 1,000개이다.

13 ② 1) 단기에 생산을 지속한다는 것은 시장가격이 최소평균가변비용(조업중단점) 이상이라는 의미이고, 장기에 생산을 중단한다는 것은 최소평균비용(손익분기점) 미만이라는 것을 의미한다.
2) 문제에서 평균비용 = 총비용/개수 = 50,000/50 = 1,000원이다.
3) 평균가변비용 = 총비용 − 총고정비용/개수 = 800원이다.

14 ⑤ 완전경쟁시장이므로 $P = MC$이다. 따라서 $P = 10$원이다. 가격이 $AVC < P < AC$인 경우 단기에는 생산하지만 장기에는 조업을 중단해야 한다.

[오답체크]
① 총수입은 $P \times Q = 10 \times 1{,}000 = 10{,}000$원이다.
② 총비용은 $AC \times Q = 11 \times 1{,}000 = 11{,}000$원이다.
③ 완전경쟁시장에서 $P = MC$이므로 상품 개당 가격은 10원이다.
④ 총가변비용은 $AVC \times Q = 9 \times 1{,}000 = 9{,}000$원이다.

15 상중하

다음 왼쪽 그래프는 완전경쟁시장에 놓여 있는 전형적기업이며 오른쪽 그래프는 단기의 완전경쟁시장이다. 이 시장이 동일한 기업들로 이루어져 있다면 장기적으로 이 시장에는 몇 개의 기업이 조업하겠는가? [서울시 7급 15]

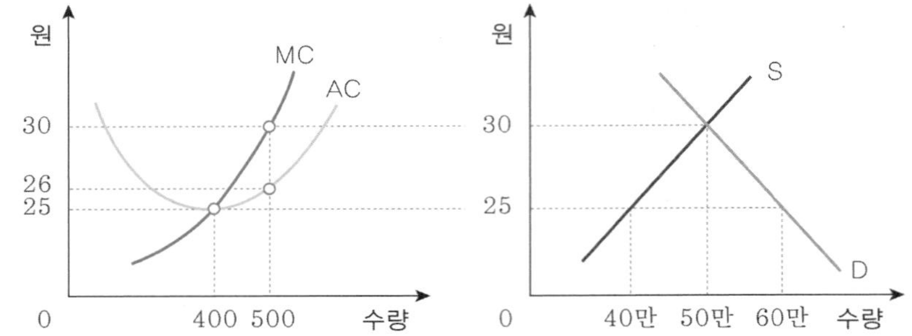

① 800개
② 1,000개
③ 1,250개
④ 1,500개

16 상중하

A시장에는 동질적인 기업들이 존재하고 시장수요함수는 $Q = 1{,}000 - P$이다. 개별기업의 장기평균비용함수가 $c = 100 + (q - 10)^2$일 때, 완전경쟁시장의 장기균형에서 존재할 수 있는 기업의 수는? (단, Q는 시장수요량, q는 개별기업의 생산량을 나타낸다) [지방직 7급 15]

① 10
② 90
③ 100
④ 900

17 상중하

X재 시장은 완전경쟁적이며, 각 기업의 장기총비용함수와 X재에 대한 시장수요곡선은 다음과 같다. X재 시장의 장기균형에서 시장균형가격과 진입하여 생산하는 기업의 수를 옳게 짝지은 것은? (단, P는 가격이고, q는 각 기업의 생산량이며, 모든 기업들의 비용함수 및 비용조건은 동일하다) [국가직 7급 20]

- 장기총비용함수: $TC(q) = 2q^3 - 12q^2 + 48q$
- 시장수요곡선: $D(P) = 600 - 5P$

	장기시장균형가격	기업의 수
①	20	100
②	20	120
③	30	150
④	30	180

시장이론 제5장 해커스 서호성 객관식 경제학

정답 및 해설

15 ④ 1) 문제에 주어진 상황은 단기적으로 초과이윤이 발생하는 경우이다.
2) 초과이윤이 발생하면 장기에는 새로운 기업이 진입하여 정상이윤만을 얻으므로 장기균형가격은 개별기업의 최소장기평균비용과 같아진다.
3) 따라서 장기에 시장의 균형가격은 25원이 될 것이고, 개별기업은 400개의 재화를 생산하게 된다.
4) 시장가격이 25원일 때 시장수요량이 60만개이고, 개별기업의 생산량이 400개이므로 장기에 이 시장에는 1,500개(= $\frac{600,000}{400}$)의 기업이 존재하게 된다.

16 ② 1) 개별기업의 장기평균비용함수가 $c = 100 + (q-10)^2$일 때 개별기업의 최소장기평균비용은 100이며 생산량은 10이다.
2) 완전경쟁시장의 장기균형가격은 개별기업의 최소장기평균비용과 같으므로 $P = 100$이 된다.
3) $P = 100$을 시장수요함수에 대입하면 시장수요량 $Q = 900$이다. 시장수요량이 900이고, 개별기업의 생산량이 10이므로 장기에 이 시장에는 90개의 기업이 존재하게 된다.

17 ③ 1) 완전경쟁시장의 장기조건은 $P = LAC$이다. 따라서 $LAC = 2q^2 - 12q + 48$이다.
2) 이때 P는 LAC의 최저점을 지나므로 LAC를 미분하면 $4q - 12 = 0$이 성립하여 $q = 3$이다. 이를 LAC에 대입하면 $18 - 36 + 48 = 30$이므로 $P = 30$이다.
3) 시장가격 30을 대입하면 수요량은 450이다. 개별기업이 3개씩 만들기 때문에 150개의 기업이 생산함을 알 수 있다.

STEP 2 심화문제

18 상중하

아래 표와 같이 완전경쟁기업의 비용구조가 주어졌다.

생산량	0	1	2	3	4	5	6	7	8	9	10
총비용	100	130	150	160	172	185	210	240	280	330	390

이 기업의 고정비용은 100이다. 이 때 다음 두 가지 질문의 답으로 옳은 것은?

[국회직 8급 13]

(Ⅰ) 현재 생산품의 시장가격은 30이다. 이윤극대화를 달성할 때의 기업의 이윤은?
(Ⅱ) 이 기업이 조업을 중단하게 되는 시장가격은?

	Ⅰ	Ⅱ
①	-40	17
②	-30	17
③	0	17
④	-40	13
⑤	-30	13

19 상중하

단기 완전경쟁시장에서 이윤극대화하는 A기업의 현재 생산량에서 한계비용은 50, 평균가변비용은 45, 평균비용은 55이다. 시장가격이 50일 때, 옳은 것을 모두 고른 것은?

[감정평가사 20]

ㄱ. 손실이 발생하고 있다.
ㄴ. 조업중단(shut-down)을 해야 한다.
ㄷ. 총수입으로 가변비용을 모두 충당하고 있다.
ㄹ. 총수입으로 고정비용을 모두 충당하고 있다.

① ㄱ, ㄴ
② ㄱ, ㄷ
③ ㄴ, ㄷ
④ ㄴ, ㄹ
⑤ ㄷ, ㄹ

20 완전경쟁시장에서 개별기업은 U자형 평균비용곡선과 평균가변비용곡선을 가진다. 시장가격이 350일 때, 생산량 50 수준에서 한계비용은 350, 평균비용은 400, 평균가변비용은 200이다. 다음 중 옳은 것을 모두 고른 것은? [감정평가사 19]

상중하

> ㄱ. 평균비용곡선이 우상향하는 구간에 생산량 50이 존재한다.
> ㄴ. 평균가변비용곡선이 우상향하는 구간에 생산량 50이 존재한다.
> ㄷ. 생산량 50에서 음(-)의 이윤을 얻고 있다.
> ㄹ. 개별기업은 단기에 조업을 중단해야 한다.

① ㄱ, ㄴ ② ㄱ, ㄷ ③ ㄱ, ㄹ
④ ㄴ, ㄷ ⑤ ㄴ, ㄹ

정답 및 해설

18 ② 1) 문제의 자료를 통해 총가변비용, 평균가변비용, 한계비용을 구하면 다음과 같다.

q	1	2	3	4	5	6	7	8	9	10
TVC	30	50	60	72	85	110	140	180	230	290
AVC	30	25	20	18	17	18.3	20	22.5	25.6	29
MC	30	20	10	12	13	25	30	40	50	60

2) 이윤극대화는 완전경쟁시장의 경우 $P=MC$, 그리고 2계 조건으로 MR곡선의 기울기보다 MC곡선의 기울기가 커야 한다. 이를 성립시키는 생산량은 7이고 이때의 이윤은 −30이다.

3) 조업을 중단하게 되는 가격은 평균가변비용의 최저점인 17이다.

19 ② 1) 완전경쟁시장에서 $P=MC$이다.

2) 가격이 평균가변비용보다 크고 평균비용보다 작으므로 단기적으로는 생산을 해야 하지만 장기적으로는 생산을 중단하여야 한다.

[오답체크]

ㄴ. 조업중단(shut-down)은 가격이 평균가변비용보다 낮을 때 해야 한다.
ㄹ. 총수입으로 가변비용을 충당하고 있으며 고정비용을 일부 충당하고 있다.

20 ④ 1) 시장가격이 평균가변비용보다 높고 평균비용보다 작으므로 손실을 보고 있다.

2) 이 경우 단기적으로는 생산하나 장기적으로는 생산을 중단하여야 한다.

[오답체크]

ㄱ. 평균비용곡선이 우하향하는 구간에 생산량 50이 존재한다.
ㄹ. 개별기업은 장기에 조업을 중단해야 한다.

21 상중하

완전경쟁시장에서 A기업의 단기총비용함수는 $STC = 100 + \frac{wq^2}{200}$ 이다. 임금이 4이고, 시장 가격이 1일 때 단기공급량은? (단, w는 임금, q는 생산량이다) [감정평가사 20]

① 10 ② 25 ③ 50
④ 100 ⑤ 200

22 상중하

모든 시장이 완전경쟁적인 甲국에서 대표적인 기업 A의 생산함수가 $Y = 4L^{0.5}K^{0.5}$ 이다. 단기적으로 A의 자본량은 1로 고정되어 있다. 생산물 가격이 2이고 명목임금이 4일 경우, 이윤을 극대화하는 A의 단기 생산량은? (단, Y는 생산량, L은 노동량, K는 자본량이며, 모든 생산물은 동일한 상품이다) [감정평가사 19]

① 1 ② 2 ③ 4
④ 8 ⑤ 16

정답 및 해설

21 ② 1) 완전경쟁시장의 조건은 $P = MC$이다.

2) 주어진 총비용함수를 미분하면 $SMC = \frac{1}{100}wq$이다.

3) 시장가격이 1, 임금이 4이므로 $1 = \frac{1}{100}4q$ ➜ $q = 25$이다.

22 ③ 1) A의 자본량은 1로 고정되어 있으므로 생산함수는 $Y = 4\sqrt{L}$이다.

2) 완전경쟁시장이므로 $P = MC$가 성립한다.

3) $TC = wL + rK$이고 주어진 조건을 넣으면 $TC = 4L + r$이다.

4) 생산함수를 변형하면 $\frac{Y}{4} = \sqrt{L}$ ➜ $L = \frac{Y^2}{16}$이므로 3번식에 넣으면 $TC = \frac{Y^2}{4} + r$이다.

5) 총비용에서 한계비용을 도출하면 $MC = \frac{1}{2}Y$이다.

6) 완전경쟁시장의 이윤극대화 조건에 따라 $2 = \frac{1}{2}Y$ ➜ $Y = 4$이다.

23 상중하

아래 〈그림〉은 이윤극대화를 추구하는 어떤 기업의 단기에서의 한계수입(MR), 한계비용(MC) 및 평균비용(AC)을 표시한 그래프이다. 다음 중 각각의 생산량 수준인 점 a, b, c, d에 대한 설명으로 옳은 것을 〈보기〉에서 모두 고르면? [국회직 8급 16]

〈그림〉

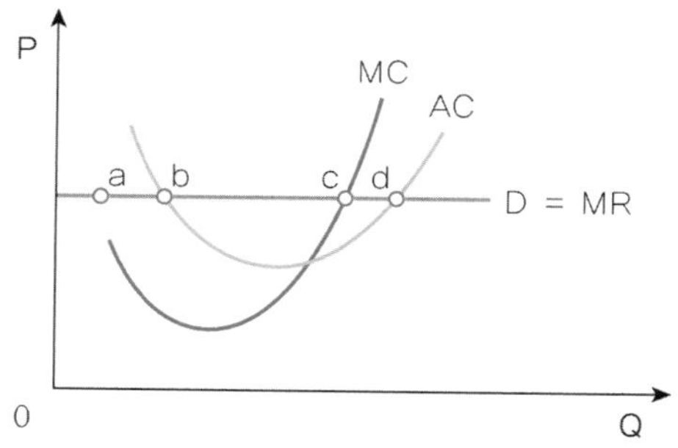

■ 재화의 판매가격이 일정하여 한계수입곡선은 수평으로 표시된다.

〈보기〉

ㄱ. 해당 기업은 손익분기점인 점 c의 생산량을 선택할 것이다.
ㄴ. 점 c에서 이윤이 최대가 된다.
ㄷ. 점 d에서 초과이윤이 발생한다.
ㄹ. 점 a, b, c, d 중에서 점 b의 순수익이 가장 크다.
ㅁ. 점 a, b, c, d 중에서 점 a의 순수익이 가장 적다.

① ㄱ, ㄴ
② ㄴ, ㄷ
③ ㄴ, ㅁ
④ ㄱ, ㄴ, ㅁ
⑤ ㄴ, ㄹ, ㅁ

24 상중하

완전경쟁기업의 총비용함수가 $TC(Q) = Q - \frac{1}{2}Q^2 + \frac{1}{3}Q^3 + 40$이다. 이 기업은 이윤이 어느 수준 미만이면 단기에 생산을 중단하겠는가? [국회직 8급 15]

① −50
② −40
③ 0
④ 40
⑤ 50

정답 및 해설

23 ③

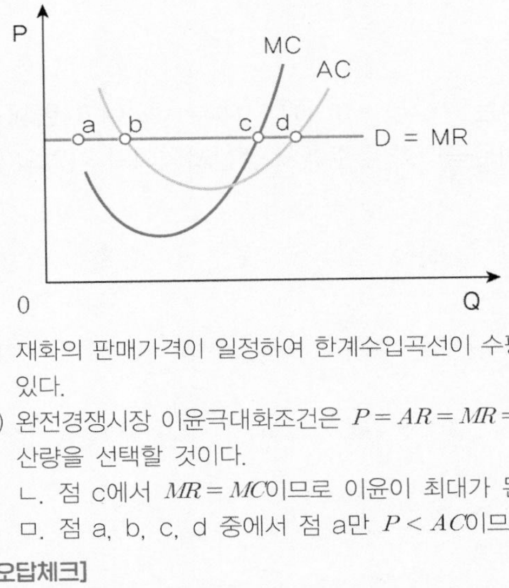

1) 재화의 판매가격이 일정하여 한계수입곡선이 수평으로 표시된다는 것에서 완전경쟁시장임을 알 수 있다.
2) 완전경쟁시장 이윤극대화조건은 $P = AR = MR = MC$이므로 해당 기업은 이윤이 최대인 점 c의 생산량을 선택할 것이다.
   ㄴ. 점 c에서 $MR = MC$이므로 이윤이 최대가 된다.
   ㅁ. 점 a, b, c, d 중에서 점 a만 $P < AC$이므로 순수익이 음이 되어 가장 적다.

[오답체크]

ㄱ. 손익분기점은 $P = AC$인 지점인데 이 그래프에 표시되지 않았다.
ㄷ. 점 d에서 $P = AC$이므로 초과이윤이 0이다.
ㄹ. 점 a, b, c, d 중에서 점 c의 순수익이 가장 크다.

24 ② 1) 생산손실이 고정비용을 초과하거나 생산이윤이 – 고정비용 미만이면 단기에 생산을 중단한다.
2) 총비용함수에서 40이 총고정비용이다. 결국 생산손실이 40을 초과하거나 생산이윤이 –40 미만이면 단기에 생산을 중단한다.

25 상중하

완전경쟁시장에서 대표적 기업의 생산함수가 $f(L,\ K) = L^{\frac{1}{2}}K^{\frac{1}{2}}$이다. 노동 1단위당 임금은 4이고, 자본 1단위당 임대료는 2이다. 이 산업에 1만개의 기업이 존재하고, 모든 기업의 생산함수는 대표적 기업과 동일하다. 단기에 모든 기업의 자본투입량(K)은 16으로 고정되어 있다. 이 경우 단기 시장공급곡선으로 옳은 것은? (단, L은 노동투입량, P는 시장가격, Q는 시장공급량이다) [국회직 8급 15]

① $P = 10{,}000Q$

② $P = 20{,}000Q$

③ $P = \dfrac{Q}{10{,}000}$

④ $P = \dfrac{Q}{20{,}000}$

⑤ 위의 어느 것도 옳지 않다.

26 상중하

완전경쟁시장에서 A기업의 총비용함수는 $TC(q) = 10{,}000 + 100q + 10q^2$이고 현재 시장가격은 제품 단위당 900원일 때, 이 기업의 이윤극대화 수준에서 생산자잉여와 기업의 이윤으로 옳은 것은? [국회직 8급 19]

	생산자잉여	기업의 이윤
①	16,000	6,000
②	16,000	12,000
③	24,000	6,000
④	24,000	12,000
⑤	32,000	6,000

정답 및 해설

25 ④ 1) 단기 시장공급곡선은 개별기업의 단기 한계비용곡선(SMC)을 수평으로 합한 것이다.

2) 비용함수가 없으므로 단기생산함수에서 단기비용함수를 구해야 한다. 생산함수 $f(L, K) = L^{\frac{1}{2}}K^{\frac{1}{2}}$에 $K = 16$을 대입하면 단기생산함수 $q = 4L^{\frac{1}{2}}$가 도출된다. 이를 L로 정리하면 $L = \frac{1}{16}q^2$이다.

3) W, R, L, K를 비용함수 $STC = wL + rK$에 대입하면 단기 총비용함수는 $STC = 4 \times \frac{1}{16}q^2 + 2 \times 16 = \frac{1}{4}q^2 + 32$이다. 이를 산출량 q로 미분하면 단기 한계비용함수는 $SMC = \frac{1}{2}q$이다.

4) 완전경쟁시장의 단기에서 이윤극대화 조건은 $P = SMC$이다. 따라서 개별기업의 공급함수는 $P = \frac{1}{2}q$이다. q로 정리하면 개별기업의 공급곡선은 $q = 2P$이다.

5) 동일한 1만개의 공급곡선을 수평으로 더하면 $Q = 20{,}000P$이고 이를 정리하면 $P = \frac{Q}{20{,}000}$이다.

26 ① 1) 완전경쟁시장의 이윤극대화조건은 $P = MC$이다.

2) $900 = 100 + 20q$ ➜ $q = 40$

3) 이윤: $TR - TC = 900 \times 40 - (10{,}000 + 4{,}000 + 16{,}000) = 6{,}000$

4) 생산자잉여: $TR - TVC =$ 이윤 $+ TFC = 16{,}000$

27 상중하

반도체시장은 완전경쟁시장이며 개별 기업의 장기평균비용곡선은 $AC(q_i) = 40 - q_i + \frac{1}{100}q_i^2$으로 동일하다고 가정하자(단, q_i는 개별 기업의 생산량). 반도체시장수요는 $Q = 25{,}000 - 1{,}000P$이다(단, Q는 시장수요량, P는 시장가격). 반도체 시장에서 장기균형 가격과 장기균형 하에서의 기업의 수는 얼마인가? [국회직 8급 17]

	장기균형가격	기업의 수
①	5	200
②	10	150
③	10	300
④	15	100
⑤	15	200

28 상중하

완전경쟁시장에서 어떤 재화가 거래되고 있다. 이 시장에는 총 100개의 기업이 참여하고 있으며 각 기업의 장기비용함수는 $c(q) = 2q^2 + 10$으로 동일하다. 이 재화의 장기균형가격과 시장 전체의 공급량은? (단, q는 개별기업의 생산량이다) [국회직 8급 18]

	장기균형가격	시장 전체의 공급량
①	$\sqrt{40}$	$25\sqrt{80}$
②	$\sqrt{40}$	$100\sqrt{80}$
③	$\sqrt{80}$	$\frac{\sqrt{80}}{4}$
④	$\sqrt{80}$	$25\sqrt{80}$
⑤	$\sqrt{80}$	$100\sqrt{80}$

29 상중하 컴퓨터 시장은 완전경쟁시장이며 각 생산업체의 장기평균비용함수는 $AC(q_i) = 40 - 6q_i + \frac{1}{3}q_i^2$으로 동일하다고 가정하자. 컴퓨터에 대한 시장수요가 $Q_d = 2{,}200 - 100P$일 때, 다음 두 가지 질문의 답으로 옳은 것은? (단, q_i는 개별기업의 생산량, Q_d는 시장수요량을 나타낸다)

[국회직 8급 13]

> (Ⅰ) 컴퓨터 시장에서 장기균형가격은 얼마인가?
> (Ⅱ) 수요곡선이 변화하여 $Q_d = A - 100P$가 되었다고 하자. 새로운 장기균형의 컴퓨터 생산업체 수가 최초 장기균형의 컴퓨터 생산업체 수의 두 배가 되려면 A는 얼마가 되어야 하는가?

	Ⅰ	Ⅱ
①	13	2,800
②	16	2,800
③	13	3,100
④	16	3,100
⑤	13	3,400

정답 및 해설

27 ⑤ 1) 완전경쟁시장의 개별기업의 장기균형은 장기평균비용 극솟값에서 이루어지므로 극솟값을 구하기 위해 주어진 평균비용곡선식을 미분하면 $-1 + \frac{1}{50}q = 0$ ➜ $q = 50$이다.
2) 평균비용식에 대입하면 장기균형가격 $AC(50) = 40 - 50 + \frac{50^2}{100} = -10 + 25 = 15$이다.
3) 시장전체 수요곡선에 $P = 15$를 대입하면 시장전체 생산량 $Q = 25{,}000 - 15{,}000 = 10{,}000$이다.
4) 따라서 시장전체 생산량 10,000을 개별기업 생산량 50으로 나누면 기업의 수 = 200개이다.

28 ④ 1) 완전경쟁시장에서 장기균형조건은 $P = LMC = LAC$이다.
2) $LMC = 4q$, $LAC = 2q + 10/q$이므로 장기균형에서 $q = \sqrt{5}$, $P = 4\sqrt{5} = \sqrt{80}$이다.
3) 한편, 기업이 100개이므로 시장 전체 공급량은 $Q = 100q = 100\sqrt{5} = 25\sqrt{80}$이다.

29 ③ 1) 장기균형가격은 평균곡선의 최저점에서 결정된다.
2) 평균곡선 최저점에서의 수량은 $q = 9$, 따라서 가격은 $P = 13$이다. 시장수요량이 $Q = 900$이므로 기업 수 $N = 100$이다.
3) 기업이 두 배가 되려면 $Q = A - 100P$를 $q = 9$로 나눈 값이 200이 되어야 한다. 따라서 $A = 3{,}100$이다.

30 상중하

완전경쟁시장의 시장수요함수는 $Q=1,700-10P$이고, 이윤극대화를 추구하는 개별기업의 장기평균비용함수는 $LAC(q)=(q-20)^2+30$으로 모두 동일하다. 장기균형에서 기업의 수는? (단, Q는 시장 거래량, q는 개별기업의 생산량, P는 가격이다) [감정평가사 18]

① 100 ② 90 ③ 80
④ 70 ⑤ 60

31 상중하

완전경쟁시장에서 기업이 모두 동일한 장기평균비용함수 $LAC(q)=40-6q+\frac{1}{3}q^2$과 장기한계비용함수 $LMC(q)=40-12q+q^2$을 갖는다. 시장수요곡선은 $D(P)=2,200-100P$일 때, 장기균형에서 시장에 존재하는 기업의 수는? (단, q는 개별기업의 생산량, P는 가격이다)

[감정평가사 20]

① 12 ② 24 ③ 50
④ 100 ⑤ 200

32 상중하 완전경쟁시장에서 이윤극대화를 추구하는 기업들의 장기비용함수는 $C = 0.5q^2 + 8$로 모두 동일하다. 시장수요함수가 $Q_D = 1{,}000 - 10P$일 때, 장기균형에서 시장 참여기업의 수는? (단, C는 개별기업 총비용, q는 개별기업 생산량, Q_D는 시장 수요량, P는 가격을 나타낸다)

[감정평가사 17]

① 150 ② 210 ③ 240
④ 270 ⑤ 300

정답 및 해설

30 ④ 1) 완전경쟁시장에서 장기한계비용함수는 장기평균비용함수의 최저점을 지나므로 $q = 20$일 때 평균비용인 30이 시장가격이 된다.
2) 이를 시장수요함수에 대입하면 $Q = 1{,}700 - 300$이므로 시장 수요량은 1,400이다.
3) 개별기업 생산량 × 기업 수 = 시장균형거래량이므로 20 × 기업수 = 1,400 ➜ 기업수 = 70이다.

31 ④ 1) 완전경쟁시장의 장기균형은 장기평균비용의 최저점과 가격이 동일하다.
2) 장기평균비용의 최저점을 구하면 $-6 + \frac{2}{3}q = 0$ ➜ $q = 9$이다.
3) 완전경쟁시장에 $P = MC$이므로 장기한계비용에 $q = 9$를 대입하면 $40 - 108 + 81 = 13$ ➜ $P = 13$이다.
4) 시장수요함수에 $P = 13$을 대입하면 시장수요량 $Q = 900$이다.
5) 기업수 × 개별기업의 생산량 = 시장수요량이므로 100개의 기업이 필요하다.

32 ③ 1) 장기평균비용의 최저점에서 완전경쟁시장의 장기균형이 이루어진다.
2) 평균비용은 $\frac{1}{2}q + \frac{8}{q}$이므로 미분하여 최저점을 찾으면 $\frac{1}{2} - \frac{8}{q^2} = 0$ ➜ $\frac{1}{2} = \frac{8}{q^2}$ ➜ $q = 4$이다.
3) 평균비용은 4이므로 장기완전경쟁시장의 가격은 4이다.
4) 가격이 4일 경우 $Q = 960$이므로 기업수 × 개별기업의 수량 = 시장거래량 ➜ 기업수 × $4 = 960$ ➜ 기업수 = 240이다.

STEP 3 실전문제

33 상중하 완전경쟁시장에 대한 다음 서술 중 괄호 안에 들어갈 말은? [회계사 14]

> 완전경쟁시장의 대표적인 특징은 첫째, 판매자와 구매자 모두 (가)이고, 둘째, 판매자와 구매자 모두 제품에 대해 (나) 정보를 가지고 있으며, 셋째, 이 시장에서는 기업의 (다)이 자유롭다는데 있다.

	(가)	(나)	(다)
①	가격 수용적	불완전한	가격 설정
②	가격 수용적	완전한	진입·퇴출
③	가격 수용적	비대칭적인	제품 차별
④	가격 설정적	불완전한	가격 설정
⑤	가격 설정적	완전한	진입·퇴출

34 상중하 완전경쟁시장에서 생산 활동을 하고 있는 기업이 있다. 이 기업은 정수 단위로 제품을 생산하며 비용이 다음 표와 같다. 이 기업의 조업(생산)중단가격은? [회계사 15]

생산량	0	1	2	3	4	5
총비용	100	110	130	160	200	250

① 10 ② 15 ③ 20
④ 25 ⑤ 30

35 상중하 다음 표는 완전경쟁시장에서 생산 활동을 하고 있는 어떤 기업의 비용을 나타낸 것이다. 이 표를 이용하여 평균비용곡선과 평균가변비용곡선을 그렸더니 그림과 같이 U자 형태로 나타났다. 이 기업의 조업중단가격을 B라고 할 때, 사각형 ABCD의 면적은 얼마인가?

[회계사 18]

생산량	총비용	가변비용
1	30	16
2	36	22
3	44	30
4	56	42
5	72	58
6	92	78
7	116	102

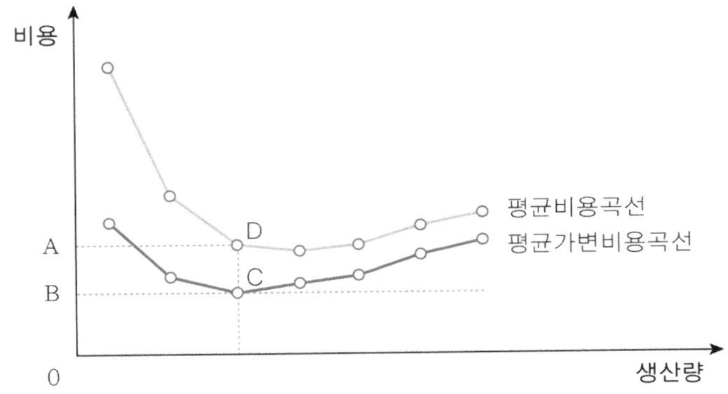

① 10
② 12
③ 14
④ 16
⑤ 30

정답 및 해설

33 ② 1) 완전경쟁시장은 가격수용자 – 완전정보 – 진입과 퇴출이 들어간다.
2) 독점시장은 가격설정자 – 불완전정보 – 가격차별을 통한 가격설정이다.

34 ① 1) 비용유추

생산량	0	1	2	3	4	5
총비용	100	110	130	160	200	250
총가변비용	0	10	30	60	100	150
평균가변비용	0	10	15	20	25	30

2) 가변비용이 지속적으로 증가하고 있으므로 평균가변비용이 최소인 생산량은 Q = 1이다. 따라서 조업중단점의 가격 AVC = 10이다.

35 ③ 1) 평균가변비용의 최저점은 생산량이 3개이고 ABCD의 면적은 총고정비용이다.

생산량	총비용	평균비용	가변비용	평균가변비용
1	30	30	16	16
2	36	18	22	11
3	44	약 14.6	30	10
4	56	14	42	10.5
5	72	14.4	58	11.6
6	92	약 15.3	78	13
7	116	약 16.5	102	약 14.5

2) 생산량과 관계없이 총고정비용은 동일하다.

36 상중하 평균비용곡선이 U자형인 어느 기업이 현재 100단위를 생산하고 있으며, 이때 한계비용은 50, 평균비용은 60이라고 한다. 다음 설명 중 옳은 것을 모두 고르면? [회계사 15]

가. 이 기업의 한계수입이 판매량에 관계없이 50이면, 이 기업은 100단위를 판매하여 양(+)의 이윤을 얻을 수 있다. 나. 이 기업이 생산량을 감소시키면, 평균비용은 증가한다. 다. 평균비용곡선의 최저점에서 생산량은 100보다 크다. 라. 생산량이 100일 때 평균가변비용이 50이라면 총고정비용은 1,000이다.

① 가, 나 ② 나, 라 ③ 가, 다, 라
④ 나, 다, 라 ⑤ 가, 나, 다, 라

37 상중하 X재 시장은 완전경쟁시장이고, 시장수요곡선은 $Q=1{,}000-P$이다. 모든 개별 기업의 장기평균비용곡선(AC)은 $AC=40-10q+q^2$이다. 기업들의 진입과 퇴출에 의해서도 개별 기업의 장기총비용곡선은 변하지 않는다. 다음 설명 중 옳지 않은 것은? (단, Q는 X재의 시장 수요량, P는 X재의 가격, q는 개별 기업의 X재 생산량이다) [회계사 17]

① 개별 기업의 X재 장기균형생산량은 5이다.
② X재의 가격이 18인 경우, 장기적으로 기업의 진입이 발생한다.
③ X재의 가격이 15인 경우, 장기적으로 개별 기업은 양(+)의 경제적 이윤을 얻는다.
④ X재의 가격이 12인 경우, 장기적으로 기업의 퇴출이 발생한다.
⑤ 장기균형에서는 총 197개의 기업이 생산 활동을 한다.

정답 및 해설

36 ④ 1) 그래프

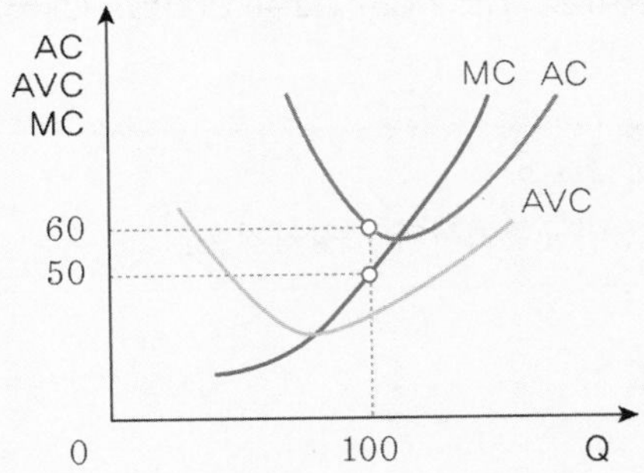

[오답체크]

가. 이 기업의 한계수입이 판매량에 관계없이 50이면, AVC < P < AC이므로 음의 이윤이다.

37 ③ 1) 완전경쟁시장의 장기균형은 평균비용의 최저점에서 생산하며 정상이윤이므로 $P=AC$가 성립한다.

2) 장기평균비용의 최저점은 $\frac{\Delta AC}{\Delta q}=-10+2q=0$ ➔ $q=5$이다.

3) 이를 AC에 대입하면 $40-50+25=15$ ➔ $P=AC=15$이다.

4) 시장의 총생산량은 $Q=1{,}000-15$ ➔ $Q=985$이다.

5) 총생산량 = 개별기업 생산량 × 기업수 ➔ $985=5\times$기업수 ➔ 기업수 = 197

6) 지문분석

③ X재의 가격이 15인 경우, 장기적으로 개별기업의 경제적 이윤은 0이다.

[오답체크]

② X재의 가격이 18인 경우, 장기균형가격보다 높으므로 장기적으로 기업의 진입이 발생한다.

④ X재의 가격이 12인 경우, 장기균형가격보다 낮으므로 장기적으로 기업의 퇴출이 발생한다.

시장이론 제5장 해커스 서호성 객관식 경제학

38 상중하

완전경쟁시장에서 기업들의 비용구조는 동일하며 이들은 정수 단위로 제품을 생산한다. 개별 기업의 장기총비용은 $C=10Q+Q^2$(C는 장기총비용, Q는 생산량)이다. 장기균형에서 생산이 이루어진다면, 개별기업의 생산량은? [회계사 15]

① 1 ② 2 ③ 3
④ 4 ⑤ 5

39 상중하

완전경쟁인 X재 시장에 참여하고 있는 모든 기업의 장기총비용함수는 $LTC=q^3-10q^2+35q$로 동일하다. X재의 시장수요가 $Q_D=400-10P+M$인 경우, 다음 (가), (나)에 대한 답으로 옳은 것은? (단, LTC는 개별기업의 장기총비용, q는 개별기업의 생산량, Q_D는 시장수요량, P는 가격, M은 상수이다) [회계사 22]

(가) $M=100$인 경우, 장기균형에서 기업의 수는?
(나) $M=200$으로 증가하는 경우, 새로운 장기균형에서의 시장가격은?

	(가)	(나)
①	80개	10
②	80개	20
③	60개	20
④	40개	15
⑤	40개	10

40 상중하 완전경쟁시장에서 한 기업의 단기비용함수는 $C=5q^2-2kq+k^2+16$이다. 장기에 자본량을 변경할 때에 조정비용은 없다. 이 기업의 장기비용함수는? (단, C는 비용, q는 생산량, k는 자본량이다) [회계사 16]

① $C=4q^2+4$
② $C=4q^2+8$
③ $C=4q^2+16$
④ $C=8q^2+8$
⑤ $C=8q^2+16$

정답 및 해설

38 ① 1) 그래프

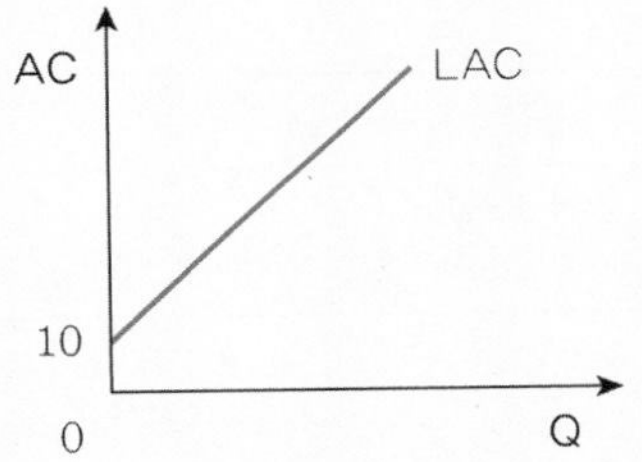

2) $LAC=10+Q$ ➜ 장기균형 시 LAC의 최솟값에서 생산하므로 $Q=0$이다.
3) 다만 문제에서 정수 단위로 생산하므로 $Q=1$이다.

39 ① 1) 완전경쟁시장에서 개별기업은 장기평균비용의 최저점에서 생산하므로 $LTC=q^3-10q^2+35q$이다.
➜ $ATC=q^2-10q+35$이다. 이를 미분하여 0으로 두면 $2q-10=0$
➜ $q=5$이고 $ATC=25-50+35=10$이다.
2) 장기평균비용 = 시장가격이므로 시장균형거래량은 $Q_D=400-100+M=300+M$이다.
3) 개별기업의 생산량 × 기업수 = 시장균형거래량이다.
4) (가) $M=100$인 경우 시장균형거래량은 400이므로 기업은 80개이다.
5) (나) $M=200$이더라도 시장가격은 장기평균비용의 최저점이므로 10이다.

40 ③ 1) 장기에는 자본량을 최적으로 조절할 수 있다. 즉, 자본량을 변경할 때 조정비용이 소요되지 않는다면 기업은 장기에 총비용이 최소가 되도록 k값을 조정할 것이다.
2) k의 최솟값을 구하기 위해 $\frac{dc}{dk}=0$으로 놓으면 ➜ $2k-2q=0$ ➜ $k=q$이다.
3) 이를 대입하면 $C=5q^2-2q^2+q^2+16=4q^2+16$이다.

Topic 10

독점시장

01 독점시장의 특징

특징	(1) 시장 지배력: 독점기업은 시장 지배력(market power)을 가지고, ㉮ ________ (price setter)로 행동하며, 가격차별(price discrimination)이 가능함 (2) ㉯ ________: 독점기업이 직면하는 수요곡선은 시장 전체의 수요곡선이며, 독점기업의 공급량은 그 상품에 대한 시장의 총공급량과 일치함 (3) 대체재의 부재: 아주 밀접한 대체재를 생산하는 경쟁상대기업으로부터 도전을 받지 않음
그래프 분석	(1) 독점기업의 균형: ㉰ ________ (2) 독점기업의 공급곡선이 따로 존재하지 않는 이유: 독점기업은 가격 결정자로서 자신이 원하는 바에 따라 공급량을 스스로 결정할 수 있기 때문 (3) 독점기업의 손실: $P < AC$인 경우 손실 발생 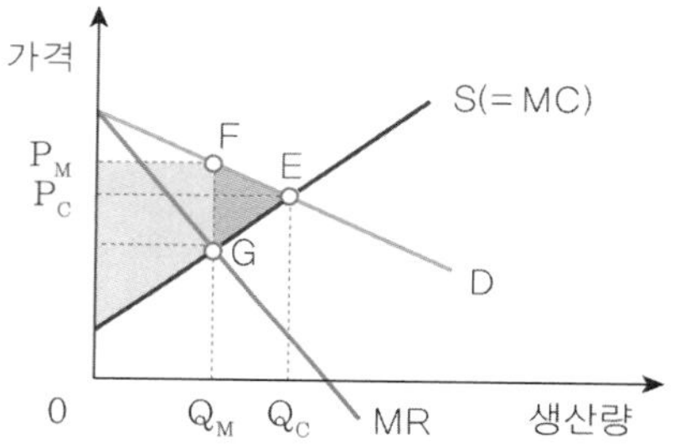
단기균형과 장기균형	(1) 단기균형: 초과이윤, 정상이윤, 손실 모두 경험 가능 (2) 장기균형: 초과이윤이 발생하며, 초과설비 보유

핵심키워드

㉮ 가격 결정자, ㉯ 우하향의 수요 곡선, ㉰ P > MR = MC

독점의 경제적 효과	(1) 긍정적 측면 ① 규모의 경제가 적용되는 경우 생산 비용이 감소할 수 있음 ② 기술 개발과 생산 방법 혁신을 위한 연구 개발 투자의 여력이 생겨 국제 경쟁력이 강화될 수 있음 (2) 부정적 측면 ① 사회적 후생손실 발생: 완전경쟁체제에 비해 생산량은 더 작고 가격은 높아 비효율적 자원 배분 ② 최적 규모로 생산 시설을 가동하지 않음으로 인해 자원의 최적 활용에 실패함
독점에 대한 규제	(1) 독점 규제 및 공정 거래에 관한 법률 (2) 가격 규제: 독점기업들에 대한 가격 결정 규제 ① ㉮ ________ 가격설정: 산출량은 효율적이나 기업은 손실을 입게 됨 ② ㉯ ________ 가격설정: 기업은 초과이윤이 없는 정상이윤 상태이나 산출량이 과소생산임 (3) 국유화: 철도, 전기, 가스 등 (4) 경쟁 촉진 정책: 공기업의 민영화 등

02 다공장 독점과 이부가격제

다공장 독점	(1) 개념 ① 여러 개의 공정(또는 공장)을 통해 생산물을 생산하는 독점기업을 다공장 독점기업이라 함 ② 독점기업은 공정별 한계비용곡선을 수평합하여 기업전체의 한계비용곡선을 도출한 후 이윤극대화 총생산량을 결정한다. (2) 다공장 독점기업 이윤극대화 균형조건 ㉰ ________
이부가격제	(1) 개념 소비자로 하여금 일정한 금액을 지불(= 가입비)하고 특정상품을 사용할 권리를 사게 한 다음, 그것을 사는 양에 비례해 추가적인 가격을 지불(= 사용료)하게 하는 방법이다. (2) 가입비와 사용료의 설정 ① 독점적 생산자가 소비자잉여의 크기를 예상해 이를 ㉱ ________ 로 받는다. ② 사용료는 ㉲ ________ 과 일치시킴으로써 이윤극대화를 시도한다.

핵심키워드
㉮ 한계비용, ㉯ 평균비용, ㉰ $MR = MC_1 = MC_2$, ㉱ 가입비, ㉲ 한계비용

03 가격차별

개념	가격지배력이 있는 기업이 이윤극대화를 위해 동일한 상품을 여러 가지 서로 다른 가격으로 판매하는 행위를 의미함
1급 가격차별	(1) 개념: 판매될 상품의 모든 단위에 대해 상이한 가격을 설정하여 소비자가 지불하고자 하는 최고가격을 받아내는 가격차별로 완전가격차별이라고 함 (2) 독점기업의 산출량은 완전경쟁시장과 동일하므로 ㉮ ________은 이루어지지만, 모든 잉여를 독점기업이 차지하게 되어 소득분배는 불공평해짐
2급 가격차별	(1) 개념: 상품을 ㉯ ________별로 분류하여 서로 다른 가격을 설정하는 가격차별 (2) 장애물을 두는 것도 2급 가격차별에 해당함
3급 가격차별	(1) 개념: 조조할인과 주말영화, 주중열차와 주말열차의 요금이 다른 것처럼 수요의 가격탄력성이 서로 다른 시장에서 이용하는 가격차별을 의미 (2) 조건 ① ㉰ ________재화이어야 하며, 다른 재화가 다른 가격을 가지는 것은 가격차별이 아님 ② 판매자가 시장 지배력을 지니고 있어야 함 ③ 서로 다른 고객 또는 시장이 쉽게 구분되어야 함 ④ 상이한 시장 사이에 상품의 재판매가 불가능해야 함 ⑤ 상이한 시장 사이에 수요의 가격탄력성이 달라야 함 (3) 이윤극대화 ① 일반적으로 탄력성이 큰 시장에 대해서는 ㉱ ________가격, 탄력성이 작은 시장에 대해서는 ㉲ ________가격 적용 ② ㉳ ________________
가격차별의 평가	(1) 장점 ① 가격차별에 따른 생산량 증가로 자원배분의 비효율이 상당부분 해소됨 ② 3급 가격차별의 경우 가격차별은 가격탄력성이 큰 소비자 그룹에 대해서는 낮은 가격을 책정하는 형태로 이루어지는데 빈곤하여 가격탄력성이 높게 된 것이라면 이들에게 상대적으로 유리하게 소득이 재분배되는 효과가 있음 (2) 단점 ① 소비자 차별대우에 따른 불쾌감 초래 ② 소비자 잉여를 독점기업이 수익으로 전환

핵심키워드

㉮ 효율성, ㉯ 수량, ㉰ 동일한, ㉱ 낮은, ㉲ 높은, ㉳ $MR_1 = MR_2 = MC$

STEP 1 기본문제

01 상중하

독점기업의 시장수요와 공급에 관한 설명으로 옳지 않은 것은? (단, 시장 수요곡선은 우하향한다) [노무사 21]

① 독점기업은 시장의 유일한 공급자이기 때문에 수요곡선은 우하향한다.
② 독점기업의 공급곡선은 존재하지 않는다.
③ 독점기업의 한계수입은 가격보다 항상 높다.
④ 한계수입과 한계비용이 일치하는 점에서 독점기업의 이윤이 극대화된다.
⑤ 독점기업의 한계수입곡선은 항상 수요곡선의 아래쪽에 위치한다.

02 상중하

독점기업의 행동에 대한 설명으로 옳지 않은 것은? [서울시 13]

① 독점기업은 수요가 비탄력적인 구간에서 생산한다.
② 독점기업은 한계수입과 한계비용이 일치하도록 생산한다.
③ 독점기업은 공급곡선을 갖지 않는다.
④ 독점기업에 대한 수요곡선은 우하향한다.
⑤ 독점기업은 완전경쟁에 비해 적은 양을 생산한다.

정답 및 해설

01 ③ 독점기업에서는 $P > MC = MR$이므로 독점기업의 한계수입은 가격보다 항상 낮다.

02 ① 독점기업은 한계수입을 아모로소-로빈슨 공식을 통해 구한다. $MR = P(1 - \frac{1}{\varepsilon})$이므로 수요가 비탄력적인 구간에서 한계수입이 (-)이다. 따라서 수요가 탄력적인 구간에서 생산한다.

03 상중하 어떤 독점기업은 1,000개의 재화를 개당 5만원에 판매하고 있다. 이 기업이 추가로 더 많은 재화를 시장에서 판매하게 된다면 이때의 한계수입(Marginal Revenue)은 5만원보다 작다. 그 이유로 가장 옳은 것은? [서울시 7급 18]

① 추가로 판매하게 되면 한계비용이 증가하기 때문이다.
② 추가로 판매하기 위해서는 가격을 내려야 하기 때문이다.
③ 추가로 판매하게 되면 평균비용이 증가하기 때문이다.
④ 추가로 판매하게 되면 한계비용이 감소하기 때문이다.

04 상중하 독점기업인 자동차 회사 A가 자동차 가격을 1% 올렸더니 수요량이 4% 감소하였다. 자동차의 가격이 2,000만원이라면 자동차 회사 A의 한계수입은? [국가직 7급 13]

① 1,000만원
② 1,500만원
③ 2,000만원
④ 2,500만원

05 상중하 독점기업 A의 수요곡선, 총비용곡선이 다음과 같을 때, 독점이윤극대화 시 사중손실(deadweight loss)은? (단, P는 가격, Q는 수량이다) [노무사 20]

- 수요곡선: $P = -Q + 20$
- 총비용곡선: $TC = 2Q + 10$

① $\frac{99}{2}$　② $\frac{94}{2}$　③ $\frac{88}{2}$
④ $\frac{81}{2}$　⑤ $\frac{77}{2}$

정답 및 해설

03 ② 독점기업은 직면하는 수요곡선이 우하향하므로 판매량을 증대시키려면 반드시 가격을 낮추어야 한다. 그러므로 재화 한 단위를 더 판매할 때 얻는 수입인 한계수입은 가격보다 낮을 수밖에 없다.

04 ② 가격을 1% 인상할 때 수요량이 4% 감소한다면 수요의 가격탄력성은 4이다. 수요의 가격탄력성이 4이고, 가격이 2,000만원이므로 아모르소-로빈슨 공식을 이용하면 한계수입은 다음과 같이 계산된다.

$MR = P(1-\frac{1}{\varepsilon}) = 2,000(1-\frac{1}{4}) = 1,500$만원

05 ④ 1) $TR = -Q^2 + 20Q$ ➔ $MR = -2Q + 20$

2) $MC = 2$

3) 그래프

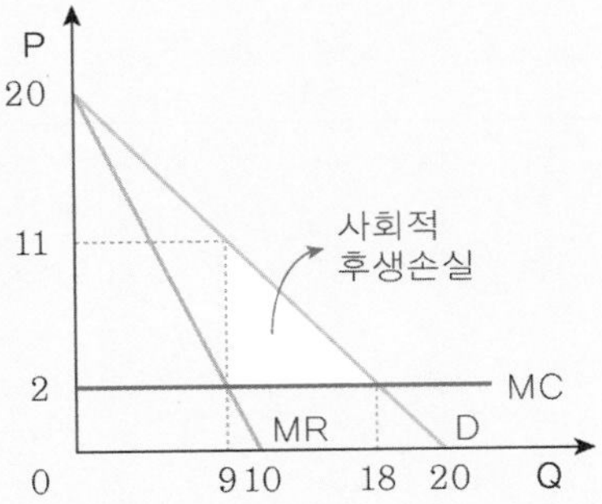

㉠ 독점 시 이윤극대화 $MR = MC$ ➔ $-2Q + 20 = 2$ ➔ $Q = 9$, $P = 11$

㉡ 완전경쟁 시 $P = 2$, $Q = 18$

4) 사회적 후생손실 $= 9 \times 9 \times \frac{1}{2} = \frac{81}{2}$

06 상중하 X재를 공급하는 독점기업 A는 시장 1과 시장 2가 각기 다른 형태의 수요곡선을 갖고 있음을 알고 있다. 기업 A가 당면하는 시장 1과 시장 2에서의 역수요함수는 다음과 같다.

- 시장 1: $P_1 = 12 - 2Q_1$
- 시장 2: $P_2 = 8 - 2Q_2$

상품의 한계비용이 2일 때, 이윤을 극대화하는 독점기업 A에 대한 설명으로 옳은 것은? (단, P_i는 시장 i에서 X재의 가격, Q_i는 시장 i에서 X재의 수요량이다) [지방직 21]

① 시장 2에서의 판매량이 시장 1에서의 판매량보다 크다.
② 시장 2에서의 한계수입이 시장 1에서의 한계수입보다 크다.
③ 시장 1에서의 판매가격을 시장 2에서의 판매가격보다 높게 책정한다.
④ 두 시장에서 수요의 가격탄력성이 동일하므로 각 시장에서 같은 가격을 책정한다.

07 상중하 독점기업 A는 동일한 상품을 생산하는 두 개의 공장을 가지고 있다. 두 공장의 비용함수와 A기업이 직면한 시장수요곡선이 다음과 같을 때, A기업의 이윤을 극대화하는 각 공장의 생산량을 옳게 짝지은 것은? (단, P는 가격, Q는 총생산량, Q_1은 공장 1의 생산량, Q_2는 공장 2의 생산량이다) [국가직 7급 20]

- 공장 1의 비용함수: $C_1(Q_1) = 40 + Q_1^2$
- 공장 2의 비용함수: $C_2(Q_2) = 90 + 6Q_2$
- 시장수요곡선: $P = 200 - Q$

	Q_1	Q_2
①	3	94
②	4	96
③	5	98
④	6	100

08 상중하 독점기업 A는 두 개의 공장을 가지고 있으며, 제1공장과 제2공장의 한계비용곡선(MC)은 각각 $MC_1 = 50 + 2Q_1$, $MC_2 = 90 + Q_2$이다. A기업의 이윤을 극대화하는 생산량이 총 80단위일 때, 제1공장과 제2공장의 생산량은? (단, Q_1은 제1공장의 생산량, Q_2는 제2공장의 생산량이다)

[지방직 7급 11]

① (20, 60) ② (30, 50)
③ (40, 40) ④ (50, 30)

시장이론

제5장

해커스 서호성 객관식 경제학

정답 및 해설

06 ③ 1) 가격차별의 조건은 $MR_1 = MR_2 = MC$이다.
2) 시장 1에서 $MR_1 = MC$이므로 $12 - 4Q_1 = 2$ ➜ $Q_1 = 2.5$이고 이를 수요곡선에 대입하면 $P_1 = 7$이다.
3) 시장 2에서 $MR_2 = MC$이므로 $8 - 4Q_2 = 2$ ➜ $Q_2 = 1.5$이고 이를 수요곡선에 대입하면 $P_2 = 5$이다.
4) 지문분석
③ 시장 1에서의 판매가격은 7이고 시장 2에서의 판매가격은 5이므로 시장 1의 가격이 더 높다.

[오답체크]
① 시장 2에서의 판매량이 시장 1에서의 판매량보다 작다.
② 시장 2에서의 한계수입은 시장 1에서의 한계수입과 같다.
④ 두 시장의 가격은 다르다.

07 ① 1) 다공장 독점의 균형조건은 $MR = MC_1$, $MR = MC_2$가 성립해야 한다.
2) 위의 식에서 $MR = 200 - 2Q$이며 $Q = Q_1 + Q_2$
3) 공장 1에서는 $200 - 2(Q_1 + Q_2) = 2Q_1$ ➜ $4Q_1 + 2Q_2 = 200$
4) 공장 2에서는 $200 - 2(Q_1 + Q_2) = 6$ ➜ $2Q_1 + 2Q_2 = 194$가 각각 성립한다.
5) 이를 연립하여 풀면 $2Q_1 = 6$ ➜ $Q_1 = 3$, $Q_2 = 94$가 도출된다.

08 ③ 1) 다공장 독점의 균형조건은 $MR = MC_1$, $MR = MC_2$이므로 $50 + 2Q_1 = 90 + Q_2$가 성립해야 한다.
2) 기업 전체의 생산량이 총 80단위이므로 $Q_1 + Q_2 = 80$이다. 두 식을 연립해서 풀면 $Q_1 = 40$, $Q_2 = 40$이 된다.

09 상중하 독점기업의 가격차별에 관한 설명으로 옳지 않은 것은? [노무사 20]

① 가격차별을 하는 경우의 생산량은 순수독점의 경우보다 더 작아진다.
② 가격차별을 하는 독점기업은 가격탄력성이 더 작은 시장에서의 가격을 상대적으로 더 높게 책정한다.
③ 가격차별은 소득재분배효과를 가져올 수 있다.
④ 소비자의 재판매가 가능하다면 가격차별이 유지되기 어렵다.
⑤ 완전가격차별의 사회적 후생은 순수독점의 경우보다 크다.

10 상중하 독점기업의 가격전략에 관한 설명으로 옳지 않은 것은? [노무사 18]

① 독점기업이 시장에서 한계수입보다 높은 수준으로 가격을 책정하는 것은 가격차별전략이다.
② 1급 가격차별의 경우 생산량은 완전경쟁시장과 같다.
③ 2급 가격차별은 소비자들의 구매수량과 같이 구매 특성에 따라서 다른 가격을 책정하는 경우 발생한다.
④ 3급 가격차별의 경우 재판매가 불가능해야 가격차별이 성립한다.
⑤ 영화관 조조할인은 3급 가격차별의 사례이다.

11 상중하

재화를 공급하는 독점기업이 이윤극대화를 위해 실시하는 가격차별에 대한 설명으로 옳지 않은 것은? [국가직 7급 12]

① X재화에 대한 수요의 가격탄력성 차이가 집단구분의 기준이 될 수 있다.

② 두 시장을 각각 A와 B, X재화 판매의 한계수입을 MR, X재화 생산의 한계비용을 MC라고 할 때, 독점기업은 $MR_A = MR_B = MC$원리에 기초하여 행동한다.

③ A시장보다 B시장에서 X재화에 대한 수요가 가격에 더 탄력적이라면 독점기업은 A시장보다 B시장에서 더 높은 가격을 설정한다.

④ 독점기업이 제1차 가격차별(first-degree price discrimination)을 하는 경우 사회적으로 바람직한 양이 산출된다.

정답 및 해설

09 ① 가격차별을 하는 경우의 생산량은 순수독점의 경우보다 더 많아져 효율성을 개선한다.

10 ① 가격차별(Price discrimination)이란 소비자를 몇 개의 그룹으로 구분하여 동일한 재화를 각 그룹별로 서로 다른 가격에 판매하는 것을 말한다. 독점기업이 시장에서 한계수입보다 높은 수준으로 가격을 책정하는 것은 가격 차별전략이 아니라 이윤극대화를 추구한 결과이다.

11 ③ 3급 가격차별 시 수요의 가격탄력성이 큰 시장에서는 낮은 가격을, 수요의 가격탄력성이 작은 시장에서는 높은 가격을 책정한다.

12 상중하

A사는 자동차 부품을 독점적으로 생산하여 대구와 광주에만 공급하고 있다. A사의 비용함수와 A사 부품에 대한 대구와 광주의 수요함수가 다음과 같을 때, A사가 대구와 광주에서 각각 결정할 최적 가격과 공급량은? (단, C는 비용, Q는 생산량, P는 가격이다) [지방직 7급 13]

- A사의 비용함수: C = 15Q + 20
- 대구의 수요함수: $Q_{대구} = -P_{대구} + 55$
- 광주의 수요함수: $Q_{광주} = -2P_{광주} + 70$

① $(P_{대구}, Q_{대구}, P_{광주}, Q_{광주}) = (35, 20, 25, 20)$
② $(P_{대구}, Q_{대구}, P_{광주}, Q_{광주}) = (30, 20, 40, 20)$
③ $(P_{대구}, Q_{대구}, P_{광주}, Q_{광주}) = (30, 40, 30, 40)$
④ $(P_{대구}, Q_{대구}, P_{광주}, Q_{광주}) = (15, 40, 25, 40)$

13 상중하

어떤 독점기업이 시장을 A와 B로 나누어 이윤극대화를 위한 가격차별정책을 시행하고자 한다. A시장의 수요함수는 $Q_A = -2P_A + 60$이고 B시장의 수요함수는 $Q_B = -4P_B + 80$이라고 한다(Q_A, Q_B는 각 시장에서 상품의 총수요량, P_A, P_B는 상품의 가격이다). 이 기업의 한계비용이 생산량과 관계없이 2원으로 고정되어 있을 때, A시장과 B시장에 적용될 상품가격은?

[서울시 7급 19]

	A시장	B시장
①	14	10
②	16	11
③	14	11
④	16	10

14 어떤 독점기업이 동일한 상품을 수요의 가격탄력성이 다른 두 시장에서 판매한다. 가격차별을 통해 이윤을 극대화하려는 이 기업이 상품의 가격을 A시장에서 1,500원으로 책정한다면 B시장에서 책정해야 하는 가격은? (단, A시장에서 수요의 가격탄력성은 3이고, B시장에서는 2이다)
상중하

[서울시 7급 18]

① 1,000원
② 1,500원
③ 2,000원
④ 2,500원

정답 및 해설

12 ① 1) A사의 비용함수를 Q에 대해 미분하면 한계비용 $MC=15$임을 알 수 있다. 즉, 한계비용곡선은 수평선의 형태이다.

2) 대구의 수요함수가 $P=55-Q$이므로 한계수입 $MR=55-2Q$이고, 광주의 수요함수가 $P=35-\frac{1}{2}Q$이므로 한계수입 $MR=35-Q$이다.

3) 대구에서의 판매량을 구하기 위해 $MR=MC$로 두면 $55-2Q=15$, $Q=20$이다. $Q=20$을 대구의 수요함수에 대입하면 $P=35$로 계산된다.

4) 광주에서의 판매량을 구하기 위해 $MR=MC$로 두면 $35-Q=15$, $Q=20$이다. $Q=20$을 광주의 수요함수에 대입하면 $P=25$로 계산된다.

13 ② 1) 시장 A의 수요함수가 $P_A=30-\frac{1}{2}Q_A$이므로 한계수입 $MR_A=30-Q_A$이다.

2) $MR_A=MC$로 두면 $30-Q_A=2$, $Q_A=28$이고, 이를 시장 A의 수요함수에 대입하면 $P_A=16$이다.

3) 시장 B의 수요함수가 $P_B=20-\frac{1}{4}Q_B$이므로 한계수입 $MR_B=20-\frac{1}{2}Q_B$이다.

4) $MR_B=MC$로 두면 $20-\frac{1}{2}Q_B=2$, $Q_B=36$이고, 이를 시장 B의 수요함수에 대입하면 $P_B=11$로 계산된다.

14 ③ 1) 동일상품을 다른 시장에서 판매하는 것은 가격차별이다. 가격차별 독점기업의 균형에서는 각 시장에서의 한계수입이 같아져야 하므로 $MR_A=MR_B$가 성립한다.

2) 한계수입 $MR=P(1-\frac{1}{\varepsilon})$로 나타낼 수 있으므로 가격차별 독점기업의 균형에서는 $P_A(1-\frac{1}{\varepsilon_A})=P_B(1-\frac{1}{\varepsilon_B})$이 성립한다.

3) 주어진 수치를 대입하면 $1{,}500(1-\frac{1}{3})=P_B(1-\frac{1}{2})$, $1{,}000=\frac{1}{2}P_B$이므로 $P_B=2{,}000$이다.

15 상중하

통신시장에 하나의 기업만 존재하는 완전독점시장을 가정하자. 이 독점기업의 총비용(TC) 함수는 $TC = 20 + 2Q$이고 시장의 수요는 $P = 10 - 0.5Q$이다. 만약, 이 기업이 이부가격(two-part tariff) 설정을 통해 이윤을 극대화하고자 한다면, 고정요금(가입비)은 얼마로 설정해야 하는가? [서울시 7급 15]

① 16 ② 32
③ 64 ④ 128

16 상중하

다음 상황에서 기업 A가 선택하는 기본요금과 단위당 사용료를 바르게 연결한 것은? [국가직 21]

> 독점기업 A의 비용함수는 $C(Q) = 20Q$이고 개별 소비자의 수요함수는 모두 동일하게 $Q = 100 - P$(Q는 수량, P는 가격)이다. 이 기업은 이부가격제(two-part tariff)를 이용해 이윤을 극대화하려고 한다.

	기본요금	단위당 사용료
①	2,250	60
②	2,800	60
③	3,000	20
④	3,200	20

정답 및 해설

15 ③ 1) 이부가격제는 소비자잉여에 해당하는 만큼을 고정요금으로 설정하면 된다.

2) 총비용함수를 Q에 대해 미분하면 한계비용 $MC = 2$이므로 사용요금 $P = 2$가 된다. $P = 2$를 수요함수에 대입하면 소비자의 구입량 $Q = 16$으로 계산된다.

3) 이 때 고정요금으로 받을 수 있는 최대금액은 소비자잉여에 해당하는 $64(= \frac{1}{2} \times 16 \times 8)$이다.

4) 그래프

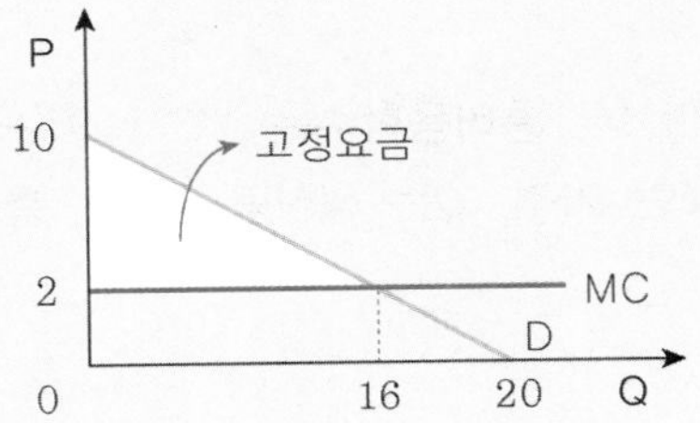

16 ④ 1) 그래프

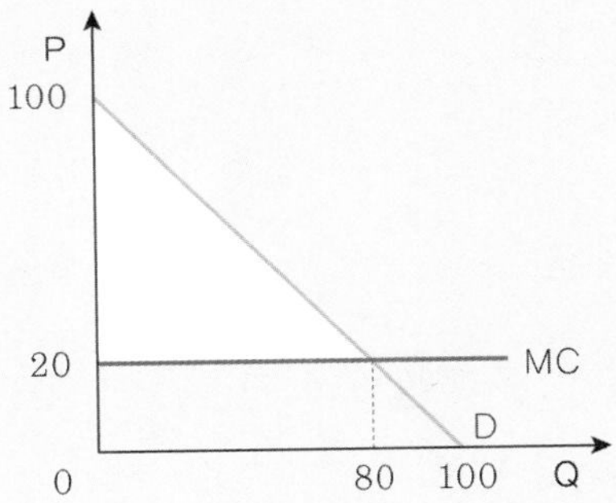

2) 단위당 사용료는 한계비용이므로 $MC = 20$이다.

3) 기본요금은 소비자잉여에 해당하는 부분이다.

4) 따라서 $80 \times 80 \times \frac{1}{2} = 3,200$이다.

STEP 2 심화문제

17 상중하 독점기업의 이윤극대화에 관한 설명으로 옳지 않은 것은? (단, 수요곡선은 우하향하고 생산량은 양(+)이며 가격차별은 없다) [감정평가사 17]

① 이윤극대화 가격은 한계비용보다 높다.
② 양(+)의 경제적 이윤을 획득할 수 없는 경우도 있다.
③ 현재 생산량에서 한계수입이 한계비용보다 높은 상태라면 이윤극대화를 위하여 가격을 인상하여야 한다.
④ 이윤극대화 가격은 독점 균형거래량에서의 평균수입과 같다.
⑤ 이윤극대화는 한계비용과 한계수입이 일치하는 생산수준에서 이루어진다.

18 상중하 독점기업 A가 직면한 수요함수는 $Q=-0.5P+15$, 총비용함수는 $TC=Q^2+6Q+3$이다. 이윤을 극대화할 때, 생산량과 이윤은? (단, P는 가격, Q는 생산량, TC는 총비용이다) [감정평가사 18]

① 생산량 = 3, 이윤 = 45
② 생산량 = 3, 이윤 = 48
③ 생산량 = 4, 이윤 = 45
④ 생산량 = 4, 이윤 = 48
⑤ 생산량 = 7, 이윤 = 21

19 상중하 그림과 같이 완전경쟁시장이 독점시장으로 전환되었다. 소비자로부터 독점기업에게 이전되는 소비자잉여는? (단, MR은 한계수입, MC는 한계비용, D는 시장수요곡선으로 불변, 독점기업은 이윤극대화를 추구한다) [감정평가사 20]

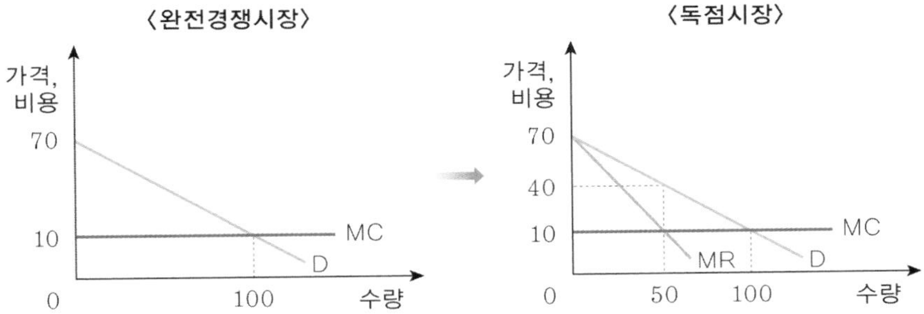

① 0
② 750
③ 1,500
④ 2,250
⑤ 3,000

정답 및 해설

17 ③ 현재 생산량에서 한계수입이 한계비용보다 높은 상태라면 이윤극대화를 위하여 가격을 인하하여야 한다.

18 ③ 1) 독점시장의 이윤극대화 생산량은 $MR = MC$이다.
2) 수요함수를 변형하면 $P = -2Q + 30$ ➜ $MR = -4Q + 30$이다.
3) 총비용함수를 미분하면 $MC = 2Q + 6$이다.
4) $-4Q + 30 = 2Q + 6$ ➜ $6Q = 24$ ➜ $Q = 4$이다.
5) 이윤 = 총수입 − 총비용이므로 $-2Q^2 + 30Q - Q^2 - 6Q - 3 = -3Q^2 + 24Q - 3 = -3 \times 16 + 24 \times 4 - 3 = 45$이다.

19 ③ 1) 완전경쟁시장일 경우 소비자잉여는 $\frac{1}{2} \times 100 \times 60 = 3,000$이다.
2) 독점시장으로 바뀌는 경우 후생손실분을 제외한 독점기업이 가져가는 잉여는 $50 \times 30 = 1,500$이다.

20 상중하

독점시장에서 기업 A의 수요함수는 $P = 500 - 2Q$이고, 한계비용은 생산량에 관계없이 100으로 일정하다. 기업 A는 기술진보로 인해 한계비용이 하락하여 이윤극대화 생산량이 20단위 증가하였다. 기술진보 이후에도 한계비용은 생산량에 관계없이 일정하다. 한계비용은 얼마나 하락하였는가? (단, P는 가격, Q는 생산량이다) [감정평가사 19]

① 20 ② 40 ③ 50
④ 60 ⑤ 80

21 상중하

어느 독점기업의 수요함수가 $P(Q) = 25 - \frac{1}{2}Q$이며, 총비용함수는 $TC(Q) = 5Q$이다. 이 독점기업의 이윤을 극대화하는 가격(P)과 마크업(mark-up)은 각각 얼마인가? (단, Q는 생산량, TC는 총비용을 나타내며 '마크업 = 가격/한계비용'으로 정의된다) [국회직 15]

① (15, 3) ② (20, 3) ③ (15, 2)
④ (20, 2) ⑤ (10, 2)

22 상중하

두 공장 1, 2를 운영하고 있는 기업 A의 비용함수는 각각 $C_1(q_1) = {q_1}^2$, $C_2(q_2) = 2q_2$이다. 총비용을 최소화하여 5단위를 생산하는 경우, 공장 1, 2에서의 생산량은? (단, q_1은 공장 1의 생산량, q_2는 공장 2의 생산량이다) [감정평가사 19]

① $q_1 = 5$, $q_2 = 0$

② $q_1 = 4$, $q_2 = 1$

③ $q_1 = 3$, $q_2 = 2$

④ $q_1 = 2$, $q_2 = 3$

⑤ $q_1 = 1$, $q_2 = 4$

정답 및 해설

20 ⑤ 1) 최초의 이윤극대화 생산량을 구하면 $MR = 500 - 4Q$, $MC = 100$이다. 따라서 $Q = 100$이다.
2) 이윤극대화 생산량이 20단위 증가하였으므로 $Q = 120$이다. 이를 최초의 MR에 대입하면 $MR = 20$이다.
3) '$20 = MC -$ 기술진보로 인한 한계비용 하락분'이므로 한계비용 하락분은 80이다.

21 ① 1) 독점기업의 수요함수가 $P(Q) = 25 - \frac{1}{2}Q$이므로 한계수입은 $MR = 25 - Q$이다.
2) 총비용함수가 $TC(Q) = 5Q$이므로 한계비용은 $MC = 5$이다. 독점기업의 이윤을 극대화하는 생산량은 $25 - Q = 5$를 만족하는 $Q = 20$개이므로 가격은 $P = 15$원이다.
3) $P = 15$, $MC = 5$를 마크업 = 가격/한계비용에 대입하면 마크업은 3이다.

22 ⑤ 1) 두 공장의 총생산량은 5개이므로 $q_1 + q_2 = 5$이다.
2) 다공장 독점의 균형조건은 $MC_1 = MC_2$이므로 $2q_1 = 2$ ➔ $q_1 = 1$이다.
3) 따라서 $q_2 = 4$이다.

23 상중하 어떤 제약회사의 신약은 특허 기간 중에는 독점적으로 공급되지만, 특허 소멸 후 다른 제약회사들의 복제약과 함께 경쟁적으로 공급된다. 이 약의 시장수요는 $P=20-Q$로 주어지고, 총생산비용은 $TC(Q)=4Q$라고 한다. 이 약의 특허 기간 중 생산량과 특허 소멸 후 생산량은 각각 얼마인가? [국회직 8급 17]

	특허 기간 중 생산량	특허 소멸 후 생산량
①	6	10
②	6	12
③	8	14
④	8	16
⑤	10	18

24 상중하 독점기업 A의 한계비용은 10이고 고정비용은 없다. A기업 제품에 대한 소비자의 역수요함수는 $P=90-2Q$이다. A기업은 내부적으로 아래와 같이 2차에 걸친 판매 전략을 채택하였다.

- 1차: 모든 소비자를 대상으로 이윤을 극대화하는 가격을 설정하여 판매
- 2차: 1차에서 제품을 구매하지 않은 소비자를 대상으로 이윤을 극대화하는 가격을 설정하여 판매

A기업이 설정한 (ㄱ) 1차 판매 가격과 (ㄴ) 2차 판매 가격은? (단, 소비자는 제품을 한 번만 구매하고, 소비자 간 재판매할 수 없다) [감정평가사 20]

① ㄱ: 30, ㄴ: 20
② ㄱ: 40, ㄴ: 20
③ ㄱ: 40, ㄴ: 30
④ ㄱ: 50, ㄴ: 30
⑤ ㄱ: 60, ㄴ: 30

25 상중하 의류 판매업자인 A씨는 아래와 같은 최대지불용의금액을 갖고 있는 두 명의 고객에게 수영복, 수영모자, 샌들을 판매한다. 판매전략으로 묶어팔기(Bundling)를 하는 경우, 수영복과 묶어 팔 때가 따로 팔 때보다 이득이 더 생기는 품목과 해당상품을 수영복과 묶어 팔 때 얻을 수 있는 최대 수입은? [국회직 8급 17]

구분	최대지불용의금액		
	수영복	수영모자	샌들
고객 ㉠	400	250	150
고객 ㉡	600	300	100

① 수영모자, 1,300 ② 수영모자, 1,400 ③ 샌들, 1,000
④ 샌들, 1,100 ⑤ 샌들, 1,200

정답 및 해설

23 ④ 1) 시장수요곡선은 $P=20-Q$, 한계비용곡선은 총비용을 미분한 $MC=4$이다.
2) 특허기간은 독점을 의미한다. 이때 이윤극대화 조건은 $MR=MC$에서 시장수요곡선이 $P=20-Q$이므로 $MR=20-2Q$이다. 따라서, $MR=MC$ ➜ $20-2Q=4$ ➜ $Q=8$
3) 특허가 소멸되면 완전경쟁시장이 되므로 $P=MC$ ➜ $20-Q=4$ ➜ $Q=16$이다.

24 ④ 1) 모든 소비자를 대상으로 판매할 때는 단순히 독점시장의 이윤극대화 공식을 이용한다.
2) $MR=90-4Q$, $MC=10$이므로 $90-4Q=10$ ➜ $Q=20$이다. 이를 수요곡선에 대입하면 50이다.
3) 2차 판매 시 최초의 수요곡선에서 $Q=20$이 판매되었으므로 이를 뺀 시장수요곡선을 구하면 $Q=-\frac{1}{2}P+45-20$ ➜ $Q=-\frac{1}{2}P+25$ ➜ $P=50-2Q$이다.
4) 위의 수요함수의 $MR=50-4Q$, $MC=10$이므로 $50-4Q=10$ ➜ $Q=10$이다. 이를 2차 판매 시 수요곡선에 대입하면 30이 된다.

25 ④ 1) 묶어팔기로 수입이 증가하기 위해서는 두 품목의 가격이 고객에 대해 역의 관계가 있어야하므로 수영복과 샌들이 된다.
2) 이 때 최대수입은 고객 ㉠ $=400+150=550$이므로 고객 ㉡도 550을 받을 수 있다. 따라서 최대 수입은 1,100이다.

26 상중하 독점시장에 존재하는 어떤 회사의 한계비용은 500이며, 이 시장의 소비자는 모두 $P = 1{,}000 - Q_d$라는 수요함수를 갖고 있다. 이 회사가 두 단계 가격(two-part tariff)을 설정하여 이윤을 극대화하기 위한 고정요금(가입비)은 얼마인가? (단, P는 가격, Q_d는 수요량을 나타낸다)

[국회직 8급 13]

① 500,000　② 250,000　③ 125,000
④ 100,000　⑤ 50,000

27 상중하 독점기업의 가격차별 전략 중 이부가격제(two-part pricing)에 관한 설명으로 옳은 것을 모두 고른 것은?

[감정평가사 21]

ㄱ. 서비스 요금 설정에서 기본요금(가입비)과 초과사용량 요금(사용료)을 분리하여 부과하는 경우가 해당된다.
ㄴ. 적은 수량을 소비하는 소비자의 평균지불가격이 낮아진다.
ㄷ. 소비자잉여는 독점기업이 부과할 수 있는 가입비의 한도액이다.
ㄹ. 자연독점하의 기업이 평균비용 가격설정으로 인한 손실을 보전하기 위해 선택한다.

① ㄱ, ㄴ　② ㄱ, ㄷ　③ ㄴ, ㄷ
④ ㄱ, ㄴ, ㄷ　⑤ ㄴ, ㄷ, ㄹ

28 甲국 정부는 독점기업 A로 하여금 이윤극대화보다는 완전경쟁시장에서와 같이 사회적으로 효율적인 수준에서 생산하도록 규제하려고 한다. 사회적으로 효율적인 생산량이 달성되는 조건은? (단, 수요곡선은 우하향, 기업의 한계비용곡선은 우상향한다) [감정평가사 18]

상중하

① 평균수입 = 한계비용
② 평균수입 = 한계수입
③ 평균수입 = 평균생산
④ 한계수입 = 한계비용
⑤ 한계수입 = 평균생산

정답 및 해설

26 ③ 1) 수요가 동일한 경우 이부요금제에서 최적 단위당 가격은 한계비용, 최적 가입비는 소비자잉여이다.
2) 따라서 최적 가입비는 $(1{,}000-500)\cdot 500/2 = 125{,}000$이다.

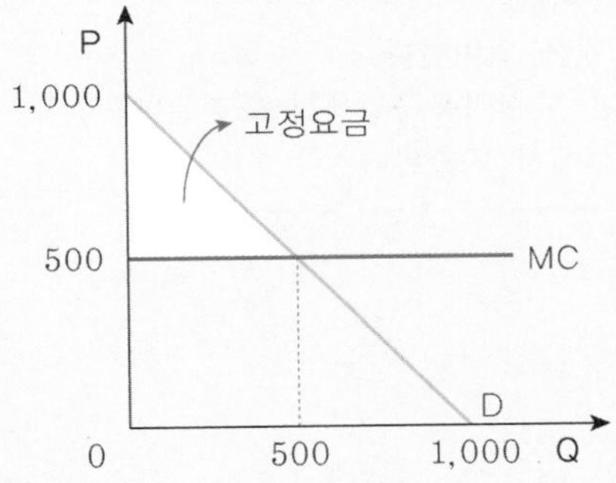

27 ② **[오답체크]**
ㄴ. 적은 수량을 소비하는 소비자의 평균지불가격이 높아진다.
ㄹ. 평균비용 가격설정은 손실이 발생하지 않는다. 이부가격제는 자연독점하의 기업이 한계비용 가격설정으로 인한 손실을 보전하기 위해 선택한다.

28 ① 1) 완전경쟁시장에서는 $P=MC$가 성립한다. 또한 가격이 일정하게 유지되는 가격수용자이므로 $P=MR=AR$이 성립한다.
2) 따라서 평균수입 = 한계비용이 완전경쟁시장의 조건이 된다.

29 상중하

이윤극대화를 추구하는 독점기업과 완전경쟁기업의 차이점에 관한 설명으로 옳지 않은 것은? [감정평가사 16]

① 독점기업의 한계수입은 가격보다 낮은 반면, 완전경쟁기업의 한계수입은 시장가격과 같다.
② 독점기업의 한계수입곡선은 우상향하는 반면, 완전경쟁기업의 한계수입곡선은 우하향한다.
③ 독점기업이 직면하는 수요곡선은 우하향하는 반면, 완전경쟁기업이 직면하는 수요곡선은 수평이다.
④ 단기균형에서 독점기업은 가격이 한계비용보다 높은 점에서 생산하는 반면, 완전경쟁기업은 시장가격과 한계비용이 같은 점에서 생산한다.
⑤ 장기균형에서 독점기업은 경제적 이윤을 얻을 수 있는 반면, 완전경쟁기업은 경제적 이윤을 얻을 수 없다.

30 상중하

다음 중 옳은 것을 모두 고른 것은? [감정평가사 17]

ㄱ. 기펜재의 경우 수요법칙이 성립하지 않는다.
ㄴ. 초과이윤이 0이면 정상이윤도 0이라는 것을 의미한다.
ㄷ. 완전경쟁시장에서 기업의 단기공급곡선은 한계비용곡선에서 도출된다.
ㄹ. 독점기업의 단기공급곡선은 평균비용곡선에서 도출된다.

① ㄱ, ㄴ　② ㄱ, ㄷ　③ ㄱ, ㄹ
④ ㄴ, ㄷ　⑤ ㄴ, ㄹ

31 완전경쟁기업과 독점기업에 대한 설명으로 옳은 것을 〈보기〉에서 모두 고르면? (단, 기업의 한계비용곡선은 우상향한다고 가정한다)

상중하 [국회직 8급 15]

〈보기〉

ㄱ. 완전경쟁기업은 한계수입이 평균총비용보다 작은 경우 손실을 보게 된다.
ㄴ. 한계비용과 평균수입이 일치하는 생산량을 생산할 때 완전경쟁기업의 이윤은 극대화된다.
ㄷ. 한계비용과 한계수입이 일치하는 생산량을 생산할 때 독점기업의 이윤은 극대화된다.
ㄹ. 독점기업이 정상적인 이윤만을 얻도록 하기 위해서는 정부가 독점가격을 한계비용과 같도록 규제해야 한다.

① ㄴ ② ㄱ, ㄴ ③ ㄷ, ㄹ
④ ㄱ, ㄴ, ㄷ ⑤ ㄱ, ㄴ, ㄷ, ㄹ

정답 및 해설

29 ② 독점기업의 한계수입곡선은 우하향하는 반면, 완전경쟁기업의 한계수입곡선은 수평이다.

30 ② **[오답체크]**
ㄴ. 정상이윤은 비용에 포함되어 있다. 따라서 초과이윤이 0이면 정상이윤만 존재한다는 것을 의미한다.
ㄹ. 독점기업의 단기공급곡선은 존재하지 않는다.

31 ④ ㄱ. 완전경쟁시장에서는 $P = MR = AR$이다. 완전경쟁시장에서 한계수입이 평균총비용보다 작다는 것은 평균수입이 평균비용보다 작다는 것을 의미하므로 손실을 보게 된다.
ㄴ. 한계비용과 평균수입이 일치한다는 것은 한계비용과 한계수입이 일치한다는 것을 의미하므로 완전경쟁기업의 이윤은 극대화된다.
ㄷ. 모든 시장에서 개별 기업이 이윤을 극대화하기 위해서는 한계비용과 한계수입이 일치하는 생산량을 생산하여야 한다.

[오답체크]
ㄹ. 자연독점기업에게 한계비용가격설정을 하면 완전경쟁시장의 균형을 달성하지만 기업의 손실이 발생한다.

32 상중하 시장형태에 따른 특징을 설명한 것으로 옳은 것만을 〈보기〉에서 모두 고르면?

[국회직 8급 19]

〈보기〉

ㄱ. 완전경쟁시장에서 각 개별 공급자가 직면하는 수요곡선은 서로 다르다.
ㄴ. 완전경쟁시장에서 새로운 기업이 진입할 경우 생산요소의 비용이 상승하면 장기시장공급곡선은 우상향으로 나타난다.
ㄷ. 시장수요곡선이 우하향의 직선인 경우 독점기업은 수요의 가격탄력성이 비탄력적인 구간에서 생산한다.
ㄹ. 독점적 경쟁기업이 직면하는 수요곡선이 탄력적일수록 이윤이 커질 가능성이 높다. 따라서 독점적 경쟁기업은 비가격전략을 사용하여 제품을 차별화한다.
ㅁ. 자연독점의 경우 큰 고정비용으로 평균비용이 높기 때문에 정부가 한계비용가격설정을 하면 공급이 이루어지지 않을 수 있다.

① ㄱ, ㄴ
② ㄴ, ㄹ
③ ㄴ, ㅁ
④ ㄱ, ㄷ, ㅁ
⑤ ㄴ, ㄹ, ㅁ

33 상중하 독점기업 甲은 두 시장 A, B에서 X재를 판매하고 있다. 생산에 있어서 甲의 한계비용은 0이다. 甲이 A, B에서 직면하는 수요함수는 각각 $Q_A = a_1 - b_1 P_A$, $Q_B = a_2 - b_2 P_B$일 때, 甲이 각 시장에서 이윤극대화를 한 결과 두 시장의 가격이 같아지게 되는 (a_1, b_1, a_2, b_2)의 조건으로 옳은 것은? (단, a_1, b_1, a_2, b_2는 모두 양(+)의 상수이고, Q_A, Q_B는 각 시장에서 팔린 X재의 판매량이며, P_A, P_B는 각 시장에서 X재의 가격이다)

[감정평가사 16]

① $a_1 a_2 = b_1 b_2$
② $a_1 b_1 = a_2 b_2$
③ $a_1 b_2 = a_2 b_1$
④ $a_1 + b_1 = a_2 + b_2$
⑤ $a_1 + b_2 = a_2 + b_1$

정답 및 해설

32 ③ **[오답체크]**

ㄱ. 완전경쟁시장에서 각 개별 공급자는 가격수용자이므로 직면하는 수요곡선은 서로 동일하다.

ㄷ. 시장수요곡선이 우하향의 직선인 경우 독점기업은 수요의 가격탄력성이 탄력적인 구간에서 생산한다. 비탄력적인 구간에서는 한계수입이 (-)가 되므로 생산하지 않는다.

ㄹ. 독점적 경쟁기업이 직면하는 수요곡선이 비탄력적일수록 이윤이 커질 가능성이 높다. 따라서 독점적 경쟁기업은 비가격전략을 사용하여 제품을 차별화한다.

33 ③ 1) 이윤극대화 조건은 $MR=MC$이다.

2) A시장에서의 이윤극대화

㉠ $Q_A = a_1 - b_1 P_A$ ➜ $P_A = \frac{a_1}{b_1} - \frac{1}{b_1} Q_A$

㉡ 총수입 $P_A Q_A = (\frac{a_1}{b_1} - \frac{1}{b_1} Q_A) Q_A$ ➜ Q_A로 미분하면 $MR_A = \frac{a_1}{b_1} - \frac{2}{b_1} Q_A$이다.

㉢ 한계비용이 0이므로 $\frac{a_1}{b_1} - \frac{2}{b_1} Q_A = 0$ ➜ $Q_A = \frac{a_1}{2}$이다.

㉣ 이를 가격에 대입하면 $\frac{a_1}{2} = a_1 - b_1 P_A$이므로 $P_A = \frac{a_1}{2b_1}$이다.

3) B시장에서의 이윤극대화

㉠ 총수입 $P_B Q_B = (\frac{a_1}{b_1} - \frac{1}{b_1} Q_B) Q_B$ ➜ Q_B로 미분하면 $MR_B = \frac{a_2}{b_2} - \frac{2}{b_2} Q_B$이다.

㉡ 한계비용이 0이므로 $\frac{a_2}{b_2} - \frac{2}{b_2} Q_B = 0$ ➜ $Q_B = \frac{a_2}{2}$이다.

㉢ 이를 가격에 대입하면 $\frac{a_2}{2} = a_2 - b_2 P_A$이므로 $P_B = \frac{a_2}{2b_2}$이다.

4) 문제에서 $P_A = P_B$이므로 $\frac{a_1}{2b_1} = \frac{a_2}{2b_2}$ ➜ $a_1 b_2 = a_2 b_1$이다.

STEP 3 실전문제

34 상중하

다음은 어떤 독점기업의 생산량, 한계비용, 한계수입을 나타내는 표이다. 이 기업의 이윤을 극대화하는 생산량은? (단, 고정비용은 없다고 가정한다) [회계사 14]

생산량	1	2	3	4	5
한계비용	200	100	150	200	250
한계수입	200	180	160	140	120

① 1 ② 2 ③ 3
④ 4 ⑤ 5

35 상중하

기업 A는 X재를 독점 생산하고 있다. X재 시장의 역수요함수가 $p_X = 100 - X$이고, X재 한 단위 생산에는 Y재 한 단위만이 투입되며 다른 생산 비용은 없다. 기업 B는 Y재를 기업 A에게 독점 가격 p_Y로 공급하고 한계비용은 0이다. 각 기업이 이윤을 극대화할 때, p_Y의 값은? [회계사 18]

① 10 ② 25 ③ 50
④ 75 ⑤ 100

36 상중하

어느 독점기업이 직면하는 시장수요가 $Q = 100 - P$로 주어져 있다. 이 독점기업의 한계비용이 60에서 40으로 하락할 때, 이에 따른 자중손실(deadweight loss)의 변화는? [회계사 19]

① 변화가 없다.
② 125만큼 감소한다.
③ 125만큼 증가한다.
④ 250만큼 감소한다.
⑤ 250만큼 증가한다.

정답 및 해설

34 ③ 1) 이윤극대화 생산량은 $MR = MC$이다.
2) 3 ➜ 4로 갈 때 양자가 만나므로 이윤극대화 생산량은 3개이다.

35 ③ 1) 독점기업의 이윤극대화를 위해 $MR = MC$로 두면 $100 - 2X = p_Y$이다.
2) 따라서 $X = 50 - \frac{1}{2}P_Y$가 성립한다. 이는 Y재 가격이 상승하면 X재 생산이 줄어듦을 의미한다.
3) $P_Y = 0$이면 X재를 50개 만들기 때문에 Y재의 수요량은 50이다.
4) $P_Y = 100$이면 X재를 수요하지 않기 때문에 Y재의 수요량은 0이다.
5) 따라서 직선인 수요곡선이 도출되며 이윤극대화를 위해 중점에서 생산하므로 $p_Y = 50$이다.

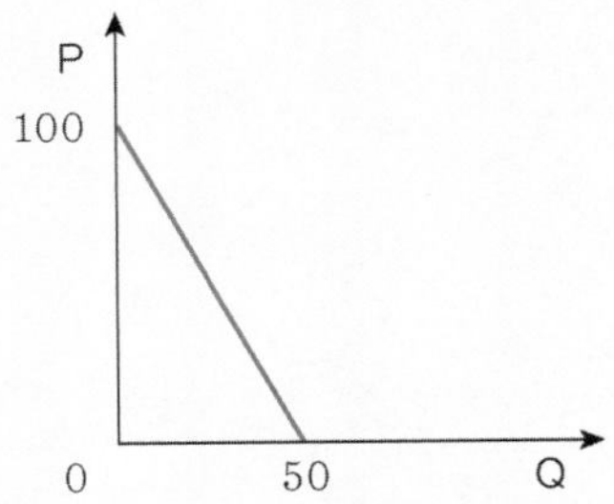

36 ⑤ 1) 수요곡선에서 MR을 도출하면 $MR = 100 - 2Q$이다.
2) $MC = 60$일 때, 이윤극대화 생산량을 구하면 $100 - 2Q = 60$ ➜ $Q = 20$, $P = 80$이다. 따라서 후생손실(A)은 $\frac{1}{2} \times 20 \times 20 = 200$이다.

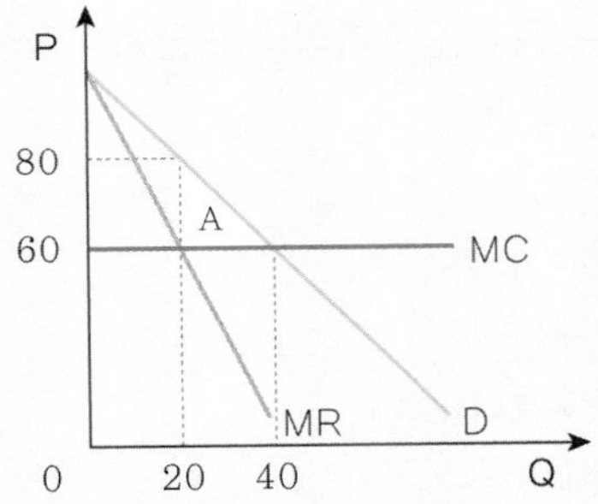

3) $MC = 40$일 때, 이윤극대화 생산량을 구하면 $100 - 2Q = 40$ ➜ $Q = 30$, $P = 70$이다. 따라서 후생손실(A)은 $\frac{1}{2} \times 30 \times 30 = 450$이다. 따라서 후생손실은 250증가한다.

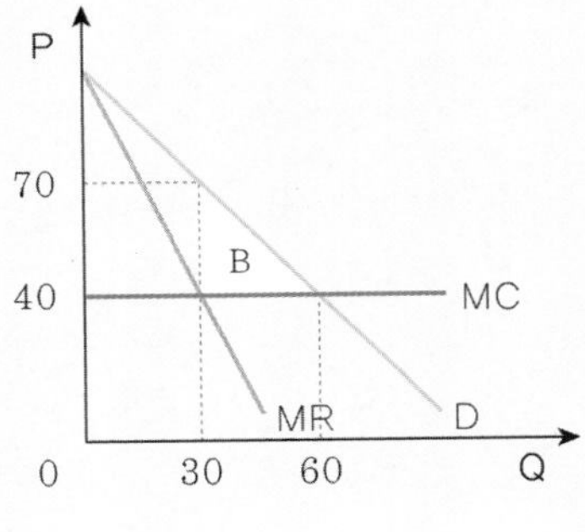

37 상중하 어느 독점시장에서 수요곡선은 우하향하는 직선이다. 이 독점기업이 현재 가격을 10% 올리면, 이 기업의 총수입은 5% 증가할 것으로 예상된다. 다음 설명 중 옳은 것을 모두 고르면?

[회계사 14]

가. 현재 가격에서 수요는 가격에 대해 탄력적이다.
나. 이 기업이 이윤을 극대화하기 위해서는 가격을 인상하여야 한다.
다. 현재 이 기업이 이윤을 극대화하지 못하고 있다고 결론 내릴 수 없다.
라. 이 기업이 현재 가격을 20% 올리면, 이 기업의 총수입은 10% 증가한다.

① 가 ② 나 ③ 다
④ 가, 다 ⑤ 나, 라

38 상중하 시장구조와 균형에 관한 다음 설명 중 옳지 않은 것은? (단, 기업의 평균비용곡선은 U자형이라고 가정한다)

[회계사 15]

① 완전경쟁시장에서 기업은 가격 수용적이다.
② 완전경쟁시장의 단기균형에서 가격은 평균비용과 같다.
③ 독점시장의 장기균형에서 가격은 한계비용보다 크다.
④ 독점적 경쟁시장의 장기균형에서 가격은 한계비용보다 크다.
⑤ 독점적 경쟁시장의 장기균형에서 초과이윤은 0이다.

39 상중하 동일한 재화를 공장 1, 공장 2에서 생산하려는 기업이 있다. 각 공장의 비용함수는 다음과 같다.

> • 공장 1: $C_1(q) = \begin{cases} 0 & q = 0\text{인 경우} \\ 2q^2 + 200 & q > 0\text{인 경우} \end{cases}$
>
> • 공장 2: $C_2(q) = \begin{cases} 0 & q = 0\text{인 경우} \\ q^2 + 1,300 & q > 0\text{인 경우} \end{cases}$

이 기업이 최소비용으로 30단위를 생산할 때 공장 1의 생산량은? [회계사 19]

① 0 ② 10 ③ 15
④ 20 ⑤ 30

정답 및 해설

37 ② 1) 가격을 올렸을 때 판매수입이 증가하였으므로 수요의 가격탄력성은 비탄력적이다.
2) 지문분석
나. 비탄력적이므로 이 기업이 이윤을 극대화하기 위해서는 가격을 인상하여야 한다.

[오답체크]
가. 현재 가격에서 수요는 가격에 대해 비탄력적이다.
다. 우하향하는 수요곡선인 경우 중점에서 총수입이 극대화 된다. 따라서 이윤을 극대화하지 못하고 있다는 것을 알 수 있다.
라. 우하향하는 수요곡선이므로 가격이 상승하면 탄력성이 변하여 Q도 변동한다. 따라서 총수입의 변화를 판단할 수 없다.

38 ② 완전경쟁시장의 장기균형에서 가격은 평균비용과 같다. 단기에는 알 수 없다.

39 ⑤ 1) 다공장 독점 방식
$MC_1 = MC_2$ ➜ $4q_1 = 2q_2$이고 총 생산량이 $q_1 + q_2 = 30$이므로 이를 연립하면 $q_1 + 2q_1 = 30$ ➜ $q_1 = 10$, $q_2 = 20$이다. 따라서 $C_1 = 200 + 200 = 400$, $C_2 = 400 + 1,300 = 1,700$이므로 총비용은 2,100이다.
2) 문제의 조건에서는 고정비용이 공장 2가 현저히 크다. 이때 고정비용이 현저히 작은 공장 1에서 모두 생산하면 $C_1 = 2 \times (30)^2 + 200 = 2,000$이다. 따라서 공장 1에서 모두 생산하는 것이 바람직하다.

40 상중하

분리 가능한 두 시장 A, B에서 하나의 독점기업이 3급 가격차별을 하려 한다. 두 시장에서의 역수요함수가 각각 다음과 같다.

- $p_A = 30 - y_A$
- $p_B = 40 - 2y_B$

이 독점기업의 한계비용이 4이며, 생산시설의 한계로 생산량이 10을 넘지 못할 때 시장 A에서의 판매량은? (단, p_i와 y_i는 각각 시장 i에서의 가격과 수량을 나타낸다) [회계사 21]

① 4 ② 5 ③ 6
④ 7 ⑤ 8

41 상중하

한 기업이 2개의 시장을 독점하고 있으며, 2개의 시장은 분리되어 있다. 시장 1의 수요곡선은 $P_1 = 84 - 4x_1$, 시장 2의 수요곡선은 $P_2 = 20 - 5x_2$, 기업의 한계비용함수는 $MC = 2X + 4$이다. 이 기업이 이윤극대화를 할 때, 각 시장에 대한 공급량은? (단, P_1은 시장 1에서의 재화 가격, P_2는 시장 2에서의 재화 가격, x_1은 시장 1의 수요량, x_2는 시장 2의 수요량, MC는 한계비용, X는 총생산량이다) [회계사 16]

	시장 1	시장 2
①	8	2
②	8	0
③	4	4
④	4	2
⑤	4	0

정답 및 해설

40 ② 1) $MR=MC$로 구하면 $MR_A=30-2y_A$이고 $30-2y_A=4$ ➜ $y_A=13$이므로 문제의 조건에 맞지 않는다.
2) 가격차별의 조건 $MR_A=MR_B$과 생산총량 $y_A+y_B=10$을 이용하면 $30-2y_A=40-4y_B$
➜ $-y_A+2y_B=5$이므로 이 둘을 연립하면 $y_A=5$, $y_B=5$이다.

41 ② 1) 가격차별의 조건은 $MR_1=MR_2=MC$이며, $X=x_1+x_2$이다.
2) $MC=2X+4$ ➜ $2(x_1+x_2)+4$
3) 시장 1의 MR
$P_1x_1=(84-4x_1)x_1$ ➜ $MR=84-8x_1$ 이윤극대화를 하면 $84-8x_1=2x_1+2x_2+4$ ➜ $10x_1+2x_2=80$
4) 시장 2의 MR
$P_2x_2=(20-5x_2)x_2$ ➜ $MR=20-10x_2$ 이윤극대화를 하면 $20-10x_2=2x_1+2x_2+4$ ➜ $2x_1+12x_2=16$
5) 이 둘을 연립하면 $x_1=8$, $x_2=0$이다.

42 상중하 X재를 생산하는 어느 독점기업의 한계생산비용은 생산량과 상관없이 4이고 고정비용은 없다. 이 기업은 X재를 A국과 B국에 수출하고 있는데, 두 국가 간에는 무역이 단절되어 있다. 각국에서의 X재 수요함수는 다음과 같다.

- A국의 수요함수: $Q_A = 50 - \frac{1}{2}P_A$
- B국의 수요함수: $Q_B = 40 - P_B$

이 기업이 이윤을 극대화할 때, 다음 설명 중 옳지 않은 것은? (단, P_A는 A국에서의 가격, P_B는 B국에서의 가격, Q_A는 A국에서의 수요량, Q_B는 B국에서의 수요량이다) [회계사 17]

① 이 기업은 B국보다 A국에 더 많이 수출한다.
② P_A가 P_B보다 크다.
③ 각국에 동일한 생산량을 수출하는 경우, A국에서의 한계수입이 B국에서의 한계수입보다 항상 더 크다.
④ 균형소비량에서 A국의 수요가 B국의 수요보다 가격에 더 탄력적이다.
⑤ 두 국가에 동일한 가격으로 제품을 수출하는 것보다 차별적인 가격으로 제품을 수출하는 것이 이윤을 증가시킨다.

정답 및 해설

42 ④ 1) 두 개의 국가를 2개의 시장으로 볼 수 있으므로 가격차별이다.

2) A국의 수요함수는 $P_A = 100 - 2Q$이므로 $MR = 100 - 4Q$이다. 이윤극대화를 위해 $MR = MC$로 두면 $100 - 4Q = 4$ ➔ $Q = 24$, $P_A = 52$이다.

3) B국의 수요함수는 $P_B = 40 - Q$이므로 $MR = 40 - 2Q$이다. 이윤극대화를 위해 $MR = MC$로 두면 $40 - 2Q = 4$ ➔ $Q = 18$, $P_B = 22$이다.

4) 지문분석

④ 균형소비량에서 A국의 수요의 가격탄력성은 $-\frac{\Delta Q}{\Delta P} \times \frac{P}{Q}$이므로 $-(-\frac{1}{2}) \times \frac{52}{24} = \frac{13}{12}$이고 B국의 수요의 가격탄력성은 $-(-1) \times \frac{22}{18} = \frac{11}{9}$이다. 따라서 B국이 더 크다.

[오답체크]

①② 설명 참조

③ 각국에 동일한 생산량인 20을 수출한다면 A국에서의 한계수입은 80, B국에서의 한계수입 0이므로 B보다 항상 더 크다.

⑤ 두 국가의 수요의 가격탄력성이 다르므로 차별적인 가격으로 제품을 수출하는 것이 이윤을 증가시킨다.

43 상중하

2명의 소비자에게 이동통신 서비스(y)를 제공하는 독점기업의 비용 함수는 $c(y) = 2y$이다. 한 소비자는 $p = 10 - y$, 다른 소비자는 $p = 10 - 2y$의 역수요함수를 갖는다. 만약 이 독점기업이 가입비와 서비스 가격(p)을 분리하여 부과하는 이부가격제(two-part tariff)를 실시한다면 극대화된 이윤은? [회계사 20]

① 16 ② 32 ③ 36
④ 45 ⑤ 48

정답 및 해설

43 ③ 1) 각 소비자별 수요함수는 다음과 같다. 그래프에서 소비자잉여에 해당하는 부분이 가입비이며, 이는 이윤이다.

〈소비자 1〉 〈소비자 2〉

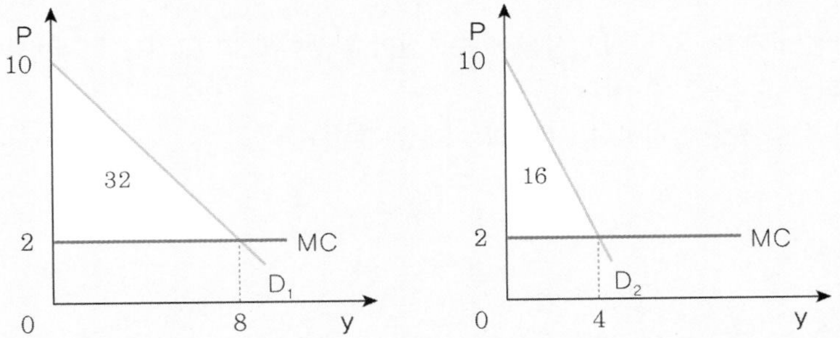

가입비를 32로 설정하면 한 명만 가입하여 이윤이 32이고, 16으로 설정하면 두 명이 가입하므로 이때 기업의 이윤이 32이다. 즉, 둘 다 동일하다.

2) 문제에서 가입비와 서비스 가격을 분리하는 것을 원칙으로 하고 있고, 서비스 가격은 한계비용보다 높다. 이때 소비자 1의 구입량(y_1)은 $10-P$, 소비자 2의 구입량(y_2)은 $5-\frac{1}{2}P$이다.

3) 단위당 이윤은 서비스 가격에서 한계비용을 뺀 $(P-2)$이다. '단위당 이윤 × 구입량 = 총이윤'이므로 소비자 1이 가입할 때의 기업의 이윤은 $(p-2)(10-P)$, 소비자 2가 가입할 때의 기업의 이윤은 $(p-2)(5-\frac{1}{2}P)$이다.

4) 두 명에게 모두 판매하기 위해서는 개인 2의 소비자잉여만큼의 가입비를 부과하면 된다. 소비자 2의 소비자잉여는 $\frac{1}{2}\times(10-p)\times(5-\frac{1}{2}p)$이다.

5) 이윤 = 소비자 2의 소비자잉여 × 2 + 소비자 1이 가입할 때의 기업의 이윤 + 소비자 2가 가입할 때의 기업의 이윤 $=\frac{1}{2}\times(10-p)\times(5-\frac{1}{2}p)\times 2+(p-2)(10-P)+(p-2)(5-\frac{1}{2}P)=-P^2+8P+20$이므로 미분하여 0으로 두면 $-2P+8=0$ ➜ $P=4$이다.

6) 이를 공식에 대입하면 $-16+32+20=36$이다.

〈소비자 1〉 〈소비자 2〉

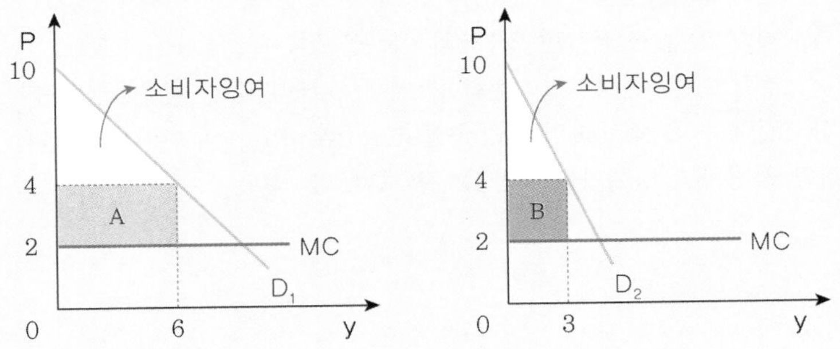

44 상중하

모든 생산량에서 평균비용이 감소하는 재화를 공급하는 자연독점기업이 있다. 정부는 이 재화의 가격에 대해서 한계비용 가격 규제와 평균비용 가격 규제를 고려하고 있다. 다음 설명 중 옳은 것은? [회계사 16]

① 한계비용 가격 규제를 실시할 때의 거래량은 평균비용 가격규제를 실시할 때의 거래량보다 적다.
② 한계비용 가격 규제를 실시하면, 사회적 순손실이 발생하고 그 크기는 완전경쟁의 경우보다 크다.
③ 한계비용 가격 규제를 실시하면, 독점의 이윤이 발생하고 이 이윤의 크기는 가격 규제를 하지 않을 때보다 크다.
④ 평균비용 가격 규제를 실시하면, 사회적 순손실이 발생하고 그 크기는 한계비용 가격 규제를 할 때의 사회적 순손실보다 작다.
⑤ 평균비용 가격 규제를 실시하면, 기업의 이윤은 0이다.

45 상중하

독점 방송사가 공급하는 프로그램에 대한 수요함수는 $Q = 100 - 5P$이다. 고정비용인 프로그램의 조달비용은 200이며 그 밖에 다른 비용은 발생하지 않는다고 가정한다. 독점 방송사는 아래의 두 가지 전략 중 하나를 선택할 수 있다. 다음의 설명 중 옳지 않은 것은? (단, Q는 시청자 수, P는 시청요금이다) [회계사 17]

〈전략 1〉
광고를 판매하지 않고 이윤극대화를 위한 독점 시청요금을 부과한다.

〈전략 2〉
시청요금을 부과하지 않고 광고주에게 광고를 판매하여 시청자 1인당 6의 이윤을 얻는다. 단, 광고시청으로 인한 시청자의 비효용(disutility)은 없다고 가정한다.

① 독점 방송사가 〈전략 1〉을 선택하면 양(+)의 이윤을 얻는다.
② 독점 방송사가 〈전략 2〉를 선택하면 양(+)의 이윤을 얻는다.
③ 독점 방송사는 〈전략 1〉을 선택하면 〈전략 2〉에서보다 더 많은 이윤을 얻는다.
④ 독점 방송사가 〈전략 1〉을 선택하면 자중손실(deadweight loss)이 발생한다.
⑤ 〈전략 2〉에서의 시청자의 잉여가 〈전략 1〉에서보다 더 크다.

정답 및 해설

44 ⑤ 1) 한계비용 가격 규제는 사회적 효율성은 달성하지만 기업이 손실을 본다.

2) 평균비용 가격 규제는 기업의 손실이 없지만 과소생산된다.

3) 지문분석

⑤ 평균비용 가격 규제를 실시하면, 정상이윤이 발생하므로 기업의 이윤은 0이다.

[오답체크]

① 한계비용 가격 규제를 실시할 때의 거래량은 평균비용 가격 규제를 실시할 때의 거래량보다 많다.

② 한계비용 가격 규제를 실시하면, 사회적 순손실이 발생하지 않는다.

③ 한계비용 가격 규제를 실시하면, 독점기업은 손실을 본다.

④ 평균비용 가격 규제를 실시하면, 사회적 순손실이 발생하고 그 크기는 한계비용 가격 규제를 할 때의 사회적 순손실보다 크다.

45 ③ 1) 전략 1을 사용할 경우 수요곡선이 우하향하는 직선이므로 $Q = 100 - 5P$이다. 직선인 수요곡선이므로 중점에서 총수입이 극대화한다. 따라서 $P = 10$일 때 총수입이 극대화되며 이때 $Q = 50$이므로 총수입은 500이다. 이때 비용이 200이므로 총이윤은 300이다.

2) 전략 2는 시청요금을 부과하지 않으므로 가격이 0이다. 이때 수량은 100이므로 기업의 총수입은 1인당 시청자이윤 $6 \times 100 = 600$이다. 이때 비용이 200이므로 총이윤은 400이다.

3) 지문분석

③ 독점 방송사는 〈전략 1〉을 선택하면, 〈전략 2〉에서보다 더 적은 이윤을 얻는다.

[오답체크]

① 독점 방송사가 〈전략 1〉을 선택하면 양(+)의 이윤 300을 얻는다.

② 독점 방송사가 〈전략 2〉를 선택하면 양(+)의 이윤 400을 얻는다.

④ 독점 방송사가 〈전략 1〉을 선택하면 독점이므로 자중손실(deadweight loss)이 발생한다.

⑤ 〈전략 2〉에서는 소비자가 비용을 지불하지 않고 더 많은 수량을 소비하므로 시청자의 잉여가 〈전략 1〉에서보다 더 크다.

46 상중하 세 기업만이 활동하는 완전경쟁시장의 수요곡선은 $y = 10 - p$이다. 각 기업의 한계비용은 5로 고정되어 있다. 만약 세 기업이 합병을 통해 독점기업이 되면 한계비용은 2로 낮아진다. 그리고 합병기업은 독점가격을 설정한다. 다음 설명 중 옳은 것은? [회계사 18]

① 합병 전 소비자잉여는 25이다.
② 합병 후 소비자잉여는 8이다.
③ 합병 전 생산자잉여는 16이다.
④ 합병 후 생산자잉여는 12.5이다.
⑤ 사회적잉여를 극대화하는 정책당국은 합병을 허가하지 않는다.

정답 및 해설

46 ② 1) 완전경쟁 시 $P = MC$이므로 $10 - y = 5$ ➜ $y = 5$, $P = 5$이다.

2) 독점 시 $MR = MC$이므로 $10 - 2y = 2$ ➜ $y = 4$, $P = 6$이다.

3) 지문분석

② 합병 후 소비자잉여는 $4 \times 4 \times \frac{1}{2} = 8$이다.

[오답체크]

① 합병 전 소비자잉여$(A + B + C)$는 $5 \times 5 \times \frac{1}{2} = 12.5$이다.

③ 합병 전 생산자잉여는 존재하지 않는다.

④ 합병 후 생산자잉여$(B + D)$는 $4 \times 4 = 16$이다.

⑤ 사회적잉여는 소비자잉여와 생산자잉여를 합한 것이므로 합병 전 총잉여는 12.5이고 합병 후 $(A + B + D)$에 24로 증가하였으므로 합병을 허가할 것이다.

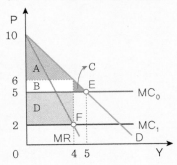

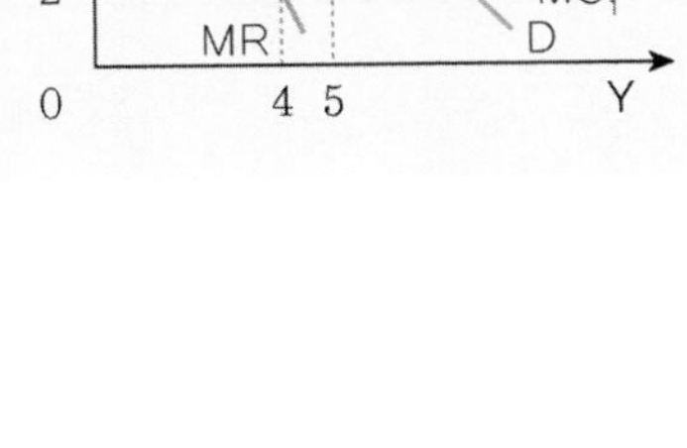

Topic 11 독점적 경쟁시장, 과점시장

01 독점적 경쟁시장

개념	완전경쟁과 독점의 성격을 나누어 가지고 있는 시장
특징	(1) ㉮ ________: 기업이 어느 정도의 시장 지배력을 가지도록 함. 단기에 우하향의 수요곡선에 직면(많은 대체재가 존재하므로 수요의 가격 탄력도는 큼) (2) 다수의 판매자 (3) 기업의 자유로운 진입과 퇴거 (4) **비가격 경쟁의 존재**: 경쟁이 제품 가격보다는 판매 서비스나 품질의 개선, 혹은 광고 등의 형태로 일어나지만 과점시장의 그것보다는 약함
독점적 경쟁 기업의 균형	(1) **개별기업이 직면하는 수요곡선**: 독점적 경쟁기업은 제품의 차별화로 약간의 시장지배력을 가지므로 수요곡선이 우하향하나, 다수의 대체재가 존재하므로 독점보다는 탄력적인, 즉 완만한 형태임 (2) 단기에서는 초과 이윤이 가능하나 장기에서는 정상 이윤만 획득 (3) 완전경쟁시장보다 가격은 높고 산출량은 적음. 그러나 제품의 다양화를 통한 선택의 폭이 넓어짐
평가	(1) 다양한 재화를 생산하므로 소비자후생이 증가함 (2) 독점과 마찬가지로 ㉯ ________이므로 자원배분이 비효율적임 (3) 비가격경쟁에 의한 자원의 낭비가 발생함 (4) 독점보다는 작지만 ㉰ ________가 존재함

핵심키워드

㉮ 상품 차별화, ㉯ P > MC, ㉰ 초과설비

02 과점시장

개념	소수의 기업이 상품을 생산, 공급하고 있는 시장
특징	(1) 상당한 정도의 진입 장벽 존재 (2) 기업 간 ㉮ ________가 큼: 가격과 생산량 변경이 타 기업에 현저한 영향을 미치므로 경쟁 기업들의 반응에 상당히 민감하게 반응함 (3) 치열한 비가격 경쟁과 가격의 경직성: 위험 부담이 큰 가격 경쟁은 피하고 광고나 상품 차별화 등 비가격 경쟁에 의존하는 경향이 강함 (4) 담합 또는 기타 공동 행위와 같은 비경쟁행위를 하려는 경향이 강함
과점의 경제적 효과	(1) 장점: 독점 기업보다 낮은 가격, 경제 부문 간 특화 (2) 단점: 자원의 최적 배분 달성 실패, 광고비 등으로 인한 제품 가격의 상승
복점시장	(1) 꾸르노모형과 나머지 시장의 생산량 비교 ① 독점시장 시장수요곡선이 $P = 90 - Q$이고 $MC = 30$일 때 $MR = 90 - 2Q$이므로 생산량은 30임 ② 완전경쟁시장 완전경쟁시장에서는 $P = MC$이므로 $P = 90 - Q$이고 $MC = 30$일 때 생산량은 60임 ③ 꾸르노균형에서의 산출량은 앞의 사례에서 각 기업이 20개씩 생산하여 총 40개를 생산하므로 독점(= 30)보다는 크지만 완전경쟁 산출량(= 60)의 ㉯ ________임 ④ 일반적으로 반응곡선의 교점에 해당하는 수량을 각각 생산함 (2) 슈타겔버그모형 ① 꾸르노모형의 비현실성을 비판하여 슈타겔버그모형은 두 기업 중 하나 또는 둘 모두가 산출량에 대하여 추종자가 아닌 ㉰ ________로서의 역할을 하는 모형임 ② 슈타겔버그모형의 생산량은 꾸르노모형보다 많은 완전경쟁의 ㉱ ________만큼임 (3) 베르트랑모형(순수과정 시) ① 기업 A가 주어진 시장수요하에서 독점공급자로서 이윤극대화 가격을 결정하면 다른 기업 B는 이보다 약간 낮은 가격을 설정함 ② 다시 A는 B보다 약간 낮은 가격을 설정하며 이러한 가격경쟁 과정을 반복하면 결국 두 기업은 모두 0의 가격으로 공급함 ③ 한계비용이 0이 아닐 때는 완전경쟁시장에서와 같이 한계비용과 같은 수준으로 가격($P = MC$)이 결정됨 ④ 단, 차별과정 시 반응곡선의 교정의 가격을 선택함

핵심키워드

㉮ 상호 의존 관계, ㉯ $\frac{2}{3}$, ㉰ 선도자, ㉱ $\frac{3}{4}$

03 게임이론

<table>
<tr><td>개념</td><td>과점시장에서는 한기업의 가격(생산량)조정은 시장전체에 영향을 미치므로, 경쟁기업의 가격(생산량)조정을 유발함. 이러한 상호의존성으로 인해 과점기업은 의사결정 시 상대방의 반응까지 고려해야 하는 전략적인 상황에 직면하게 되고, 이러한 전략적 상황하에서 도달 가능한 균형을 분석하기 위한 이론</td></tr>
<tr><td>내쉬균형</td><td>상대방의 전략을 주어진 것으로 보고 각 경기자가 자신에게 가장 유리한 전략을 선택하였을 때 도달하는 균형을 찾는 것으로, 게임이론에서 가장 일반적으로 사용하는 균형 개념</td></tr>
<tr><td>우월전략</td><td>상대방의 전략과는 관계없이 자신의 보수를 가장 크게 만드는 전략을 ㉮ ________(지배전략)이라고 하며, 이때 도달한 균형을 우월전략균형이라고 함</td></tr>
<tr><td>용의자의 딜레마</td><td>
<table>
<tr><th colspan="2" rowspan="2">구분</th><th colspan="2">공범 b</th></tr>
<tr><th>부인</th><th>자백</th></tr>
<tr><td rowspan="2">공범 a</td><td>부인</td><td>(6개월, 6개월)</td><td>(10년, 석방)</td></tr>
<tr><td>자백</td><td>(석방, 10년)</td><td>(2년, 2년)</td></tr>
</table>
(1) ㉯ ________(자백/자백)
(2) 이유: 공범 상호간에는 어떤 경우에도 자백하는 것이 최선의 선택이기 때문임
(3) 파레토 최적과 관계: 우월전략균형이 ㉰ ________을 보장하는 것은 아니다. 모두 부인을 하게 되면 우월전략균형의 경우 보다 높은 보수(6개월/6개월)를 얻을 수 있기 때문임
</td></tr>
</table>

핵심키워드

㉮ 우월전략, ㉯ 우월전략균형, ㉰ 파레토 최적

STEP 1 기본문제

01 상중하

독점적 경쟁시장에서 조업하고 있으며 평균비용곡선이 U자형인 기업의 장기균형에 대한 설명으로 옳지 않은 것은? [지방직 21]

① 경제적 이윤은 0이다.
② 규모의 경제가 발생한다.
③ 가격과 한계비용이 일치한다.
④ 균형 산출량이 평균비용이 극소화되는 산출량보다 작다.

02 상중하

독점적 경쟁의 특징으로 옳지 않은 것은? [노무사 15]

① 완전경쟁과 마찬가지로 다수의 기업이 존재하며, 진입과 퇴출이 자유롭다.
② 독점적 경쟁기업은 차별화된 상품을 생산함으로써, 어느 정도 시장지배력을 갖는다.
③ 독점적 경쟁기업 간의 경쟁이 판매서비스, 광고 등의 형태로 일어날 때 이를 비가격경쟁이라고 한다.
④ 독점적 경쟁기업은 독점기업과 마찬가지로 과잉설비를 갖지 않는다.
⑤ 독점적 경쟁기업의 상품은 독점기업의 상품과 달리 대체재가 존재한다.

정답 및 해설

01 ③ 가격과 한계비용이 일치하는 것은 완전경쟁시장이다. 독점적 경쟁시장은 가격이 한계비용보다 크다.

02 ④ 독점기업은 장기에 초과설비를 보유하는데, 독점적 경쟁기업도 독점기업과 마찬가지로 장기에는 초과설비를 보유한다.

03 상중하 독점적 경쟁시장에 대한 설명으로 옳지 않은 것은? [국가직 7급 14]

① 진입장벽이 존재하지 않기 때문에 기업의 진입과 퇴출은 자유롭다.
② 개별기업은 차별화된 상품을 공급하며, 우하향하는 수요곡선에 직면한다.
③ 개별기업은 자신의 가격책정이 다른 기업의 가격결정에 영향을 미친다고 생각하면서 행동한다.
④ 개별기업은 단기에는 초과이윤을 얻을 수 있지만, 장기에는 정상이윤을 얻는다.

04 상중하 과점시장의 굴절수요곡선 이론에 관한 설명으로 옳지 않은 것은? [노무사 17]

① 한계수입곡선에는 불연속한 부분이 있다.
② 굴절수요곡선은 원점에 대해 볼록한 모양을 갖는다.
③ 한 기업이 가격을 내리면 나머지 기업들도 같이 내리려 한다.
④ 한 기업이 가격을 올리더라도 나머지 기업들은 따라서 올리려 하지 않는다.
⑤ 기업은 한계비용이 일정 범위 내에서 변해도 가격과 수량을 쉽게 바꾸려 하지 않는다.

05 상중하 꾸르노(Cournot) 경쟁을 하는 복점시장에서 역수요함수는 $P = 18 - q_1 - q_2$이다. 두 기업의 비용구조는 동일하며 고정비용 없이 한 단위당 생산비용은 6일 때, 기업 1의 균형가격과 균형생산량은? (단, P는 가격, q_1은 기업 1의 생산량, q_2는 기업 2의 생산량이다) [노무사 18]

① $P = 10$, $q_1 = 2$
② $P = 10$, $q_1 = 4$
③ $P = 14$, $q_1 = 4$
④ $P = 14$, $q_1 = 8$
⑤ $P = 14$, $q_1 = 10$

06 기업들이 각자의 생산량을 동시에 결정하는 꾸르노(Cournot) 복점모형에서 시장 수요곡선이 $P = 60 - Q$로 주어지고, 두 기업의 한계비용은 30으로 동일하다. 이때 내쉬(Nash)균형에서 각 기업의 생산량과 가격은? (단, P는 가격, Q는 총생산량, Q는 $Q_1 + Q_2$이고, Q_1은 기업 1의 생산량, Q_2는 기업 2의 생산량이다) [노무사 12]

상중하

① $Q_1 : 5$, $Q_2 : 5$, $P : 50$
② $Q_1 : 10$, $Q_2 : 10$, $P : 40$
③ $Q_1 : 10$, $Q_2 : 10$, $P : 50$
④ $Q_1 : 15$, $Q_2 : 10$, $P : 35$
⑤ $Q_1 : 15$, $Q_2 : 15$, $P : 30$

정답 및 해설

03 ③ 독점적 경쟁시장에서는 기업 간 상호의존성이 매우 낮기 때문에 각 기업은 가격과 생산량 결정에 있어서 다른 기업들은 고려하지 않는다. 다른 시장을 고려하는 것은 과점시장의 특징이다.

04 ② 과점시장의 굴절수요곡선은 원점에 대해 볼록한 모양이 아니라 원점에 대해 오목한 모양이다.

05 ② 1) 기업 1과 2의 생산량을 합한 것이 시장전체의 생산량이므로 시장수요함수는 $P = 18 - Q$이다. 고정비용이 없고 평균비용이 6으로 일정하면 평균비용과 한계비용도 6으로 일정하다. 완전경쟁일 때의 생산량을 구하기 위해 $P = MC$로 두면 $18 - Q = 6$, $Q = 12$이다.

2) 두 기업의 비용함수가 동일할 때 꾸르노모형에서는 각 기업이 완전경쟁의 $\frac{1}{3}$만큼의 재화를 생산하므로 기업 1과 2의 생산량은 모두 4이고, 시장전체의 생산량은 8이 된다.

3) $Q = 8$을 시장수요함수에 대입하면 시장의 균형가격 $P = 10$이다. 꾸르노균형에서 두 기업이 설정하는 가격은 시장가격과 동일하므로 기업 1의 균형가격도 시장의 균형가격과 동일한 10이 된다.

06 ② 완전경쟁수준에서의 생산량이 $P = MC$에서 결정되므로 $60 - Q = 30$, $Q = 30$이다. 꾸르노 복점에서는 각각 1/3씩 생산하므로 10씩 생산하며 이때 꾸르노 복점에서의 총생산량 20을 시장 수요곡선에 대입하면 $P = 40$이다.

07 상중하

동일 제품을 생산하는 복점기업 A사와 B사가 직면한 시장수요곡선은 $P = 50 - 5Q$이다. A사와 B사의 비용함수는 각각 $C_A(Q_A) = 20 + 10Q_A$ 및 $C_B(Q_B) = 10 + 15Q_B$이다. 두 기업이 비협조적으로 행동하면서 이윤을 극대화하는 꾸르노모형을 가정할 때, 두 기업의 균형생산량은? (단, Q는 A기업 생산량(Q_A)과 B기업 생산량(Q_B)의 합이다) [지방직 17]

	Q_A	Q_B
①	2	2.5
②	2.5	2
③	3	2
④	3	4

08 상중하

차별적 과점시장에서 활동하는 두 기업 1, 2가 직면하는 수요곡선은 다음과 같다.

- 기업 1의 수요곡선: $Q_1 = 20 - P_1 + P_2$
- 기업 2의 수요곡선: $Q_2 = 32 - P_2 + P_1$

두 기업은 가격을 전략변수로 이용하며, 기업 1이 먼저 가격을 책정하고, 기업 2는 이를 관찰한 후 가격을 정한다. 두 기업의 균형가격을 옳게 짝지은 것은? (단, Q_1은 기업 1의 생산량, Q_2는 기업 2의 생산량, P_1은 기업 1의 가격, P_2는 기업 2의 가격이고, 각 기업의 한계비용과 고정비용은 0이다) [국가직 7급 19]

	P_1	P_2
①	34	32
②	36	34
③	38	36
④	40	38

정답 및 해설

07 ③ 1) 기업 A의 반응곡선을 구하면 시장수요함수가 $P = 50 - 5(Q_A + Q_B)$이므로 총수입 $TR_A = PQ_A = 50Q_A - 5Q_A^2 - 5Q_AQ_B$이다.

2) 이를 Q_A에 대해 미분하면 $MR_A = 50 - 10Q_A - 5Q_B$이고, 문제에 주어진 비용함수를 미분하면 기업 A의 한계비용 $MC_A = 10$이다.

3) 기업 B의 생산량이 주어졌을 때 기업 A의 이윤극대화 생산량을 위해 $MR_A = MC_A$로 두면 $50 - 10Q_A - 5Q_B = 10$이므로 기업 A의 반응곡선은 $Q_A = 4 - \frac{1}{2}Q_B$이다.

4) 기업 B의 $TR_B = PQ_B = 50Q_B - 5Q_AQ_B - 5Q_B^2$이므로 이를 미분하면 $MR_B = 50 - 5Q_A - 10Q_B$이다.

5) 기업 B의 비용함수를 미분하면 한계비용 $MC_B = 15$이다. $MR_B = MC_B$이므로 $50 - 5Q_A - 10Q_B = 15$이다.

6) 여기에 위에서 구한 $Q_A = 4 - \frac{1}{2}Q_B$을 대입하여 풀면 $Q_A = 3$, $Q_B = 2$로 계산된다.

7) 시장전체의 생산량은 5이고, $Q = 5$를 수요함수에 대입하면 시장의 균형가격 $P = 25$임을 알 수 있다.

08 ② 1) 기업 1이 먼저 가격을 책정하고 기업 2가 나중에 정한다고 했으므로 역진귀납에 따라 기업 2부터 구한다.

2) $\pi_2 = P_2 \cdot Q_2 = P_2(32 - P_2 + P_1) = -P_2^2 + 32P_2 + P_1P_2$ 이윤극대화 조건은 $MR = MC$이고 MC는 0으로 주어졌다.

3) 가격을 전략변수로 사용하므로 P_2로 미분하면 $-2P_2 + P_1 + 32 = 0$ ➜ $P_2 = \frac{1}{2}P_1 + 16$이다.

4) 이제 기업 1을 보면 $\pi_1 = P_1 \cdot Q_1 = P_1(20 - P_1 + P_2) = -P_1^2 + 20P_2 + P_1P_2$이다.

5) 여기에 처음 구했던 기업 2의 반응식을 대입하면 $-P_1^2 + 20P_1 + P_1(\frac{1}{2}P_1 + 16) = -\frac{1}{2}P_1^2 + 36P_1$이다.

6) 이에 이윤극대화 가격을 구하면 $-P_1 + 36P_1 = 0$, 따라서 $P_1 = 36$, $P_2 = 34$이다.

09 상중하 X재화의 시장에 A와 B 두 경쟁기업만 있다. 각 기업의 광고 여부에 따른 예상매출액은 다음 표와 같다. 각 기업은 자신의 예상매출액만 알고 경쟁기업의 예상매출액은 모른다고 할 때 주어진 조건하에서 각 기업의 광고 여부에 대한 설명으로 옳은 것은? (단, 표의 사선 아래는 A기업, 사선 위는 B기업의 예상매출액이며 두 기업은 광고 등 주요 전략에 대해 협력관계에 있지 않다)

[지방직 12]

	구분	B기업: 광고함	B기업: 광고 안 함
A기업	광고함	30 / 40	20 / 60
	광고 안 함	50 / 30	40 / 50

① A기업은 광고를 하며, B기업은 광고를 하지 않을 것이다.
② B기업은 광고를 하며, A기업은 광고를 하지 않을 것이다.
③ A기업과 B기업 모두 광고를 하지 않을 것이다.
④ A기업과 B기업 모두 광고를 할 것이다.

10 상중하 다음 표는 A국과 B국 양국이 글로벌 금융위기로부터 통화긴축 정책에 의한 출구전략을 추진함에 따라 발생하는 양국의 이득의 조합을 표시하고 있다. 양국 간 정책협조가 이루어지지 않는다고 할 때, 두 나라가 선택할 가능성이 높은 정책의 조합은? (단, 괄호 안의 첫 번째 숫자는 A국의 이득, 두 번째 숫자는 B국의 이득을 나타낸다)

[지방직 7급 14]

구분		B국	
		약한 긴축	강한 긴축
A국	약한 긴축	(−2, −2)	(3, −5)
	강한 긴축	(−5, 3)	(0, 0)

	A국	B국
①	강한 긴축	약한 긴축
②	강한 긴축	강한 긴축
③	약한 긴축	약한 긴축
④	약한 긴축	강한 긴축

11 상중하 두 명의 경기자 A와 B는 어떤 업무에 대해 '태만(노력수준 = 0)을 선택할 수도 있고, '열심(노력수준 = 1)을 선택할 수도 있다. 단, '열심'을 선택하는 경우 15원의 노력비용을 감당해야 한다. 다음 표는 사회적 총 노력수준에 따른 각 경기자의 편익을 나타낸 것이다. 두 경기자가 동시에 노력수준을 한 번 선택해야 하는 게임에서 순수전략 내쉬(Nash) 균형은?

[국가직 7급 15]

사회적 총 노력수준 (두 경기자의 노력수준의 합)	0	1	2
각 경기자의 편익	1원	11원	20원

① 경기자 A는 '열심'을, 경기자 B는 '태만'을 선택한다.
② 경기자 A는 '태만'을, 경기자 B는 '열심'을 선택한다.
③ 두 경기자 모두 '태만'을 선택한다.
④ 두 경기자 모두 '열심'을 선택한다.

정답 및 해설

09 ④ 상대기업의 예상매출액을 모른다고 할지라도 우월전략은 존재한다. 즉, 상대기업이 어떤 전략을 선택하더라도 자신에게 유리한 전략은 광고를 하는 것이므로 이 게임의 우월전략은 (광고함, 광고함)이 된다.

10 ③ 1) B국이 약한 긴축을 선택한다면 A국은 약한 긴축을 선택할 때 −2, 강한 긴축을 선택할 때 −5의 이득을 얻으므로 약한 긴축을 선택한다.
2) B국이 강한 긴축을 선택한다면 A국은 약한 긴축을 선택할 때 3, 강한 긴축을 선택할 때 0의 이득을 얻으므로 약한 긴축을 선택한다. 따라서 우월전략은 약한 긴축이다.
3) A국이 약한 긴축을 선택한다면 B국은 약한 긴축을 선택할 때 −2, 강한 긴축을 선택할 때 −5의 이득을 얻으므로 약한 긴축을 선택한다.
4) A국이 강한 긴축을 선택한다면 B국은 약한 긴축을 선택할 때 3, 강한 긴축을 선택할 때 0의 이득을 얻으므로 약한 긴축을 선택한다. 따라서 우월전략은 약한 긴축이다.

11 ③ 1) 각 선택에 따른 편익 − 비용 = 순편익의 계산은 다음과 같다.

구분		B	
		태만	열심
A	태만	$(1-0=1,\ 1-0=1)$	$(11-0=11,\ 11-15=-4)$
	열심	$(11-15=-4,\ 11-0=11)$	$(20-15=5,\ 20-15=5)$

2) 두 경기자 모두 상대방의 전략에 관계없이 태만을 선택할 때의 보수가 더 크다. 즉, 두 경기자의 우월전략은 모두 태만이다. 그러므로 (태만, 태만)이 우월전략균형이 된다.

12 상중하 세계시장에서 대형항공기를 만드는 기업은 A국의 X사와 B국의 Y사만 있으며, 이 두 기업은 대형항공기를 생산할지 혹은 생산하지 않을지를 결정하는 전략적 상황에 직면해 있다. 두 기업이 대형항공기를 생산하거나 생산하지 않을 경우 다음과 같은 이윤을 얻게 된다고 가정하자. 즉, 두 기업 모두 생산을 하게 되면 적자를 보게 되지만, 한 기업만 생산을 하게 되면 독점이윤을 얻게 된다. 이제 B국은 Y사가 대형항공기 시장의 유일한 생산자가 되도록 Y사에 보조금을 지급하려고 한다. 이때 B국이 Y사에 지급해야 할 최소한의 보조금은? (단, X사가 있는 A국은 별다른 정책을 사용하지 않는다고 가정한다) [지방직 7급 16]

(단위: 백만달러)

구분		Y사	
		생산	생산 않음
X사	생산	(−1, −2)	(24, 0)
	생산 않음	(0, 20)	(0, 0)

※ 주: (,)안의 숫자는 (X사의 보수, Y사의 보수)를 말한다.

① 1백만달러 초과
② 20백만달러 초과
③ 2백만달러 초과
④ 24백만달러 초과

13 상중하 아래의 그림은 기업 A와 B의 의사결정에 따른 이윤을 나타낸다. 두 기업은 모든 선택에 대한 이윤을 사전에 알고 있다. A사가 먼저 선택하고, B사가 A사의 결정을 확인하고 선택을 하게 된다. 두 회사 간의 신빙성 있는 약속이 없을 때 각 기업이 얻게 되는 이윤의 조합은? (단, 괄호 안은 A사가 얻는 이윤, B사가 얻는 이윤을 나타낸다) [서울시 7급 17]

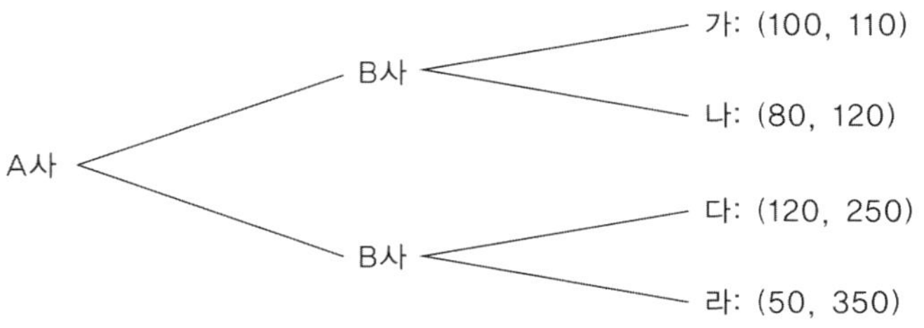

① (가)　　② (나)
③ (다)　　④ (라)

정답 및 해설

12 ③ 1) X사가 생산을 선택한다면 Y사는 생산을 선택할 때 −2, 생산 않음을 선택할 때 0의 이윤을 얻으므로 생산 않음을 선택한다.
2) X사가 생산 않음을 선택한다면 Y사는 생산을 선택할 때 20, 생산 않음을 선택할 때 0의 이윤을 얻으므로 생산을 선택한다.
3) 문제에서 Y사를 유일한 생산자로 만드는 것이 목표이므로 X사와 관계없이 생산하는 것이 우월전략이 되면 된다. 따라서 보조금 200만 달러를 초과하면 X사의 생산여부와 관계없이 생산하게 될 것이다.

13 ② 1) A사가 위쪽을 선택할 때 B사가 (가)를 선택하면 자신의 이윤이 110인데 비해 (나)를 선택하면 120의 이윤을 얻으므로 B사는 (나)를 선택할 것이다. B사가 (나)를 선택하면 A사는 80의 이윤을 얻게 된다.
2) A사가 아래쪽을 선택하는 경우 B사가 (다)를 선택하면 250의 이윤을 얻는데 비해 (라)를 선택하면 350의 이윤을 얻으므로 B사는 (라)를 선택할 것이다. B사가 (라)를 선택하면 A사는 50의 이윤을 얻는다.
3) 그러므로 A사가 먼저 선택한다면 위쪽을 선택할 것이고, B사는 (나)를 선택하게 된다.

STEP 2 심화문제

14 상중하

독점적 경쟁시장의 특성에 해당하는 것을 모두 고른 것은? (단, 독점적 경쟁시장의 개별기업은 이윤극대화를 추구한다) [감정평가사 16]

ㄱ. 개별기업은 한계수입이 한계비용보다 높은 수준에서 산출량을 결정한다.
ㄴ. 개별기업은 한계수입이 가격보다 낮은 수준에서 산출량을 결정한다.
ㄷ. 개별기업이 직면하는 수요곡선은 우하향한다.
ㄹ. 개별기업의 장기적 이윤은 0이다.

① ㄱ, ㄴ　② ㄱ, ㄷ　③ ㄷ, ㄹ
④ ㄱ, ㄴ, ㄹ　⑤ ㄴ, ㄷ, ㄹ

15 상중하

큰 기업인 A와 다수의 작은 기업으로 구성된 시장이 있다. 작은 기업들의 공급함수를 모두 합하면 $S(p) = 200 + p$, 시장의 수요곡선은 $D(p) = 400 - p$, A의 비용함수는 $c(y) = 20y$이다. 이때 A의 잔여수요함수($D_A(p)$)와 균형가격(p)은? (단, y는 A의 생산량이다)

[지방직 18]

	잔여수요함수	균형가격
①	$D_A(p) = 400 - 2p$	$p = 50$
②	$D_A(p) = 200 - 2p$	$p = 60$
③	$D_A(p) = 200 - 2p$	$p = 50$
④	$D_A(p) = 400 - 2p$	$p = 60$

16 다음의 경제에서 재화의 가격은 얼마에 설정되는가? [국회직 8급 14]

상중하

> 어느 재화에 대한 시장수요함수가 $P = 60 - Q$이다. 이 재화를 생산하는 지배적 기업이 하나 있고 나머지 군소기업들은 지배적 기업이 결정한 가격을 따른다. 지배적 기업을 제외한 군소기업들의 재화의 공급함수는 $P = 2Q_F$이고 지배적 기업의 한계비용함수는 $MC = Q_D$이다. (Q_D: 지배적 기업의 생산량, Q_F: 나머지 군소기업들의 생산량, P: 가격, MC: 한계비용, Q: 시장산출량($Q_D + Q_F$))

① 10 ② 20 ③ 24
④ 30 ⑤ 36

정답 및 해설

14 ⑤ ㄴ. 개별기업은 $P > MR = MC$이므로 한계수입이 가격보다 낮은 수준에서 산출량을 결정한다.
ㄷ. 개별기업이 직면하는 수요곡선은 독점시장과 동일하게 우하향한다.
ㄹ. 독점적 경쟁시장의 장기에는 정상이윤만 발생하므로 개별기업의 장기적 이윤은 0이다.

[오답체크]
ㄱ. 개별기업은 이윤극대화를 추구하므로 한계수입과 한계비용이 같은 수준에서 산출량을 결정한다.

15 ② 1) 시장수요량 $y = 400 - p$에서 작은 기업들의 공급량 $y = 200 + p$를 빼주면 대기업 A의 수요인 잔여수요함수는 $D_A(p) = (400 - p) - (200 + p) = 200 - 2p$이다.
2) 기업 A의 수요함수가 $p = 100 - \frac{1}{2}y$이므로 한계수입 $MR = 100 - y$이다.
3) 기업 A의 비용함수를 미분하면 $MC = 20$이다. A의 이윤극대화 생산량을 구하기 위해 $MR = MC$로 두면 $100 - y = 20$, $y = 80$이다. $y = 80$을 기업 A의 수요함수에 대입하면 균형가격 $p = 60$으로 계산된다.
4) 대기업인 기업 A가 $p = 60$으로 설정하면 작은 기업들은 기업 A가 설정한 가격을 그대로 따르게 된다. $p = 60$을 군소기업들의 공급함수에 대입하면 작은 기업들의 공급량 $y = 260$임을 알 수 있다.

16 ② 1) 지배적 기업, 군소기업이 존재하므로 지배적 기업에 의한 가격선도모형이다. 지배적 기업은 군소기업이 판매하고자 하는 것을 모두 허용하고, 나머지 수요(잔여수요)만을 가지고 이윤 극대화를 한다. 이윤을 극대화하는 생산량과 가격을 먼저 지배적 기업이 선택하므로 지배적 기업은 선도자 역할을 한다. 군소기업은 이 가격을 주어진 것으로 받아들이기 때문에 추종자의 역할을 하다.
2) 시장수요곡선에서 군소기업들의 공급곡선을 수평으로 차감하면 지배적 기업이 직면하는 수요곡선(잔여수요곡선)이 도출된다. 시장수요함수를 Q로 정리하면 $Q = -\frac{1}{2}P + 30$이다. 군소기업들의 공급함수를 Q로 정리하면 $Q = \frac{1}{2}P$이다. 시장수요함수에서 군소기업들의 공급함수를 차감하면 잔여수요함수는 $Q = -P + 30$ 또는 $P = -Q + 30$이다.
3) 잔여수요곡선은 지배적 기업이 직면하는 수요곡선이므로 잔여수요곡선 기울기의 2배가 MR곡선의 기울기가 된다. 따라서 지배적 기업의 한계수입함수는 $MR = -2Q + 30$이다.
4) 한계비용함수는 $MC = Q$이므로 지배적 기업의 이윤극대화 생산량은 $-2Q + 30 = Q$를 만족하는 $Q = 10$개이다. 가격은 잔여수요곡선의 높이에서 결정된다. $Q = 10$개를 잔여수요함수에 대입하면 가격은 $P = 20$원이다.

17 상중하

다음 글에 따를 때 슈타켈버그(Stackelberg) 경쟁의 결과로 옳은 것은? [국회직 8급 19]

- 시장에는 A, B 두 기업만 존재한다.
- 시장수요곡선: $Q = 30 - P$
  (단, $Q = Q_A + Q_B$이고 Q_A, Q_B는 각각 A기업과 B기업의 생산량을 의미한다)
- 한계비용: $MC_A = MC_B = 0$
- B기업은 A기업의 반응곡선을 알고, A기업은 B기업의 반응곡선을 모른다.

	Q_A	Q_B
①	6	12
②	6.5	13
③	7	14
④	7.5	15
⑤	8	16

18 상중하

두 기업이 슈타켈버그(Stackelberg)모형에 따라 행동할 때, 시장수요곡선이 $P = 50 - Q_1 - Q_2$, 개별 기업의 한계비용이 0으로 동일하다고 가정하자(단, P는 시장가격, Q_1은 기업 1의 산출량, Q_2는 기업 2의 산출량). 기업 1은 선도자로, 기업 2는 추종자로 행동하는 경우 달성되는 슈타켈버그 균형상태에 있을 때, 〈보기〉의 설명 중에서 옳은 것을 모두 고르면? [국회직 8급 17]

〈보기〉

ㄱ. 기업 1의 생산량은 기업 2의 생산량의 2배이다.
ㄴ. 시장가격은 12.5이다.
ㄷ. 시장거래량은 25보다 크다.
ㄹ. 기업 1의 이윤은 기업 2의 이윤의 1.5배이다.

① ㄱ, ㄷ　② ㄴ, ㄷ　③ ㄱ, ㄴ, ㄷ
④ ㄱ, ㄴ, ㄹ　⑤ ㄱ, ㄷ, ㄹ

정답 및 해설

17 ④ 1) 한계비용이 상수로 일정하면 슈타켈버그 균형에서의 생산량은 완전경쟁의 3/4 수준이다. 이중 2/4 =1/2를 선도기업이, 1/4를 추종기업이 생산하게 된다.

2) 완전경쟁 생산량 결정 원리에 의해 $P = MC$인데 문제에서 한계비용이 0이므로 $P = 0$, $Q = 30$이다.

3) 따라서 슈타켈버그 생산량은 $Q = 22.5$이고 그 중 선도기업인 B가 15를, 추종기업인 A가 7.5를 생산한다.

18 ③ 1) 먼저 두 기업이 모두 추정자라 가정하는 꾸르노 모형을 분석하면 기업 1의 이윤함수는 한계비용이 0이므로 $\Pi_1 = PQ_1 = 50Q_1 - Q_1^2 - Q_1Q_2$이다. 이를 이윤극대화 조건에 의해 미분하면 $\frac{d\Pi}{dQ_1} = 50 - 2Q_1 - Q_2 = 0$ 따라서, $Q_1 = \frac{50 - Q_2}{2}$이고 같은 방법으로 $Q_2 = \frac{50 - Q_1}{2}$을 구할 수 있다.

2) 슈타겔버그모형에서 기업 1이 선도자이고 기업 2이 추종자이면 기업 2의 생산량은 $Q_2 = \frac{50 - Q_1}{2}$으로 주어진 것으로 보고 기업 1의 이윤을 구하면 $\Pi_1 = PQ_1 = 50Q_1 - Q_1^2 - Q_1Q_2 = 50Q_1 - Q_1^2 - Q_1 \times \frac{50 - Q_1}{2} = 25Q_1 - \frac{1}{2}Q_1^2$이고 이윤극대화 조건에 의해 미분하면 $\frac{d\Pi}{dQ_1} = 25 - Q_1 = 0$이다. 따라서 $Q_1 = 25$이고 $Q_2 = \frac{50 - Q_1}{2} = 12.5$이므로 시장거래량은 37.5이다. 이 때 시장가격은 $P = 50 - 25 - 12.5 = 12.5$이다.

3) 동일한 가격에 기업 1의 생산량이 2배이므로 이윤도 2배이다.

[오답체크]

ㄹ. 기업 1의 이윤은 기업 2의 이윤의 2배이다.

19 상중하 다음 중 옳은 것을 〈보기〉에서 모두 고르면? [국회직 8급 16]

〈보기〉

ㄱ. 완전경쟁시장에서 개별기업의 비용함수가 $C(Q) = Q^3 - 6Q^2 + 19Q$이고, 현재 시장에는 15개의 기업이 생산 중에 있다. 시장수요곡선은 $Q = 70 - P$라고 할 때 장기에 이 시장에는 4개 기업이 추가로 진입한다.

ㄴ. 수요곡선은 $P = -3Q + 80$, 평균비용곡선은 $AC = -Q + 60$인 자연독점기업이 이윤극대화를 추구할 때 얻을 수 있는 이윤의 크기는 50이다.

ㄷ. 꾸르노 모형(Cournot model)에서 각 기업은 상대방의 가격을 고정된 것으로 보고 자신의 가격을 결정한다.

ㄹ. 혼합전략을 허용하면 비협조적 게임에 있어 내쉬균형(Nash equilibrium)이 항상 존재한다.

① ㄱ, ㄴ ② ㄱ, ㄷ ③ ㄱ, ㄹ
④ ㄴ, ㄹ ⑤ ㄷ, ㄹ

20 상중하 꾸르노(Cournot) 복점기업 1과 2의 수요함수가 $P = 10 - (C_1 + C_2)$이고 생산비용은 0일 때, 다음 설명 중 옳지 않은 것은? (단, P는 시장가격, Q_1는 기업 1의 산출량, Q_2는 기업 2의 산출량이다) [국회직 8급 18]

① 기업 1의 한계수입곡선은 $MR_1 = 10 - 2Q_1 - Q_2$이다.

② 기업 1의 반응함수는 $Q_1 = 5 - \frac{1}{2}Q_2$이다.

③ 기업 1의 꾸르노 균형산출량은 $Q_1 = \frac{10}{3}$이다.

④ 산업전체의 산출량은 $Q = \frac{20}{3}$이다.

⑤ 꾸르노 균형산출량에서 균형가격은 $p = \frac{20}{3}$이다.

21 상중하 맥주시장이 기업 1과 기업 2만 존재하는 과점 상태에 있다. 기업 1과 기업 2의 한계수입(MR)과 한계비용(MC)이 다음과 같을 때, 꾸르노(Cournot) 균형에서 기업 1과 기업 2의 생산량은? (단, Q_1은 기업 1의 생산량, Q_2는 기업 2의 생산량이다) [지방직 7급 11]

- 기업 1: $MR_1 = 32 - 2Q_1 - Q_2$, $MC_1 = 6$
- 기업 2: $MR_2 = 32 - Q_1 - 2Q_2$, $MC_2 = 4$

① (6, 15) ② (8, 10)
③ (9, 18) ④ (12, 6)

정답 및 해설

19 ④ ㄴ. 평균비용곡선은 $AC = -Q + 60$이면 $TC = AC \times Q = -Q^2 + 60Q$이고 수요곡선이 $P = -3Q + 80$이면 $MR = -6Q + 80$이다.
따라서 이윤극대화 조건에서 $MR = MC$ ➜ $-6Q + 80 = -2Q + 60$ ➜ $Q = 5$이다. 이때 가격은 65, $AC = 55$이므로 총이윤은 $10 \times 5 = 50$이다.

ㄹ. 혼합전략 내쉬균형에서 한 경기자가 확률을 결정하는 방법은 상대방이 어떤 전략을 선택하든 똑같은 대보수를 얻을 수밖에 없게 만드는 것이다. 그러면 상대방은 적극적으로 그의 보수를 증가시킬 전략을 찾을 유인이 없어진다. 그렇게 함으로써 상대방의 전략에 의해서 자신에게 불리한 결과가 돌아오는 것을 막는 것이 최상의 선택인 혼합전략 내쉬균형이 된다. 수전략(각 경기자가 하나의 전략을 선택하고 그것을 고수)만을 사용하는 경우에는 내쉬균형이 존재하지 않을 수도 있으나 혼합전략을 허용하면 내쉬균형은 반드시 존재한다.

[오답체크]

ㄱ. $C(Q) = Q^3 - 6Q^2 + 19Q$이면 평균비용은 $AC(Q) = \frac{C}{Q} = Q^2 - 6Q + 19 = (Q-3)^2 + 10$이므로 개별기업은 $Q = 3$을 평균비용 극솟값인 $P = AR = MR = 10$인 가격을 받는다. 이때 시장수요곡선은 $Q = 70 - P$에서 전체 $Q = 60$이므로 장기균형기업은 20개가 된다. 따라서 5개 기업이 진입한다.

ㄷ. 꾸르노모형(Cournot model)에서 각 기업은 상대방의 생산량을 고정된 것으로 보고 자신의 가격을 결정한다.

20 ⑤ 1) 꾸르노 복점의 경우 생산량이 완전경쟁시장 생산량의 2/3수준이다.
2) 완전경쟁시장은 $P = MC$이므로 $P = 0$이고 생산량 $Q = 10$이다. 따라서 꾸르노 복점 생산량은 $Q = 20/3$이고 가격은 $P = 10/3$이다.

21 ② 1) 이윤극대화 생산량은 $MR = MC$이므로 기업 1과 기업 2의 이윤극대 생산량은 다음과 같이 반응곡선으로 구해진다.
2) 기업 1의 반응곡선은 $32 - 2Q_1 - Q_2 = 6$ ➜ $Q_1 = 13 - \frac{1}{2}Q_2$
3) 기업 2의 반응곡선은 $32 - Q_1 - 2Q_2 = 4$ ➜ $Q_2 = 14 - \frac{1}{2}Q_1$
4) 꾸르노 균형은 두 기업의 반응곡선이 교차하는 점에서 이루어지므로 기업 1과 기업 2의 반응곡선을 연립해서 풀면 $Q_1 = 8$, $Q_2 = 10$이 된다.

22 상중하

어떤 국가의 통신시장은 2개의 기업(A와 B)이 복점의 형태로 수량경쟁을 하며 공급을 담당하고 있다. 기업 A의 한계비용은 $MC_A = 2$, 기업 B의 한계비용은 $MC_B = 4$이고, 시장수요곡선은 $P = 36 - 2Q$이다. 다음 설명 중 옳은 것을 〈보기〉에서 모두 고르면? (단, P는 시장가격, Q는 시장의 총공급량이다) [국회직 8급 18]

〈보기〉

ㄱ. 균형 상태에서 기업 A의 생산량은 6이고 기업 B의 생산량은 4이다.
ㄴ. 균형가격은 14이다.
ㄷ. 균형 상태에서 이 시장의 사회후생은 243이다.
ㄹ. 균형 상태에서 이 시장의 소비자잉여는 100이다.
ㅁ. 균형 상태에서 이 시장의 생산자잉여는 122이다.

① ㄱ, ㄹ
② ㄴ, ㄷ
③ ㄱ, ㄹ, ㅁ
④ ㄴ, ㄷ, ㅁ
⑤ ㄴ, ㄹ, ㅁ

23 상중하

기업 甲과 乙만 있는 상품시장에서 두 기업이 꾸르노(Cournot)모형에 따라 행동하는 경우에 관한 설명으로 옳은 것을 모두 고른 것은? (단, 생산기술은 동일하다) [감정평가사 21]

ㄱ. 甲은 乙이 생산량을 결정하면 그대로 유지될 것이라고 추측한다.
ㄴ. 甲과 乙은 생산량 결정에서 서로 협력한다.
ㄷ. 甲, 乙 두 기업이 완전한 담합을 이루는 경우와 꾸르노 균형의 결과는 동일하다.
ㄹ. 추가로 기업이 시장에 진입하는 경우 균형가격은 한계비용에 접근한다.

① ㄱ, ㄴ
② ㄱ, ㄹ
③ ㄴ, ㄷ
④ ㄴ, ㄹ
⑤ ㄷ, ㄹ

24 상중하 가격경쟁(price competition)을 하는 두 기업의 한계비용은 각각 0이다. 각 기업의 수요함수가 다음과 같을 때, 베르뜨랑(Bertrand) 균형가격 P_1, P_2는? (단, Q_1은 기업 1의 생산량, Q_2는 기업 2의 생산량, P_1은 기업 1의 상품가격, P_2는 기업 2의 상품가격이고, 기업 1과 기업 2는 차별화된 상품을 생산한다) [정평가사17]

- $Q_1 = 30 - P_1 + P_2$
- $Q_2 = 30 - P_2 + P_1$

① 20, 20
② 20, 30
③ 30, 20
④ 30, 30
⑤ 40, 40

정답 및 해설

22 ④ 1) 기업 A의 이윤은 $\pi = [36 - 2(Q_A + Q_B)]Q_A - 2Q_A$이다. 이를 Q_A로 미분하면 $36 - 4Q_A - 2Q_B - 2 = 0$ ➜ $Q_A = (34 - 2Q_B)/4$이다.

2) 기업 B의 이윤은 $\pi = [36 - 2(Q_A + Q_B]Q_B - 4Q_B$이다. 이를 Q_B로 미분하면 $36 - 4Q_B - 2Q_A - 4 = 0$ ➜ $Q_B = (32 - 2Q_A)/4$이다.

3) 두 식을 연립하면 $Q_A = 6$, $Q_B = 5$이다. 총생산량이 $Q = 11$이므로 가격은 $P = 14$이다.

4) 소비자잉여는 $(36 - 14) \times 11 \times \frac{1}{2} = 121$이다.

5) 생산자잉여는 이윤의 합이므로 A의 이윤 $= [36 - 2(6+5)] \times 6 - 2 \times 6 = 72$, B의 이윤 $= [36 - 2(6+5)] \times 5 - 4 \times 5 = 50$이므로 122이다. 따라서 총잉여는 소비자잉여 + 생산자잉여 = 243이다.

23 ② ㄱ. 甲은 乙이 생산량을 결정하면 그대로 유지될 것이라고 추측한 후 이윤극대화를 위한 반응곡선을 구한다.

ㄹ. 꾸르노 균형의 생산량은 완전경쟁수준의 $\frac{n}{n+1}$이다. 따라서 추가로 기업이 시장에 진입하는 경우 완전경쟁 생산량에 근접해지므로 균형가격은 한계비용에 접근한다.

[오답체크]

ㄴ. 甲과 乙은 생산량 결정에서 서로 협력하지 않는 것을 전제로 한다.

ㄷ. 甲, 乙 두 기업이 완전한 담합을 이루는 경우는 독점이므로 꾸르노 균형의 생산량보다 적다.

24 ④ 1) 이윤 = 총수입 − 총비용이다. 총비용이 0이므로 총수입이 이윤이 된다.

2) 베르트랑모형은 가격모형이므로 P를 변수로 남아야 한다.

3) 기업 1의 반응곡선
$TR_1 = P_1Q_1 = P_1(30 - P_1 + P_2)$ ➜ 이윤을 극대하기 위해 MR(TR_1을 P_1으로 미분) $= MC$를 구하면 $30 - 2P_1 + P_2 = 0$ ➜ $2P_1 - P_2 = 30$

4) 기업 2의 반응곡선
$TR_2 = P_2Q_2 = P_2(30 - P_2 + P_1)$ ➜ 이윤을 극대하기 위해 MR(TR_2을 P_2으로 미분) $= MC$를 구하면 $30 - 2P_2 + P_1 = 0$ ➜ $2P_2 - P_1 = 30$

5) 반응곡선 둘을 연립하면 $P_1 = 30$, $P_2 = 30$이다.

25 상중하

기업 A와 B가 생산량 경쟁을 하는 시장수요곡선은 $P = \alpha - q_A - q_B$로 주어졌다. 기업 A와 B는 동일한 재화를 생산하며, 평균비용은 c로 일정하다. 기업 A의 목적은 이윤극대화이고, 기업 B의 목적은 손실을 보지 않는 범위 내에서 시장점유율을 극대화하는 것이다. 다음 설명 중 옳지 않은 것은? (단, P는 시장가격, q_A는 기업 A의 생산량, q_B는 기업 B의 생산량이며, $c < \alpha$이다)

[감정평가사 19]

① 균형에서 시장가격은 c이다.
② 균형에서 기업 A의 이윤은 0보다 크다.
③ 균형에서 기업 B의 이윤은 0이다.
④ 균형에서 기업 B의 생산량이 기업 A보다 크다.
⑤ 균형은 하나만 존재한다.

26 상중하

다음 게임에 대한 설명으로 옳지 않은 것은?

[국회직 8급 14]

> 잠재적 진입기업 A는 기존기업 B가 독점하고 있는 시장으로 진입할지 여부를 고려하고 있다. A가 진입하지 않으면 A와 B의 보수는 각각 0과 2이다. A가 진입을 하면 B는 반격을 하거나 공생을 할 수 있다. B가 반격을 할 경우 A와 B의 보수는 각각 −1과 0이다. 반면 공생을 할 경우 두 기업이 시장을 나눠 가져 각각 1의 보수를 얻는다.

① 이 게임의 순수전략 내쉬균형은 하나이다.
② A가 진입하지 않으면 B는 어떤 전략을 택하든 무차별하다.
③ 부분게임완전균형에서 A는 진입을 한다.
④ A가 진입하는 경우 B는 공생하는 것이 최선의 대응이다.
⑤ A가 진입하면 반격하겠다는 B의 전략은 신빙성이 없다.

정답 및 해설

25 ② 1) 두 기업은 동일한 재화를 생산한다는 것을 초점을 두면 A기업이 이윤극대화를 한다면 B는 손실만 보지 않으면 되므로 B의 물건이 더 팔릴 것이다.

2) 따라서 B는 $P = AC$의 가격설정을 할 것이다.

3) 이 때문에 A도 $P = AC$의 가격설정을 할 수밖에 없게 된다.

4) 따라서 A, B는 모두 이윤이 0이다.

26 ① 1) 잠재적 진입기업 A가 먼저 진입 여부를 선택하고 기존기업 B가 반격 또는 공생 여부를 선택하므로 순차게임(sequential game)의 성격을 갖는다.

2) 지문의 게임을 나타내면 다음과 같다.

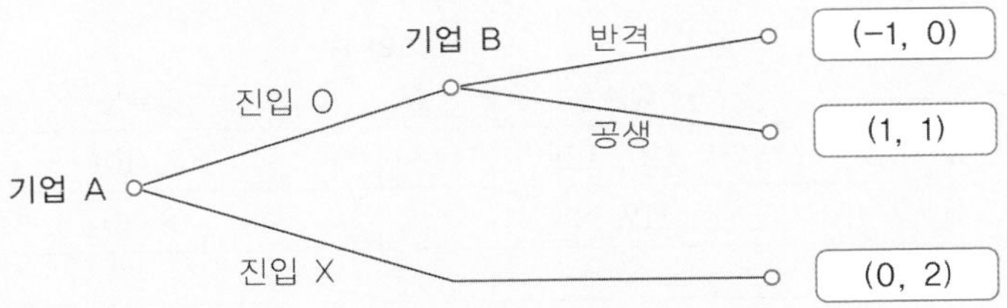

3) 역진귀납법으로 생각하면 기업 A가 진입을 한다면 기업 B의 최선 전략은 공생이다. 반격하는 경우 B의 보수는 0이고 공생하는 경우 B의 보수는 1이기 때문이다.

4) 기업 A의 최선 전략은 진입이다. 진입을 하면 기업 B가 공생을 선택하므로 A의 보수는 1이고 진입을 하지 않으면 A의 보수가 0이기 때문이다.

5) 결국 부분게임 완전내쉬균형은 (진입, 공생)이다.

6) 신빙성 조건

어떤 전략(위협, 약속)이 실행에 옮겨질 경우 자신의 이익에 부합되어야 한다는 것이 신빙성 조건(credibility condition)이다. 기업 A가 진입할 때 기업 B가 공생을 하면 B의 보수가 1이고 반격을 하면 B의 보수는 0이다. 결국 반격하는 것은 기업 B가 손해를 보는 것이므로 신빙성이 없다.

7) 지문분석

① 순수전략의 내쉬균형은 [진입(×), 반격], [진입, 공생] 2개이다.

구분		기업 B	
		반격	공생
기업 A	진입(×)	(0, 2)	(0, 2)
	진입	(−1, 0)	(1, 1)

27 상중하

기업의 시장구조와 행동원리에 대한 설명으로 옳지 않은 것은? [국가직 7급 12]

① 두 기업이 특정시장을 50 : 50으로 양분하고 있으면 허핀달지수(Herfindahl index)에 의한 독과점도는 5,000이다.

② 꾸르노(Cournot) 과점시장모델에서 기업 수가 많아질수록 시장 전체의 산출량은 증가한다.

③ 독점적 경쟁시장에서 이윤극대화를 추구하는 기업의 장기균형 생산량은 평균비용이 최소가 되는 점이다.

④ 완전경쟁기업의 이윤극대화 산출량은 한계수입과 한계비용이 일치하는 점에서 결정된다.

28 상중하

다음 표와 같이 복점시장에서 기업 A와 기업 B가 서로 경쟁한다. 각 기업은 자신의 이윤을 극대화하기 위해서 생산량 $Q=2$ 또는 $Q=3$을 결정해야 한다. 다음 표에서 괄호 안에 앞의 숫자는 기업 A의 이윤을, 뒤의 숫자는 기업 B의 이윤을 나타낸다. 다음 〈보기〉 중 옳은 것을 모두 고르면? [국회직 8급 17]

		기업 B	
		Q = 2	Q = 3
기업 A	Q = 2	(10, 12)	(8, 10)
	Q = 3	(12, 8)	(6, 6)

〈보기〉

ㄱ. 기업 A의 우월전략은 $Q=3$이다.

ㄴ. 기업 B의 우월전략은 $Q=2$이다.

ㄷ. 내쉬균형은 기업 A는 $Q=3$을, 기업 B는 $Q=2$를 선택하는 것이다.

ㄹ. 기업 A와 기업 B 모두가 우월전략을 가지지 않기 때문에 내쉬균형은 존재하지 않는다.

① ㄱ, ㄷ ② ㄱ, ㄹ ③ ㄴ, ㄷ

④ ㄴ, ㄹ ⑤ ㄱ, ㄴ, ㄷ

정답 및 해설

27 ③ 독점적 경쟁시장의 장기균형은 장기평균비용이 하락하는 규모의 경제 구간에서 생산이 이뤄지므로 장기평균비용의 최저점보다 좌측에서 균형이 달성된다. 장기평균비용의 최저점에서 균형이 달성되는 경우는 완전경쟁시장의 경우에 해당한다.

[오답체크]

① 각 기업의 시장점유율을 S_i 라고 하면 허핀달지수는 $H=\sum_{i=1}^{n} S_i^2$ 이다. 따라서 허핀달지수는 $50^2 + 50^2 = 5{,}000$ 이 된다.

② n개의 기업이 존재할 때 꾸르노모형에서 시장 전체의 산출량은 '완전경쟁시장의 산출량 × $\frac{n}{n+1}$'이 된다. 따라서 기업 수가 많아질수록 시장 전체의 산출량은 증가한다.

④ 완전경쟁시장, 독점시장, 독점적 경쟁시장 모두 한계수입과 한계비용이 일치하는 지점에서 이윤극대화 산출량이 결정된다.

28 ③ 1) 기업 A가 $Q=2$일 때 이윤은 10 또는 8이고 $Q=3$일 때 이윤은 12 또는 6이므로 우월전략이 없다.

2) 기업 B가 $Q=2$일 때 이윤은 12 또는 8이고 $Q=3$일 때 이윤은 10 또는 6이므로 $Q=2$일 때 우월전략이다.

3) 따라서 기업 B가 $Q=2$일 때 기업 A는 $Q=3$이 유리하므로 내쉬균형은 (12, 8)이 된다.

[오답체크]

ㄱ. 기업 A의 우월전략은 존재하지 않는다.

ㄹ. 기업 A와 기업 B의 내쉬균형은 (12, 8)이 된다.

29 상중하

어느 복점시장에서 두 기업 A, B가 경쟁하고 있다. 불황 기간 중에 각 기업은 생산량 감소와 생산량 유지 중 하나의 전략을 선택해야 한다. 각 기업이 자신의 이윤을 극대화하고자 할 때 다음 설명 중 옳은 것은? (단, 괄호 안의 첫 번째 숫자는 기업 A의 이윤을, 두 번째 숫자는 기업 B의 이윤을 나타냄) [국회직 8급 15]

기업 B의 전략 / 기업 A의 전략	생산량 감소	생산량 유지
생산량 감소	(100, 100)	(50, 80)
생산량 유지	(80, 50)	(70, 70)

① 두 기업 모두 생산량을 유지하는 전략조합이 파레토 효율적(Pareto efficient)이다.
② 내쉬균형(Nash equilibrium)에서 두 기업은 동일한 전략을 선택한다.
③ 기업 B의 전략과 상관없이 기업 A는 생산량을 유지하는 것이 우월전략이다.
④ 우월전략 균형은 1개가 존재한다.
⑤ 내쉬균형은 1개가 존재한다.

30 상중하

보수 행렬이 아래와 같은 전략형 게임(strategic form game)에서 보수 a값의 변화에 따른 설명으로 옳은 것은? (단, 보수 행렬의 괄호 안 첫 번째 값은 甲의 보수, 두 번째 값은 乙의 보수이다) [감정평가사 20]

乙의 전략 / 甲의 전략		乙	
		인상	인하
甲	인상	(a, a)	(−5, 5)
	인하	(5, −5)	(−1, −1)

① $a > 5$이면, (인상, 인상)이 유일한 내쉬균형이다.
② $-1 < a < 5$이면, 인상은 甲의 우월전략이다.
③ $a < -5$이면, 내쉬균형이 두 개 존재한다.
④ $a < 5$이면, (인하, 인하)가 유일한 내쉬균형이다.
⑤ $a = 5$인 경우와 $a < 5$인 경우의 내쉬균형은 동일하다.

정답 및 해설

29 ② 1) 기업 A: 기업 B의 생산량 감소가 주어지면 기업 A는 생산량 유지(보수 = 80)보다는 생산량 감소(보수 = 100)를 선택하는 것이 최적이다. 상대방인 기업 B의 생산량 유지가 주어지면 기업 A는 생산량 감소(보수 = 50)보다는 생산량 유지(보수 = 70)를 선택하는 것이 최적이다.

2) 기업 B: 상대방인 기업 A의 생산량 감소가 주어지면 기업 B는 생산량 유지(보수 = 80)보다는 생산량 감소(보수 = 100)를 선택하는 것이 최적이다. 상대방인 기업 A의 생산량 유지가 주어지면 기업 B는 생산량 감소(보수 = 50)보다는 생산량 유지(보수 = 70)를 선택하는 것이 최적이다.

3) 결국 내쉬균형은 (감소, 감소)와 (유지, 유지) 2개가 있다. 내쉬균형에서 두 기업은 동일한 전략을 선택하고 있다.

[오답체크]

① 게임이론에서는 두 기업의 보수를 합한 값이 극대화될 때 파레토 효율적이다. (감소, 감소)일 때 보수의 합이 100 + 100 = 200이고, (유지, 유지)일 때 보수의 합은 70 + 70 = 140이므로 (유지, 유지)는 파레토 비효율적이다.

③④ 우월전략이 없으므로 우월전략균형도 없다.

⑤ 내쉬균형은 2개가 존재한다.

30 ④ a < 5이면, 甲과 乙 모두 우월전략이 인하이므로 (인하, 인하)가 유일한 내쉬균형이다.

[오답체크]

① a를 6이라고 가정하면 乙이 인상할 경우에는 甲이 인상을 선택하겠지만 乙이 인하할 경우에 인하를 선택하므로 a > 5이면, (인상, 인상)이 유일한 내쉬균형이 될 수 없다.

② −1 < a < 5이면, 인하가 甲의 우월전략이다.

③ a < −5이면, 甲은 乙의 행동에 관계없이 인하할 것이므로 우월전략이 존재한다. 따라서 내쉬균형이 두 개가 존재할 수 없다.

⑤ a = 5인 경우와 a < 5인 경우의 내쉬균형은 다르다.

31 상중하

다음의 전략형 게임(strategic form game)에서 α에 따라 甲과 乙의 전략 및 균형이 달라진다. 이에 관한 설명으로 옳지 않은 것은? (단, 보수 행렬의 괄호 안 첫 번째 보수는 甲, 두 번째 보수는 乙의 것이다) [감정평가사 19]

甲의 전략 \ 乙의 전략		乙	
		Left	Right
甲	Up	$(5-\alpha,\ 1)$	(2, 2)
	Down	(3, 3)	$(1,\ \alpha-1)$

① $\alpha < 2$이면, 전략 Up은 甲의 우월전략이다.

② $\alpha > 4$이면, 전략 Right는 乙의 우월전략이다.

③ $2 < \alpha < 4$이면, (Down, Left)는 유일한 내쉬균형이다.

④ $\alpha < 2$이면, (Up, Right)는 유일한 내쉬균형이다.

⑤ $\alpha > 4$이면, (Up, Right)는 유일한 내쉬균형이다.

32 상중하

보수행렬(payoff matrix)이 다음과 같을 때 내쉬균형은? (단, 게임은 일회성이며, 보수행렬 내 괄호 안 왼쪽은 A, 오른쪽은 B의 보수이다) [감정평가사 17]

A의 전략 \ B의 전략		B		
		전략 1	전략 2	전략 3
A	전략 1	(7, 7)	(5, 8)	(4, 9)
	전략 2	(8, 5)	(6, 6)	(3, 4)
	전략 3	(9, 4)	(4, 3)	(0, 0)

① (7, 7), (6, 6), (0, 0)

② (7, 7), (5, 8), (9, 4)

③ (8, 5), (6, 6), (3, 4)

④ (9, 4), (5, 8), (0, 0)

⑤ (9, 4), (6, 6), (4, 9)

33 상중하 7명의 사냥꾼이 동시에 사냥에 나섰다. 각 사냥꾼은 사슴을 쫓을 수도 있고, 토끼를 쫓을 수도 있다. 사슴을 쫓을 경우에는 7명의 사냥꾼 중 3명 이상이 동시에 사슴을 쫓을 때에만 사슴 사냥에 성공하여 1마리의 사슴을 포획하게 되고, 사냥꾼들은 사슴을 동일하게 나누어 갖는다. 만약 3명 미만이 동시에 사슴을 쫓으면 사슴을 쫓던 사냥꾼은 아무것도 얻지 못하게 된다. 반면 토끼를 쫓을 때에는 혼자서 쫓더라도 언제나 성공하며 각자 1마리의 토끼를 포획하게 된다. 모든 사냥꾼들은 사슴 1/4마리를 토끼 1마리보다 선호하고, 사슴이 1/4마리보다 적으면 토끼 1마리를 선호한다. 이 게임에서 내쉬균형을 〈보기〉에서 모두 고르면? (단, 사냥터에서 사냥할 수 있는 사슴과 토끼는 각각 1마리, 7마리이다) [13. 국회직 8급]

〈보기〉

ㄱ. 모든 사냥꾼이 토끼를 쫓는다.
ㄴ. 모든 사냥꾼이 사슴을 쫓는다.
ㄷ. 3명의 사냥꾼은 사슴을, 4명의 사냥꾼은 토끼를 쫓는다.
ㄹ. 4명의 사냥꾼은 사슴을, 3명의 사냥꾼은 토끼를 쫓는다.

① ㄱ ② ㄱ, ㄷ ③ ㄱ, ㄹ
④ ㄴ, ㄹ ⑤ ㄱ, ㄷ, ㄹ

정답 및 해설

31 ③ 1) $2 < \alpha < 4$이므로, $\alpha = 3$으로 가정하자.
2) 乙이 Left를 선택하면 甲은 Down을 선택한다.
3) 乙이 Right을 선택하면 甲은 Up을 선택한다.
4) 甲이 Up을 선택하면 乙은 Right를 선택한다.
5) 甲이 Down를 선택하면 乙은 Left를 선택한다.
6) 따라서 내쉬균형은 (Up, Right), (Down, Left)이다.

32 ⑤ 1) B의 전략에 대해 A가 전략을 세울 때
㉠ B가 전략 1을 사용할 때 ➜ A는 전략 3을 사용할 것이다.
㉡ B가 전략 2를 사용할 때 ➜ A는 전략 2를 사용할 것이다.
㉢ B가 전략 3을 사용할 때 ➜ A는 전략 1을 사용할 것이다.
2) A의 전략에 대해 B가 전략을 세울 때
㉠ A가 전략 1을 사용할 때 ➜ B는 전략 3을 사용할 것이다.
㉡ A가 전략 2를 사용할 때 ➜ B는 전략 2를 사용할 것이다.
㉢ A가 전략 3을 사용할 때 ➜ B는 전략 1을 사용할 것이다.
3) 따라서 균형점은 (전략 1, 전략 3), (전략 2, 전략 2), (전략 3, 전략 1)가 된다.

33 ③ **[오답체크]**
ㄴ. 모두 사슴을 쫓으면 사슴을 1/7마리를 얻는다. 그런데 이때 혼자 토끼로 넘어가면 토끼 1마리를 얻을 수 있다. 토끼 1마리가 사슴 1/7마리보다 이득이므로 토끼로 넘어갈 유인이 있다. 따라서 내쉬균형이 아니다.
ㄷ. 3명은 각각 사슴을 1/3마리 얻는다. 4명은 각각 토끼를 1마리 얻는다. 이때 4명 중 1명이 사슴으로 넘어가면 사슴 1/4마리를 얻는데 이는 토끼 1마리보다 이득이다. 따라서 사슴으로 넘어갈 유인이 있게 되므로 내쉬균형이 아니다.

STEP 3 실전문제

34 독점적 경쟁시장에 대한 다음 설명 중 옳은 것을 모두 고르면? [회계사 14]

상중하

> 가. 단기균형에서 가격이 한계비용과 같다.
> 나. 단기균형에서 가격이 한계비용보다 높다.
> 다. 장기균형에서 초과이윤이 발생한다.
> 라. 장기균형에서 초과이윤이 발생하지 않는다.
> 마. 장기균형에서 가격이 평균비용보다 높다.

① 가, 다
② 가, 라
③ 나, 라
④ 나, 다, 마
⑤ 나, 라, 마

35 시장구조에 대한 다음 설명 중 옳은 것을 모두 고르면? [회계사 22]

상중하

> 가. 완전경쟁기업의 경우, 생산요소의 공급이 비탄력적일수록 단기공급곡선의 기울기가 가파르다.
> 나. 수요의 가격탄력성이 1일 때 독점기업의 한계수입은 0이다. (단, 수요곡선은 우하향한다)
> 다. 독점기업이 직면하는 수요가 가격탄력적일수록 독점가격은 완전경쟁가격에 가깝다.
> 라. 독점적 경쟁시장에 참여하는 기업의 장기균형 생산량은 평균총비용이 최소화되는 생산량 수준에서 결정된다.

① 가, 나 ② 나, 라 ③ 다, 라
④ 가, 나, 다 ⑤ 가, 다, 라

36 독점적 경쟁시장에서 조업하는 A기업의 비용함수는 $C(Q) = Q^2 + 2$이다. 이 시장의 기업 수가 n일 때 A기업이 직면하는 개별수요함수가 $Q = \frac{100}{n} - P$이면, 이 시장의 장기균형에서 기업의 수 n은? [회계사 19]
상중하

① 16 ② 25 ③ 36
④ 49 ⑤ 64

정답 및 해설

34 ③ **[오답체크]**
가. 단기균형에서 가격은 한계비용보다 크다.
다. 장기균형에서 정상이윤이 발생한다.
마. 장기균형에서 정상이윤이므로 가격과 평균비용이 같다.

35 ④ **[오답체크]**
라. 독점적 경쟁시장에 참여하는 기업의 장기균형 생산량은 평균총비용이 최소화되는 생산량 수준이 될 수 없어 초과설비가 발생한다.

36 ② 1) 이윤극대화 생산량 ➜ $MR = MC$
2) 수요곡선에서 MR을 도출하면 $P = \frac{100}{n} - Q$ ➜ $MR = \frac{100}{n} - 2Q$이고 $MC = 2Q$이다.
➜ $\frac{100}{n} - 2Q = 2Q$ ➜ $Q = \frac{25}{n}$, $P = \frac{75}{n}$이다.
3) 독점시장의 장기균형은 정상이윤이므로 $P = AC$이다.
4) $AC = Q + \frac{2}{Q}$이므로 $\frac{75}{n} = \frac{25}{n} + \frac{2n}{25}$ ➜ $\frac{2n}{25} = \frac{50}{n}$ ➜ $n^2 = 25^2$ ➜ $n = 25$이다.

37 상중하 수요가 $y = 15 - p$인 시장에서 두 기업 A와 B가 꾸르노 경쟁을 한다. 기업 A와 B의 한계비용이 각각 1과 2일 때, 내쉬균형에서 시장가격은? (단, p는 시장가격, y는 시장수요량을 나타낸다)

[회계사 21]

① 3 ② 4 ③ 5
④ 6 ⑤ 7

38 상중하 시장수요의 역함수가 $P = 30 - Q$인 복점시장에서 두 기업 A와 B가 동시에 자신의 생산량을 결정하는 꾸르노(Cournot) 경쟁을 한다. 두 기업의 비용함수가 각각 다음과 같을 때, 내쉬균형(Nash equilibrium)에서 기업 A의 생산량은? (단, P는 시장가격, $Q = q_A + q_B$, q_i는 기업 i의 생산량이다)

[회계사 22]

- 기업 A의 총생산비용(C_A): $C_A = q_A^2$
- 기업 B의 총생산비용(C_B): $C_B = 5q_B$

① 2 ② 3 ③ 5
④ 7 ⑤ 10

39 상중하 역수요함수가 $p = 84 - y$인 시장에서 선도기업 1과 추종기업 2가 슈타켈버그 경쟁(Stackelberg competition)을 한다. 기업 1과 기업 2의 한계비용이 각각 21과 0일 때, 기업 1의 생산량은?

[회계사 20]

① 7 ② 10.5 ③ 21
④ 31.5 ⑤ 63

정답 및 해설

37 ④ 1) 수요함수를 두 기업의 수요량으로 표현하면 $p = 15 - y_A - y_B$이다.

2) 꾸르노 내쉬균형은 각 기업의 이윤극대화 생산을 한 후 반응곡선의 교점을 구하는 것이다.

3) 기업 A의 반응곡선

$\pi_A = TR_A - TC \rightarrow (15 - y_A - y_B) \times y_A - y_A \rightarrow$ 이윤극대화는 $\dfrac{\Delta \pi_A}{\Delta y_A} = 0$이므로 $15 - 2y_A - y_B - 1 = 0$

$\rightarrow 2y_A + y_B = 14$이다.

4) 기업 B의 반응곡선

$\pi_B = TR_B - TC \rightarrow (15 - y_A - y_B) \times y_B - 2y_B \rightarrow$ 이윤극대화는 $\dfrac{\Delta \pi_B}{\Delta y_B} = 0$이므로 $15 - y_A - 2y_B - 2 = 0$

$\rightarrow y_A + 2y_B = 13$이다.

5) 이 둘을 연립하면 $y_A = 5$, $y_B = 4$이므로 $p = 15 - y_A - y_B$에 대입하면 $p = 6$이다.

38 ③ 1) 수요곡선을 두 기업의 함수로 바꾸면 $P = 30 - (q_A + q_B)$이다.

2) 기업 A의 반응곡선

$\pi_A = TR - TC \rightarrow \pi_A = (30 - q_A - q_B)q_A - q_A^2$ 이윤극대화를 위해 q_A로 미분하여 0으로 두면 $30 - 2q_A - q_B - 2q_A = 0 \rightarrow 4q_A + q_B = 30$이다.

3) 기업 B의 반응곡선

$\pi_B = TR - TC \rightarrow \pi_B = (30 - q_A - q_B)q_B - 5q_B$ 이윤극대화를 위해 q_B로 미분하여 0으로 두면 $30 - q_A - 2q_B - 5 = 0 \rightarrow q_A + 2q_B = 25$이다.

4) 이 둘을 연립하면 $q_A = 5$, $q_B = 10$이다.

39 ③ 1) 선도기업이 1이고 추종기업이 2이므로 추종기업의 반응곡선을 선도기업에 넣어서 구한다.

2) 수요함수는 $y = y_1 + y_2$로 이루어진다. 이를 대입하면 $p = 84 - y_1 - y_2$이다.

3) 기업 2의 반응곡선

기업 2의 이윤 $= p \times y_2 = (84 - y_1 - y_2)y_2 \rightarrow$ 이윤극대화를 위해 y_2로 미분하여 0으로 두면 $84 - y_1 - 2y_2 = 0$이므로 $y_2 = 42 - \dfrac{1}{2}y_1$이다.

4) 기업 1의 반응곡선

기업 1의 이윤 $= p \times y_1 - 21y_1 = (84 - y_1 - y_2)y_1 - 21y_1$이다. 위에서 구한 y_2를 대입하면 $(84 - y_1 - 42 + \dfrac{1}{2}y_1)y_1 - 21y_1 \rightarrow (42 - \dfrac{1}{2}y_1)y_1 - 21y_1 \rightarrow$ 이윤극대화를 위해 y_1로 미분하여 0으로 두면 $42 - y_1 - 21 = 0 \rightarrow y_1 = 21$이므로 $y_2 = 31.5$이다.

40 상중하

한 마을에 빵가게와 떡가게가 서로 경쟁하고 있다. 빵(x)과 떡(y)의 가격이 각각 p_x와 p_y일 때, 빵과 떡의 수요 q_x, q_y는 다음과 같다.

- $q_x = 9 - 2p_x + p_y$
- $q_y = 9 - 2p_y + p_x$

빵과 떡 한 단위 생산에 각각 3의 비용이 든다. 이윤을 극대화하는 두 가게가 동시에 가격을 결정할 때, 다음 설명 중 옳은 것은? [회계사 16]

가. 두 가게의 최적대응함수(best response function)는 상대방 선택에 대해 비선형(non-linear)이다.
나. 두 가게의 최적대응함수를 그리면 45°선을 기준으로 대칭이다.
다. 내쉬균형에서 두 가게는 모두 가격을 6으로 설정한다.
라. 두 가게가 담합하면 더 큰 이윤을 얻을 수 있다.

① 가, 나　② 가, 다　③ 나, 다
④ 나, 라　⑤ 다, 라

정답 및 해설

40 ④ 1) 빵가게의 반응곡선

이윤극대화 $\pi = p_x q_x - 3q_x$

$= p_x(9 - 2p_x + p_y) - 3(9 - 2p_x + p_y)$

$= 9p_x - 2p_x^2 + p_x p_y - 27 + 6p_x - 3p_y = -2p_x^2 + 15p_x + p_x p_y - 3p_y - 27$

이윤극대화 가격을 구하기 위해 $\frac{d\pi_x}{dp_x} = 0$으로 두면

$-4p_x + 15 + p_y = 0$ ➜ $p_y = 4p_x - 15$

2) 떡가게의 반응곡선

이윤극대화 $\pi = p_y q_y - 3q_x$

$= p_y(9 - 2p_y + p_x) - 3(9 - 2p_y + p_x)$

$= 9p_y - 2p_y^2 + p_x p_y - 27 + 6p_y - 3p_x = -2p_y^2 + 15p_y + p_x p_y - 3p_x - 27$

이윤극대화 가격을 구하기 위해 $\frac{d\pi_y}{dp_y} = 0$으로 두면

$-4p_y + 15 + p_x = 0$ ➜ $p_y = \frac{1}{4}p_x + \frac{15}{4}$

3) 두 반응곡선이 교차하는 점에서 이윤극대화가 이루어진다.

$4p_x - 15 = \frac{1}{4}p_x + \frac{15}{4}$ ➜ $\frac{15}{4}p_x = \frac{75}{4}$ ➜ $p_x = 5,\ p_y = 5$

4) 지문분석

나. 그래프를 통해 두 가게의 최적대응함수를 그리면 45°선을 기준으로 대칭임을 알 수 있다.

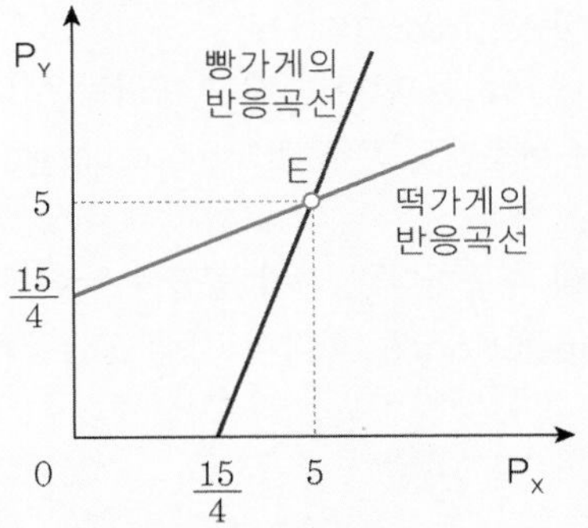

라. 두 가게가 담합하면 독점화 되어 가격을 더 높일 수 있으므로 더 큰 이윤을 얻을 수 있다.

[오답체크]

가. 두 가게의 최적대응함수(best response function)는 상대방 선택에 대해 선형이다.

다. 내쉬균형에서 두 가게는 모두 가격을 5로 설정한다.

41 상중하

동일한 상품을 생산하는 기업 1과 기업 2가 경쟁하는 복점시장을 가정하자. 시장수요함수는 $Q = 70 - P$이다. 두 기업은 모두 고정비용이 없으며, 한계비용은 10이다. 이윤을 극대화하는 두 기업에 대한 다음 설명 중 옳지 않은 것은? (단, P는 시장가격, $Q = q_1 + q_2$, 그리고 q_1은 기업 1의 생산량, q_2는 기업 2의 생산량이다) [회계사 17]

① 꾸르노모형(Cournot model)에서 기업 1의 반응함수는 $q_1 = 30 - 0.5q_2$이고, 기업 2의 반응함수는 $q_2 = 30 - 0.5q_1$이다.

② 꾸르노모형의 균형에서 각 기업의 생산량은 20이며, 각 기업의 이윤은 400이다.

③ 두 기업이 담합을 하는 경우, 꾸르노모형의 균형에서보다 각 기업의 이윤이 증가하며 소비자 후생은 감소한다.

④ 기업 1이 선도자로 생산량을 결정하는 슈타켈버그모형(Stackelberg model)의 균형에서는 기업 1의 생산량이 기업 2의 생산량의 2배이다.

⑤ 기업 1이 선도자로 생산량을 결정하는 슈타켈버그모형의 균형에서는 꾸르노모형의 균형에서보다 전체 생산량이 감소하고 소비자 후생이 감소한다.

42 상중하

두 기업 A, B만이 존재하는 복점 시장의 수요가 $y = 10 - p$로 주어져 있다. 두 기업의 한계비용이 1일 때 다음 중 옳지 않은 것은? [회계사 18]

① 두 기업이 완전경쟁적으로 행동한다면 시장 공급량은 9이다.

② 두 기업이 꾸르노 경쟁(Cournot competition)을 한다면 시장 공급량은 6이다.

③ 기업 A가 선도자, 기업 B가 추종자로서 슈타켈베르그 경쟁(Stackelberg competition)을 한다면 시장 공급량은 6.25이다.

④ 두 기업이 카르텔을 형성하여 독점기업처럼 행동한다면 시장 공급량은 4.5이다.

⑤ 두 기업이 베르뜨랑 경쟁(Bertrand competition)을 한다면 시장 공급량은 9이다.

정답 및 해설

41 ⑤ 1) 꾸르노모형의 반응곡선

① 기업 1

㉠ $Q = 70 - P$ ➜ $P = 70 - (q_1 + q_2)$이다.

㉡ 이윤 $= TR - TC$ ➜ 이윤 $= Pq_1 - 10q_1 = (70 - q_1 - q_2)q_1 - 10q_1$

㉢ 이윤극대화를 위해 q_1으로 미분하면 $70 - 2q_1 - q_2 - 10 = 0$ ➜ $q_1 = 30 - 0.5q_2$이다.

② 기업 2

㉠ $Q = 70 - P$ ➜ $P = 70 - (q_1 + q_2)$이다.

㉡ 이윤 $= TR - TC$ ➜ 이윤 $= Pq_2 - 10q_2 = (70 - q_1 - q_2)q_2 - 10q_2$

㉢ 이윤극대화를 위해 q_1으로 미분하면 $70 - 2q_2 - q_1 - 10 = 0$ ➜ $q_2 = 30 - 0.5q_1$이다.

2) 꾸르노모형에서의 생산량

① 한계비용이 동일한 경우 완전경쟁수준의 $\frac{2}{3}$를 생산하여 각각 $\frac{1}{3}$씩 생산한다.

② 완전경쟁에서는 $P = MC$ ➜ $70 - Q = 10$ ➜ $Q = 60$이므로 각각 20씩 생산하여 총 40을 생산한다.

③ 각 기업의 이윤은 위의 수식에 대입하면 $30 \times 20 - 10 \times 20 = 400$이다.

3) 슈타겔버그모형(두 기업의 한계비용이 동일한 경우)

슈타겔버그모형에서는 완전경쟁일 때 생산량의 선도자는 $\frac{1}{2}$, 추종자는 $\frac{1}{4}$생산한다.

4) 지문분석

⑤ 기업 1이 선도자로 생산량을 결정하는 슈타켈버그모형의 균형에서는 꾸르노모형의 균형에서보다 전체 생산량이 증가하므로 소비자의 후생이 증가한다.

[오답체크]

③ 두 기업이 담합을 하는 경우 독점기업처럼 되므로 꾸르노모형의 균형에서보다 각 기업의 이윤이 증가하며 소비자 후생은 감소한다.

42 ③ 두 기업의 한계비용이 동일한 경우 기업 A가 선도자, 기업 B가 추종자로서 완전경쟁수준의 $\frac{3}{4}$을 생산한다. 완전경쟁균형 생산량 $P = MC$이므로 $10 - y = 1$ ➜ $Y = 9$이다. 따라서 슈타켈버그 경쟁(Stackelberg competition)을 한다면 시장 공급량은 6.75이다.

[오답체크]

① 두 기업이 완전경쟁적으로 행동한다면 $P = MC$가 성립하므로 시장 공급량은 9이다.

② 두 기업이 꾸르노 경쟁(Cournot competition)을 한다면 완전경쟁수준의 $\frac{2}{3}$를 생산할 것이므로 시장 공급량은 $9 \times \frac{2}{3} = 6$이다.

④ 두 기업이 카르텔을 형성하여 독점기업처럼 행동한다면 $MR = MC$ ➜ $10 - 2y = 1$이므로 시장 공급량은 4.5이다.

⑤ 두 기업이 베르뜨랑 경쟁(Bertrand competition)에서는 생산량이 완전경쟁과 동일하므로 시장 공급량은 9이다.

43 상중하 다음 보수행렬(payoff matrix)을 갖는 게임에 대한 설명으로 옳은 것은? (단, A와 B는 각 경기자의 전략이며, 괄호 안의 첫 번째 숫자는 경기자 1의 보수를, 두 번째 숫자는 경기자 2의 보수를 나타낸다) [회계사 17]

		경기자 2	
		A	B
경기자 1	A	(7, 7)	(4, 10)
	B	(10, 4)	(3, 3)

① 모든 경기자에게 우월전략(dominant strategy)이 존재한다.
② 내쉬균형이 존재하지 않는다.
③ 내쉬균형은 두 경기자가 모두 A전략을 선택하는 것이다.
④ 내쉬균형은 두 경기자가 모두 B전략을 선택하는 것이다.
⑤ 내쉬균형에서 두 경기자는 서로 다른 전략을 선택한다.

44 상중하 다음과 같은 동시게임에 내쉬균형(Nash equilibrium)이 1개만 존재할 때, a의 전체 범위는? (단, A와 B는 각 경기자의 전략이며, 괄호 안의 첫 번째 숫자는 경기자 1의 보수를, 두 번째 숫자는 경기자 2의 보수를 나타낸다) [회계사 19]

		경기자 2	
		A	B
경기자 1	A	(a, 2)	(10, 10)
	B	(6, 4)	(5, 4)

① $a>0$ ② $a>2$ ③ $a>4$
④ $a>5$ ⑤ $a>6$

정답 및 해설

43 ⑤ 1) 경기자 1

㉠ 경기자 2가 A전략을 선택할 때 경기자 1의 보수는 A를 선택하면 7, B를 선택하면 10이므로 B를 선택한다.

㉡ 경기자 2가 B전략을 선택할 때 경기자 1의 보수는 A를 선택하면 4, B를 선택하면 3이므로 A를 선택한다.

2) 경기자 2

㉠ 경기자 1이 A전략을 선택할 때 경기자 2의 보수는 A를 선택하면 7, B를 선택하면 10이므로 B를 선택한다.

㉡ 경기자 1이 B전략을 선택할 때 경기자 2의 보수는 A를 선택하면 4, B를 선택하면 3이므로 A를 선택한다.

3) 내쉬균형은 (A, B), (B, A)이므로 두 경기자는 서로 다른 전략을 선택한다.

44 ⑤ 1) 내쉬균형은 1개인 경우를 가정한다.

2) 경기자 2의 전략

경기자 1이 A전략을 선택할 때 경기자 2는 B전략을 선택할 것이다.
경기자 1이 B전략을 선택할 때 경기자 2는 A와 B 모두 선택 가능하다.
경기자 2의 전략은 약우월전략이므로 경기자 2는 B전략을 선택할 것이다.

3) 경기자 1의 전략

경기자 2가 A전략을 선택할 때 경기자 1은 A 또는 B전략을 선택할 것이다.
경기자 2가 B전략을 선택할 때 경기자 1은 A전략을 선택한다.

4) 내쉬균형이 하나만 존재하기 때문에 경기자 2가 B전략을 선택할 때 경기자 1은 A전략을 채택하여야 한다. 따라서 $a>6$가 성립해야 한다.

45 상중하 다음의 보수행렬로 나타낼 수 있는 전략형 게임에서 순수전략 내쉬균형(Nash equilibrium)이 1개만 존재하는 경우의 a값으로 옳지 않은 것은? (단, U와 D는 경기자 1의 전략이고, L, C와 R은 경기자 2의 전략이며 괄호안의 첫 번째 숫자는 경기자 1의 보수를, 두 번째 숫자는 경기자 2의 보수를 나타낸다)

[회계사 22]

		경기자 2		
		L	C	R
경기자 1	U	(1, 2)	(5, 3)	(3, a)
	D	(4, 1)	(2, 4)	(3, 3)

① 1
② 2
③ 3
④ 4
⑤ 5

46 상중하 기업 1은 현재 기업 2가 4의 독점이윤을 얻고 있는 시장에 진입할지 말지를 선택하려 한다. 기업 1의 시장진입에 기업 2가 협조적으로 반응하면 각각 2의 이윤을 얻지만, 경쟁적으로 반응하면 각각 −1의 이윤을 얻는다. 이 게임에 대한 다음 설명 중 옳지 않은 것은? (단, 순수전략만을 고려한다)

[회계사 20]

① 유일한 부분게임(subgame)을 갖는다.
② 역진귀납(backward induction)에 의해 얻는 전략조합은 유일하다.
③ 기업 2의 경쟁적 반응은 공허한 위협(empty threat)에 해당한다.
④ 복수의 내쉬균형(Nash equilibrium)을 갖는다.
⑤ 유일한 부분게임완전균형(subgame perfect Nash equilibrium)을 갖는다.

정답 및 해설

45 ③ 1) 내쉬균형이 1개만 존재하는 경우를 가정하고 있다.

2) 경기자 1

경기자 2가 L을 선택하면 경기자 1은 D를 선택한다.

경기자 2가 C를 선택하면 경기자 1은 U를 선택한다.

경기자 2가 R을 선택하면 경기자 1은 U, D 둘 중 아무거나 선택한다.

3) 경기자 2

경기자 1이 U를 선택하면 경기자 2는 a가 3보다 크면 R, a가 3보다 작으면 C를 선택한다.

경기자 1이 D를 선택하면 경기자 2는 C를 선택한다.

4) $a = 1$ 또는 2일 경우

경기자 2는 C를 선택하는 것이 우월전략이므로 경기자 1은 U를 선택하고 내쉬균형은 1개이다.

5) $a = 3$일 경우

경기자 1이 U를 선택하면 경기자 2는 C 또는 R을 선택한다. 경기자 1은 C 또는 R을 선택한다. 이때 경기자 2는 옮길 유인이 없으므로 내쉬균형은 2개이다.

6) $a = 4$ 또는 5일 경우

경기자 1이 U를 선택하면 경기자 2가 R을 선택하고 경기자 2가 R을 선택하면 경기자 1은 U, D 둘 중 아무거나 선택하므로 균형은 (U, R)이다.

경기자 1이 D를 선택하면 경기자 2는 C를 선택한다. 경기자 2가 C를 선택하면 경기자 1은 U를 선택하므로 균형이 아니다. 따라서 내쉬균형은 1개이다.

46 ① 문제의 조건을 게임이론으로 바꾸면 다음과 같다.

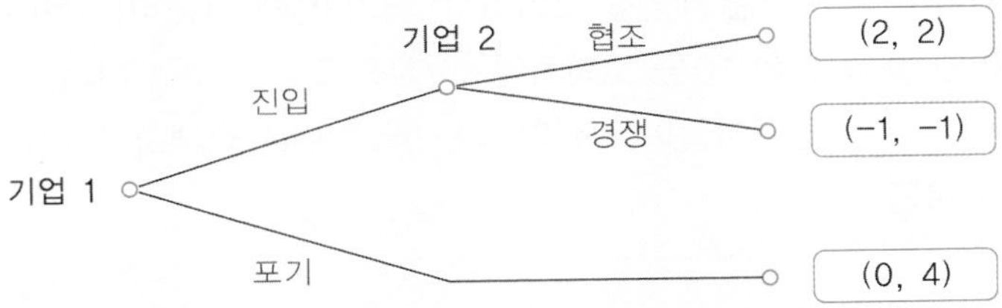

→ 따라서 2개의 부분게임을 갖는다.

[오답체크]

②⑤ 위의 그림처럼 역진귀납(backward induction)에 의해 얻는 전략조합은 유일하다. 즉, 유일한 부분게임완전균형(subgame perfect Nash equilibrium)을 갖는다.

③ 기업 2가 경쟁으로 바꿀 경우 자신의 이익이 감소할 것이므로 기업 2의 경쟁적 반응은 공허한 위협(empty threat)에 해당한다.

④ 표로 나타내면 다음과 같다.

기업 1 \ 기업 2	협조	경쟁
진입	(2,2)	(− 1, − 1)
포기	(0,4)	(0,4)

㉠ 기업 1의 경우 기업 2가 협조하면 진입, 경쟁하면 포기한다.

㉡ 기업 2의 경우 기업 1이 진입하면 협조, 포기하면 협조하던, 경쟁하던 관련이 없다.

㉢ 따라서 내쉬균형은 (진입, 협조), (포기, 경쟁) 2개이다.

47 상중하

복점시장에서 경쟁하는 두 기업이 동시에 가격을 결정한다고 하자. 이 시장에서 수요의 역함수는 $P = 100 - \frac{1}{2}Q$(P는 시장가격, Q는 두 기업 생산량의 합)이며, 두 기업의 가격이 동일하면 두 기업이 시장수요량을 반씩 나누어 갖는다. 두 기업 모두 고정비용은 없고, 한계비용은 10으로 일정하다. 기업들은 가격을 자연수로만 정할 수 있다. 다음 설명 중 가장 옳지 않은 것은? [회계사 14]

① 두 기업이 모두 가격을 10으로 정하는 것은 내쉬(Nash)균형이다.
② 두 기업이 모두 가격을 11로 정하는 것은 내쉬균형이다.
③ 모든 내쉬균형에서 두 기업의 이윤은 0이다.
④ 한 기업은 가격을 10으로, 다른 기업은 가격을 11로 정하는 것은 내쉬균형이 아니다.
⑤ 모든 내쉬균형에서 시장 전체 거래량은 180을 초과하지 않는다.

48 상중하

10개의 귤을 두 경기자가 나누어 갖는 게임을 고려하자. 경기자들은 자신이 원하는 귤의 수를 동시에 적어낸다. 적어낸 수의 합이 10을 초과하면 아무도 귤을 갖지 못하며, 10 이하이면 각자 적어 낸 수만큼을 갖는다. 경기자들이 자신이 갖는 귤의 수를 극대화하고자 할 때, 내쉬(Nash)균형을 모두 고르면? [회계사 14]

가. 두 경기자 모두 5를 적어낸다.
나. 한 경기자는 6, 다른 경기자는 7을 적어낸다.
다. 한 경기자는 10, 다른 경기자는 0을 적어낸다.
라. 한 경기자는 3, 다른 경기자는 6을 적어낸다.

① 가　　② 나　　③ 가, 나
④ 가, 다　　⑤ 나, 라

정답 및 해설

47 ③ 1) 두 기업 모두 가격을 10으로 정하면 $10 = 100 - \frac{1}{2}Q$ ➜ $Q = 180$이다.

고정비용이 존재하지 않으므로 한계비용 = 평균비용이다.
한 기업이 가격을 올리게 되면 복점시장이므로 수요량이 0이 되어 가격을 올릴 수 없다.
한 기업이 가격을 내리게 되면 '가격 < 평균비용'으로 손실이 발생하므로 가격을 내리지 않는다. 따라서 내쉬균형이다.

2) 두 기업 모두 가격을 11로 정하면 $11 = 100 - \frac{1}{2}Q$ ➜ $Q = 178$이다.

두 기업의 가격과 생산량 모두 동일하므로 이윤 = 총수입 − 총비용 ➜ 이윤은 8.9($= 11 \times 89 - 10 \times 89$)이다.
한 기업이 가격을 올리게 되면 복점시장이므로 수요량이 0이 되므로 가격을 올릴 수 없다.
한 기업이 가격을 내리게 되면 가격 = 평균비용이므로 경제적 이윤이 0이 된다. 따라서 가격을 내리지 않는다. 따라서 내쉬균형이다.

48 ④ 1) 내쉬균형에서는 상대방의 전략이 주어진 것으로 보고 각 경기자가 전략을 바꾸더라도 이득을 얻을 수 없어서 행동을 바꾸지 않는다.

2) 가. 두 경기자 모두 5를 적어낸다.
㉠ 한 경기자가 6을 적어낸다면 합이 10을 초과하여 귤을 가지지 못한다. ➜ 6을 적지 않음
㉡ 한 경기자가 4를 적어낸다면 합이 9를 이므로 자신의 귤이 1개 감소한다. ➜ 4를 적지 않음
㉢ 행동을 바꿀 유인이 없으므로 내쉬균형이다.

3) 다. 한 경기자는 10, 다른 경기자는 0을 적어낸다.
㉠ 10을 적은 경기자가 11을 적어내면 10개였던 귤이 0개가 되고 9를 적어내면 10개보다 적어지므로 숫자를 바꾸지 않는다.
㉡ 0을 적은 경기자는 1을 적는다 해도 귤을 가지지 못하므로 숫자를 바꾸지 않는다.
㉢ 행동을 바꿀 유인이 없으므로 내쉬균형이다.

[오답체크]

나. 한 경기자는 6, 다른 경기자는 7을 적어낸다.
㉠ 현재 두 경기자의 합이 13이므로 둘 다 가지지 못한다. 따라서 숫자를 적게 써서 10이하로 맞출 이유가 있다.
㉡ 행동을 바꿀 유인이 있으므로 내쉬균형이 아니다.

라. 한 경기자는 3, 다른 경기자는 6을 적어낸다.
㉠ 3을 적은 경기자가 4를 적어내면 3개였던 귤이 4개가 되므로 행동을 바꿀 유인이 있다.
㉡ 행동을 바꿀 유인이 있으므로 내쉬균형이 아니다.

49 상중하

세 명의 경기자 갑, 을, 병이 총 3만원의 상금이 걸려 있는 대회에 참가할지 여부를 동시에 결정하는 게임을 고려하자. 경기자 당 참가비용은 1만원이다. 총 상금 3만원은 대회에 참가한 사람에게 균등하게 배분된다. 예를 들어 갑과 을만이 대회에 참가하면 갑과 을은 각자 1만5천원의 상금을 받는 반면, 병은 상금을 받지 못한다. 경기자들은 자신이 받는 상금에서 대회 참가비용을 차감한 금액을 극대화하고자 한다. 다음 중 내쉬(Nash)균형을 모두 고르면?

[회계사 15]

가. 세 경기자 모두 대회에 참가한다.
나. 두 경기자가 대회에 참가하고, 한 경기자는 참가하지 않는다.
다. 한 경기자만 대회에 참가하고, 다른 두 경기자는 참가하지 않는다.
라. 세 경기자 모두 대회에 참가하지 않는다.

① 가　② 가, 나　③ 가, 라
④ 가, 나, 다　⑤ 나, 다, 라

50 상중하

갑과 을이 동시에 1, 2, 3 중 하나의 숫자를 선택한다. 둘이 선택한 숫자가 다를 경우, 더 작은 수를 선택한 사람이 자신이 선택한 숫자의 2배를 상금으로 받고 다른 사람은 상금을 전혀 받지 못한다. 둘이 같은 숫자를 선택한 경우, 둘 다 자신이 선택한 값을 상금으로 받는다. 다음 중 이 게임의 내쉬균형을 모두 고르면?

[회계사 21]

가. 갑, 을 모두 1을 선택한다.
나. 갑, 을 모두 2를 선택한다.
다. 갑, 을 모두 3을 선택한다.
라. 한 사람이 다른 사람보다 1 큰 숫자를 선택한다.

① 가, 나　② 가, 다　③ 나, 다
④ 나, 라　⑤ 다, 라

정답 및 해설

49 ② 가. 세 경기자 모두 대회에 참가한다.
최초에 모두 순편익이 0이다. 1명이 미참가하더라도 순편익은 0이므로 바꿀 이유가 없다. 따라서 내쉬균형이다.

나. 두 경기자가 대회에 참가하고, 한 경기자는 참가하지 않는다.
최초에 참가한 사람의 순편익은 5천원이다.
참가자가 대회에 불참하면 자신의 편익이 0으로 감소한다.
참가하지 않은 사람이 참가하면 참가하더라도 순편익이 0이므로 참가할 이유가 없다. 따라서 내쉬균형이다.

[오답체크]

다. 한 경기자만 대회에 참가하고, 다른 두 경기자는 참가하지 않는다.
최초에 참가한 사람의 순편익은 2만원이다.
참가자가 대회에 불참하면 자신의 편익이 0으로 감소한다.
참가하지 않은 사람이 참가하면 순편익이 5천원으로 증가한다. 행동이 바뀔 유인이 있으므로 내쉬균형이 아니다.

라. 세 경기자 모두 대회에 참가하지 않는다.
최초에 참가한 사람의 순편익은 0만원이다.
참가하지 않은 사람이 참가하면 순편익이 2만원으로 증가한다. 행동이 바뀔 유인이 있으므로 내쉬균형이 아니다.

50 ① 가. 갑, 을 모두 1을 선택한다.
둘 중 한명이라도 1보다 큰 숫자를 선택하면 상금을 받지 못하므로 행동을 변화시키지 않아 내쉬균형상태이다.

나. 갑, 을 모두 2를 선택한다.
한명이 1을 선택하면 최초의 상금과 동일하고, 3을 선택하면 상금을 받지 못하므로 행동을 변화시키지 않아 내쉬균형상태이다.

[오답체크]

다. 갑, 을 모두 3을 선택한다.
한명이 2를 선택하면 상금이 4가 되어 2로 이동하므로 내쉬균형이 아니다.

라. 한 사람이 다른 사람보다 1 큰 숫자를 선택한다.
큰 숫자를 선택하면 상금을 받지 못하기 때문에 이동시킬 것이므로 내쉬균형이 아니다.

51 상중하

두 사람이 평균값 맞추기 게임을 한다. 1부터 10까지의 자연수 중 하나를 동시에 선택하면 그 평균과의 차이만큼을 10만원에서 뺀 값을 상금으로 제공한다. 다시 말해, 경기자 i가 a_i를 선택하면 i의 상금은 $(10-\left|\frac{a_1+a_2}{2}-a_i\right|)$만원이 된다. 다음 설명 중 옳은 것은? (단, $i=1$, 2)

[회계사 18]

가. 우월전략이 존재한다.
나. 복수의 내쉬균형(Nash equilibrium)이 존재한다.
다. 내쉬균형에서 각 경기자의 상금은 서로 같다.
라. 경기자가 셋이 되면 내쉬균형에서 각 경기자의 상금은 동일하지 않다.

① 가, 나 ② 가, 다 ③ 나, 다
④ 나, 라 ⑤ 다, 라

정답 및 해설

51 ③ 1) 경기자 i가 받는 상금이 가장 높은 경우는 $\left|\frac{a_1 + a_2}{2} - a_i\right|$가 0이 되는 경우이다.

2) 0이 되는 경우는 둘 다 같은 숫자를 제시하는 경우이다.

3) 따라서 내쉬균형은 둘 다 동일한 수를 제시하는 (1, 1), ……(10, 10) 10개이다.

4) 지문분석

나. 10개의 내쉬균형(Nash equilibrium)이 존재한다.

다. 내쉬균형에서 각 경기자의 상금은 10으로 서로 같다.

[오답체크]

가. 우월전략은 존재하지 않는다.

라. 경기자가 셋이 되더라도 동일한 숫자를 제시하는 내쉬균형에서 각 경기자의 상금은 10으로 동일하다.

제6장

생산요소시장과 소득분배

Topic 12 생산요소시장과 소득분배

01 생산요소시장

한계수입생산과 한계요소비용	(1) ㉮ ________________(Marginal Revenue Product) ① 생산요소를 1단위 추가적으로 고용할 때(노동자를 1명 더 고용할 때)의 총수입의 증가분으로 다음과 같이 나타냄 ② $MRP_L = \frac{\Delta TR}{\Delta L} = \frac{\Delta Q}{\Delta L} \times \frac{\Delta TR}{\Delta Q} = MP_L \times MR$ (2) ㉯ ________________(Marginal Factor Cost) ① 생산요소를 1단위 추가적으로 고용할 때(노동자를 1명 더 고용할 때)의 총비용의 증가분으로 다음과 같이 나타냄 ② $MFC_L = \frac{\Delta TC}{\Delta L} = \frac{\Delta Q}{\Delta L} \times \frac{\Delta TC}{\Delta Q} = MP_L \times MC$
생산요소시장의 형태에 따른 비교	생산물시장 완전경쟁 – 생산요소시장 완전경쟁: $MRP_L(= VMP_L) = MFC_L$ ㉰ ________________
	생산물시장 독점시장 – 생산요소시장 완전경쟁: $MRP_L = MFC_L$ $MRP_L < VMP_L$
	생산물시장 독점시장 – 생산요소 불완전경쟁(수요독점): $MRP_L = MFC_L$ $MRP_L < VMP_L$ ㉱ ________________
	공급독점생산요소시장: 이윤극대화 추구 $MR = MC$ 총임금 극대화 $MR = 0$ 고용량 극대화 $MRP_L = MFC_L$

핵심키워드

㉮ 한계수입생산, ㉯ 한계요소비용, ㉰ $P \times MP = w$, ㉱ $MFC_L > AFC_L$

02 지대

개념	원래 토지같이 그 공급이 완전히 고정된 생산요소에 대하여 지불되는 보수를 의미하였으나 오늘날은 공급이 고정된 생산요소에 대한 보수로 확대 해석함
전용수입과 경제적 지대	(1) ㉮ ____________(Transfer Earnings: 이전수입) 생산요소를 현재의 고용상태에 붙들어 두기 위하여 최소한 지불하여야 하는 금액을 의미하며 이는 생산요소공급에 의한 기회비용의 의미 (2) 경제적 지대(Economic Rent) 어떤 생산요소가 현재 고용되고 있는 곳에서 받는 일정한 금액의 보수 중 전용수입을 제외한 부분을 의미하며 이는 생산요소가 얻은 소득 중에서 기회비용을 초과하는 부분으로 생산요소 공급자의 잉여라 할 수 있음. 생산물시장의 공급자 잉여를 생산자 잉여라 하면, 생산물요소시장의 ㉯ ____________를 경제적 지대라고 하며 공급의 가격탄력성이 ㉰ ____________일수록 경제적 지대가 큼

03 소득분배

원인	선천적 능력과 후천적 노력의 차이, 물적 소득의 상속과 증여의 차이, 교육 및 훈련 기회의 차이, 경제 체제, 경제 정책의 차이, 경기 변동 등
로렌츠곡선	(1) ㉱ ____________에 가까울수록 완전평등 (2) ㉲ ____________측정이 가능하며 교차 시 비교 불가능
지니계수	(1) 지니계수 = $\frac{\alpha}{\alpha+\beta}$ (2) ㉳ ____________(클수록 불평등)
10분위 분배율	(1) 10분위 분배율 = $\frac{\text{하위 40\%의 계층의 소득 점유율(\%)}}{\text{상위 20\%의 계층의 소득 점유율(\%)}}$ (2) ㉴ ____________(작을수록 불평등)
애킨슨 지수	(1) 애킨슨 지수 = $1-\frac{\text{균등분배 대등소득}}{\text{평균소득}}$ (2) ㉵ ____________(클수록 불평등)
소득재분배 정책	(1) 세입: 누진세, 상속세, 증여세 강화, 직접세의 비중 확대 (2) 세출: 사회보험과 공공부조 등의 사회 보장제도의 확충, 최저임금제를 통한 저소득층의 소득보장 (3) 부작용: 근로의욕저하, 정부재정 부담 가중과 같은 복지병의 발생

핵심키워드

㉮ 전용수입, ㉯ 공급자 잉여, ㉰ 비탄력적, ㉱ 대각선, ㉲ 서수적, ㉳ 0 ≤ 지니계수 ≤ 1,
㉴ 0 ≤ 10분위 분배율 ≤ 2, ㉵ 0 ≤ 애킨슨 지수 ≤ 1

STEP 1 기본문제

01 상중하

시간당 임금이 5,000에서 6,000으로 인상될 때, 노동수요량이 10,000에서 9,000으로 감소하였다면 노동수요의 임금탄력성은? (단, 노동수요의 임금탄력성은 절댓값이다)

[노무사 18]

① 0.67%　② 1%　③ 0.5
④ 1　⑤ 2

02 상중하

노동수요곡선은 $L = 300 - 2w$, 노동공급곡선은 $L = -100 + 8w$ 이다. 최저임금이 50일 경우, 시장고용량(ㄱ)과 노동수요의 임금탄력성(ㄴ)은? (단, L은 노동량, w는 임금, 임금탄력성은 절댓값으로 표시한다)

[노무사 12]

① ㄱ: 200, ㄴ: 0.4
② ㄱ: 200, ㄴ: 0.5
③ ㄱ: 220, ㄴ: 2
④ ㄱ: 300, ㄴ: 0.5
⑤ ㄱ: 400, ㄴ: 8

03 상중하

고급 한식에 대한 열풍으로 한식 가격이 상승하였다고 가정하자. 한식 가격의 상승이 한식 요리사들의 노동시장에 미치는 영향으로 가장 옳은 것은?

[서울시 7급 16]

① 노동 수요곡선이 오른쪽으로 이동하여 임금이 상승한다.
② 노동 수요곡선이 왼쪽으로 이동하여 임금이 하락한다.
③ 노동 공급곡선이 오른쪽으로 이동하여 임금이 하락한다.
④ 노동 공급곡선이 왼쪽으로 이동하여 임금이 상승한다.

04 상중하

상품시장과 생산요소시장이 완전경쟁시장이고, 기업은 이윤극대화를 추구할 때 단기 노동수요에 관한 설명으로 옳은 것을 모두 고른 것은? [노무사 13]

> ㄱ. 노동의 한계생산물가치(VMP_L)와 한계수입생산물(MRP_L)은 일치한다.
> ㄴ. 상품의 가격이 상승하면 노동수요곡선이 좌측으로 이동한다.
> ㄷ. 기술진보로 노동의 한계생산물이 증가하면 노동수요곡선이 우측으로 이동한다.

① ㄱ　② ㄱ, ㄴ　③ ㄱ, ㄷ
④ ㄴ　⑤ ㄴ, ㄷ

정답 및 해설

01 ③ 1) 임금이 5,000에서 6,000으로 20% 상승할 때 노동수요량이 10,000에서 9,000으로 10% 감소하였으므로 노동수요의 임금탄력성은 0.5이다.

2) $\varepsilon_L = \dfrac{\frac{\Delta L}{L}}{\frac{\Delta w}{w}} = -\dfrac{\frac{-1,000}{10,000}}{\frac{1,000}{5,000}} = 0.5$

02 ② 균형임금을 구하면 $300 - 2w = -100 + 8w$이다. 따라서 $w = 40$이다. 균형임금이 최저임금보다 낮으므로 균형임금이 아닌 최저임금이 적용되어야 한다. 따라서 $w = 50$이므로 노동수요는 200이다. 노동수요의 임금탄력성은 $\dfrac{\Delta L}{\Delta w} \times \dfrac{w}{L}$이므로 $2 \times \dfrac{50}{200} = 0.5$이다.

03 ① 한식 가격이 상승하면 한식의 공급량이 늘어나므로 한식 요리사에 대한 수요가 증가한다. 이는 한식 요리사 시장에서 노동수요곡선이 오른쪽으로 이동함을 의미한다. 노동수요곡선이 오른쪽으로 이동하면 임금이 상승한다.

04 ③ **[오답 체크]**
ㄴ. 상품의 가격이 상승하면 노동수요곡선이 우측으로 이동한다.

05 상중하 노동수요곡선에 대한 설명으로 옳은 것을 〈보기〉에서 모두 고르면? [국회직 8급 15]

〈보기〉

ㄱ. 노동의 한계생산물이 빠르게 체감할수록 노동수요는 임금탄력적이 된다.
ㄴ. 생산물에 대한 수요가 증가하면 노동수요곡선이 우측으로 이동한다.
ㄷ. 노동 1단위당 자본량이 증가하면 노동수요곡선이 좌측으로 이동한다.

① ㄱ
② ㄴ
③ ㄱ, ㄴ
④ ㄴ, ㄷ
⑤ ㄱ, ㄴ, ㄷ

06 상중하 A산업 부문의 노동시장에서 균형임금의 상승이 예상되는 상황만을 〈보기〉에서 모두 고르면? (단, 노동수요곡선은 우하향하는 직선이고 노동공급곡선은 우상향하는 직선이다) [국가직 18]

〈보기〉

ㄱ. A산업 부문의 노동자에게 다른 산업 부문으로의 취업기회가 확대되고, 노동자의 생산성이 증대되었다.
ㄴ. A산업 부문의 노동자를 대체하는 생산기술이 도입되었고, A산업 부문으로의 신규 취업 선호가 증대되었다.
ㄷ. A산업 부문에서 생산되는 재화의 가격이 하락하고, 노동자 실업보험의 보장성이 약화되었다.

① ㄱ
② ㄴ
③ ㄱ, ㄷ
④ ㄴ, ㄷ

07 상중하 노동의 한계생산물이 체감하고 노동공급곡선은 우상향한다고 가정할 때, 노동시장에 관한 주장으로 옳은 것을 모두 고른 것은? [노무사 15]

〈보기〉

ㄱ. 노동시장이 수요독점인 경우, 노동시장이 완전경쟁인 경우보다 고용량이 작다.
ㄴ. 생산물시장이 독점이고 노동시장이 수요독점이면, 임금은 한계요소비용보다 낮다.
ㄷ. 노동시장이 완전경쟁이면 개별기업의 노동수요곡선은 우하향한다.

① ㄱ
② ㄴ
③ ㄱ, ㄷ
④ ㄴ, ㄷ
⑤ ㄱ, ㄴ, ㄷ

정답 및 해설

05 ② 1) 특별한 언급이 없으므로 상품시장 경쟁, 노동시장 경쟁인 경우를 가정하여야 한다.

2) 지문분석

ㄴ. 생산물에 대한 수요가 증가하면 생산물 가격(P)이 상승한다. 따라서 노동수요곡선은 우측으로 이동한다.

[오답체크]

ㄱ. 노동의 한계생산물(MP_L)이 빠르게 체감한다는 것은 노동의 한계생산물곡선이 가파르다는 것을 의미한다. 노동수요곡선이 가파르면 임금비탄력적이다.

ㄷ. 노동 1단위당 자본량이 증가하면 노동의 한계생산물(MP_L)이 증가한다. 따라서 노동수요곡선이 우측으로 이동한다.

06 ① ㄱ. A산업 부문 노동자에게 다른 산업부문으로 취업기회가 증대되면 A산업 부분의 노동공급이 감소하고, 노동자의 생산성이 증대되면 한계생산물가치 = 노동수요이므로 노동수요가 증가한다. A산업의 노동공급이 감소하고 노동수요가 증가하면 균형임금이 상승한다.

[오답체크]

ㄴ. A산업 부문 노동자를 대체하는 생산기술이 도입되면 A산업의 노동수요가 감소하고, A산업 부분으로의 신규 취업 선호가 증대되면 노동공급이 증가한다. 노동수요가 감소하고 노동공급이 증가하면 균형임금은 하락하게 된다.

ㄷ. A산업 부문에서 생산되는 재화의 가격이 하락하면 한계생산물가치가 하락하여 노동수요가 감소한다. 그리고 A산업 부분 노동자에 대한 실업보험의 보장성이 약화되면 A산업에 근무하는 노동자 중 일부가 다른 산업으로 이동할 것이므로 노동공급이 감소한다. 노동수요와 노동공급이 모두 감소하면 균형임금은 알 수 없다.

07 ⑤ ㄱ. ㄴ. 노동시장이 수요독점인 경우 수요독점기업은 한계수입생산(MRP_L)과 한계요소비용(MFC_L)이 일치하는 수준까지 노동을 고용하므로 고용량은 노동시장이 완전경쟁일 때보다 더 적은 L_1으로 결정된다. 이 때 수요독점기업은 노동공급곡선의 높이에 해당하는 w_1의 임금을 지급하므로 임금도 완전경쟁일 때보다 낮은 수준임을 알 수 있다.

노동시장이 수요독점인 경우 임금은 한계수입생산 혹은 한계요소비용보다 더 낮은 수준으로 결정된다. 일반적으로 수요독점의 균형에서는 $MRP_L = MFC_L > w = AFC_L$의 관계가 성립한다.

ㄷ. 노동시장이 완전경쟁일 때 개별기업의 노동수요곡선은 우하향하는 한계생산물가치(VMP_L)곡선 혹은 한계수입생산(MRP_L)곡선이다.

08 상중하

노동시장에 관한 설명으로 옳은 것을 모두 고른 것은? [노무사 18]

ㄱ. 완전경쟁 노동시장이 수요 독점화되면 고용은 줄어든다.
ㄴ. 단기 노동수요곡선은 장기 노동수요곡선보다 임금의 변화에 비탄력적이다.
ㄷ. 채용비용이 존재할 때 숙련노동 수요곡선은 미숙련노동 수요곡선보다 임금의 변화에 더 탄력적이다.

① ㄱ　② ㄷ　③ ㄱ, ㄴ
④ ㄴ, ㄷ　⑤ ㄱ, ㄴ, ㄷ

09 상중하

A기업은 노동시장에서 수요독점자이다. 다음 설명 중 옳지 않은 것은? (단, A기업은 생산물 시장에서 가격수용자이다) [노무사 16]

① 균형에서 임금은 한계요소비용(Marginal Factor Cost)보다 낮다.
② 균형에서 노동의 한계생산가치(VMP_L)와 한계요소비용이 같다.
③ 한계요소비용곡선은 노동공급곡선의 아래쪽에 위치한다.
④ 균형에서 완전경쟁인 노동시장에 비해 노동의 고용량이 더 적어진다.
⑤ 균형에서 완전경쟁인 노동시장에 비해 노동의 가격이 더 낮아진다.

10 상중하 A기업의 단기생산함수가 다음과 같을 때, 완전경쟁시장에서 A기업은 이윤을 극대화하는 생산수준에서 노동 50단위를 고용하고 있다. 노동 한 단위당 임금이 300일 경우, 이윤을 극대화하는 생산물 가격은? (단, 노동시장은 완전경쟁시장이고, Q는 생산량, L은 노동이다)

[국가직 7급 20]

• A기업의 단기생산함수: $Q(L) = 200L - L^2$

① 1
② 3
③ 5
④ 9

정답 및 해설

08 ③ 노동시장이 완전경쟁에서 수요독점으로 바뀌게 되면 수요독점기업은 $MRP_L = MFC_L$인 점에서 고용량을 결정하므로 노동시장이 완전경쟁일 때보다 고용량이 감소하게 된다. 임금이 하락하는 경우 장기에는 자본을 노동으로 대체할 것이므로 노동수요량이 대폭 증가하나 단기에는 자본을 노동으로 대체할 수 없으므로 노동수요량이 장기보다 더 적게 증가한다. 그러므로 단기 노동수요곡선은 장기 노동수요곡선보다 임금변화에 비탄력적이다.

[오답체크]

ㄷ. 숙련노동은 기계로 대체가 어려운 경우가 대부분인데 비해 미숙련노동은 다른 생산요소로 대체가 가능한 경우가 많다. 그러므로 채용비용이 존재하더라도 숙련노동의 고용은 크게 변하지 않는 반면 미숙련노동의 고용은 큰 폭으로 변할 것이므로 미숙련노동이 숙련노동보다 임금변화에 더 탄력적이 된다.

09 ③ 수요독점기업은 우상향의 노동공급곡선에 직면하므로 한계요소비용곡선이 노동공급곡선의 상방에 위치한다.

10 ② 1) 완전경쟁 생산요소시장이므로 $P \times MP = w$가 성립한다.
2) 생산함수를 통해 MP를 구하면 $MP_L = 200 - 2L$이다. 이때 노동 50단위를 고용하므로 $MP = 100$이다. $P \times 100 = 300$이므로 생산물의 가격은 3이 된다.

11 상중하

기업 A가 생산하는 재화에 투입하는 노동의 양을 L이라 하면, 노동의 한계생산은 $27-5L$이다. 이 재화의 가격이 20이고 임금이 40이라면, 이윤을 극대로 하는 기업 A의 노동수요량은?

[노무사 17]

① 1 ② 2 ③ 3
④ 4 ⑤ 5

12 상중하

노동만을 이용해 제품을 생산하는 기업이 있다. 생산량을 Q, 노동량을 L이라 할 때, 이 기업의 생산함수는 $Q=\sqrt{L}$ 이다. 이 기업이 생산하는 제품의 단위당 가격이 20이고 노동자 1인당 임금이 5일 때, 이 기업의 최적노동 고용량은? (단, 생산물시장과 노동시장은 모두 완전경쟁적이라고 가정한다)

[서울시 19]

① 1 ② 2
③ 4 ④ 8

13 상중하

노동시장에서 수요독점자인 A기업의 생산함수는 $Q=2L+100$이다. 생산물시장은 완전경쟁이고 생산물 가격은 100이다. 노동공급곡선이 $W=10L$인 경우 다음을 구하시오. (단, Q는 산출량, L은 노동투입량, W는 임금이며 기업은 모든 근로자에게 동일한 임금을 지급한다)

[노무사 21]

ㄱ. A기업의 이윤극대화 임금
ㄴ. 노동시장의 수요독점에 따른 사회후생 감소분(절댓값)의 크기

① ㄱ: 50, ㄴ: 100
② ㄱ: 50, ㄴ: 200
③ ㄱ: 100, ㄴ: 300
④ ㄱ: 100, ㄴ: 400
⑤ ㄱ: 100, ㄴ: 500

정답 및 해설

11 ⑤ 1) 노동의 적정고용조건은 $w = MP_L \times P$이다.

2) $w = 40$, $MP_L = 27 - 5L$, $P = 20$이므로 이를 $w = MP_L \times P$에 대입하면

$40 = (27 - 5L) \times 20$ ➜ $2 = 27 - 5L$ ➜ $L = 5$로 계산된다.

12 ③ 1) 생산함수가 $Q = \sqrt{L} = L^{\frac{1}{2}}$이므로 생산함수를 L에 대해 미분하면 $MP_L = \frac{1}{2}L^{-\frac{1}{2}} = \frac{1}{2\sqrt{L}}$이다.

2) 생산물시장과 생산요소시장이 완전경쟁일 때 기업이 노동자 1명을 추가로 고용할 때 얻는 수입인 한계생산물가치 $VMP_L = MP_L \times P = \frac{10}{\sqrt{L}}$이다.

3) 기업은 고용수준은 $w = VMP_L$이므로 $\frac{10}{\sqrt{L}} = 5$, $L = 4$이다.

13 ⑤ 1) 수요독점에서 이윤극대화 노동량은 $MRP_L = MFC_L$이다.

2) 생산물시장은 완전경쟁이므로 $MRP_L = VMP_L$이다.

3) $VMP_L = P \times MP_L$ ➜ $100 \times 2 = 200$이다.

4) $TFC_L = 10L^2$이므로 $MFC_L = 20L$이다.

5) 이윤극대화 노동량은 $200 = 20L$ ➜ $L = 10$이다.

6) 수요독점에서는 노동량을 노동공급곡선에 적용하면 $W = 100$이다.

7) 완전경쟁인 경우 $VMP_L = w$이므로 $L = 20$이다.

8) 사회후생 감소분 = 후생손실분 임금의 차이 × 고용량 감소분 × $\frac{1}{2} = 100 \times 10 \times \frac{1}{2} = 500$

9) 그래프

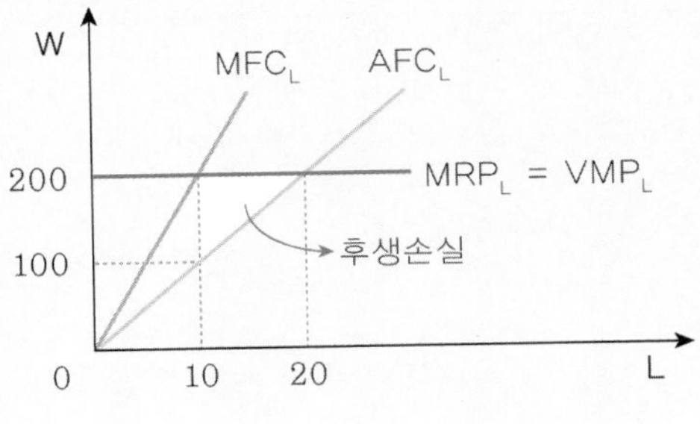

14 상중하

기업 A는 노동만을 이용하여 재화 X를 생산한다. 기업 A의 생산함수는 $Q=\sqrt{L}$ 이며 X의 시장가격은 500이다. 기업 A는 노동에 대해 수요독점자이며, 노동시장에서 노동공급은 $w=L$ 이다. 기업 A가 선택할 임금률과 고용량을 바르게 연결한 것은? (단, w는 임금률, L은 노동량, Q는 생산량이다)

[지방직 21]

	임금률	고용량
①	25	25
②	25	50
③	50	25
④	50	50

15 상중하

노동공급곡선이 $L=w$ 이고, 노동시장에서 수요독점인 기업 A가 있다. 기업 A의 노동의 한계수입 생산물이 $MRP_L=300-L$일 때, 아래의 설명들 중 옳지 않은 것을 〈보기〉에서 모두 고른 것은? (단, L은 노동, w는 임금, 기업 A는 이윤극대화를 추구하고 생산물시장에서 독점기업이다)

[노무사 15]

〈보기〉

ㄱ. 이 기업의 노동의 한계요소비용은 $MFC_L=L$이다.
ㄴ. 이 기업의 고용량은 $L=100$이다.
ㄷ. 이 기업의 임금은 $w=200$이다.

① ㄱ ② ㄴ ③ ㄷ
④ ㄱ, ㄴ ⑤ ㄱ, ㄷ

16 상중하

생산물시장에서 독점기업인 A는 노동시장에서 수요독점자이다. 노동공급곡선은 $w = 100 + 5L$, 근로자를 추가로 고용할 때 A기업이 얻는 노동의 한계수입생산물은 $MRP_L = 300 - 10L$이다. 이때 A기업이 이윤극대화를 위해 근로자에게 지급하는 임금은? (단, w는 임금, L은 고용량이다) [노무사 12]

① 100　② 150　③ 200
④ 250　⑤ 300

생산요소시장과 소득분배

제6장

해커스 서호성 객관식 경제학

정답 및 해설

14 ① 1) 생산요소시장의 균형은 $MRP_L = MFC_L$이다.

2) $MRP_L = MR \times MP_L = 500 \times \dfrac{1}{2\sqrt{L}} = \dfrac{250}{\sqrt{L}}$이다.

3) $MFC_L = 2L$이다.

4) 균형을 구하면 $\dfrac{250}{\sqrt{L}} = 2L$ → $L = 25$이다.

5) 수요독점인 경우 균형노동량을 노동공급곡선에 대입하면 되므로 $w = 25$이다.

15 ⑤ ㄱ. 수요독점기업이 직면하고 있는 노동공급곡선식이 $w = L$이므로 총요소비용 $TFC_L = w \cdot L = L^2$이다. 총요소비용을 L에 대해 미분하면 한계요소비용 $MFC_L = 2L$이다.

ㄷ. 수요독점기업은 노동공급곡선 높이에 해당하는 임금을 지급하므로 $L = 100$을 노동공급곡선식에 대입하면 $w = 100$임을 알 수 있다.

[오답체크]

ㄴ. 한계수입생산 $MRP_L = 300 - L$이므로 이윤극대화 노동고용량을 구하기 위해 $MRP_L = MFC_L$로 두면 $300 - L = 2L$, $L = 100$으로 계산된다.

16 ② 1) 수요독점인 경우 $MFC = MRP$에서 결정된다.

2) 총요소비용은 $w \times L$이므로 이를 위의 곡선에 대입 후 미분하면 $MFC = 100 + 10L$이 된다.

3) $100 + 10L = 300 - 10L$이므로 $L = 10$이다. 수요독점 시의 임금은 노동공급곡선에 대입하여 구하므로 $w = 150$이 된다.

17 상중하

생산물시장에서 독점인 A기업은 노동시장의 수요독점자이다. 이 기업이 직면하는 노동공급곡선이 $w = 50 + 10L$이고, 노동자의 추가 고용으로 얻는 노동의 한계수입생산물은 $MRP_L = 200 - 5L$일 때 이윤극대화를 추구하는 이 기업이 노동자에게 지급하는 임금은? (단, w는 임금, L은 고용량이다) [노무사 14]

① 90 ② 100 ③ 110
④ 120 ⑤ 130

18 상중하

노동시장에서의 임금격차에 관한 설명으로 옳지 않은 것은? [노무사 20]

① 임금격차는 인적자본의 차이에 따라 발생할 수 있다.
② 임금격차는 작업조건이 다르면 발생할 수 있다.
③ 임금격차는 각 개인의 능력과 노력 정도의 차이에 따라 발생할 수 있다.
④ 임금격차는 노동시장에 대한 정보가 완전해도 발생할 수 있다.
⑤ 임금격차는 차별이 없으면 발생하지 않는다.

19 상중하

보상적 임금격차에 관한 설명으로 옳지 않은 것은? [노무사 13]

① 근무조건이 좋지 않은 곳으로 전출되면 임금이 상승한다.
② 물가가 높은 곳에서 근무하면 임금이 상승한다.
③ 비금전적 측면에서 매력적인 일자리는 임금이 상대적으로 낮다.
④ 성별 임금격차도 일종의 보상적 임금격차이다.
⑤ 더 비싼 훈련이 요구되는 직종의 임금이 상대적으로 높다.

20 최근 소득불평등에 대한 사회적 관심이 커지고 있다. 소득불평등 측정과 관련한 다음의 설명 중 가장 옳은 것은? [서울시 7급 18]

상중하

① 10분위 분배율의 값이 커질수록 소득분배가 불평등하다는 것을 의미한다.
② 지니계수의 값이 클수록 소득분배는 평등하다는 것을 의미한다.
③ 완전균등한 소득분배의 경우 애킨슨 지수값은 0이다.
④ 로렌츠곡선이 대각선에 가까워질수록 소득분배는 불평등하다.

정답 및 해설

17 ③ 1) 수요독점이므로 $MFC = MRP$가 성립해야 한다.
2) $MFC = 50 + 20L$이므로 $50 + 20L = 200 - 5L$ ➜ $L = 6$이다.
3) 수요독점인 경우 노동공급에 대입하여 임금을 구하므로 $w = 110$이 된다.

18 ⑤ 차별이 없더라도 인적자본의 차이, 작업여건의 차이 등에 의해 임금격차가 발생할 수 있다.

19 ④ 성별격차는 불합리한 차별에 해당한다.

20 ③ 애킨슨 지수는 0과 1 사이의 값을 가지며 완전균등한 소득분배의 경우 애킨슨 지수값은 0이다.

[오답체크]
① 10분위 분배율의 값이 커질수록 소득분배가 평등하다는 것을 의미한다.
② 지니계수의 값이 클수록 소득분배는 불평등하다는 것을 의미한다.
④ 로렌츠곡선이 대각선에 가까워질수록 소득분배는 평등하다.

21 상중하

다음은 불평등 지수에 대한 설명이다. ㉠~㉢에 들어갈 말로 알맞은 것은? [지방직 7급 14]

> • 지니계수가 (㉠)수록, 소득불평등 정도가 크다.
> • 십분위 분배율이 (㉡)수록, 소득불평등 정도가 크다.
> • 애킨슨 지수가 (㉢)수록, 소득불평등 정도가 크다.

	㉠	㉡	㉢
①	클	작을	작을
②	클	작을	클
③	작을	작을	작을
④	작을	클	클

22 상중하

A국에서 국민 20%가 전체 소득의 절반을, 그 외 국민 80%가 나머지 절반을 균등하게 나누어 가지고 있다. A국의 지니계수는? [국가직 7급 19]

① 0.2
② 0.3
③ 0.4
④ 0.5

23 상중하

소득의 불평등도 측정에 관한 설명으로 옳지 않은 것은? [세무사 20]

① 두 로렌츠곡선이 서로 교차하는 경우, 소득 불평등도를 서로 비교할 수 없다.
② 지니계수는 대각선과 로렌츠곡선 사이의 면적을 로렌츠곡선 아래의 면적으로 나눈 값이다.
③ 균등분배 대등소득과 평균소득이 일치하면 애킨슨지수는 0이 된다.
④ 5분위배율은 소득분배의 불평등도가 커질수록 값이 커진다.
⑤ 달튼(H. Dalton)의 평등 지수는 0에 가까울수록 불평등한 상태를 의미한다.

정답 및 해설

21 ② 지니계수와 애킨슨 지수는 모두 0과 1 사이의 값을 갖고, 그 값이 클수록 소득분배가 불평등함을 나타낸다. 이에 비해 십분위분배율은 0과 2 사이의 값을 갖고, 그 값이 작을수록 소득분배가 불평등함을 나타낸다.

22 ② 1) 하위 80%의 국민이 전체 소득의 절반을 균등하게 갖고, 상위 20%의 국민이 전체 소득의 절반을 균등하게 갖는 경우 로렌츠곡선은 아래 그림과 같다.

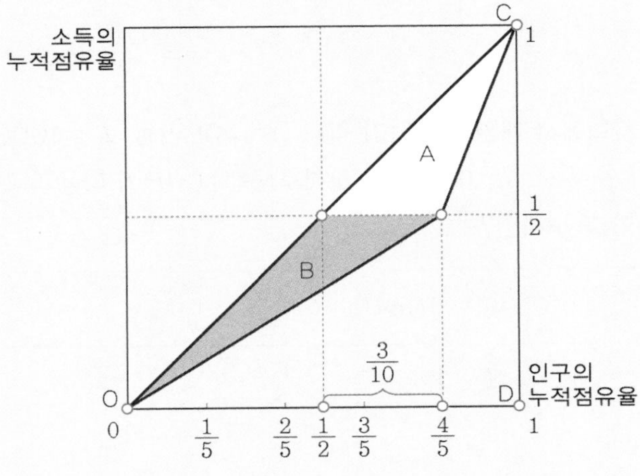

2) A의 면적은 $\frac{3}{40}$이고 B의 면적은 $\frac{3}{40}$이므로 합은 $\frac{3}{20}$이다.

3) 삼각형 COD면적은 $\frac{1}{2}$이므로 지니계수는 $\frac{\frac{3}{20}}{\frac{1}{2}} = \frac{3}{10}$이다.

23 ② 지니계수는 대각선과 로렌츠곡선 사이의 면적을 대각선과 로렌츠곡선 사이의 면적과 로렌츠곡선 아래의 면적의 합으로 나눈 값이다.

24 상중하

지니계수에 대한 설명으로 옳은 것을 모두 고른 것은? [노무사 21]

ㄱ. 대표적인 소득분배 측정방법 중 하나이다.
ㄴ. 45도 대각선 아래의 삼각형 면적을 45도 대각선과 로렌츠곡선 사이에 만들어진 초생달 모양의 면적으로 나눈 비율이다.
ㄷ. −1과 1사이의 값을 가진다.
ㄹ. 계수의 값이 클수록 평등한 분배상태를 나타낸다.

① ㄱ ② ㄱ, ㄴ ③ ㄴ, ㄷ
④ ㄱ, ㄷ, ㄹ ⑤ ㄴ, ㄷ, ㄹ

25 상중하

개인 A와 B로 구성된 한 사회에서 개인의 소득이 각각 $I_A = 400$만원, $I_B = 100$만원이다. 개인 $i = A$, B의 효용함수가 $U_i = I_i$이고, 이 사회의 사회후생함수(SW)가 다음과 같을 때, 애킨슨 지수(Atkinson index)를 구하면? [국가직 21]

$$SW = Min(U_A,\ 2U_B)$$

① 0.20 ② 0.25
③ 0.30 ④ 0.35

정답 및 해설

24 ① **[오답체크]**

ㄴ. 45도 대각선과 로렌츠곡선 사이에 만들어진 초승달 모양의 면적을 45도 대각선 아래의 삼각형 면적으로 나눈 비율이다.

ㄷ. 0과 1 사이의 값을 가진다.

ㄹ. 계수의 값이 클수록 불평등한 분배상태를 나타낸다.

25 ① 1) 롤스의 분배는 작은 수에 의해 결정되므로 $I_B = 100$일 때 결정된다.

2) 소득과 효용이 같고 $U_A = 2U_B$이므로 A가 가져야 하는 소득은 200이고 이것이 균등분배 대등소득이 된다.

3) 애킨슨 지수 $= 1 - \frac{\text{균등분배대등소득}}{\text{평균소득}}$이므로 $1 - \frac{200}{250} = 0.2$이다.

STEP 2 심화문제

26 상중하 X재 생산에 대한 현재의 노동투입 수준에서 노동의 한계생산은 15, 평균생산은 17, X재의 시장 가격은 20일 경우, 노동의 한계생산물가치(VMP_L)는? (단, 상품시장과 생산요소시장은 모두 완전경쟁시장이다) [감정평가사 16]

① 200 ② 255 ③ 300
④ 340 ⑤ 400

27 상중하 A기업의 생산함수는 $Q = K^{0.5}L^{0.5}$이고 단기에 자본투입량은 1로 고정되어 있다. 임금이 10, 생산품 가격이 100이라면 이 기업의 단기 균형에 대한 설명으로 옳은 것만을 〈보기〉에서 모두 고르면? (단, Q는 산출량, K는 자본투입량, L은 노동투입량을 의미한다) [국회직 8급 19]

〈보기〉

ㄱ. 단기의 이윤극대화 노동투입량은 10이다.
ㄴ. 단기의 이윤극대화 생산량은 5이다.
ㄷ. 최대 이윤은 400이다.
ㄹ. 자본재 가격이 100을 넘으면 이윤이 음의 값을 가진다.

① ㄴ ② ㄱ, ㄷ ③ ㄴ, ㄷ
④ ㄷ, ㄹ ⑤ ㄴ, ㄷ, ㄹ

28 상중하 다음 〈보기〉 중 경제학에서 사용하는 '한계(Marginal)'와 관련된 설명으로 옳은 것은 모두 몇 개인가? [국회직 8급 14]

〈보기〉

ㄱ. 한계대체율은 동일한 효용수준을 유지하면서 한 재화 소비량을 한 단위 증가시키기 위하여 감소시켜야 하는 다른 재화의 수량을 의미한다.
ㄴ. 한계개념은 수학의 도함수 개념을 응용한 것이다.
ㄷ. 한계요소비용은 평균요소비용곡선의 기울기로 측정된다.
ㄹ. 한계비용은 생산을 한 단위 더 할 때의 비용의 변화액이다.
ㅁ. 한계생산은 생산요소를 한 단위 더 투입할 때 생산의 변화량이다.

① 1개 ② 2개 ③ 3개
④ 4개 ⑤ 5개

정답 및 해설

26 ③ 1) 한계생산물가치는 $P \times MP$이다.
2) 따라서 한계생산물가치는 $20 \times 15 = 300$이다.

27 ① 1) 자본량이 1로 고정되어 있으므로 $Q = L^{0.5}$이다.
2) 주어진 임금과 자본량을 대입하면 $C = 10L + r$(r은 임대료율)이다.
3) 이윤극대화는 $w = P \cdot MPL$ ➔ $10 = 100 \cdot 0.5L - 0.5$ ➔ $L = 25$, $Q = 5$이다.

[오답체크]
ㄱ. 단기의 이윤극대화 노동투입량은 25이다.
ㄷ. 이윤은 $PQ - C = 250 - r$이므로 최대 이윤은 250이다.
ㄹ. 자본재 가격이 250을 넘으면 이윤이 음의 값을 가진다.

28 ④ **[오답체크]**
ㄷ. 한계요소비용(MFC)곡선은 평균요소비용(AFC)곡선의 세로축 절편과 기울기 2배로 측정된다.

29 상중하

연기자를 고용하는 방송국이 하나만 존재하는 경우를 가정하자. 연기자 시장에서 발생하는 현상에 대한 설명 중 옳지 않은 것은? [국회직 8급 13]

① 연기자의 임금 수준은 방송국이 여러 개일 때보다 낮다.
② 연기자의 임금은 한계요소비용보다 낮다.
③ 연기자의 임금은 한계수입생산보다 낮다.
④ 연기자가 노동조합을 결성하여 단체 교섭을 하면 임금은 높일 수 있으나 고용 인원은 줄어들 수밖에 없다.
⑤ 방송국과 연기자 노동조합의 공동이익을 최대화하는 고용 인원은 한계비용과 한계수입생산이 일치하는 수준에서 결정된다.

30 상중하

A대학교 근처에는 편의점이 하나밖에 없으며, 편의점 사장에게 아르바이트 학생의 한계생산가치는 $VMP_L = 60 - 3L$이다. 아르바이트 학생의 노동공급이 $L = w - 40$이라고 하면, 균형고용량과 균형임금은 각각 얼마인가? (단, L은 노동량, w는 임금이다) [감정평가사 19]

① 2, 42 ② 4, 44 ③ 4, 48
④ 6, 42 ⑤ 6, 46

31 상중하

경제적 지대(economic rent)에 관한 설명으로 옳은 것을 모두 고른 것은? [감정평가사 19]

ㄱ. 공급이 제한된 생산요소에 발생하는 추가적 보수를 말한다.
ㄴ. 유명 연예인이나 운동선수의 높은 소득과 관련이 있다.
ㄷ. 생산요소의 공급자가 받고자 하는 최소한의 금액을 말한다.
ㄹ. 비용불변산업의 경제적 지대는 양(+)이다.

① ㄱ, ㄴ ② ㄱ, ㄷ ③ ㄱ, ㄹ
④ ㄴ, ㄷ ⑤ ㄴ, ㄹ

32 상중하 노동의 시장수요함수와 시장공급함수가 다음과 같을 때 균형에서 경제적 지대(economic rent)와 전용수입(transfer earnings)은? (단, L은 노동량, w는 임금이다) [감정평가사 17]

> • (시장수요함수) $L_D = 24 - 2w$
> • (시장공급함수) $L_S = -4 + 2w$

① 0, 70 ② 25, 45 ③ 35, 35
④ 45, 25 ⑤ 70, 0

정답 및 해설

29 ④ 1) 연기자를 고용하는 방송국이 하나만 존재하는 경우는 생산요소시장에서 수요독점이 발생한 상황이다.
2) 노동조합을 결성하여 단체교섭을 하면 임금과 고용 모두 늘릴 수 있다.

30 ② 1) 수요독점이므로 MRP_L(또는 VMP_L) = MFC_L이 성립한다.
2) $TFC_L = W \cdot L = L^2 + 40L$ ➔ $MFC_L = 2L + 40$
3) $VMP_L = 60 - 3L$ ➔ $2L + 40 = 60 - 3L$ ➔ $L = 4$
4) 이를 노동공급곡선에 대입하면 $w = 44$이다.

31 ① **[오답체크]**
ㄷ. 생산요소의 공급자가 받고자 하는 최소한의 금액은 전용수입(= 이전수입)이다.
ㄹ. 비용불변산업의 경제적 지대는 0이다.

32 ② 1) 균형가격과 거래량을 구하면 $24 - 2w = -4 + 2w$ ➔ $w = 7$, 거래량은 10이다.
2) 경제적 지대는 $5 \times 10 \times \frac{1}{2} = 25$이다.
3) 전용수입은 $(2 + 7) \times 10 \times \frac{1}{2} = 45$이다.

STEP 3 실전문제

33 상중하

진우는 편의점에서 아르바이트를 한다. 편의점의 시간당 임금이 올랐지만, 진우는 아르바이트 시간을 동일하게 유지하고 있다. 진우의 노동공급의 임금에 대한 탄력성(ϵ)은? [회계사 14]

① $\epsilon = 0$　② $0 < \epsilon < 1$　③ $\epsilon = 1$
④ $-1 < \epsilon < 0$　⑤ $\epsilon = -1$

34 상중하

효율임금이론(efficiency wage theory)에 관한 다음 설명 중 옳지 않은 것은? [회계사 15]

① 실질임금의 경직성을 약화시킨다.
② 균형임금 수준에서 비자발적 실업이 발생할 수 있다.
③ 근로자들의 이직에 따른 기업의 비용이 클 때 적용될 수 있다.
④ 고용주가 근로자의 노력 정도를 관찰할 수 없을 때 적용될 수 있다.
⑤ 근로자의 영양상태 개선이 노동생산성을 향상시킬 수 있을 때 적용될 수 있다.

35 상중하

다음은 어느 노동시장의 수요와 공급곡선을 나타낸다. 최저임금제를 실시할 경우 최저임금제를 실시하지 않을 경우에 비하여 노동자가 받는 총임금(total wage)은 얼마나 변화하는가? (단, L^s, L^d, w는 각각 노동공급량, 노동수요량, 임금(wage)을 나타낸다) [회계사 18]

- 노동공급곡선: $L^s = 100 + w$
- 노동수요곡선: $L^d = 500 - w$
- 최저임금: 300

① 10,000 증가　② 10,000 감소　③ 변화 없음
④ 20,000 증가　⑤ 20,000 감소

36 X재 시장은 완전경쟁시장으로, 이윤극대화를 하는 600개 기업이 존재한다. 노동만을 투입하여 X재를 생산하는 모든 개별 기업의 노동 수요곡선은 $l=8-\frac{w}{600}$로 동일하다. X재 생산을 위한 노동시장은 완전경쟁시장으로, 100명의 노동자가 있으며 노동 공급은 완전비탄력적이다. 노동시장의 균형임금은 얼마인가? (단, l은 노동자 수이고, w는 노동자 1인당 임금이다)
상중하

[회계사 17]

① 4,600　② 4,700　③ 4,800
④ 4,900　⑤ 5,000

생산요소시장과 소득분배

제6장

해커스 서호성 객관식 경제학

정답 및 해설

33 ① 1) 노동공급의 임금탄력성은 $\frac{\text{노동공급의 변화율}}{\text{임금의 변화율}}$이다.
2) 노동공급의 변화율이 0이므로 노동공급의 임금탄력성은 0이다.

34 ① 균형임금보다 높은 임금을 지급하여 실질임금의 경직성을 발생시킨다.

35 ③ 1) 최초의 총임금을 구하면 $100+w=500-w$ ➜ $2w=400$ ➜ $w=200$, $L=300$이다.
2) 따라서 총임금은 60,000이다.
3) 최저임금제를 실시하면 노동수요가 200이고 $300\times200=60{,}000$이므로 변화 없다.

36 ② 1) 개별노동수요곡선의 합 = 시장노동수요곡선이다.
2) 개별노동수요곡선이 $l=8-\frac{w}{600}$인데 이러한 기업이 600개이므로 $L=4{,}800-w$이다.
3) 노동공급이 100이므로 이를 연립하면 $4{,}800-w=100$ ➜ $w=4{,}700$이다.

Topic 13

조세

01 조세

개념	(1) 정부가 개별적 대가 없이 법률에 의해 국민으로부터 거두어들이는 수입 (2) 정부가 제공하는 재화와 서비스에 대한 대가
적용세율에 따른 조세	(1) ㉮ ________: 과세 대상 금액이 많을수록 높은 세율 적용 (2) ㉯ ________: 과세 대상 금액에 관계없이 동일 세율 적용 (3) **역진세**: 과세 대상 금액이 증가함에도 불구하고 오히려 세율이 낮아지는 조세

02 직접세 vs 간접세

구분	직접세	간접세
개념	㉰ ________ ∴ 조세전가 ㉲ ________	㉱ ________ ∴ 조세전가 ㉳ ________
과세대상	소득의 원천이나 재산의 규모	소비 지출 행위
종류	(1) **개인 소득**: 개인 소득세, 법인세 (2) **재산 규모**: 종합 토지세, 재산세 (3) **재산의 상속·거래**: 상속세, 증여세 등	부가 가치세, 개별 소비세, 주세, 증권 거래세
특징	(1) ㉴ ________ 적용 ➜ 가처분 소득의 격차 완화(소득 재분배) (2) 조세 저항이 ㉶ ________ 조세 징수 곤란 (3) 저축과 근로 의욕의 저해	(1) ㉵ ________ 적용 ➜ 저소득층에 불리(조세 부담의 ㉷ ________초래) (2) 조세 저항이 ㉸ ________ 조세 징수 용이 (3) 상품의 가격 상승으로 물가 상승 우려

핵심키워드

㉮ 누진세, ㉯ 비례세, ㉰ 납세자 = 담세자, ㉱ 납세자 ≠ 담세자, ㉲ 불가, ㉳ 가능, ㉴ 누진세율, ㉵ 비례세율, ㉷ 역진성, ㉶ 강하여, ㉸ 약하여

03 조세의 귀착(tax incidence)

조세유형	㉮ ________에게 종량세 t원	㉯ ________에게 종량세 t원
부과효과	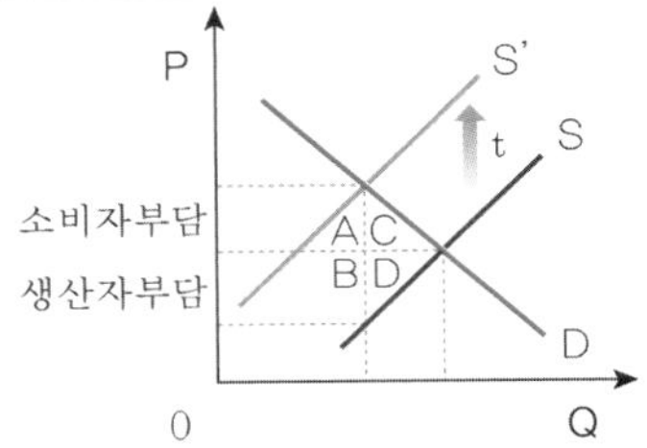	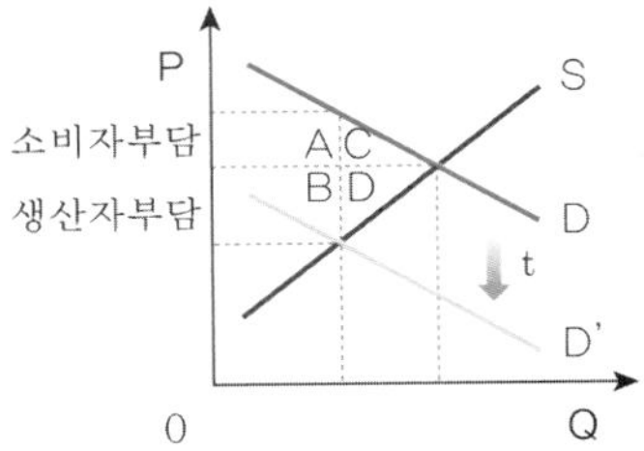
	• 소비자 잉여: −(A + C) • 생산자 잉여: −(B + D) • 조세 수입: A + B ------------------------ • 사회 후생: −(C + D)	• 소비자 잉여: −(A + C) • 생산자 잉여: −(B + D) • 조세 수입: A + B ------------------------ • 사회 후생: −(C + D)
탄력성과 조세부담	㉰ ________일수록 조세부담이 큼	
탄력성과 후생손실	㉱ ________일수록 사중손실이 큼	

핵심키워드

㉮ 생산자, ㉯ 소비자, ㉰ 비탄력적, ㉱ 탄력적

STEP 1 기본문제

01 상중하

어떤 상품의 수요곡선과 공급곡선이 아래와 같다. 정부가 상품 1개당 25원의 세금을 생산자에게 부과하는 경우와 소비자에게 부과하는 경우 각각의 세금 수입은? [지방직 7급 10]

- $Q_S = -100 + 3P$
- $Q_D = 150 - 2P$

	생산자에게 부과한 경우	소비자에게 부과한 경우
①	500원	500원
②	500원	750원
③	750원	750원
④	1,750원	1,750원

02 상중하

甲국에서 X재에 대한 국내 수요곡선과 국내 공급곡선은 다음과 같다.

- 국내 수요곡선: $Q_D = 700 - P$
- 국내 공급곡선: $Q_S = 200 + 4P$

소비자에게 X재 1개당 10의 세금이 부과될 때, 소비자가 지불하는 가격(P_B)과 공급자가 받는 가격(P_s)을 바르게 연결한 것은? (단, Q_D는 국내 수요량, Q_S는 국내 공급량, P는 X재 가격이다) [지방직 21]

	P_B	P_s
①	98	108
②	108	98
③	100	110
④	110	100

정답 및 해설

01 ① 1) 소비자에게 부과하는 경우 수요감소, 공급자에게 부과하는 경우 공급감소가 이루어진다. 그러나 결과는 동일하다. 따라서 생산자에게 부과하는 것으로 진행한다.

2) 조세부과 전 공급곡선식 $Q = -100 + 3P$ ➜ $P = \frac{1}{3}Q + \frac{100}{3}$ ➜ 조세부과 후 $P = \frac{1}{3}Q + \frac{175}{3}$

3) 종량세부과 후 시장균형: $150 - 2P = -175 + 3P$ ➜ $P = 65$, $Q = 20$

4) 종량세수 = 거래량 × 조세 = $20 \times 25 = 500$이다.

02 ② 1) 주어진 조건의 균형을 구하면 $700 - P = 200 + 4P$이므로 $P = 100$, $Q = 600$이다.

2) 소비자에게 조세를 부과했으므로 수요곡선이 $P = 700 - Q$ ➜ $P = 690 - Q$로 변화한다.

3) 새로운 균형을 구하면 $690 - P = 200 + 4P$ ➜ $P = 98$이다. 이는 생산자가 받는 가격이다.

4) 여기에 10을 더하면 소비자가 내는 가격이 된다.

5) 그래프

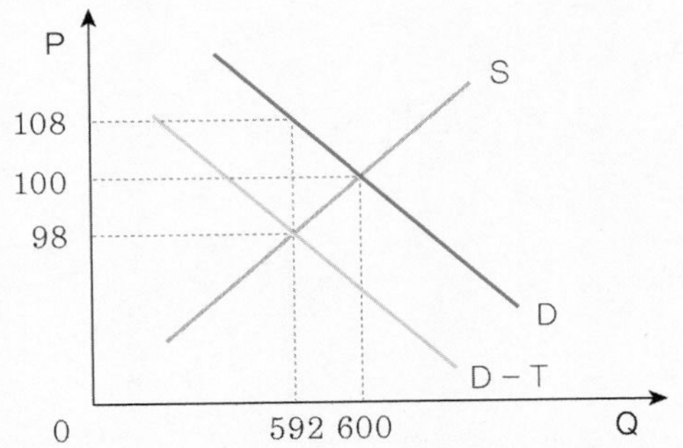

03 상중하

토지 공급의 가격탄력성이 완전히 비탄력적일 때, 토지 공급에 세금을 부과할 경우 미치는 영향에 대한 설명으로 옳은 것은? (단, 토지 수요의 가격탄력성은 단위 탄력적이다)

[지방직 7급 11]

① 토지 수요자가 실질적으로 세금을 모두 부담한다.
② 토지 공급자가 실질적으로 세금을 모두 부담한다.
③ 토지 수요자와 공급자가 모두 세금을 부담한다.
④ 토지 수요자와 공급자가 모두 세금을 부담하지 않는다.

04 상중하

조세에 대한 설명으로 옳은 것을 모두 고른 것은?

[국가직 7급 12]

ㄱ. 과세부과에 따른 자중적 손실(deadweight loss)의 최소화를 기하는 것은 효율성 측면과 관련이 있다.
ㄴ. 과세표준소득이 1천만원인 경우 10만원의 세금을 부과하고 과세표준소득이 2천만원인 경우 20만원의 세금을 부과한다면 이 과세표준구간 내에서 누진세를 적용하고 있는 것이다.
ㄷ. 고가의 모피코트에 부과하는 세금은 세금부담능력이 더 큰 사람이 더 많은 세금을 내야 한다는 원칙을 잘 만족시킨다.
ㄹ. 과세부담의 수평적 공평성의 원칙은 세금부담능력이 다르면 세금도 다르게 부과하는 것이다.

① ㄱ
② ㄱ, ㄹ
③ ㄴ, ㄷ
④ ㄷ, ㄹ

05 어떤 상품의 수요곡선과 공급곡선은 직선이며, 상품 1단위당 5,000원의 세금이 부과되었다고 하자. 세금의 부과는 상품에 대한 균형거래량을 200개에서 100개로 감소시켰으며, 소비자잉여를 450,000원 감소시키고, 생산자잉여는 300,000원 감소시켰다. 세금부과에 따른 자중손실은? [지방직 7급 19]

상중하

① 250,000원
② 500,000원
③ 750,000원
④ 1,000,000원

정답 및 해설

03 ② 토지의 경우처럼 공급이 완전비탄력적인 극단적인 경우 공급자가 실질적으로 모든 세금을 부담하게 된다.

04 ① ㄱ. 자중적 손실을 최소화하여 사회적 잉여를 크게 하는 것은 어디까지나 효율성 측면의 성과이지 공평성 측면의 성과는 아니다.

[오답체크]

ㄴ. 누진세는 소득수준이 높을수록 세율 자체가 커지는 제도이다. 보기의 내용은 세율이 1%(= 0.01)인 비례세에 해당한다.

ㄷ. 고가의 모피코트에 부과하는 세금은 개별소비세(특별소비세)에 해당하는데 이는 부가가치세의 역진성을 부분적으로 상쇄시킬 목적으로 사치품의 성격을 지닌 상품에 선별적으로 부과하는 세금이다. 사치품을 주로 소비하는 사람들이 고소득계층에 많이 분포되어 있으므로 개별소비세가 어느 정도의 누진성을 지니고 있지만 세금부담능력이 더 큰 사람이 더 많은 세금을 내야 한다는 원칙을 잘 만족시킨다고는 할 수 없다.

ㄹ. 과세부담의 수평적 공평성의 원칙은 세금부담능력이 동일하면 세금도 동일하게 부과하는 것이다. 지문은 수직적 공평성에 대하여 설명하고 있다.

05 ① 단위당 조세의 크기가 5,000원이고, 조세부과에 따른 거래량 감소분이 100개이므로 자중손실의 크기는 $250,000(= \frac{1}{2} \times 5,000 \times 100)$이다.

06 상중하 독점기업 A의 수요함수와 평균비용이 다음과 같다. 정부가 A의 생산을 사회적 최적 수준으로 강제하는 대신 A의 손실을 보전해 줄 때, 정부가 A에 지급하는 금액은? (단, Q_D는 수요량, P는 가격, AC는 평균비용, Q는 생산량이다)

[국가직 7급 19]

> • 수요함수: $Q_D = \frac{25}{2} - \frac{1}{4}P$
> • 평균비용: $AC = -Q + 30$

① 50　② 100
③ 150　④ 200

07 상중하 A국에서 어느 재화의 수요곡선은 $Q_d = 280 - 3P$이고, 공급곡선은 $Q_d = 10 + 7P$이다. A국 정부는 이 재화의 가격상한을 20원으로 설정하였고, 이 재화의 생산자에게 보조금을 지급하여 공급량을 수요량에 맞추고자 한다. 이 조치에 따른 단위당 보조금은? (단, P는 이 재화의 단위당 가격이다)

[국가직 7급 18]

① 10원　② 12원
③ 14원　④ 16원

08 상중하 甲국에서 X재에 대한 국내 수요곡선과 국내 공급곡선은 다음과 같다.

> • 국내 수요곡선: $Q_D = 100 - P$
> • 국내 공급곡선: $Q_S = P$

甲국 정부가 X재의 최저가격을 $P = 60$으로 설정하는 대신 X재를 구입하는 소비자에게 단위당 일정액의 보조금을 지급하려고 한다. 甲국 정부가 최저가격 설정 전의 거래량을 유지하고자 할 때 필요한 보조금의 총액은? (단, Q_D는 국내 수요량, Q_S는 국내 공급량, P는 X재 가격이다)

[지방직 7급 21]

① 250　② 500
③ 750　④ 1,000

정답 및 해설

06 ② 1) $TC = ACQ = Q^2 + 30Q$이므로 이를 Q에 대해 미분하면 한계비용 $MC = -2Q + 30$이다.

2) 수요곡선을 P에 대해 정리하면 $P = 50 - 4Q$이다. 사회적인 최적생산량은 수요곡선과 한계비용곡선이 교차하는 점에서 결정되므로 $P = MC$로 두면 $50 - 4Q = -2Q + 30$, $Q = 10$이다. $Q = 10$을 수요곡선식에 대입하면 $P = 10$, $Q = 10$을 평균비용곡선식에 대입하면 $AC = 20$이므로 사회적인 최적생산량 수준에서는 단위당 10만큼의 적자가 발생한다.

3) 단위당 10만큼의 적자가 발생하고 생산량이 10이므로 전체 적자규모는 100이다. 그러므로 정부가 A기업에게 지급해야 하는 금액은 100이 된다.

07 ① 1) $P = 20$에서 최고가격제를 시행하면 수요곡선과 공급곡선식에 대입하면 수요량이 220이고, 공급량이 150이므로 70만큼의 초과수요가 발생한다.

2) 초과수요를 해소하기 위해 생산자에게 단위당 S원의 보조금을 지급하면 공급곡선이 단위당 보조금의 크기만큼 하방으로 이동한다.

3) 공급곡선식을 P에 대해 정리하면 $P = \frac{1}{7}Q - \frac{10}{7}$이므로 단위당 S원의 보조금을 지급하면 공급곡선식이 $P = \frac{1}{7}Q - \frac{10}{7} - S$로 바뀌게 된다. 이를 다시 Q에 대해 정리하면 $Q = 7S + 10 + 7P$이다.

4) 보조금을 지급했을 때 수요량과 공급량이 같아져야 하므로 $P = 20$, $Q = 220$을 보조금 지급 이후의 공급곡선식에 대입하면 $220 = 7S + 10 + 140$이므로 $S = 10$으로 계산된다. 그러므로 단위당 10의 보조금을 지급하면 가격상한에 따른 초과수요를 없앨 수 있게 된다.

08 ② 1) 주어진 조건으로 균형가격과 거래량을 구하면 $100 - P = P$ ➜ $P = 50$, $Q = 50$이다.

2) 최저가격을 $P = 60$으로 설정할 경우 구매량을 50으로 맞추려면 $10 \times 50 = 500$의 보조금을 지급하여야 한다.

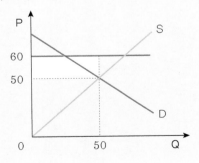

3) 그래프

09 상중하

어떤 재화의 수요곡선은 우하향하고 공급곡선은 우상향한다고 가정한다. 이 재화의 공급자에 대해 재화 단위당 일정액의 세금을 부과했을 때의 효과에 대한 분석으로 옳은 것은?

[국가직 7급 12]

① 단위당 부과하는 세금액이 커지면 자중적 손실(deadweight loss)은 세금액 증가보다 더 가파르게 커진다.

② 다른 조건이 일정할 때 수요가 가격에 탄력적일수록 소비자가 부담하는 세금의 비중은 더 커진다.

③ 다른 조건이 일정할 때 수요가 가격에 탄력적일수록 세금 부과에 따른 자중적 손실(deadweight loss)은 적다.

④ 세금부과 후에 시장가격은 세금부과액과 동일한 금액만큼 상승한다.

10 상중하

A국의 소득세는 $T = Max[0,\ 0.15(Y-1,000)]$의 식에 따라 결정된다. 즉, 연소득 1,000만원까지는 전혀 세금을 부과하지 않고, 1,000만원을 넘는 부분에 대해서만 15%의 세율로 세금을 부과한다. 이 소득세 제도의 1,000만원 이상 소득구간에서 한계세율 (ㄱ)과 평균세율(ㄴ)에 대한 설명으로 옳은 것은? (단, T는 세액, Y는 소득이다)

[지방직 7급 15]

	(ㄱ)	(ㄴ)
①	누진적	누진적
②	누진적	비례적
③	비례적	비례적
④	비례적	누진적

11 상중하 다음은 A국의 소득세제에 대한 특징이다. 이에 대한 설명으로 옳은 것은? (단, 최종소득은 소득에서 소득세를 뺀 값이다) [지방직 7급 17]

> • 소득이 5,000만원 미만이면 소득세를 납부하지 않는다.
> • 소득이 5,000만원 이상이면 5,000만원을 초과하는 소득의 20%를 소득세로 납부한다.

① 소득 대비 최종소득의 비중은 소득이 증가할수록 감소한다.
② 고소득자의 최종소득이 저소득자의 최종소득보다 작을 수 있다.
③ 소득 증가에 따른 최종소득 증가분은 소득이 증가할수록 작아진다.
④ 소득이 5,000만원 이상인 납세자의 소득 대비 소득세 납부액 비중은 소득이 증가할수록 커진다.

정답 및 해설

09 ① 종량세(단위당 부과하는 세금액)의 크기를 증가시키면 공급곡선의 상방 이동폭이 커지는데 이는 거래량 감소분과 단위당 종량세를 모두 증가시킨다. 사회적 후생손실 = 단위당 조세 × 거래량 감소분 × $\frac{1}{2}$이다. 조세수입은 거래량의 감소분과 종량세의 크기에 따라 달라지지만 궁극적으로 조세수입은 감소하게 된다. 왜냐하면 종량세의 크기가 커질수록 거래량은 0에 가까워지기 때문이다.

[오답체크]
② 수요의 가격탄력성이 커질수록 소비자의 조세부담은 작아지고, 생산자의 조세부담은 커진다.
③ 수요의 가격탄력성과 공급의 가격탄력성이 커질수록 조세부과에 따른 거래량 감소분이 커져 사회적 후생손실이 커지게 된다.
④ 공급곡선이 수평인 경우와 수요곡선이 수직인 경우를 제외하고 세금부과 후에 시장가격은 세금부과액보다는 적게 상승한다.

10 ④ 한계세율(Marginal Tax Rate)은 소득이 1단위 증가할 때 납세액이 증가하는 비율을, 평균세율(Average Tax Rate)은 소득에서 납세액이 차지하는 비율을 말한다. 소득이 1,000만원을 넘는 구간에서는 세수함수가 $T = -150 + 0.15Y$이므로 선형 누진세의 형태를 가진다. 한계세율은 0.15로 일정하나, 평균세율은 소득이 증가할수록 점점 높아진다.

11 ④ 소득이 5,000만원 미만일 때는 소득세를 부과하지 않고, 5,000만원 이상의 소득에 대해서만 20%의 소득세를 부과하는 경우 세수함수는 $T = -1{,}000 + 0.2Y$가 된다. 이는 선형 누진세이다. 따라서 소득이 5,000만원 이상인 납세자의 소득 대비 소득세 납부액 비중은 소득이 증가할수록 커진다.

[오답체크]
① 소득이 5,000만원 미만일 때는 소득세가 0이므로 소득대비 최종소득의 비율은 항상 1이 된다.
② 소득이 증가하면 증가된 소득의 20%만을 세금으로 납부하므로 고소득자의 최종소득은 저소득자의 최종소득보다 작을 수는 없다.
③ 소득증가에 따른 최종소득 증가분은 소득수준에 관계없이 항상 일정하다.

12 상중하 광수는 소득에 대해 다음의 누진세율을 적용받고 있다고 가정하자. 처음 1,000만원에 대해서는 면세이고, 다음 1,000만원에 대해서는 10%, 그 다음 1,000만원에 대해서는 15%, 그 다음 1,000만원에 대해서는 25%, 그 이상 초과 소득에 대해서는 50%의 소득세율이 누진적으로 부과된다. 광수의 소득이 7,500만원일 경우 광수의 평균세율은 얼마인가?

[서울시 7급 13]

① 20% ② 25% ③ 28%
④ 30% ⑤ 36.67%

13 상중하 X, Y 두 종류의 재화가 있다. X재 수요의 가격탄력성은 0.7이고, Y재 가격이 1% 상승할 때 Y재 수요량은 1.4% 감소한다고 한다. 램지원칙에 따라 과세하는 경우 Y재 세율이 10%일 때, X재의 최적 세율은? [지방직 7급 19]

① 0.5% ② 5%
③ 7% ④ 20%

정답 및 해설

12 ④ 1) 납부세액 $= (1{,}000 \times 0\%) + (1{,}000 \times 10\%) + (1{,}000 \times 15\%) + (1{,}000 \times 25\%) + (3{,}500 \times 50\%) = 0 + 100 + 150 + 250 + 1{,}750 = 2{,}250$만원

2) 광수의 소득이 7,500만원이고 납세액이 2,250만원이므로 평균세율(= 납세액/소득)은 30%이다.

13 ④ 1) 램지의 역탄력성원칙(inverse elasticity rule)의 공식을 이용하면 $\frac{t_X}{t_Y} = \frac{\varepsilon_Y}{\varepsilon_X}$이다.

2) 문제에 주어진 수치를 대입하면 $\frac{t_X}{0.1} = \frac{1.4}{0.7}$이므로 X재에 대한 최적세율($t_x$)은 0.2로 계산된다.

14 상중하

지방자치제도의 당위성을 이론적으로 뒷받침하는 티부모형(Tiebout model)의 기본 가정에 해당하지 않는 것은? [국가직 7급 20]

① 사람들이 각 지역에서 제공하는 재정 프로그램의 내용에 대한 완전한 정보를 갖는다.
② 사람들의 이동성에 제약이 없다.
③ 생산기술이 규모수익체증의 특성을 갖는다.
④ 외부성이 존재하지 않는다.

15 상중하

어느 재화를 생산하는 기업이 직면하는 수요곡선은 $Q_d = 200 - P$이고, 공급곡선 Q_S는 $P = 100$에서 수평선으로 주어져 있다. 정부가 이 재화의 소비자에게 단위당 20원의 물품세를 부과할때, 초과부담을 조세수입으로 나눈 비효율성계수(coefficient of inefficiency)는? (단, P는 가격이다) [국가직 7급 18]

① $\frac{1}{8}$
② $\frac{1}{4}$
③ $\frac{1}{2}$
④ 1

정답 및 해설

14 ③ 1) 티부모형은 지방재정을 설명하는 내용으로 가정은 다음과 같다.

㉠ 다수의 지역사회가 존재
다양한 지방정부가 존재하며 상이한 재정프로그램을 제공한다.

㉡ 완전한 정보
사람들은 지방정부마다 제공되는 재정프로그램이 어떻게 다른지를 정확히 알고 있다.

㉢ 완전한 이동성
집을 사고파는 거래비용이나, 직장의 이동 등 개인이 지방정부를 선택하기 위한 이동성에 제약을 주는 요소가 없다.

㉣ 규모에 대한 수익 불변의 생산기술
규모의 경제가 없다는 의미이다. 만약 규모의 경제가 존재한다면 규모가 큰 소수의 지방정부만 존재하는 상황이 발생하기 때문이다.

㉤ 외부성이 존재하지 않음
각 지방정부가 수행한 사업에서 나오는 혜택을 그 지역주민만 누릴 수 있다.

㉥ 지방정부의 재원은 재산세
지방정부의 재원은 재산세이며 그 지역에 주택을 보유하는 사람들이 낸 세금에 의해 충당된다.

2) 지문분석
③ 생산기술이 규모수익불변의 특성을 갖는다.

15 ① 1) 공급곡선이 $P=100$에서 수평선이므로 조세부과 전의 균형가격이 $P=100$이고, $P=100$을 수요곡선식에 대입하면 균형거래량 $Q=100$임을 알 수 있다.

2) 소비자에게 단위당 20원의 물품세가 부과되면 수요곡선이 단위당 조세액만큼 하방으로 이동하므로 조세부과 이후에는 수요곡선식이 $P=180-Q$로 바뀌게 된다.

3) $P=100$을 조세부과 이후의 수요곡선식에 대입하면 균형거래량 $Q=80$으로 계산된다. 조세부과 이후에도 시장의 균형가격은 여전히 100이지만 소비자는 단위당 20의 조세를 납부해야 하므로 세금을 포함하면 소비자 가격은 120이 된다.

4) 단위당 조세의 크기가 20원이고, 조세부과 후의 거래량이 80이므로 정부의 조세수입은 1,600이다. 조세부과로 인한 후생손실(초과부담)의 크기는 $200(=\frac{1}{2}\times 20\times 20)$이므로 초과부담을 조세수입으로 나눈 비효율성계수는 $\frac{1}{8}$임을 알 수 있다.

STEP 2 심화문제

16 상중하 조세의 법적 귀착과 경제적 귀착이 일치하는 경우는? [세무사 20]

① 수요곡선은 우상향하고 공급곡선은 우하향할 때, 소비자에게 과세하는 경우
② 수요곡선은 우하향하고 공급곡선은 우상향할 때, 생산자에게 과세하는 경우
③ 수요곡선은 수직이고 공급곡선은 우상향할 때, 소비자에게 과세하는 경우
④ 수요 및 공급의 탄력성이 모두 단위탄력적일 때, 생산자에게 과세하는 경우
⑤ 수요곡선은 우하향하고 공급곡선이 수평일 때, 생산자에게 과세하는 경우

17 상중하 완전경쟁시장에서 물품세가 부과될 때 시장에서 나타나는 현상들에 대한 설명으로 옳은 것을 〈보기〉에서 모두 고르면? [국회직 8급 18]

〈보기〉

ㄱ. 소비자에게 종가세가 부과되면 시장수요곡선은 아래로 평행이동한다.
ㄴ. 수요곡선이 수평선으로 주어져 있는 경우 물품세의 조세부담은 모두 공급자에게 귀착된다.
ㄷ. 소비자에게 귀착되는 물품세 부담의 크기는 공급의 가격탄력성이 클수록 증가한다.
ㄹ. 소비자와 공급자에게 귀착되는 물품세의 부담은 물품세가 소비자와 공급자 중 누구에게 부과되는가와 상관없이 결정된다.
ㅁ. 물품세 부과에 따라 감소하는 사회후생의 크기는 세율에 비례하여 증가한다.

① ㄴ, ㄷ
② ㄱ, ㄴ, ㄹ
③ ㄱ, ㄷ, ㅁ
④ ㄴ, ㄷ, ㄹ
⑤ ㄷ, ㄹ, ㅁ

18 어떤 재화의 수요곡선과 공급곡선이 각각 다음과 같이 주어져 있다고 하자.
상중하

- $Q_S = 100 + 3P$
- $Q_d = 400 - 2P$

(Q_S: 공급량, Q_d: 수요량, P: 재화의 가격)

정부가 이 재화의 수요자들에게 단위당 15의 조세를 부과할 경우 생산자가 부담하는 세금(A)과 수요자가 부담하는 세금(B) 및 조세부과로 인한 경제적 순손실(C)은 각각 얼마인가?

[국회직 8급 13]

	(A)	(B)	(C)
①	5	10	270
②	6	9	135
③	6	9	270
④	9	6	135
⑤	9	6	270

생산요소시장과 소득분배

제6장

해커스 서호성 객관식 경제학

정답 및 해설

16 ③ 소비자에게 과세한 경우 수요의 가격탄력성이 완전 비탄력적이면 전가가 불가능하므로 법적 귀착과 경제적 귀착이 일치하게 된다.

[오답체크]

① 법적 귀착은 소비자, 경제적 귀착은 수요와 공급법칙의 예외이므로 성립하지 않는다.
② 법적 귀착은 생산자, 경제적 귀착은 소비자와 생산자가 탄력성의 정도에 따라 분담할 것이다.
④ 법적 귀착은 생산자, 경제적 귀착은 탄력성이 1로 동일하므로 반씩 부담할 것이다.
⑤ 법적 귀착은 생산자, 경제적 귀착은 공급이 완전탄력적이므로 모두 수요자가 부담할 것이다.

17 ④ **[오답체크]**

ㄱ. 회전이동한다.
ㅁ. 한계비용이 수평인 경우 $DWL = \frac{1}{2}t^2\epsilon_d P \cdot Q$이므로 감소하는 사회후생은 세율의 제곱에 비례하여 증가한다.

18 ② 1) 조세부담은 탄력성에 반비례한다.
2) 공급량이 가격에 대해 3씩 반응하고 수요량은 2씩 반응하므로 조세부담은 생산자 : 소비자 = 2 : 3 = 6 : 9이다.
3) 조세로 인해 수량이 18만큼 감소하므로 후생손실은 $(18 \cdot 15)/2 = 135$이다.

19 상중하

졸업식장에서 사용되는 꽃다발에 대한 수요는 $P = 100 - 2Q$, 공급은 $P = 50 + 3Q$라 한다. 빈곤층을 돕기 위해 시당국은 꽃 한다발당 20원을 소비세로 부과하기로 하였다. 이때 소비자잉여 감소분과 생산자잉여 감소분은 각각 얼마인가? (단, P는 꽃다발의 시장가격, Q는 꽃다발의 수를 나타낸다) [국회직 8급 15]

① (48, 72) ② (72, 48) ③ (64, 96)
④ (96, 64) ⑤ (88, 68)

20 상중하

탄력성에 대한 설명으로 옳지 않은 것을 〈보기〉에서 모두 고르면? [국회직 8급 16]

〈보기〉

ㄱ. 수요의 가격탄력성이 비탄력적일 경우 가격을 올리면 기업의 매출액은 감소한다.
ㄴ. 수요의 가격탄력성이 탄력적인 재화의 판매자에게 세금이 부과되면 재화의 균형거래량은 줄어든다.
ㄷ. 어떤 재화의 구매자에게 종량세가 부과되더라도 결과적으로는 구매자와 판매자가 공동으로 절반씩 부담한다.
ㄹ. 대체재가 적은 재화일수록 수요의 가격탄력성이 낮다.
ㅁ. 매달 10kg의 사과를 구매하는 소비자의 수요의 가격탄력성은 완전 비탄력적이다.

① ㄱ, ㄴ ② ㄱ, ㄷ ③ ㄱ, ㄹ
④ ㄱ, ㄹ, ㅁ ⑤ ㄴ, ㄷ, ㅁ

21 상중하 완전경쟁시장에서 공급곡선은 완전비탄력적이고 수요곡선은 우하향한다. 현재 시장균형가격이 20일 때, 정부가 판매되는 제품 1단위당 4만큼 세금을 부과할 경우 (ㄱ) 판매자가 받는 가격과 (ㄴ) 구입자가 내는 가격은? [감정평가사 20]

① ㄱ: 16, ㄴ: 16
② ㄱ: 16, ㄴ: 20
③ ㄱ: 18, ㄴ: 22
④ ㄱ: 20, ㄴ: 20
⑤ ㄱ: 20, ㄴ: 24

정답 및 해설

19 ③ 1) 시장균형은 $100-2Q=50+3Q$을 연립해서 풀면 $Q=10$개, $P=80$원이다.
2) 소비자에게 소비세를 부담하였으므로 $P=80-2Q$가 된다. 조세부과 후 균형을 구하면 $80-2Q=50+3Q$ ➜ $Q=6$, $P=88$이다.
3) 소비자잉여 감소분은 사각형 면적+삼각형 면적 $=A+B=6\times8+\frac{1}{2}\times4\times8=64$원이다.
4) 생산자잉여 감소분은 사각형 면적+삼각형 면적 $=C+D=6\times12+\frac{1}{2}\times4\times12=96$원이다.

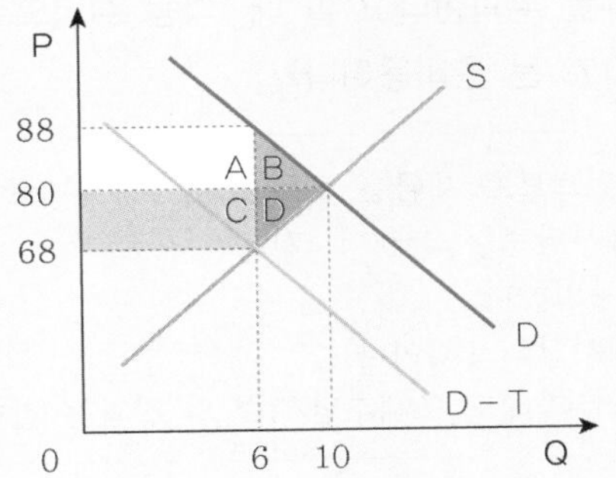

20 ② ㄱ. 수요의 가격탄력성이 비탄력적일 경우 가격을 올리면 기업의 매출액은 증가한다.
ㄷ. 어떤 재화의 구매자에게 종량세가 부과되면 탄력적인 주체가 덜 부담한다.

21 ② 1) 공급곡선이 완전비탄력적이므로 모두 조세를 부담하기 때문에 가격을 올릴 수 없다.
2) 따라서 구입자는 20을 그대로 지불하고 판매자는 조세를 뺀 16을 받게 된다.

22 상중하 어떤 시장에 공급함수와 수요함수가 각각 다음과 같이 주어졌다고 하자.

- $P = aQ_S + 10$
- $P = 100 - bQ_D$

초기 균형 상태에서 정부가 공급자에게 단위당 10만큼의 세금을 부과할 경우, 세수와 자중손실(deadweight loss)의 비(세수 : 자중손실)는 얼마인가? (단, P는 가격이고 Q_S는 공급량, Q_D는 수요량이며 a > 0, b > 0이다) [세무사 20]

① 20 : 1　② 16 : 1　③ 12 : 1
④ 8 : 1　⑤ 3.7 : 1

23 상중하 다음은 순수독점의 형태로 운영되고 있는 시장의 수요함수이다.

$$Q = 200 - 4P$$

그리고 이 시장의 독점공급자인 A사의 총비용함수는 다음과 같다.

$$TC = \frac{1}{4}Q^2 + 10Q + 75$$

정부가 소비자에게 단위당 10만큼의 물품세를 부과한다고 할 때, 다음 설명으로 옳은 것을 모두 고른 것은? (단, Q는 수량, P는 가격, TC는 총비용이다) [세무사 20]

ㄱ. 독점공급자는 조세부담을 전가시킬 수 있으므로 세금은 모두 소비자가 부담한다.
ㄴ. 독점공급자의 조세부담이 소비자의 조세부담보다 3배 더 크다.
ㄷ. 조세부담의 크기는 소비자와 공급자가 동일하다.
ㄹ. 독점공급자의 조세부담이 소비자의 조세부담의 1/3이다.
ㅁ. 동일한 세금을 소비자 대신 공급자에게 부과해도 조세부담 귀착의 결과는 같다.

① ㄱ, ㄴ　② ㄱ, ㄷ　③ ㄴ, ㄷ
④ ㄴ, ㅁ　⑤ ㄹ, ㅁ

정답 및 해설

22 ② 1) 조세가 부과되기 전 균형가격과 거래량은 동일하므로 가격은 P라고 할 때 균형거래량 Q는 $Q_S = Q_D$ 이므로 $P = aQ_S + 10$, $P = 100 - bQ_D$을 변형하여 균형거래량을 구하면 $aQ + 10 = 100 - bQ$에서 $Q = \frac{90}{a+b}$을 구할 수 있다.

2) 공급자에게 단위당 10의 세금을 부과했을 때 공급곡선이 $P = aQ_S + 20$으로 변하므로 위와 동일하게 균형거래량을 구하면 $aQ + 20 = 100 - bQ$에서 $Q = \frac{80}{a+b}$을 구할 수 있다.

3) 조세수입은 '조세액 × 조세부과 후 거래량'이므로 $10 \times \frac{80}{a+b}$이고, 후생손실은 '조세액 × 줄어든 거래량 × $\frac{1}{2}$'이므로 $10 \times \frac{10}{a+b} \times \frac{1}{2}$이다. 따라서 $\dfrac{\frac{800}{a+b}}{\frac{50}{a+b}}$이므로 16이 된다. 세수 : 자중손실은 16 : 1이다.

23 ④ 1) $Q = 200 - 4P$를 변형하면 $P = -\frac{1}{4}Q + 50$이다. 따라서 $MR = -\frac{1}{2}Q + 50$이다.

2) $TC = \frac{1}{4}Q^2 + 10Q + 75$이므로 $MC = \frac{1}{2}Q + 10$이다.

3) 이윤극대화 생산량은 $MR = MC$일 때 성립하므로 $-\frac{1}{2}Q + 50 = \frac{1}{2}Q + 10$, $Q = 40$이고 이때 소비자가 지불하는 가격은 $Q = 40$을 수요곡선에 대입하면 $P = 40$이다.

4) 조건대로 소비자에게 단위당 10만큼의 물품세를 부과하면 $P = -\frac{1}{4}Q + 40$이 되고 이때 $MR = -\frac{1}{2}Q + 40$이다. MC는 동일하므로 이윤극대화 생산량을 구하면 $-\frac{1}{2}Q + 40 = \frac{1}{2}Q + 10$, $Q = 30$이고 이때 소비자가 지불하는 가격은 $Q = 30$을 수요곡선에 대입하면 $P = 42.5$이다. 따라서 소비자가 부담은 2.5, 생산자가 부담은 7.5이다. 따라서 생산자의 부담이 3배 크다.

5) 이를 생산자에게 부담시켜도 조세부담의 귀착결과는 동일하다.

[오답체크]

ㄱ. 독점공급자라고 해서 소비자에게 모두 전가시킬 수 있는 것은 아니다. 수요의 가격탄력성과 MC곡선의 기울기에 따라 달라진다.

ㄷ, ㄹ. 생산자의 부담이 소비자의 부담보다 3배 더 크다.

STEP 3 실전문제

24 상중하

완전경쟁시장인 X재 시장에서 시장수요와 시장공급이 다음과 같다. [회계사 17]

- 시장수요: $Q_d = 200 - P$
- 시장공급: $Q_s = -40 + 0.5P$

(단, Q_d, Q_s, P는 각각 X재의 수요량, 공급량, 가격을 나타낸다)

위 상황에서 X재 한 단위당 30씩 세금을 부과할 때, 세금을 제외하고 공급자가 받는 가격은 얼마인가?

① 120 ② 140 ③ 160
④ 180 ⑤ 200

25 상중하

다음 그림은 세금이 부과되기 전의 X재와 Y재 시장을 나타낸 것이다. 두 시장에 각각 단위당 2원이 생산자에게 부과되었을 때, 다음 설명 중 옳은 것은? [회계사 18]

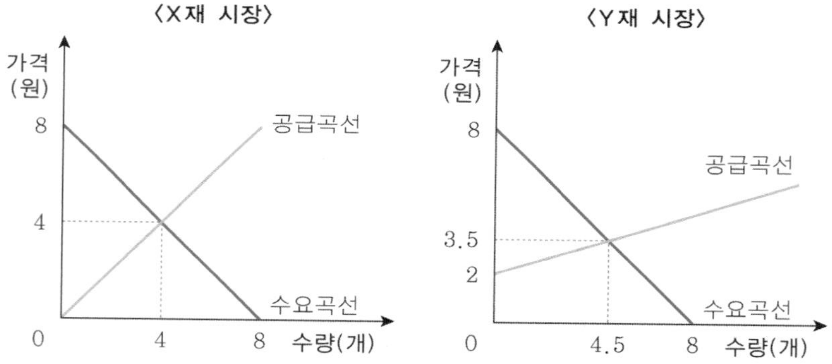

① 조세 수입은 X재 시장이 Y재 시장보다 많다.
② 소비자잉여는 X재 시장이 Y재 시장보다 작다.
③ 생산자잉여는 X재 시장이 Y재 시장보다 작다.
④ 경제적 순손실(deadweight loss)은 X재 시장이 Y재 시장보다 작다.
⑤ X재 시장과 Y재 시장 모두 소비자와 생산자에게 귀착되는 조세 부담의 크기는 동일하다.

정답 및 해설

24 ② 1) 공급곡선을 변형하면 $P = 80 + 2Q$이다. 공급자에게 종량세 30씩 조세를 부과하였으므로 $P = 110 + 2Q$가 된다.

2) 조세부과 후 시장균형을 구하면 $200 - Q = 110 + 2Q$ ➜ $90 = 3Q$ ➜ $Q = 30$, $P = 170$이다.

3) 여기서 조세를 뺀 것이 공급자 가격이므로 $170 - 30 = 140$이다.

25 ④ 1) X재 시장의 수요곡선은 $P = 8 - Q$, 공급곡선은 $P = Q$이다. 단위당 2원의 조세가 공급자에게 부과되면 공급곡선이 $P = Q + 2$로 변화한다. 변화 후 균형가격과 거래량은 $8 - Q = Q + 2$ ➜ $Q = 3$, $P = 5$이다.

2) Y재 시장의 수요곡선은 $P = 8 - Q$, 공급곡선은 $P = 2 + \frac{1}{3}Q$이다. 단위당 2원의 조세가 공급자에게 부과되면 공급곡선이 $P = 4 + \frac{1}{3}Q$로 변화한다. 변화 후 균형가격과 거래량은 $8 - Q = 4 + \frac{1}{3}Q$ ➜ $Q = 3$, $P = 5$이다.

3) 경제적 순손실은 조세액 × 거래량 감소분 × $\frac{1}{2}$이다. X재의 경제적 순손실 감소분은 $2 \times 1 \times \frac{1}{2} = 1$이고 Y재의 경제적 순손실 감소분은 $2 \times 1.5 \times \frac{1}{2} = 1.5$이다.

4) 따라서 경제적 순손실(deadweight loss)은 X재 시장이 Y재 시장보다 작다.

[오답체크]

① 조세 수입은 거래량 × 조세액이므로 $3 \times 2 = 6$으로 동일하다.

② 소비자잉여는 X재 시장이 $3 \times 3 \times \frac{1}{2} = 4.5$이고 Y재 시장이 $3 \times 3 \times \frac{1}{2} = 4.5$로 동일하다.

③ 생산자잉여는 X재 시장이 $3 \times 3 \times \frac{1}{2} = 4.5$이고 Y재 시장이 $1 \times 3 \times \frac{1}{2} = 1.5$로 X재 시장이 크다.

⑤ 조세의 귀착은 탄력성에 반비례한다. X재 시장은 동일하지만 Y재 시장은 소비자의 부담이 더 크다.

26 상중하 어느 완전경쟁시장에서 수요함수는 $Q_D = 60 - P$이며, 공급함수는 $Q_S = -20 + P$이다. 이때 정부가 시장 생산자들에게 단위당 10의 생산보조금을 지급한다. 다음 설명 중 옳은 것은? (단, Q_D, Q_S와 P는 각각 수요량, 공급량과 가격을 나타낸다) [회계사 22]

① 생산보조금 지급으로 균형가격은 단위당 10만큼 하락한다.
② 생산보조금 지급으로 거래량은 10단위 증가한다.
③ 정부의 보조금 지급으로 사회후생은 증가한다.
④ 정부의 총보조금 지급액은 250이다.
⑤ 생산자잉여는 정부의 총보조금 지급액만큼 증가한다.

정답 및 해설

26 ④ 1) 최초의 균형은 $60 - P = -20 + P$ ➜ $P = 40$, $Q = 20$이다.

2) 보조금을 지급하면 한계비용이 하락하므로 $P = 20 + Q$로 바꾸어 보조금 10을 지급하면 $P = 10 + Q$가 된다.

3) 따라서 새로운 균형은 $60 - P = -10 + P$ ➜ $P = 35$, $Q = 25$이다.

4) 이를 그래프로 표현하면 다음과 같다.

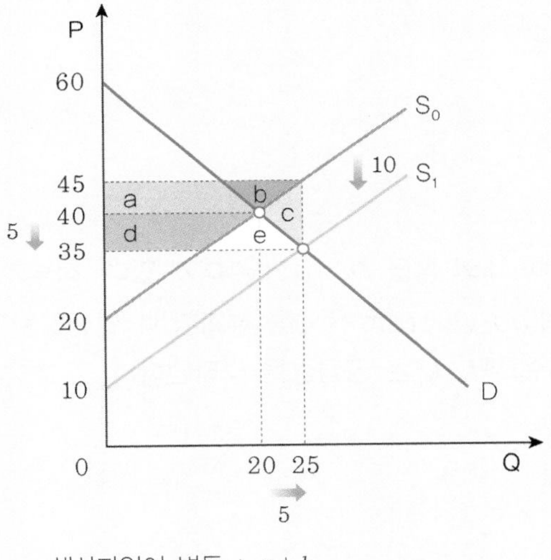

생산자잉여 변동 : $a+b$
\+ 소비자잉여 변동 : $d+e$
− 정부보조금 : $a+b+c+d+e$ ➜ $25 \cdot 10 = 250$

사회후생 변화 : $-c$

5) 지문분석

④ 정부의 총보조금 지급액은 보조금 × 거래량이므로 $10 \times 25 = 250$이다.

[오답체크]

① 생산보조금 지급으로 균형가격은 단위당 5만큼 하락한다.

② 생산보조금 지급으로 거래량은 5단위 증가한다.

③ 정부의 보조금 지급으로 사회후생은 감소한다.

⑤ 생산자잉여는 정부의 총보조금 지급액보다 작게 증가한다.

27 상중하

어느 재화에 대한 시장수요함수는 $Q_D = 1{,}400 - 120P$이며, 시장공급함수는 $Q_S = -400 + 200P$ (Q_D는 수요량, Q_S는 공급량, P는 가격)이다. 이 재화에 대해 정부가 공급자들에게 10%의 판매세를 부과함에 따라 공급자들은 시장에서 받은 판매수입의 10%를 정부에 납부해야 한다고 하자. 다음 설명 중 옳지 않은 것은? [회계사 15]

① 세금 부과 전 균형에서 시장가격은 $5\frac{5}{8}$, 거래량은 725이다.
② 세금 부과로 이 시장의 공급곡선은 상향 이동하나, 기존의 공급곡선과 평행하지는 않다.
③ 공급자가 정부에 세금을 납부한 후 받는 가격은 하락한다.
④ 세금이 부과될 때 균형 거래량은 680이다.
⑤ 소비자가 실질적으로 부담하는 단위당 세금은 공급자가 실질적으로 부담하는 단위당 세금보다 적다.

28 상중하

어느 완전경쟁시장에서 수요 $Q_D = 30 - p$와 공급 $Q_S = p$가 주어져 있다. 정부가 생산자에게 판매금액의 50%에 해당하는 종가세(ad valorem tax)를 부과할 때 발생하는 사회적 후생손실은? (단, p는 시장가격, Q_D는 수요량, Q_S는 공급량을 나타낸다) [회계사 21]

① 4.5 ② 9 ③ 12
④ 18 ⑤ 36

정답 및 해설

27 ⑤ 1) 최초의 균형

$1,400 - 120P = -400 + 200P$ ➜ $320P = 1,800$ ➜ $P = \frac{45}{8}$, $Q = 725$

2) 가격(or 판매수입)의 10%에 해당하는 조세를 부과하는 경우

$-400 + 200 \times 0.9P = 1,400 - 120P$ ➜ $300P = 1,800$ ➜ $P = 6$, $Q = 680$

3) 그래프

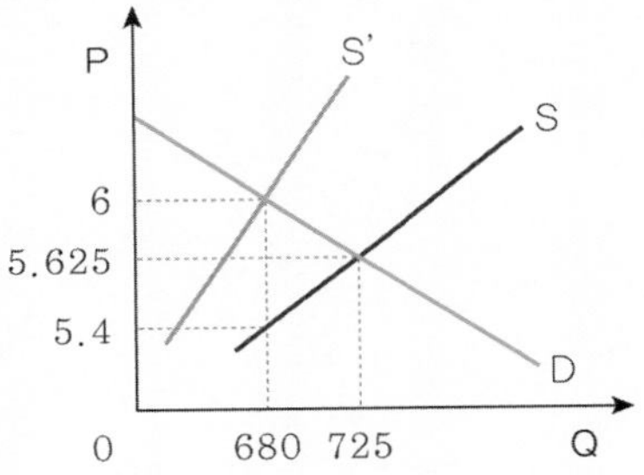

4) 소비자 부담: $6 - 5.625 = 0.375$

5) 공급자 부담: $5.625 - 5.4 = 0.225$

28 ② 1) 최초의 균형을 구하면 $30 - p = p$ ➜ $p = 15$, $Q = 15$이다.

2) 종가세를 부과하면 최초가격의 1.5배를 받아야 한다. 따라서 $Q_S = p$ ➜ $1.5Q_S = p$가 된다.

3) 이를 바탕으로 다시 균형을 구하면 $30 - p = \frac{p}{1.5}$ ➜ $p = 18$, $Q = 12$이다.

4) 그래프

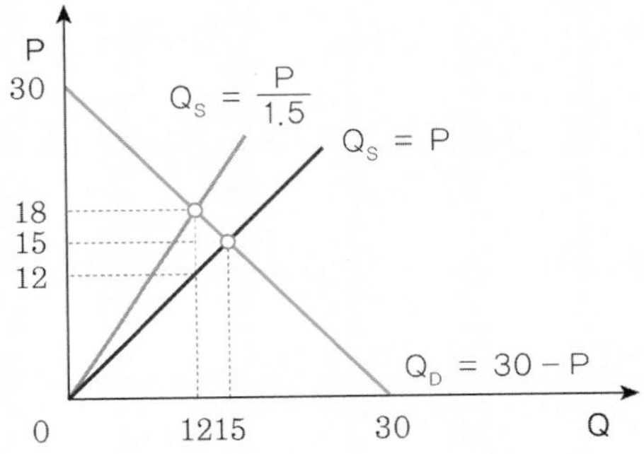

5) 따라서 후생손실은 9이다.

29 상중하 양(+)의 이윤을 얻고 있는 독점기업에 정부가 T1 ~ T4의 과세 방안을 고려 중이다. 한계비용은 모든 생산량에서 일정하고, 시장수요곡선은 우하향한다. 다음 설명 중 옳은 것은? (단, 납세 후에도 이윤은 양(+)이다) [회계사 20]

- T1: 생산량에 관계없이 일정액의 세금을 부과
- T2: 단위 생산량에 일정액의 세금을 부과
- T3: 가격에 일정비율의 세금을 부과
- T4: 이윤에 일정비율의 세금을 부과

① T1에 의해 생산량이 감소한다.
② T2는 생산량을 감소시키지 않는다.
③ T3에 의해 생산량이 감소한다.
④ 양(+)의 조세수입을 얻는 한 T4로 인한 자중손실(deadweight loss)이 T1 ~ T3보다 크다.
⑤ T1 ~ T4 모두 조세의 전가는 나타나지 않는다.

정답 및 해설

29 ③ 1) T1: 정액세, T2: 종량세, T3: 종가세, T4: 이윤세

2) 지문분석

③ 종가세는 한계비용을 증가시키므로 생산량을 감소시킨다.

[오답체크]

① 정액세는 MR, MC에 영향을 미치지 않기 때문에 생산량과 관련이 없다.

② 종량세는 한계비용을 증가시키므로 생산량을 감소시킨다.

④ 이윤세는 100%기업이 부담하므로 자중손실이 발생하지 않는다.

⑤ 종량세와 종가세는 조세의 전가가 나타날 수 있다.

제7장

후생경제학과 시장실패

Topic 14 후생경제학과 시장실패

Topic 14 후생경제학과 시장실패

01 파레토 효율성

파레토 효율성	(1) 소비(교환)의 파레토 효율성 충족 조건 ➜ $MRS^A_{XY} = MRS^B_{XY}$ (2) 생산의 파레토 효율성 충족 조건 ➜ $MRTS^X_{LK} = MRTS^Y_{LK}$ (3) 산출물구성의 파레토 효율성의 충족 조건 ➜ ㉮ ______________________가 성립함
후생경제학의 정리	(1) 후생경제학 제1정리 모든 개인의 선호체계가 강단조성(많이 소비하는 것이 좋음)을 지니고 외부성, 공공재 등의 시장실패 요인이 존재하지 않는다면 일반경쟁균형(왈라스균형)의 자원 배분은 파레토 효율적임 (2) 후생경제학 제2정리 초기부존자원이 적절히 배분되어 있는 상태에서 모든 소비자의 선호가 볼록성을 가지며 자원 배분이 파레토 최적이면 완전경쟁하의 일반균형, 즉 완전경쟁 가격체계가 존재함

핵심키워드

㉮ $MRS^A_{XY} = MRS^B_{XY} = MRT_{XY}$

02 사회후생함수와 애로우의 불가능성 정리

사회후생함수	(1) 공리주의 사회후생함수(Bentham) ① 전체 사회후생(SW; Social Welfare)은 개인효용의 총합으로 도출된다. 따라서, 사회적 무차별곡선(SIC)은 우하향하는 ㉮ ________(MRS 일정)이 됨 ② 개인의 소득에 대한 한계효용이 ㉯ ________하다고 가정함 ③ 개인효용의 합이 크면 사회 후생도 높으며, 개인 간 효용 및 소득분배의 공평성은 사회후생에 영향을 미치지 않음 ④ ㉰ ____________ (U_A, U_B: 개인 A, B의 효용) (2) 롤스의 사회후생함수 ① 사회구성원 중 가장 낮은 효용(소득)을 누리는 자의 효용에 따라 사회 후생수준이 결정됨 ② ㉱ ____________ (U_A, U_B: 개인 A, B의 효용) ③ 사회적 무차별곡선(SIC)은 L자형이 됨 (3) 평등주의적 사회후생함수 ① 사회구성원 중 높은 효용(소득)을 누리는 자에게 ㉲ ____________를, 낮은 효용을 누리는 자에게는 ㉳ ____________를 적용하여 사회 후생수준을 도출함 ② ㉴ ____________ (U_A, U_B: 개인 A, B의 효용) ③ 평등주의 성향이 강하면 강할수록 이를 대표하는 사회 무차별곡선은 원점에 대하여 더욱 볼록한 모양을 가지게 되고, 이것이 극단에 이르게 되면 롤스적 사회 무차별곡선이 됨
애로우의 불가능성 정리	(1) 개별선호를 사회 전체의 선호로 종합시키기 위한 조건 집단적 합리성(완비성, 이행성), 파레토 원칙(Pareto principle), 무관한 선택대상으로부터의 독립성, 비독재성(non-dictatorship) (2) 결론 ① ㉵ ______이면서 효율적인 사회 후생함수는 존재하지 않음을 증명하였음 ② 민주적인 어떠한 투표제도도 애로우가 제시한 조건을 모두 충족하지 못함

핵심키워드

㉮ 직선, ㉯ 동일, ㉰ $SW = U_A + U_B$, ㉱ $SW = Min[U_A, U_B]$, ㉲ 낮은 가중치,
㉳ 높은 가중치, ㉴ $SW = U_A \times U_B$, ㉵ 민주적

03 외부효과

<table>
<tr><th>구분</th><th>외부경제(긍정적 외부효과)</th><th>외부불경제(부정적 외부효과)</th></tr>
<tr><td>개념</td><td>어떤 경제 활동이 제3자에게 이익을 주는데도 시장을 통해 대가를 받지 못한 경우</td><td>어떤 경제 활동이 제3자에게 손해를 주는데도 시장을 통해 대가를 지불하지 않는 경우</td></tr>
<tr><td>수량 비교</td><td>효율적 수준보다 ㉮ ______ 생산 또는 소비</td><td>효율적 수준보다 ㉯ ______ 생산 또는 소비</td></tr>
<tr><td>생산 측면</td><td>사적 비용(PMC) ㉰ ______ 사회적 비용(SMC)</td><td>사적 비용(PMC) ㉱ ______ 사회적 비용(SMC)</td></tr>
<tr><td>기출 사례</td><td>과수원, 임업, 아름다운 정원, 신기술 등</td><td>환경오염, 흡연, 자동차 매연 등</td></tr>
<tr><td>해결 방안</td><td>외부경제 장려
예 보조금, 감세</td><td>외부불경제 규제
예 법적 처벌(직접), 조세부과(간접)</td></tr>
<tr><td rowspan="2">그래프</td><td>
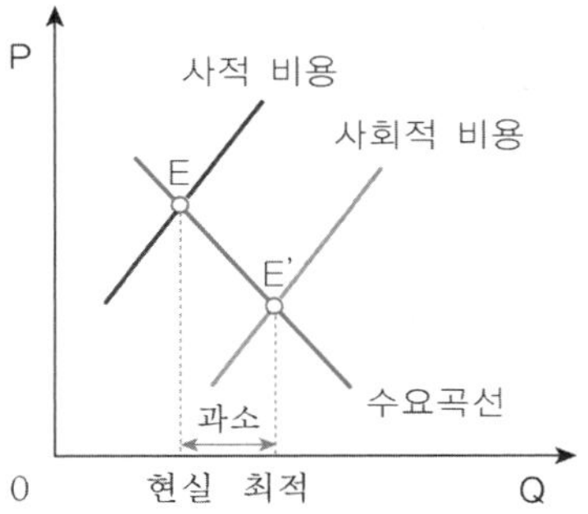

과소</td><td>
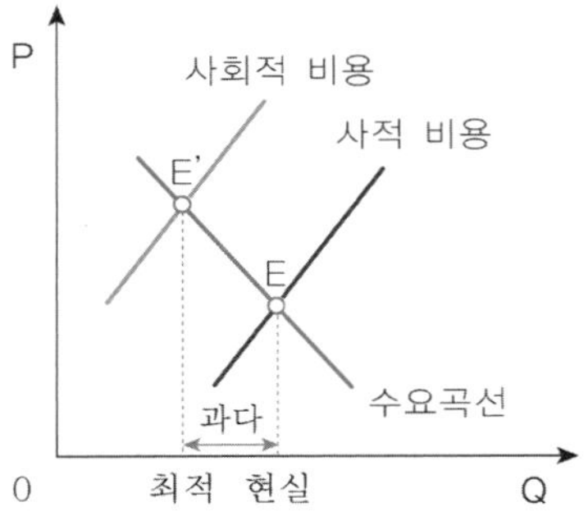

과다</td></tr>
<tr><td>
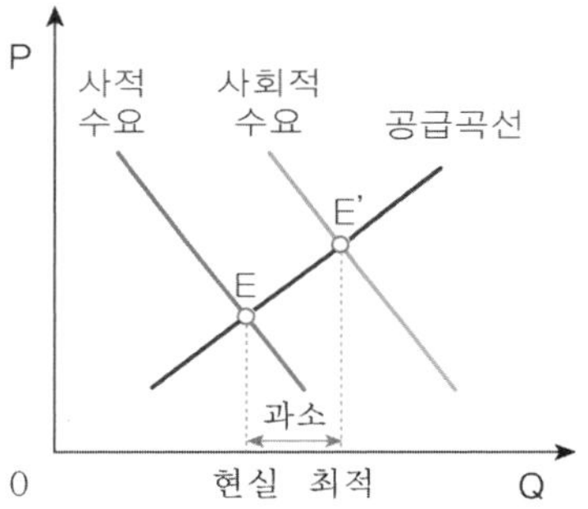

과소</td><td>
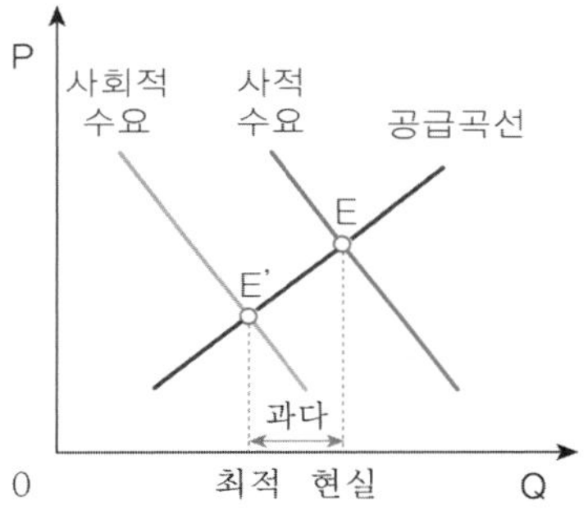

과다</td></tr>
</table>

핵심키워드

㉮ 과소, ㉯ 과다, ㉰ >, ㉱ <

04 코즈의 정리

내용	㉮ ________이 무시할 정도로 작고, 협상으로 인한 소득재분배가 각 개인의 한계효용에 영향을 미치지 않는다면 외부성에 관한 ㉯ ________(재산권)가 어느 경제주체에 귀속되는가와 상관없이 당사자 간의 자발적 협상에 의한 자원배분은 동일하며 효율적임
결론	정부의 개입이 아닌 시장주체 간의 ㉰ ________을 통한 해결 중시

05 공공재

의미	국방, 외교, 치안, 공원, 도로 등과 같이 여러 사람의 공동소비를 위해 생산된 재화와 서비스
특성	(1) 소비에서의 ㉱ ________: 한 사람의 소비가 다른 사람이 소비할 수 있는 기회를 줄이지 않음 (2) 소비에서의 ㉲ ________: 대가를 치르지 않은 사람도 소비에서 배재할 수 없음 (3) 자본 회수 기간이 길고, 많은 자본이 필요함
공급	(1) 공공재는 비배제성 때문에 무료로 이용하려는 성질로 인하여 자발적인 선호의 표현인 수요곡선을 표출하지 않아 가상수요곡선으로 공공재의 수요곡선을 도출함 (2) 공공재의 시장수요(사회적 한계편익)곡선은 ㉳ ________________으로 도출한다. 이때 시장수요곡선과 공급곡선과의 교점에서 균형가격과 균형량이 결정됨 (3) 공공재의 공급량이 결정되면 개별 소비자들은 동일한 양을 소비하면서 각각 한계편익만큼의 가격을 지불함 (4) 공공재의 적정공급 조건: ㉴ ________________
공공재와 시장 실패	(1) 공공재 ㉵ ________문제: 사회적으로 반드시 생산되어야 하지만 수지가 맞지 않아 시장에서 기업이 생산을 회피함 ➔ 자원 배분의 비효율성 (2) 무임 승차자 문제: 자발적으로 가격을 지불하지 않고 편익만을 취하고자 하는 심리, 공공재의 특성으로부터 불가피함
해결책	(1) 정부에 의한 직접 생산 ① 공공 서비스: 국방, 치안, 보건, 교육 등 ② 사회 간접 자본: 철도, 도로, 항만, 댐 등 (2) 공기업: 정부가 공공재 생산 및 유지·관리를 위해 직접 경영하거나, 출자하여 기업 경영에 영향력을 행사하는 기업

핵심키워드

㉮ 협상비용, ㉯ 권리, ㉰ 자율적 협상, ㉱ 비경합성, ㉲ 비배제성, ㉳ 개별수요(한계편익)곡선의 수직 합, ㉴ $MB_A + MB_B = MC$, ㉵ 부족

06 재화의 구분

구분		경합성	
		있음	없음
배제성	있음	아이스크림, 옷, 막히는 유료 도로 ➜ ㉮ ________	소방 서비스, 케이블 TV, 안 막히는 유료 도로 ➜ ㉯ ________
	없음	바다 속의 물고기, 환경, 막히는 무료 도로 ➜ ㉰ ________	국방, 기술 지식, 안 막히는 유료 도로 ➜ ㉱ ________

07 정보의 비대칭성

역선택	(1) 의미: 감춰진 특성의 상황에서 잘못된 선택을 하는 것 (2) ㉲ ________: 거래 당사자의 특성이나 거래 상품의 품질을 한쪽만 알고 있는 경우 예 중고차시장에서의 중고차 구입자: 중고차 품질 알지 못함 등 (3) 대책: 신호발송, 선별, ㉳ ________, 평판, 표준화 등
도덕적 해이	(1) 감춰진 상황에서 상대방의 행동이 변한 경우 (2) ㉴ ________: 상대방의 감춰진 행동을 관찰·통제할 수 없는 경우 예 자동차보험 가입 이후 → 난폭운전 등 (3) 대책: 감시, 인센티브, ㉵ ________, 효율성 임금

핵심키워드

㉮ 사적재, ㉯ 요금재, ㉰ 공유 자원, ㉱ 공공재, ㉲ 감추어진 상황, ㉳ 의무가입, ㉴ 감춰진 행동의 상황
㉵ 기초공제제도

STEP 1 기본문제

01 상중하

에지워스 박스(Edgeworth Box)를 사용한 일반균형 분석에 대한 설명으로 옳지 않은 것만을 〈보기〉에서 모두 고르면? (단, 이 경제에는 A와 B 두 사람, X와 Y 두 재화만 존재하며 재화의 총량은 $\overline{X}$와 $\overline{Y}$로 결정되어 있다) [국회직 8급 19]

〈보기〉

ㄱ. 재화 X, Y의 가격이 변동할 때 계약곡선은 이동한다.
ㄴ. 계약곡선은 분배적 형평성을 실현했음을 의미한다.
ㄷ. 두 사람의 한계대체율이 서로 같게 되는 모든 점은 파레토 효율점을 의미한다.
ㄹ. 만약 $X_A + X_B < \overline{X_A} + \overline{X_B}$라면, X재의 가격이 상승하여야 일반균형이 달성된다. (단, X_A, X_B는 각각 A와 B의 X재화 수요량을, $\overline{X_A}$, $\overline{X_B}$는 각각 A와 B의 X재화 초기 소유량을 의미한다)

① ㄴ
② ㄱ, ㄷ
③ ㄴ, ㄹ
④ ㄱ, ㄴ, ㄹ
⑤ ㄱ, ㄴ, ㄷ, ㄹ

정답 및 해설

01 ④ ㄱ. 계약곡선은 무차별곡선이 접하는 점이므로 가격과는 관련이 없다.
ㄴ. 계약곡선은 효율성을 실현했음을 의미한다.
ㄹ. 초기보다 X재를 소비하지 못하므로 X재의 가격이 하락하여야 일반균형이 달성된다.

[오답체크]
ㄷ. 두 사람의 한계대체율이 서로 같게 되는 모든 점은 소비에서의 파레토 효율점을 의미한다.

02 상중하

효율적 자원배분 및 후생에 대한 설명으로 옳은 것은? [국가직 7급 12]

① 후생경제학 제1정리는 효율적 자원배분이 독점시장인 경우에도 달성될 수 있음을 보여준다.

② 후생경제학 제2정리는 소비와 생산에 있어 규모의 경제가 있으면 완전경쟁을 통해 효율적 자원배분을 달성할 수 있음을 보여준다.

③ 차선의 이론(theory of the second best)에 따르면 효율적 자원배분을 위해 필요한 조건을 모두 충족하지 못한 경우, 더 많은 조건을 충족하면 할수록 더 효율적인 자원배분이다.

④ 롤스(J. Rawls)의 주장에 따르면 사회가 A, B 두 사람으로 구성되고 각각의 효용을 U_A, U_B라 할 때, 사회후생함수(SW)는 $SW = Min[U_A,\ U_B]$로 표현된다.

03 상중하

벤담(J. Bentham)의 공리주의를 표현한 사회후생함수는? (단, 이 경제에는 갑, 을만 존재하며, W는 사회전체의 후생, U는 갑의 효용, V는 을의 효용이다) [노무사 20]

① $W = Max[U,\ V]$

② $W = Min[U,\ V]$

③ $W = U + V$

④ $W = U \times V$

⑤ $W = U/V$

04 갑과 을이 150만원을 각각 x와 y로 나누어 가질 때, 갑의 효용함수는 $u(x) = \sqrt{x}$, 을의 효용함수는 $u(y) = 2\sqrt{y}$ 이다. 이때 파레토 효율적인 배분과 공리주의적 배분은? (단, 공리주의적 배분은 갑과 을의 효용의 단순 합을 극대화하는 배분이며 단위는 만원이다) [지방직 7급 18]

상중하

	파레토 효율적인 배분	공리주의적 배분
①	$(x+y=150)$을 만족하는 모든 배분이다.	$(x=75,\ y=75)$
②	$(x=30,\ y=120)$의 배분이 유일하다.	$(x=75,\ y=75)$
③	$(x=75,\ y=75)$의 배분이 유일하다.	$(x=30,\ y=120)$
④	$(x+y=150)$을 만족하는 모든 배분이다.	$(x=30,\ y=120)$

정답 및 해설

02 ④ 최소수혜자 최대의 원리를 추구하므로 $SW = Min[U_A,\ U_B]$로 표현된다.

[오답체크]

① 후생경제학 제1정리는 모든 시장이 완전경쟁시장인 경우에 성립한다.

② 후생경제학 제2정리는 초기부존자원을 적절히 재배분하면 파레토 효율성을 충족하는 자원배분상태는 일반경쟁균형이 된다는 것이다.

③ 차선의 이론(theory of the second best)이란 하나 이상의 효율성 조건이 이미 파괴되어 있는 상태에서는 만족되는 효율성 조건의 수가 많아진다고 해서 사회적 후생이 더욱 커진다는 보장이 없다는 것이다.

03 ③ 공리주의는 소득의 합이 최대인 것을 구하는 것이다.

[오답체크]

②는 롤스주의, ④는 평등주의를 의미한다.

04 ④ 1) 갑과 을이 나누어 가진 금액의 합이 150만원이면 한 사람의 효용을 감소시키지 않고는 다른 사람의 효용을 증가시킬 수가 없으므로 파레토 효율적인 배분은 $x+y=150$인 상태이다.

2) 갑의 효용함수를 미분하면 갑의 한계효용 $MU_X = \frac{1}{2\sqrt{x}}$, 을의 효용함수를 미분하면 을의 한계효용 $MU_Y = \frac{1}{\sqrt{y}}$이다. 공리주의에서는 $x+y=150$인 상태에서 두 사람의 한계효용이 같아져야 하므로 $MU_X = MU_Y$로 두면 $\frac{1}{2\sqrt{x}} = \frac{1}{\sqrt{y}}$, $y=4x$이다.

3) 두 식을 연립해서 풀면 $x=30$, $y=120$이 됨을 알 수 있다.

05 상중하 효용가능경계(utility possibilities frontier)에 대한 설명으로 옳은 것을 〈보기〉에서 모두 고르면? [서울시 7급 17]

〈보기〉

ㄱ. 효용가능경계 위의 점들에서는 사람들의 한계대체율이 동일하며, 이 한계대체율과 한계생산변환율이 일치한다.

ㄴ. 어느 경제에 주어진 경제적 자원이 모두 고용되면 이 경제는 효용가능경계 위에 있게 된다.

ㄷ. 생산가능곡선상의 한 점에서 생산된 상품의 조합을 사람들 사이에 적절히 배분함으로써 얻을 수 있는 최대 효용수준의 조합을 효용가능경계라고 한다.

① ㄱ　　② ㄷ
③ ㄱ, ㄴ　　④ ㄱ, ㄷ

06 상중하 외부성(externality)의 예로 옳지 않은 것은? [지방직 7급 11]

① 브라질이 자국의 커피수출을 제한하여 한국의 녹차가격이 상승한다.
② 아파트 층간 소음이 이웃 주민들의 숙면을 방해한다.
③ 제철회사가 오염된 폐수를 강에 버려 생태계가 변화된다.
④ 현란한 광고판이 운전자의 주의를 산만하게 하여 사고를 유발한다.

07 상중하

환경오염과 같은 외부성이 발생했을 경우 이에 대한 해결 방안과 관련된 설명으로 옳지 않은 것은? [지방직 7급 10]

① 오염물질 방출량에 대한 직접적 규제는 많은 비용이 드는 등 문제점이 있다.
② 오염물질 방출업체에 대해 공해세를 부과하는 것은 외부성의 문제를 해결하는 방안이 될 수 있다.
③ 협상비용이 무시할 정도로 작은 경우에는 정부가 개입하지 않아도 협상이 하나의 해결방안이 될 수 있다.
④ 시장에서 자유로이 거래될 수 있는 오염면허제도는 누구나 면허만 가지면 오염물질을 방출할 수 있으므로, 환경문제를 해결하는 방안이 될 수 없다.

정답 및 해설

05 ① **[오답체크]**

ㄴ. 모든 경제적 자원이 생산에 고용되더라도 비효율적인 방식으로 투입되면 경제는 효용가능경계 내부에 위치할 수도 있다.

ㄷ. 생산가능곡선상의 한 점에서 생산이 이루어지면 소비에 있어서 에지워스 상자가 결정되는데, 소비가 파레토 효율적으로 이루어지는 점들을 연결한 선이 소비에 있어서의 계약곡선이다. 이를 효용공간에 옮기면 효용가능경계가 아니라 효용가능곡선을 얻게 된다.

06 ① 외부성은 의도적이지 않아야 한다. 브라질이 자국의 커피수출을 의도적으로 제한하여 한국이 녹차가격이 상승하였기 때문에 외부성의 예로 볼 수 없다.

07 ④ 오염배출권제도는 오염물질배출의 총량을 가장 낮은 사회적 비용으로 규제할 수 있는 제도이다. 오염제거비용이 상대적으로 낮은 자는 오염을 제거하고, 상대적으로 높은 자는 오염면허를 구입하여 오염을 배출한다.

08 상중하

재화의 시장수요곡선은 $Q = 120 - P$이고, 독점기업이 이 재화를 공급한다. 이 독점기업의 사적인 비용함수는 $C(Q) = 1.5Q^2$이고, 환경오염비용을 추가로 발생시키며 그 환경오염비용은 $EC(Q) = Q^2$이다. 이 경우 사회적 순편익을 극대화하는 최적 생산량은? (단, P는 시장가격, Q는 생산량이다) [국가직 7급 12]

① 20
② 30
③ 40
④ 50

09 상중하

어떤 마을에 오염 물질을 배출하는 기업이 총 3개 있다. 오염물 배출에 대한 규제가 도입되기 이전에 각 기업이 배출하는 오염배출량과 그 배출량을 한 단위 감축하는 데 소요되는 비용은 아래 표와 같다.

기업	배출량 (단위)	배출량 단위당 감축비용 (만원)
A	50	20
B	60	30
C	70	40

정부는 오염배출량을 150단위로 제한하고자 한다. 그래서 각 기업에게 50단위의 오염배출권을 부여하였다. 또한, 이 배출권을 기업들이 자유롭게 판매·구매할 수 있다. 다음 중 가장 옳은 것은? (단, 오염배출권 한 개당 배출 가능한 오염물의 양은 1단위이다) [서울시 7급 19]

① 기업 A가 기업 B와 기업 C에게 오염배출권을 각각 10단위와 20단위 판매하고, 이때 가격은 20만원에서 30만원 사이에 형성된다.
② 기업 A가 기업 C에게 20단위의 오염배출권을 판매하고, 이때 가격은 30만원에서 40만원 사이에서 형성된다.
③ 기업 A가 기업 B에게 10단위의 오염배출권을 판매하고, 기업 B는 기업 C에게 20단위의 오염배출권을 판매한다. 이때 가격은 20만원에서 40만원 사이에서 형성된다.
④ 기업 B가 기업 C에게 20단위의 오염배출권을 판매하고, 이때 가격은 30만원에서 40만원 사이에서 형성된다.

10 공공재와 공유자원에 대한 설명으로 옳은 것만을 모두 고르면? [국가직 7급 20]

상중하

ㄱ. 공공재는 경합성이 낮다는 점에서 공유자원과 유사하다. ㄴ. 공유자원은 남획을 통한 멸종의 우려가 존재한다. ㄷ. 정부의 사유재산권 설정은 공유자원의 비극을 해결하는 방안 중 하나이다. ㄹ. 막히지 않는 유료도로는 공공재의 예라고 할 수 있다.

① ㄱ, ㄴ ② ㄱ, ㄷ

③ ㄴ, ㄷ ④ ㄴ, ㄹ

정답 및 해설

08 ① 1) 사회적 순편익을 극대화 하는 생산량은 $SMB = SMC(= PMC + EMC)$이다.
2) 사회적 한계편익은 수요곡선이므로 $P = 120 - Q$이다.
3) 사회적 한계비용함수는 $3Q + 2Q = 5Q$이다.
4) 사회적 최적 생산량은 $120 - Q = 5Q$이므로 $Q = 20$이다.

09 ① 가격이 20만원에서 30만원 사이에 형성된다면 기업 A만이 배출권의 공급자가 되므로 옳은 설명이다.

[오답체크]

② 가격이 30만원에서 40만원 사이에서 형성된다면 B도 판매하려 할 것이다.
③ 가격이 20만원에서 40만원 사이에서 형성된다고 했을 때 35만원일 경우 B도 판매하려 할 것이다.
④ 가격이 30만원에서 40만원 사이에서 형성된다면 A도 당연히 시장에 참여하게 될 것이다.

10 ③ ㄴ. 공유자원은 배제성이 없으므로 남획을 통한 멸종의 우려가 존재한다.
ㄷ. 정부의 사유재산권 설정은 배제성을 설정하는 것으로 공유자원의 비극을 해결하는 방안 중 하나이다.

[오답체크]

ㄱ. 공공재는 경합성과 배제성이 없고 공유자원은 경합성은 있으나 배제성이 없으므로 배제성이 낮다는 점에서 공유자원과 유사하다.
ㄹ. 막히지 않는 – 비경합성, 유료도로 – 배제성을 의미한다. 공공재는 경합성과 배제성 모두 존재하지 않으므로 공공재의 예라고 할 수 없다.

11 상중하

어느 마을의 어부 누구나 물고기를 잡을 수 있는 호수가 있다. 이 호수에서 잡을 수 있는 물고기의 수(Q)와 어부의 수(N) 사이에는 $Q = 70N - \frac{1}{2}N^2$의 관계가 성립한다. 한 어부가 일정 기간 동안 물고기를 잡는 데는 2,000원의 비용이 발생하며, 물고기의 가격은 마리당 100원이라고 가정한다. 어부들이 아무런 제약 없이 경쟁하면서 각자의 이윤을 극대화할 경우 어부의 수(N_0)와 이 호수에서 잡을 수 있는 물고기의 수(Q_0)는? 그리고 마을 전체적으로 효율적인 수준에서의 어부의 수(N_1)와 이 호수에서 잡을 수 있는 물고기의 수(Q_1)는? [국가직 7급 16]

① $(N_0, Q_0, N_1, Q_1) = (100, 2{,}000, 50, 2{,}250)$
② $(N_0, Q_0, N_1, Q_1) = (100, 2{,}000, 70, 2{,}450)$
③ $(N_0, Q_0, N_1, Q_1) = (120, 1{,}200, 50, 2{,}250)$
④ $(N_0, Q_0, N_1, Q_1) = (120, 1{,}200, 70, 2{,}450)$

12 상중하

A, B, C 3인으로 구성된 사회에서 공공재에 대한 개인의 수요함수는 각각 $P_A = 40 - 2Q$, $P_B = 50 - Q$, $P_C = 60 - Q$로 주어져 있다. 공공재 생산의 한계비용이 90으로 일정할 때, 사회적으로 최적인 공급 수준에서 A가 지불해야 하는 가격을 구하면? (단, P_i는 개인 i = A, B, C의 공공재에 대한 한계편익, Q는 수량이다) [국가직 21]

① 10
② 15
③ 20
④ 25

13 공공재인 마을 공동우물(X)에 대한 혜민과 동수의 수요가 각각 $X = 50 - P$, $X = 30 - 2P$일 때, 사회적으로 바람직한 공동우물의 개수(㉠)와 동수가 우물에 대해 지불하고자 하는 가격(㉡)은? (단, P는 혜민과 동수가 X에 대해 지불하는 단위당 가격이고, 공동우물을 만들 때 필요한 한계비용(MC)은 41원이다) [지방직 7급 13]

상중하

	㉠	㉡
①	16개	7원
②	18개	6원
③	20개	5원
④	22개	4원

정답 및 해설

11 ① 1) 우선 마을 전체의 관점에서는 이윤극대화를 추구한다.

2) 물고기의 시장가격 $P = 100$이고, 물고기의 수 $Q = 70N - \frac{1}{2}N^2$이므로 총수입 $TR = PQ = 7{,}000N - 50N^2$이고, 어부 한 명이 물고기를 잡는 데 2,000원의 비용이 발생하므로 총비용 $TC = 2{,}000N$이다.

3) 이윤함수 $\pi = TR - TC = (7{,}000N - 50N^2) - 2{,}000N = 5{,}000N - 50N^2$이다. 이윤이 극대가 되는 어부의 수를 구하기 위해 N에 대해 미분한 후에 0으로 두면 $7{,}000 - 100N - 2{,}000 = 0$, $N = 50$이다. $N = 50$을 $Q = 70N - \frac{1}{2}N^2$에 대입하면 2,250으로 계산된다.

4) 경쟁이 이루어지는 어부의 수는 이윤이 0이 될 때까지 증가한다.

5) 이윤함수를 0으로 두면 $\pi = 5{,}000N - 50N^2 = 0$이므로 이 식의 양변을 N으로 나누어주면 $5{,}000 - 50N = 0$, $N = 100$으로 계산된다. $N = 100$을 $Q = 70N - \frac{1}{2}N^2$에 대입하면 $Q = 2{,}000$으로 계산된다.

12 ① 1) 공공재의 최적공급은 한계편익($= P$)의 합 = 한계비용이다.

2) 한계편익을 모두 더하면 $150 - 4Q = 90$이므로 $Q = 15$이다.

3) A가 지불해야 하는 가격은 최적 공급량을 A의 수요함수에 대입하여 구한다. 따라서 $40 - 30 = 10$이다.

13 ① 1) 공공재의 시장수요곡선은 개별수요곡선의 수직합이다. 혜민의 수요함수가 $P = 50 - X$, 동수의 수요함수가 $P = 15 - \frac{1}{2}X$이므로 시장수요함수는 $P = 65 - \frac{3}{2}X$이다.

2) 최적생산량을 구하기 위해 $P = MC$로 두면 $65 - \frac{3}{2}X = 41$ ➜ $\frac{3}{2}X = 24$ ➜ $X = 16$이다.

3) $X = 16$을 각자의 수요함수에 대입하면 혜민이가 지불할 가격은 34원, 동수가 지불할 가격은 7원으로 계산된다.

14 상중하

어떤 한 경제에 A, B 두 명의 소비자와 X, Y 두 개의 재화가 존재한다. 이 중 X는 공공재(public goods)이고 Y는 사용재(private goods)이다. 현재의 소비량을 기준으로 A와 B의 한계대체율(MRS; Marginal Rate of Substitution)과 한계전환율(MRT; Marginal Rate of Transformation)이 다음과 같이 측정되었다. 공공재의 공급에 관한 평가로 옳은 것은? [국가직 7급 15]

- $MRS_{XY}^{A} = 1$
- $MRS_{XY}^{B} = 3$
- $MRT_{XY} = 5$

① 공공재가 최적 수준보다 적게 공급되고 있다.
② 공공재가 최적 수준으로 공급되고 있다.
③ 공공재가 최적 수준보다 많이 공급되고 있다.
④ 공공재의 최적 수준 공급 여부를 알 수 없다.

15 상중하

공공재에 관한 설명으로 옳은 것을 모두 고른 것은? [노무사 20]

ㄱ. 공공재의 공급을 시장에 맡길 경우 무임승차자의 문제로 인해 공급부족이 야기될 수 있다.
ㄴ. 코즈 정리(Coase theorem)에 따르면 일정한 조건하에서 이해 당사자의 자발적 협상에 의해 외부성의 문제가 해결될 수 있다.
ㄷ. 배제불가능성이란 한 사람이 공공재를 소비한다고 해서 다른 사람이 소비할 수 있는 기회가 줄어들지 않음을 의미한다.

① ㄱ ② ㄴ ③ ㄱ, ㄴ
④ ㄴ, ㄷ ⑤ ㄱ, ㄴ, ㄷ

정답 및 해설

14 ③ 1) 공공재의 적정공급조건은 $MRS_{XY}^{A} + MRS_{XY}^{B} = MRT_{XY}$이다.

2) $MRS_{XY} = \frac{MU_X}{MU_Y}$이고 $MRT_{XY} = \frac{MC_X}{MC_Y}$이다. 주어진 조건에서 $\frac{MU_X}{MU_Y} = 4$이고 $\frac{MC_X}{MC_Y} = 5$이므로 X재를 늘렸을 때의 만족감이 4인데 비용은 5가 든다는 의미이다.

3) 따라서 Y재인 사용재를 늘리고 X재인 공공재를 줄여야 한다. 이는 공공재가 최적수준보다 많이 공급되고 있음을 알 수 있다.

15 ③ **[오답체크]**

ㄷ. 비경합성이란 한 사람이 공공재를 소비한다고 해서 다른 사람이 소비할 수 있는 기회가 줄어들지 않음을 의미한다. 배제불가능성은 대가를 지불하지 않아도 사용 가능하다는 것이다.

16 상중하

다음 중 코즈 정리(Coase theorem)에 따른 예측으로 가장 옳지 않은 것은? (단, 만족 수준 한 단위가 현금 1만원과 동일한 수준의 효용이다) [서울시 7급 17]

> 김씨와 이씨가 한집에 살고 있다. 평상시 두 사람의 만족 수준을 100이라고 하자. 김씨는 집 안 전체에 음악을 틀고 있으면 만족 수준이 200이 된다. 반면, 이씨는 음악이 틀어져있는 공간에서는 만족 수준이 50에 그친다.

① 음악을 트는 것에 대한 권리가 누구에게 있든지 집 안 전체의 음악재생여부는 동일하다.
② 음악을 트는 것에 대한 권리가 이씨에게 있는 경우 둘 사이에 자금의 이전이 발생한다.
③ 음악을 트는 것에 대한 권리가 김씨에게 있는 경우 그는 음악을 틀 것이다.
④ 음악을 트는 것에 대한 권리가 이씨에게 있는 경우 집 안은 고요할 것이다.

17 상중하

다음 중 정보경제와 관련된 설명으로 가장 옳지 않은 것은? [서울시 7급 16]

① 선별(screening)이란 사적 정보를 가진 경제주체가 상대방의 정보를 더욱 얻어내기 위해 취하는 행동이다.
② 신호발생(signalling)이란 정보를 가진 경제주체가 자신에 관한 정보를 상대방에게 전달하려는 행동이다.
③ 탐색행위(search activities)란 상품의 가격에 대한 정보를 충분히 갖지 못한 수요자가 좀 더 낮은 가격을 부르는 곳을 찾으려고 하는 행위이다.
④ 역선택(adverse selection)이란 상대방의 감추어진 속성으로 인해 정보가 부족한 쪽에서 바람직하지 않은 선택을 하는 현상이다.

정답 및 해설

16 ④ 1) 음악을 틀면 김씨는 효용이 100만큼 증가하므로 김씨에게 있어 음악의 가치는 100만원이고, 음악을 틀면 이씨의 효용이 50만큼 감소하므로 이씨에게는 음악의 가치가 −50만원이다.

2) 음악 재생의 권리가 김씨에게 있는 경우에 김씨가 음악을 틀지 않는 대신 최소한 받고자 하는 금액은 100만원이나, 이씨가 지불할 용의가 있는 최대금액은 50만원이므로 두 사람 간에 협상은 이루어지지 않으며 김씨는 음악을 틀 것이다.

3) 이씨에게 음악을 틀 권리가 있는 경우에 김씨는 음악을 듣는 대신 지불할 용의가 있는 최대금액이 100만원인 데 비해 이씨는 50만원 이상을 받으면 음악을 틀 용의가 있다. 그러므로 이 경우에는 두 사람 사이에 협상이 이루어져 김씨는 이씨에게 50 ~ 100만원 사이의 일정 금액을 지불하게 될 것이므로 음악 재생이 이루어진다.

17 ① 선별(screening)이란 정보를 갖지 못한 측이 이미 알려진 정보를 이용하여 상대방을 구분하는 것을 말한다.

STEP 2 심화문제

18 상중하 후생경제이론에 관한 설명으로 옳은 것은? [감정평가사 21]

① 파레토(Pareto) 효율적인 상태는 파레토 개선이 가능한 상태를 뜻한다.
② 제2정리는 모든 사람의 선호가 오목성을 가지면 파레토 효율적인 배분은 일반경쟁균형이 된다는 것이다.
③ 제1정리는 모든 소비자의 선호체계가 약단조성을 갖고 외부성이 존재하면 일반경쟁균형의 배분은 파레토 효율적이라는 것이다.
④ 제1정리는 완전경쟁시장하에서 사익과 공익은 서로 상충된다는 것이다.
⑤ 제1정리는 아담스미스(A. Smith)의 '보이지 않는 손'의 역할을 이론적으로 뒷받침 해주는 것이다.

19 상중하 동일한 콥-더글러스(Cobb-Douglas) 효용함수를 갖는 甲과 乙이 X재와 Y재를 소비한다. 다음 조건에 부합하는 설명으로 옳지 않은 것은? [감정평가사 17]

> • 초기에 甲은 X재 10단위와 Y재 10단위를 가지고 있으며, 乙은 X재 10단위와 Y재 20단위를 가지고 있다.
> • 두 사람이 파레토(Pareto) 효율성이 달성되는 자원배분상태에 도달하는 교환을 한다.

① 교환 후 甲은 X재보다 Y재를 더 많이 소비하게 된다.
② 교환 후 甲은 X재와 Y재를 3 : 5의 비율로 소비하게 된다.
③ 교환 후 乙은 X재를 10단위 이상 소비하게 된다.
④ 교환 후 두 소비자가 각각 Y재를 15단위씩 소비하는 경우는 발생하지 않는다.
⑤ 계약곡선(contract curve)은 직선의 형태를 갖는다.

정답 및 해설

18 ⑤ **[오답체크]**

① 파레토(Pareto) 효율적인 상태는 파레토 개선이 불가능한 상태를 뜻한다.

② 제2정리는 모든 사람의 선호가 볼록성 등을 가지고 있으면 파레토 효율적인 배분은 일반경쟁균형이 된다는 것이다.

③ 제1정리는 모든 소비자의 선호체계가 강단조성 등을 갖고 외부성이 존재하지 않으면 일반경쟁균형의 배분은 파레토 효율적이라는 것이다.

④ 제1정리는 완전경쟁시장하에서 일정 조건이 갖추어졌을 때 완전경쟁균형은 파레토 효율적이라는 것이다.

19 ② 1) 콥-더글러스 효용함수는 $TU = AX^{\alpha}Y^{1-\alpha}$ 형태이다.

2) $MRS_{XY} = \frac{MU_X}{MU_Y} = \frac{Y}{X}$ 이므로 에지워즈 상자에서 두 사람의 X재와 Y재의 소비량 비율이 같아지는 점은 대각선이다. 이 대각선이 계약곡선이 된다.

3) 경제전체의 X재 부존량이 20단위, Y재 부존량이 30단위이므로 대각선의 식은 $Y = \frac{3}{2}X$ 이다. 그러므로 교환이 이루어진 이후 두 사람은 모두 X재와 Y재를 2 : 3의 비율로 소비하게 된다.

4) 아래의 그림에서 최초의 부존점이 e 이고, 두 사람 사이에 교환이 이루어지면 최종적인 균형은 f 점과 g 점 사이에서 이루어지게 된다. 그러므로 교환이 이루어지면 甲은 X재를 10단위 미만으로 소비하고, 乙은 X재를 10단위 이상 소비하게 된다.

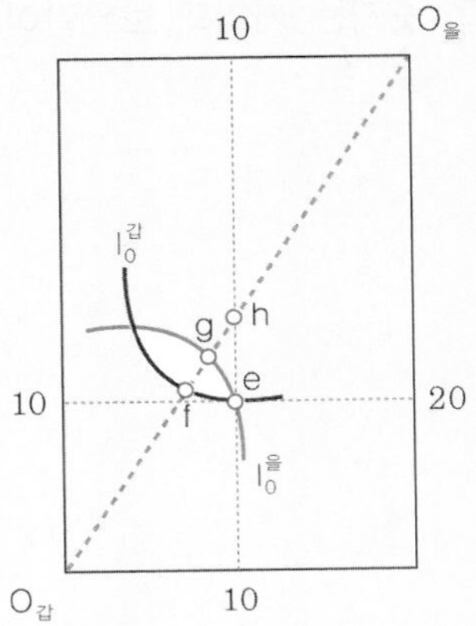

5) 두 사람이 모두 Y재를 15단위씩 소비하는 h 점은 선택의 영역 외부에 있으므로 해당 소비는 발생하지 않는다.

20 상중하

두 재화 X와 Y를 소비하는 소비자 甲과 乙이 존재하는 순수교환경제를 가정한다. 두 소비자의 효용함수는 $U(x, y) = xy$로 동일하고, 甲의 초기부존은 $(x = 10,\ y = 5)$, 乙의 초기부존은 $(x = 5,\ y = 10)$일 때, 옳은 것을 모두 고른 것은? (단, x는 X재 소비량, y는 Y재 소비량이다)

[감정평가사 20]

ㄱ. 초기부존에서 甲의 한계대체율은 0.5, 乙의 한계대체율은 2이다. ㄴ. 초기부존에서 甲의 X재 1단위와 乙의 Y재 2단위가 교환될 때 파레토 개선이 이루어진다. ㄷ. 일반균형은 X재 가격이 1일 때, Y재 가격은 1이다. ㄹ. 일반균형에서 甲은 X재보다 Y재를 더 많이 소비한다.

① ㄱ, ㄴ ② ㄱ, ㄷ ③ ㄴ, ㄷ
④ ㄴ, ㄹ ⑤ ㄷ, ㄹ

21 상중하

두 재화 맥주(B)와 커피(C)를 소비하는 두 명의 소비자 1과 2가 존재하는 순수교환경제를 가정한다. 소비자 1의 효용함수는 $U_1(B_1,\ C_1) = Min[B_1,\ C_1]$, 소비자 2의 효용함수는 $U_2(B_2,\ C_2) = B_2 + C_2$이다. 소비자 1의 초기 부존자원은 (10, 20), 소비자 2의 초기 부존자원은 (20, 10)이고, 커피의 가격은 1이다. 일반균형(general equilibrium)에서 맥주의 가격은? (단, 초기 부존자원에서 앞의 숫자는 맥주의 보유량, 뒤의 숫자는 커피의 보유량이다)

[감정평가사 18]

① 1/3 ② 1/2 ③ 1
④ 2 ⑤ 3

정답 및 해설

20 ② ㄱ. 주어진 소비함수의 한계대체율을 구하면 $\frac{MU_X}{MU_Y} = \frac{Y}{X}$이다. 초기부존에서 甲의 한계대체율은 $\frac{5}{10}$, 乙의 한계대체율은 $\frac{10}{5}$이다.

ㄷ. 일반균형은 둘의 한계대체율이 동일해져야 하므로 한계대체율이 1이다. 한계대체율은 양자의 상대가격과 일치하므로 X재 가격이 1일 때, Y재 가격은 1이다.

[오답체크]

ㄴ. 초기부존에서 甲의 효용은 50이고 乙도 50이다. 甲의 X재 1단위와 乙의 Y재 2단위를 교환하면 甲의 효용은 9 × 7 = 63이고 乙은 6 × 8 = 48이 되므로 파레토 개선이 이루어지지 않는다.

ㄹ. $\frac{MU_X}{MU_Y} = \frac{Y}{X}$ 지점은 대각선이므로 일반균형에서 甲은 X재와 Y재를 동일하게 소비한다.

21 ③ 1) 총부존자원은 두 명의 소비자의 초기부존자원인 맥주 30개와 커피 30개이다.
2) 일반균형에서 소비자균형은 두 사람의 무차별곡선이 접해야 한다.
3) 소비자 1은 레온티에프 함수의 형태를 띠고 있고 무차별곡선은 $B_1 = C_1$의 추세선을 통과해야 하므로 대각선이다.
4) 소비자 2는 선형 함수의 형태를 띠고 있다.
5) 따라서 두 사람의 무차별곡선이 접하기 위해서는 대각선에서 만나야 하고 상대가격비는 1이 된다.
6) 커피의 가격이 1로 주어져 있으므로 맥주의 가격도 1이다.
7) 그래프

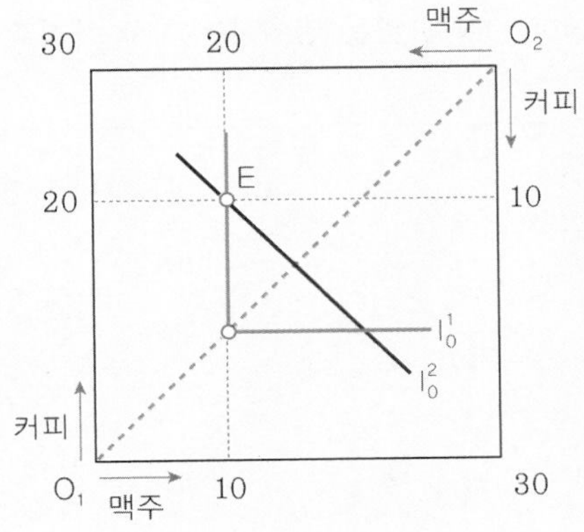

22 상중하 사회후생에 관한 설명으로 옳지 않은 것은? [감정평가사 21]

① 차선의 이론은 부분적 해결책이 최적은 아닐 수 있음을 보여준다.
② 롤스(J. Rawls)적 가치판단을 반영한 사회무차별곡선은 L자 모양이다.
③ 파레토 효율성 조건은 완전경쟁의 상황에서 충족된다.
④ 공리주의적 사회후생함수는 최대다수의 최대행복을 나타낸다.
⑤ 애로우(K. Arrow)의 불가능성 정리에서 파레토 원칙은 과반수제를 의미한다.

23 상중하 후생경제학에 대한 설명으로 옳은 것을 〈보기〉에서 모두 고르면? [국회직 8급 13]

〈보기〉

ㄱ. 생산가능곡선(production possibilities curve)상에 있는 어느 한 점에서도 모든 재화와 서비스의 한계기술대체율이 동일하다.
ㄴ. 모든 사람들의 한계대체율이 동일할 때 생산의 파레토 효율이 달성된다.
ㄷ. 주어진 상품 조합을 두 사람 사이에서 배분할 때, 두 사람이 얻을 수 있는 최대 효용수준의 조합을 효용가능곡선(utility possibilities curve)이라고 한다.
ㄹ. 주어진 경제적 자원이 모두 고용되더라도 효용가능곡선(utility possibilities curve)상에 있지 않을 수도 있다.
ㅁ. 효용가능곡선(utility possibilities curve)상에 있는 점에서는 항상 사회후생이 극대화된다.

① ㄱ, ㄴ, ㄷ
② ㄱ, ㄷ, ㄹ
③ ㄱ, ㄷ, ㅁ
④ ㄴ, ㄹ, ㅁ
⑤ ㄷ, ㄹ, ㅁ

정답 및 해설

22 ⑤ 애로우(K. Arrow)의 불가능성 정리에서 파레토 원칙은 만장일치제를 의미한다.

[오답체크]

① 차선의 이론은 예를 들어 10개의 조건을 갖추어야 효율적인 상황에서 9개를 충족한 것이 8개를 충족한 것보다 더 크다고 말할 수 없는 것이다. 이는 부분적 해결책이 최적은 아닐 수 있음을 보여준다.

② 롤스(J. Rawls)적 가치판단은 최소수혜자 최대의 원칙이므로 이를 반영한 사회무차별곡선은 L자 모양이다.

③ 파레토 효율성 조건은 $MRS_{XY} = MRT_{XY}$이다. 소비자의 효용극대화는 무차별곡선과 예산선이 접할 때이므로 $MRS_{XY} = \frac{P_X}{P_Y}$, $MRT_{XY} = \frac{MC_X}{MC_Y}$이다. 완전경쟁시장은 $P = MC$이므로 완전경쟁의 상황에서 충족된다.

④ 공리주의적 사회후생함수는 효용의 합을 극대화시키는 것을 추구하므로 최대다수의 최대행복을 나타낸다.

23 ② **[오답체크]**

ㄴ. 모든 사람들의 한계기술대체율이 동일할 때 생산의 파레토 효율이 달성된다. 한계대체율은 소비의 파레토 효율성을 달성하는 점이다.

ㅁ. 효용가능경계와 사회무차별곡선이 접하는 점에서 사회후생이 극대화된다.

24 상중하

A, B, C 3인으로 구성된 경제상황에서 가능한 자원 배분상태와 각 상태에서의 3인의 효용이 아래 표와 같다. 다음 중 각 자원 배분상태를 비교했을 때 파레토 효율적이지 않은 자원배분 상태를 모두 고르면? [국회직 8급 16]

자원 배분상태	A의 효용	B의 효용	C의 효용
가	3	10	7
나	6	12	6
다	13	10	3
라	5	12	8

① 가 ② 나, 다 ③ 가, 다, 라
④ 나, 다, 라 ⑤ 가, 나, 다, 라

25 상중하

어떤 도시의 택시 수는 1만대이다. 택시 1대가 하루 동안 운행하면 500원의 공해비용이 발생한다고 가정하자. 다음 설명 중 옳지 않은 것은? [국회직 8급 13]

① 지금 이 도시에서 사회적으로 바람직한 수준의 택시 운행 대수는 1만대 미만이다.
② 일부 택시의 운행을 강제로 제한하면 사회후생이 증가할 수 있다.
③ 택시 1대에 500원의 조세를 부과하면 사회후생이 증가한다.
④ 택시 운행의 사회적 비용이 사적 비용을 초과하고 있다.
⑤ 택시 수요곡선이 가격에 대해 비탄력적일수록 조세 부과 후 운행 대수가 크게 감소한다.

정답 및 해설

24 ① 1) 한 배분상태에서 다른 배분상태로 이동할 때 구성원 누구 하나의 후생을 증가시키기 위해서 적어도 한 명의 후생을 감소시켜야 하는 상태, 즉 더이상 파레토 개선이 불가능한 배분상태를 파레토 효율적인 배분상태라 한다.

2) '가'에서 '나' 배분상태로 이동할 때 B의 효용 감소 없이 A의 효용을 증가시키므로 '가'의 배분상태는 파레토 효율적인 배분상태가 아니다.

25 ⑤ 비탄력적일수록 적게 감소한다.

[오답체크]

① 지금 이 도시에서 공해비용이 발생하고 있으므로 사회적으로 바람직한 수준의 택시 운행 대수는 1만 대 미만이다.

② 일부 택시의 운행을 강제로 제한하면 공해비용이 감소하여 사회후생이 증가할 수 있다.

③ 택시 1대에 500원의 조세를 부과하면 과다 생산되던 것이 적정 생산이 되므로 사회후생이 증가한다.

④ 택시 운행의 사회적 비용 = 사적 비용 + 외부한계비용이므로 사적 비용을 초과하고 있다.

26 상중하 다음은 강 상류에 위치한 화학공장 A와 하류의 양식장 B로 구성된 경제에 관한 상황이다. A는 제품생산 공정에서 수질오염을 발생시키고, 이로 인해 B에게 피해비용이 발생한다. A의 한계편익(MB_A)과 A의 생산으로 인한 B의 한계피해비용(MD_B)은 다음과 같다.

- $MB_A = 90 - \frac{1}{2}Q$
- $MD_B = \frac{1}{4}Q$

Q에 대한 A의 한계비용과 B의 한계편익은 0이며, 협상에 개시되는 경우 협상비용도 0이라고 가정하자. 다음 설명으로 옳지 않은 것은? (단, Q는 A의 생산량이다) [세무사 20]

① 강의 소유권이 A에게 있고 양자 간의 협상이 없다면, A의 생산량은 180, A의 총편익은 8,100, B의 총비용은 4,050이다.

② 강의 소유권이 B에게 있고, 양자 간의 협상이 없다면, A의 생산량은 0, A의 총편익은 0, B의 총비용은 0이다.

③ 이 경제에서 사회적으로 바람직한 A의 생산량은 120, A의 총편익은 7,200, B의 총비용은 1,800이다.

④ 강의 소유권이 A에게 있고 양자 간의 협상이 성립하여 사회적으로 바람직한 생산량이 달성된다면, A가 B로부터 받는 보상의 범위는 최소 900 이상, 최대 2,250 이하가 될 것이다.

⑤ 강의 소유권이 B에게 있고 양자 간의 협상이 개시되어 사회적으로 바람직한 산출량이 달성된다면, B가 A로부터 받는 보상의 범위는 최소 1,800 이상 최대 4,050 이하가 될 것이다.

정답 및 해설

26 ⑤ 1) 생산량이 0일 때 화학공장의 한계편익은 90이고 한계편익이 0일 때의 생산량은 180이다.

2) 생산량이 0일 때 양식장의 한계비용은 0이고 화학공장의 생산량이 180일 때 한계비용은 45이다.

3) 양자의 한계편익과 한계비용이 만나는 지점은 $90 - \frac{1}{2}Q = \frac{1}{4}Q$이므로 $Q = 120$이고 한계편익과 한계비용은 30이다.

4) 그래프

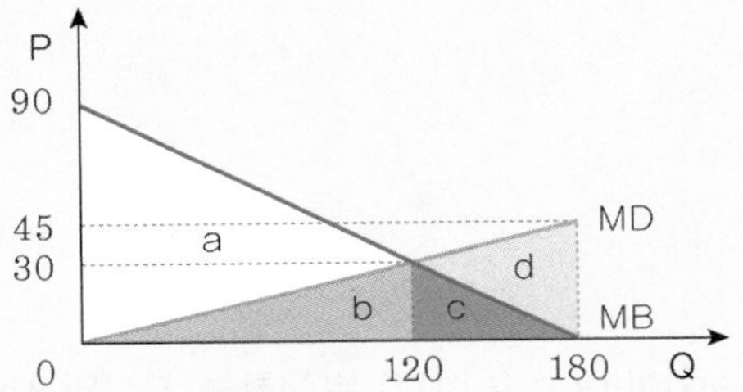

5) 강의 소유권이 B에게 있고 양자 간의 협상이 개시되어 사회적으로 바람직한 산출량이 달성된다면, B는 b만큼 받을 용의가 있고 A는 a + b만큼 지불할 용의가 있다. 따라서 B는 $120 \times 30 \times \frac{1}{2} = 1,800$이고 a + b는 $(90 + 30) \times 120 \times \frac{1}{2} = 7,200$이므로 B가 A부터 받는 보상의 범위는 최소 1,800 이상 최대 7,200 이하가 될 것이다.

[오답체크]

① 강의 소유권이 A에게 있고 양자 간의 협상이 없다면, A의 생산량은 한계편익이 0일 때까지 생산할 것이므로 180, A의 총편익은 a + b + c ➜ 180 × 90 × $\frac{1}{2}$ = 8,100, B의 총비용은 b + c + d ➜ $180 \times 45 \times \frac{1}{2} = 4,050$이다.

② 강의 소유권이 B에게 있고, 양자 간의 협상이 없다면, B는 생산을 하지 않는 것을 원하므로 A의 생산량은 0, A의 총편익은 0, B의 총비용은 0이다.

③ 이 경제에서 사회적으로 바람직한 A의 생산량은 화학공장의 한계편익과 양식장의 한계비용이 일치하는 지점이므로 120, A의 총편익 a + b이므로 $(90 + 30) \times 120 \times \frac{1}{2} = 7,200$, B의 총비용 b이므로 $120 \times 30 \times \frac{1}{2} = 1,800$이다.

④ 강의 소유권이 A에게 있고 양자 간의 협상이 성립하여 사회적으로 바람직한 생산량이 달성된다면, A는 c만큼 받고 싶어 하고 B는 c + d만큼 지불할 용의가 있다. c는 $60 \times 30 \times \frac{1}{2} = 900$이고 c + d는 $(30 + 45) \times 60 \times \frac{1}{2} = 2,250$이다. 따라서 A가 B로부터 받는 보상의 범위는 최소 900 이상, 최대 2,250 이하가 될 것이다.

27 상중하

살충제 시장의 수요곡선은 $P = 150 - \frac{5}{2}Q_d$이고, 공급곡선은 $P = \frac{5}{2}Q_S$이다. 사회적 한계비용(SMC)은 사적 한계비용(PMC)의 2배가 된다. 호수에 대한 소유권이 어느 누구에게도 없을 때, (ㄱ) 생산되는 살충제의 양과 (ㄴ) 사회적으로 바람직한 살충제 생산량은 각각 얼마인가?

[국회직 8급 17]

	(ㄱ)	(ㄴ)
①	20	10
②	20	20
③	30	10
④	30	20
⑤	40	20

28 상중하

다음 표는 양의 외부효과(positive externality effect)가 발생하는 시장의 사적 한계효용, 사적 한계비용, 그리고 사회적 한계효용을 제시해주고 있다. 사회적 최적거래량을 (Ⅰ)이라 하고, 시장의 균형거래수준이 사회적 최적수준과 같아지도록 하기 위한 세금 혹은 보조금을 (Ⅱ)라고 하자. (Ⅰ)과 (Ⅱ)를 옳게 고르면?

[국회직 8급 13]

(단위: 개, 원)

거래량	사적 한계효용	사적 한계비용	사회적 한계효용
1	2,700	600	3,400
2	2,400	1,000	3,100
3	2,100	1,400	2,800
4	1,800	1,800	2,500
5	1,500	2,200	2,200
6	1,200	2,600	1,900

	Ⅰ	Ⅱ
①	5개	300원의 보조금이 필요
②	5개	700원의 보조금이 필요
③	4개	300원의 세금이 필요
④	4개	300원의 보조금이 필요
⑤	4개	700원의 세금이 필요

정답 및 해설

27 ④ 1) 수요곡선은 $P=150-\frac{5}{2}Q_d$, 사적한계비용곡선이 공급곡선이므로 $P=\frac{5}{2}Q_s$이다.

$150-\frac{5}{2}Q=\frac{5}{2}Q$ ➜ $5Q=150$ ➜ $Q=30$

2) 사회적 한계비용곡선은 사적한계비용곡선의 2배이므로 $P=5Q$이다.

$150-\frac{5}{2}Q=5Q$ ➜ $\frac{15}{2}Q=150$ ➜ $Q=20$

28 ② 1) 사회적 한계효용이 사적 한계효용보다 크므로 소비에서 긍정적 외부효과가 발생한다.

2) 사회적 최적거래량은 사회적 한계효용과 한계비용이 같아지는 거래량이므로 5개이다. 이를 달성하기 위해서는 최적 거래량인 5개에서의 외부편익인 700원의 보조금이 필요하다.

29 상중하

다음 글에 따를 때 살충제 시장의 생산자가 외부효과를 고려하지 않았을 경우의 살충제 생산량과 사회적으로 바람직한 살충제 생산량으로 옳은 것은? [국회직 8급 19]

> • 살충제 시장은 완전경쟁시장이다.
> • 살충제 생산은 환경오염을 초래한다.
> • 환경오염으로 인한 한계외부비용의 크기는 살충제 생산의 한계사적비용의 크기와 동일하다.
> • 살충제의 시장공급곡선은 $Q^S = \frac{2}{5}p$이고, 시장수요곡선은 $Q^d = 60 - \frac{2}{5}p$이다.

① 20, 10 ② 20, 15 ③ 30, 10
④ 30, 15 ⑤ 30, 20

30 상중하

X재 산업의 역공급함수는 $P = 440 + Q$이고, 역수요함수는 $P = 1{,}200 - Q$이다. X재의 생산으로 외부편익이 발생하는데, 외부한계편익함수는 $EMB = 60 - 0.05Q$이다. 정부가 X재를 사회적 최적수준으로 생산하도록 보조금 정책을 도입할 때, 생산량 1단위당 보조금은? (단, P는 가격, Q는 수량이다) [감정평가사 20]

① 20 ② 30 ③ 40
④ 50 ⑤ 60

31 다음을 참조할 때 (ㄱ), (ㄴ)에 대한 답으로 옳은 것은? [국회직 8급 14]
상중하

어느 독점기업이 생산과정에서 오염물질을 배출함으로써 외부불경제를 유발하고 있다. 독점기업의 수요함수는 $P = 90 - Q$이고, 독점기업의 한계비용은 $MC = Q$이며 생산 1단위당 외부비용은 6이다. (P: 가격, Q: 수요량, MC: 한계비용)

(ㄱ) 사회적으로 최적인 생산량 수준은 얼마인가?
(ㄴ) 사회적으로 최적인 생산량 수준을 달성하도록 하기 위해서는 정부가 독점기업에 생산 1단위당 조세(또는 보조금)를 얼마를 부과(또는 지불)해야 하는가?

	(ㄱ)	(ㄴ)
①	42	보조금 36
②	28	조세 6
③	42	보조금 42
④	42	조세 36
⑤	28	조세 12

정답 및 해설

29 ⑤ 1) 사적 생산량 결정 원리는 $PMB = PMC$이고 사회적 생산량 결정원리는 $SMB = SMC$이다.
2) PMB는 시장수요곡선 ➜ $q = 60 - 2p/5$ ➜ $p = 150 - 5q/2$이고, PMC는 시장공급곡선 ➜ $q = 2p/5$ ➜ $p = 5q/2$이다.
3) 따라서 $150 - 5q/2 = 5q/2$ ➜ 사적 생산량 $q = 30$이다.
4) 지금 소비에서는 외부효과가 없으므로 $SMB = PMB$이고 SMC는 시장공급곡선 + 한계외부비용 ➜ $p = 5q$(한계외부비용 $= 5q/2$)이다. 따라서 $150 - 5q/2 = 5q$ ➜ 사회적 생산량은 $q = 20$이다.

30 ③ 1) 사회적 최적량은 $PMB = SMB$이다.
2) $SMB = PMB + EMB = 1{,}200 - Q + 60 - 0.05Q = 1{,}260 - 1.05Q$이다.
3) 사회적 최적량을 구하면 $1{,}260 - 1.05Q = 440 + Q$ ➜ $820 = 2.05Q$ ➜ $Q = 400$이다.
4) 사회적 최적 수량에서 외부한계편익만큼 보조금을 지급하면 되므로 $60 - 20 = 40$을 지급하면 된다.

31 ① 1) 사회적으로 최적 생산량은 $SMB = SMC$의 조건을 만족한다. 독점기업의 수요함수는 시장수요함수이고 사안에서 다른 편익이 존재하지 않으므로 이것이 사회적 한계편익(SMB)이 된다. 독점기업의 한계비용과 외부비용을 더하면 사회적 한계비용 $SMC = Q + 6$이 도출된다. $90 - Q = Q + 6$을 풀면 사회적으로 최적 생산량은 $Q = 42$개이다.
2) 정부가 조세 또는 보조금 정책을 시행할 때 독점기업이 사회적으로 최적 생산량을 선택하도록 하여야 한다. 독점기업의 이윤극대화 조건은 $MR = MC$이다. MR의 기울기는 독점기업이 직면하는 수요곡선 기울기의 2배이므로 $MR = 90 - 2Q$이다. 정부가 조세 또는 보조금 정책을 시행한다면 새로운 한계비용함수는 $MC + T = Q + T$가 된다.(T= 생산량 단위당 조세) $90 - 2Q = Q + T$에 $Q = 42$개를 대입하면 단위당 조세는 $T = -36$이다. 이는 조세가 아니라 보조금을 생산량 단위당 36원 지급하여야 함을 의미한다.

32 상중하

다음의 시장상황에 대한 설명으로 옳은 것은? [국회직 8급 14]

> 시장수요곡선이 $P=100-Q_d$인 시장에서 독점적으로 생산을 하는 기업이 있다. 이 기업은 고정비용이 100이고 한계비용이 40이다. 이 기업이 생산하는 재화는 단위당 30만큼의 사회적 비용을 발생시킨다. (P: 가격, Q_d: 수요량)

① 이 기업의 이윤극대화 생산량은 60이다.
② 이윤이 양(+)인 경우에 한해 이 기업의 생산량은 고정비용에 영향을 받지 않는다.
③ 사적 비용이 사회적 비용보다 크다.
④ 최적 생산량에서 수요의 가격탄력성은 1보다 작다.
⑤ 이 독점기업의 생산량은 사회적으로 최적이다.

33 상중하

페인트 산업은 생산과정에서 다량의 오염물질을 발생시켜 인근 하천의 수질을 악화시킨다. 〈보기〉와 같은 조건에서 페인트 산업이 사회적으로 바람직한 수준의 페인트 생산을 하도록 하기 위해 페인트 한 통당 부과하는 피구세는 얼마인가? [국회직 8급 16]

> 〈보기〉
> • 페인트 산업은 완전경쟁시장이다.
> • 페인트 산업의 한계비용은 $MC=10Q+10{,}000$이다.
> • 페인트 산업의 한계피해액은 $SMD=10Q$이다.
> • 주어진 가격에 대한 페인트 산업의 시장수요는 $Q=-0.1P+4{,}000$이다.

① 5,000 ② 7,000 ③ 10,000
④ 20,000 ⑤ 30,000

34 상중하 오염물질을 배출하는 기업 갑과 을의 오염저감비용은 각각 $TAC_1 = 200 + 4X_1^2$, $TAC_2 = 200 + X_2^2$이다. 정부가 두 기업의 총오염배출량을 80톤 감축하기로 결정할 경우 두 기업의 오염저감비용의 합계를 최소화하는 갑과 을의 오염감축량은? (단, X_1, X_2는 각각 갑과 을의 오염감축량이다) [감정평가사 21]

① $X_1 = 8$, $X_2 = 52$
② $X_1 = 16$, $X_2 = 64$
③ $X_1 = 24$, $X_2 = 46$
④ $X_1 = 32$, $X_2 = 48$
⑤ $X_1 = 64$, $X_2 = 16$

정답 및 해설

32 ⑤ 1) 독점기업의 이윤극대화 조건은 $MR = MC$이다. MR(한계수입)의 기울기는 시장수요곡선의 기울기 2배이므로 $MR = 100 - 2Q$이다. 한계비용은 40이므로 $MR = MC$에 대입하면 $100 - 2Q = 40$이고 이윤극대화 생산량은 $Q = 30$개이다.
2) 사회적으로 최적 생산량은 $SMB = SMC$를 만족해야 한다. 사회적 한계편익(SMB)은 시장수요곡선이고 사회적 한계비용(SMC)은 70이다. 따라서 최적 생산량은 $100 - Q = 70$을 만족하는 $Q = 30$개이다.
3) 따라서 이 독점기업의 생산량은 사회적으로 최적이다.

[오답체크]
① 이 기업의 이윤극대화 생산량은 30이다.
② 이윤과 관계없이 이 기업의 생산량은 고정비용에 영향을 받지 않는다.
③ 독점기업의 한계비용 40은 사적 비용이고 외부비용은 단위당 30이다. 사회적 비용은 사적 비용과 외부비용을 합한 70이므로 사적 비용은 사회적 비용보다 작다.
④ 가격은 $P = 70$원이고 수요의 가격탄력성은 $\frac{7}{3}$이므로 1보다 크다.

33 ③ 1) 페인트 산업의 한계비용은 $MC = 10Q + 10,000$이다.
2) 페인트 산업의 한계피해액은 $SMD = 10Q$이다. 따라서 $SMC = 20Q + 10,000$이다.
3) 주어진 가격에 대한 페인트 산업의 시장수요는 $Q = -0.1P + 4,000$ ➜ $P = -10Q + 40,000$이므로 바람직한 산출량은 $SMB = SMC$ ➜ $20Q + 10,000 = -10Q + 40,000$ ➜ $Q = 1,000$이다. 이때 $SMC = 30,000$이고 $MC = 20,000$이다.
4) 따라서 피구세는 $30,000 - 20,000 = 10,000$이다.

34 ② 1) 총감축량은 80톤이므로 $X_1 + X_2 = 80$톤이다.
2) 오염배출권의 균형은 두기업의 한계저감비용이 동일해야 하므로 $MC_1 = MC_2$가 성립한다.
3) $MC_1 = 8X_1$, $MC_2 = 2X_2$ ➜ $8X_1 = 2X_2$ ➜ $4X_1 = X_2$
4) 이를 1번식에 대입하면 $X_1 + 4X_1 = 80$ ➜ $X_1 = 16$, $X_2 = 64$이다.

35 상중하

순수 공공재에 관한 설명으로 옳지 않은 것은? [감정평가사 21]

① 소비자가 많을수록 개별 소비자가 이용하는 편익은 감소한다.
② 시장수요는 개별 소비자 수요의 수직합으로 도출된다.
③ 개별 소비자의 한계편익 합계와 공급에 따른 한계비용이 일치하는 수준에서 사회적 최적량이 결정된다.
④ 시장에서 공급량이 결정되면 사회적 최적량에 비해 과소 공급된다.
⑤ 공급량이 사회적 최적 수준에서 결정되려면 사회 전체의 정확한 선호를 파악해야 한다.

36 상중하

어떤 마을에 총 10개 가구가 살고 있다. 각 가구는 가로등에 대해 동일한 수요함수 $P_i = 10 - Q(i = 1, \cdots, 10)$를 가지며, 가로등 하나를 설치하는 데 소요되는 비용은 20이다. 사회적으로 효율적인 가로등 설치에 대한 설명으로 옳지 않은 것은? [국회직 8급 18]

① 어느 가구도 단독으로 가로등을 설치하려 하지 않을 것이다.
② 가로등에 대한 총수요는 $P = 100 - 10Q$이다.
③ 이 마을의 사회적으로 효율적인 가로등 수량은 9개이다.
④ 사회적으로 효율적인 가로등 수량을 확보하려면 각 가구는 가로등 1개당 2의 비용을 지불해야 한다.
⑤ 가구 수가 증가하는 경우, 사회적으로 효율적인 가로등 수량은 증가한다.

37 상중하

공공재에 대한 갑과 을의 수요함수가 각각 $P_{갑} = 80 - Q$, $P_{을} = 140 - Q$이다. 이에 관한 설명으로 옳은 것을 모두 고른 것은? (단, P는 가격, Q는 수량이다) [감정평가사 20]

ㄱ. $0 \leq Q \leq 80$일 때, 공공재의 사회적 한계편익곡선은 $P = 220 - 2Q$이다.
ㄴ. $80 < Q$일 때, 공공재의 사회적 한계편익곡선은 $P = 80 - Q$이다.
ㄷ. 공공재 생산의 한계비용이 50일 때, 사회적 최적 생산량은 90이다.
ㄹ. 공공재 생산의 한계비용이 70일 때, 사회적 최적 생산량은 70이다.

① ㄱ, ㄴ ② ㄱ, ㄷ ③ ㄴ, ㄷ
④ ㄴ, ㄹ ⑤ ㄷ, ㄹ

정답 및 해설

35 ① 공공재는 비경합성이 성립하므로 소비자가 많아도 개별 소비자가 이용하는 편익이 감소하지는 않는다.

36 ③ 1) 공공재는 수요곡선을 수직합하여 시장수요를 도출한다. $P_i = 10 - Q$ ➜ $P = 100 - 10Q$

2) 한계비용이 20이므로 효율적인 가로등 설치 조건은 $100 - 10Q = 20$ 따라서 $Q = 8$개를 설치하는 것이 효율적이다.

[오답체크]

① 가로등은 비경합성과 비배제성을 지니므로 어느 가구도 단독으로 가로등을 설치하려 하지 않을 것이다.

② 가로등에 대한 총수요는 개별수요곡선의 가격을 더해 구하므로 $P = 100 - 10Q$이다.

④ 가로등 하나에 20이므로 각 가구는 가로등 1개당 2의 비용을 지불해야 한다.

⑤ 가구 수가 증가하는 경우, 공공재의 수요함수가 더 커지므로 사회적으로 효율적인 가로등 수량은 증가한다.

37 ② 1) 공공재의 수요곡선은 P를 더하여 구한다. ➜ $P = 220 - 2Q$이다.

2) Q가 80보다 크면 갑의 지불용의가 (−)이므로 을만 공공재의 수요가 있다. 따라서 사회적 한계편익곡선은 $P = 140 - Q$이다. 반면 Q가 80보다 작으면 둘 다 편익이 있으므로 $P = 220 - 2Q$이다.

3) 공공재 생산의 한계비용이 50이면 을의 Q가 90이므로 을만 공공재에 대한 지불용의가 있다. 따라서 갑의 한계편익만을 이용한다. $140 - Q = 50$ ➜ $Q = 90$이다.

4) 공공재 생산의 한계비용이 70이면 $220 - 2Q = 50$이므로 $Q = 75$이다.

5) 그래프

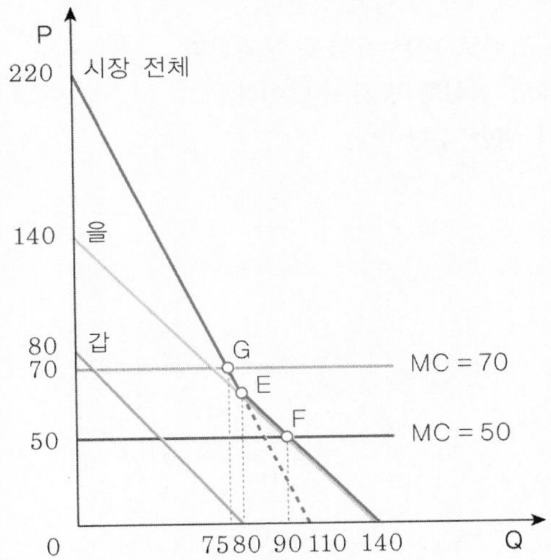

38 상중하

어느 마을에 주민들이 염소를 방목할 수 있는 공동의 목초지가 있다. 염소를 방목하여 기를 때 얻는 총수입은 $R = 10(20 - X^2)$이고, 염소 한 마리에 소요되는 비용은 20이다. 만약 개별 주민들이 아무런 제한 없이 각자 염소를 목초지에 방목하면 마을 주민들은 총 X_1마리를, 마을 주민들이 마을 전체의 이윤을 극대화하고자 한다면 총 X_2마리를 방목할 것이다. X_1과 X_2는? (단, X는 염소의 마리 수이다)

[감정평가사 17]

① 12, 9　② 12, 16　③ 16, 12

④ 18, 9　⑤ 18, 12

39 상중하

역선택에 관한 설명으로 옳은 것은?

[감정평가사 21]

① 동일한 조건과 보험료로 구성된 치아보험에 치아 건강상태가 좋은 계층이 가입하려는 경향이 있다.

② 역선택은 정보가 대칭적인 중고차시장에서 주로 발생한다.

③ 역선택 방지를 위해 통신사는 소비자별로 다른 요금을 부과한다.

④ 의료보험의 기초공제제도는 대표적인 역선택 방지 수단이다.

⑤ 품질표시제도는 역선택을 방지하기 위한 수단이다.

40 정보의 비대칭성에 대한 설명으로 옳은 것은? [국회직 8급 18]
상중하

① 정보의 비대칭성이 존재하면 항상 역선택과 도덕적 해이의 문제가 발생한다.
② 통신사가 서로 다른 유형의 이용자들로 하여금 자신이 원하는 요금 제도를 선택하도록 하는 것은 선별(screening)의 한 예이다.
③ 공동균형(pooling equilibrium)에서도 서로 다른 선호체계를 갖고 있는 경제주체들은 다른 선택을 할 수 있다.
④ 사고가 날 확률이 높은 사람일수록 이 사고에 대한 보험에 가입할 가능성이 큰 것은 도덕적 해이의 한 예이다.
⑤ 신호(signaling)는 정보를 보유하지 못한 측이 역선택 문제를 해결하기 위해 사용할 수 있는 수단 중 하나이다.

정답 및 해설

38 ④ 1) 주민들의 이익극대화조건은 $AR = AC$이다.
2) AR은 $200 - 10X$, AC는 20이다. 따라서 $X = 18$이다.
3) 마을의 이윤극대화 $MR = MC$이다.
4) MR은 $200 - 20X$, MC는 20이다. 따라서 $X = 9$이다.

39 ⑤ **[오답체크]**
① 동일한 조건과 보험료로 구성된 치아보험에 치아 건강상태가 나쁜 계층이 가입하려는 경향이 있다.
② 역선택은 정보가 비대칭적인 중고차시장에서 주로 발생한다.
③ 가격차별에 대한 설명이다.
④ 의료보험의 기초공제제도는 대표적인 도덕적 해이 방지 수단이다.

40 ② **[오답체크]**
① 정보의 비대칭성이 항상 역선택과 도덕적 해이를 발생시키는 것은 아니다.
③ 공동균형(pooling equilibrium)에서 서로 다른 선호체계를 갖고 있는 경제주체들은 다른 선택을 할 수 없다.
④ 역선택의 예이다.
⑤ 정보를 보유한 쪽에서 사용하는 수단이다.

41 상중하

고용주는 채용된 근로자가 얼마나 열심히 일을 하는지에 대해 완벽하게 관찰하는 것이 불가능하여 고용주와 근로자 간에 비대칭 정보가 존재한다고 하자. 이 상황에서 발생되는 문제와 그 해결방법에 대한 〈보기〉의 설명 중 옳은 것을 모두 고르면? [국회직 8급 18]

〈보기〉

ㄱ. 이 상황에서 생산성이 낮은 근로자가 고용되는 역선택(adverse selection)이 발생한다.
ㄴ. 이 상황에서 근로자의 도덕적 해이(moral hazard)가 발생한다.
ㄷ. 고용주가 근로자에게 효율임금(efficiency wage)을 지급한다면 이 상황을 해결할 수 있다.
ㄹ. 고용주가 근로자의 보수 지급을 연기한다면 이 상황을 해결할 수 있다.
ㅁ. 근로자가 고용주에게 자신의 높은 교육수준을 통해 자신의 생산성이 높다는 것을 신호보내기(signaling)한다면 이 상황을 해결할 수 있다.

① ㄱ, ㄷ ② ㄱ, ㅁ ③ ㄴ, ㄹ
④ ㄱ, ㄷ, ㅁ ⑤ ㄴ, ㄷ, ㄹ

42 상중하

점수투표제란 투표자가 각 대안에 대해 자신의 선호 정도를 점수로 표시하여 투표하고 가장 많은 점수를 획득한 대안이 최종적으로 선택되는 방식을 의미한다. 아래의 표는 각 투표자가 10점을 후보 A, B, C에 대한 선호에 따라 나누어 배분하는 방식으로 표시하였다. 〈보기〉와 같은 상황에서 당선되는 후보는? [국회직 8급 16]

〈보기〉

• 투표자 1 ~ 투표자 5는 진실하게 자신의 선호를 표시하여 투표에 임한다.
• 투표자 6은 다른 투표자들의 점수 배점에 대한 정보를 보유하고 있다.
• 투표자 6은 자신에게 유리한 결과를 이끌고자 전략적 행동을 취하여 투표에 임한다.

구분	투표자 1	투표자 2	투표자 3	투표자 4	투표자 5	투표자 6
후보 A	3	3	3	1	7	2
후보 B	6	4	5	7	0	1
후보 C	1	3	2	2	3	7

① 후보 A ② 후보 B ③ 후보 C
④ 후보 A와 후보 C 모두 가능 ⑤ 세 후보 모두 가능

43 행태경제학의 내용 중 설문을 어떻게 구성하느냐에 따라 다른 응답이 나오는 효과는?
상중하

[감정평가사 19]

① 틀짜기효과(framing effect)
② 닻내림효과(anchoring effect)
③ 현상유지편향(status quo bias)
④ 기정편향(default bias)
⑤ 부존효과(endowment effect)

정답 및 해설

41 ⑤ 채용된 후에 발생하는 비대칭 정보 문제이므로 도덕적 해이이다.

[오답체크]

ㄱ.과 ㅁ.은 역선택에 대한 것이므로 옳지 않다.

42 ① 1) 투표자 6은 자신에게 유리한 결과를 이끌고자 전략적 행동을 취하여 투표에 임한다.

구분	투표자 1	투표자 2	투표자 3	투표자 4	투표자 5	투표자 6	총합
후보 A	3	3	3	1	7	2	19
후보 B	6	4	5	7	0	1	23
후보 C	1	3	2	2	3	7	18

2) 이 때, 투표자 6은 자신이 선호하는 후보가 당선되지 않는다면 가장 싫어하는 후보가 당선되는 것을 막기 위해 후보 A에 모두 점수를 주는 전략적인 행동을 한다. 즉, 실제 투표는 아래와 같이 이루어질 수 있다.

구분	투표자 1	투표자 2	투표자 3	투표자 4	투표자 5	투표자 6	총합
후보 A	3	3	3	1	7	10	27
후보 B	6	4	5	7	0	0	22
후보 C	1	3	2	2	3	0	11

43 ① 틀짜기효과(framing effect)는 같은 문제라도 사용자에게 어떤 방식으로 질문하느냐에 따라 사용자의 판단과 선택이 달라지는 현상이다.

[오답체크]

② 닻내림효과(anchoring effect)는 처음에 입력된 정보가 기준(닻)으로 작용하여 사람들의 의사결정에 지속적으로 영향을 미치는 것을 의미한다.
③ 현상유지편향(status quo bias)은 사람들이 의사결정을 할 때 현상유지를 선호하는 지각적 편향을 의미한다.
④ 기정편향(default bias)은 사람들이 시스템이 기본선택에서 벗어나지 않으려고 하는 성향을 의미한다.
⑤ 부존효과(endowment effect)는 동일한 재화라고 하더라도 그것을 갖고 있지 않을 때보다 갖고 있을 때 더 높은 가치를 부여하는 것을 의미한다.

STEP 3 실전문제

44 상중하

두 소비자 1과 2가 두 재화 X와 Y를 소비하는 순수교환경제를 고려하자. 소비자 1은 초기에 X재 1단위, Y재 2단위의 부존자원을 가지고 있으며 효용함수는 다음과 같다.

$$u_1(x_1,\ y_1) = 2x_1 + 3y_1$$

소비자 2는 초기에 X재 2단위, Y재 1단위의 부존자원을 가지고 있으며 효용함수는 다음과 같다.

$$u_2(x_2,\ y_2) = \sqrt{x_2} + \sqrt{y_2}$$

이 경제의 경쟁균형(competitive equilibrium) 소비점에서 소비자 2의 Y재로 표시한 X재의 한계대체율은? [회계사 21]

① $\frac{2}{3}$ ② 1 ③ $\frac{3}{2}$

④ $\sqrt{\frac{2}{3}}$ ⑤ $\sqrt{\frac{3}{2}}$

45 상중하

두 소비자 1, 2가 두 재화 x, y를 소비하는 순수교환경제를 고려하자. 두 소비자의 효용함수가 $u(x, y) = x + \sqrt{y}$로 같을 때, 다음 설명 중 옳은 것은? (단, 각 소비자는 두 재화 모두 양(+)의 유한한 초기부존자원을 갖는다) [회계사 18]

가. 에지워드 상자의 대각선이 계약곡선(contract curve)이 된다.
나. 각 소비자의 한계대체율은 x재 소비량과 무관하게 결정된다.
다. 주어진 초기부존점에서 복수의 경쟁균형(competitive equilibrium)을 갖는다.
라. 만약 두 소비자의 y재 초기부존량이 같다면 초기부존점이 곧 경쟁균형 소비점이 된다.

① 가, 나 ② 가, 다 ③ 나, 다
④ 나, 라 ⑤ 다, 라

정답 및 해설

44 ① 1) 경쟁균형은 후생경제학의 1정리에 따라 두 사람의 한계대체율은 동일하게 된다.
2) 소비자 1의 한계대체율이 $\frac{2}{3}$이므로 소비자 2도 $\frac{2}{3}$이다.

45 ④ 1) 문제에 주어진 효용함수는 준선형 효용함수이다.
2) 두 소비자의 효용함수가 동일하므로 한계대체율을 구하면 $MRS_{XY} = \frac{MU_X}{MU_Y} = \frac{1}{\frac{1}{2\sqrt{y}}} = 2\sqrt{y}$이다.
3) 두 사람의 한계대체율이 동일해지려면 y재를 동일하게 나누어 소비해야 한다. 따라서 에지워드 상자의 y재의 중점을 지나는 수평선으로 도출된다.
4) 지문분석
나. 각 소비자의 한계대체율은 y재의 소비량에 의해 결정되므로 x재 소비량과 무관하게 결정된다.
라. 만약 두 소비자의 y재 초기부존량이 같다면 계약곡선을 지나게 되므로 초기부존점이 곧 경쟁균형 소비점이 된다.

[오답체크]
가. 에지워드 상자의 y축의 중점을 지나는 수평선이 계약곡선(contract curve)이 된다.
다. 한계대체율이 일치하는 점은 하나이다.

46 상중하

두 소비자 1, 2가 두 재화 x, y를 소비하는 순수교환경제를 생각하자. 소비자 1의 효용함수는 $u_1(x_1, y_1) = x_1 + y_1$이고, 초기에 (1, 2)의 부존자원을 가지고 있다. 소비자 2의 효용함수는 $u_2(x_2, y_2) = Min[x_2, y_2]$이고, 초기에 (2, 1)의 부존자원을 가지고 있다. 경쟁균형에서 두 소비자의 x재에 대한 소비량으로 가능하지 않은 것은? [회계사 16]

	소비자 1	소비자 2
①	$3-\sqrt{2}$	$\sqrt{2}$
②	$\sqrt{3}$	$3-\sqrt{3}$
③	2	1
④	1.5	1.5
⑤	1	2

정답 및 해설

46 ⑤ 1) 그래프로 그리면 다음과 같다.

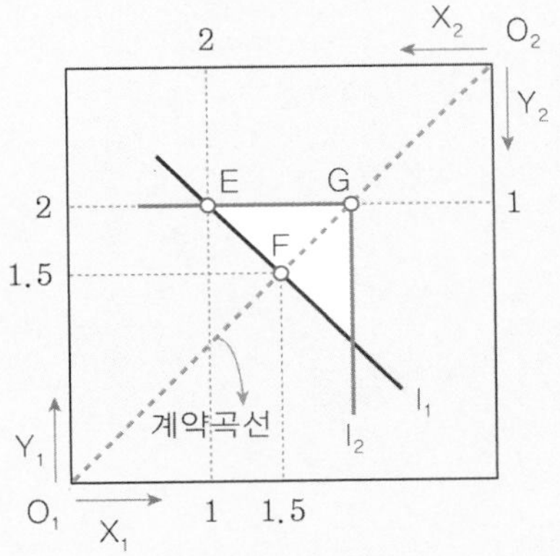

2) 부존점이 E점으로 주어져 있으므로 파레토 개선이 이루어지는 영역은 두 사람의 무차별곡선에 의해 만들어진 삼각형 내부의 영역이다.

3) 순수교환경제의 경쟁균형(competitive equilibrium)은 무차별곡선이 접하는 곳에서 이루어지므로 F점과 G점 사이에서 이루어진다.

4) 이 구간에서 소비자 1의 X재 소비량은 1.5 ~ 2단위 사이이고, 소비자 2의 X재 소비량은 1 ~ 1.5단위 사이이다.

47 상중하 X재와 Y재가 10단위씩 존재하며 두 소비자 1, 2가 두 재화 X, Y를 소비하는 2×2 순수교환 경제가 있다. 소비자 1의 효용함수는 $u(x_1, y_1) = x_1 + 2y_1$이고 소비자 2의 효용함수는 $v(x_2, y_2) = 2x_2 + y_2$이다. 여기서 x_i, y_i는 각각 소비자 i의 X재와 Y재 소비량을 나타낸다. 다음 중 이 경제의 계약곡선(contract curve), 즉 파레토 효율적인 배분을 이은 선을 에지워스 상자에 나타낸 것으로 옳은 것은? (단, 에지워스 상자의 가로 길이와 세로 길이는 각각 10이며, O_1, O_2는 각각 소비자 1, 2의 원점을 나타낸다) [회계사 19]

①
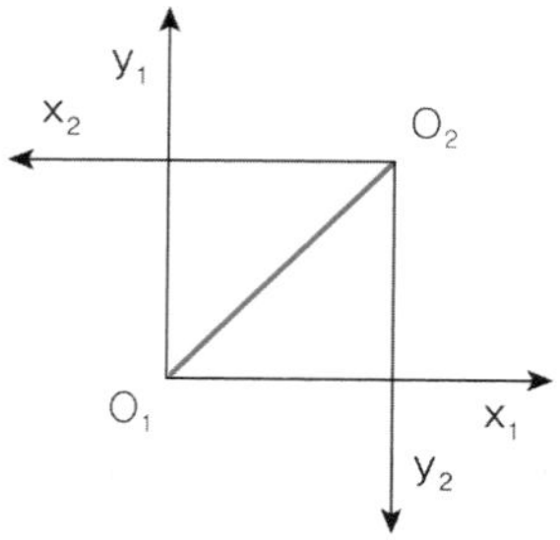

②
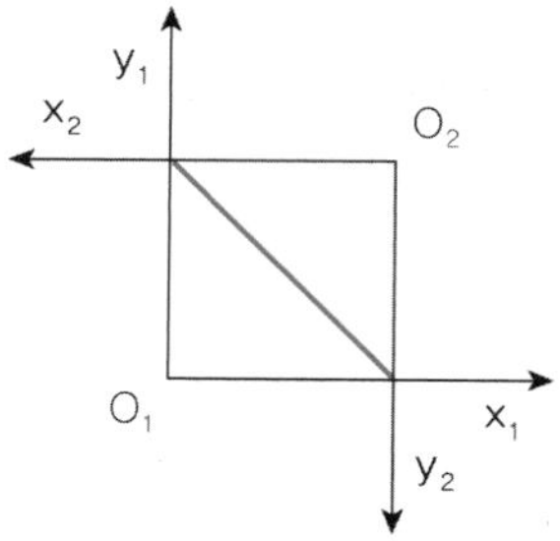

③
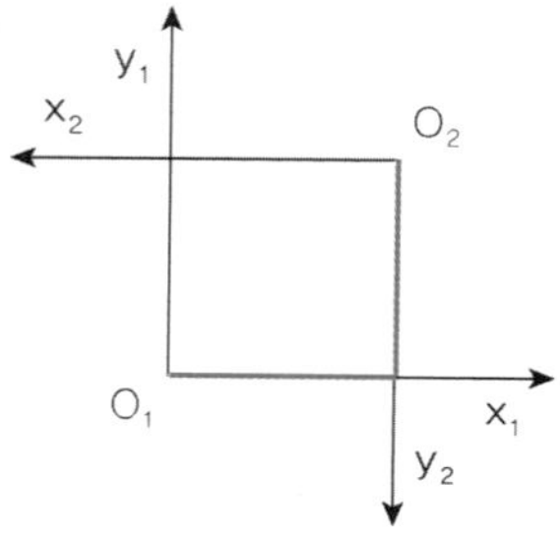

④
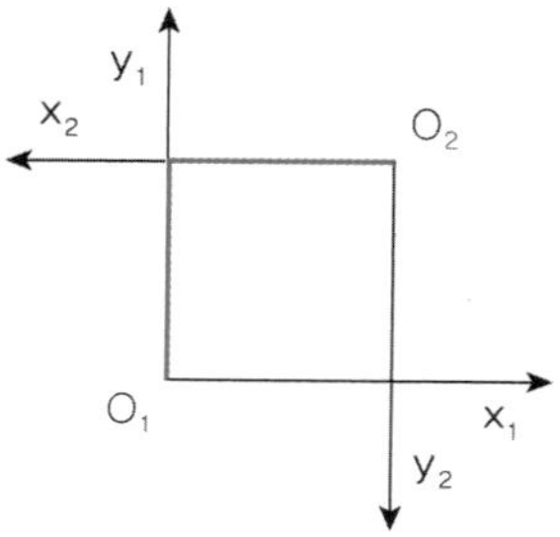

⑤
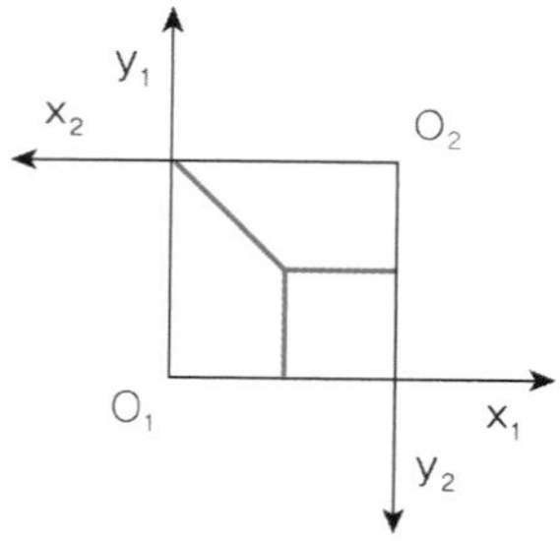

정답 및 해설

47 ④ 1) 소비자 1의 무차별곡선의 기울기는 $\frac{1}{2}$이고 소비자 2의 무차별곡선의 기울기는 2이다. 양자 모두 완전대체재의 형태이므로 골고루 소비하는 것이 아닌 극단적 소비를 추구할 것이다.

2) 그래프

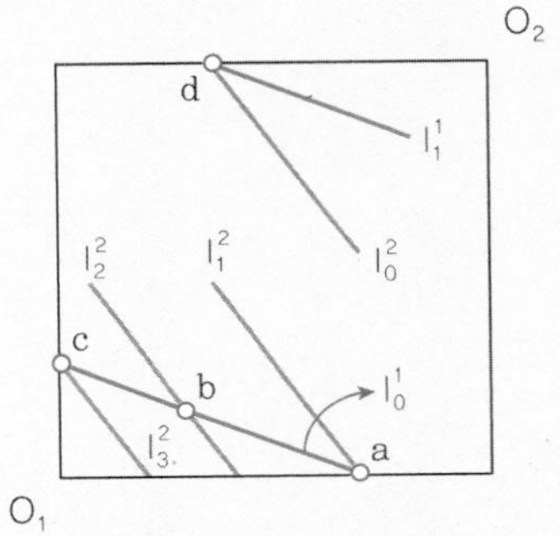

㉠ 그림에서 최초의 배분점이 a라고 하자. b로 이동하면 1의 효용은 그대로이지만 2의 효용이 증가하였으므로 파레토 개선이 이루어진다. c로 이동하면 1의 효용은 그대로이지만 2의 효용이 증가하여 파레토 개선이 이루어진다. c점에 도달하면 더 이상 개인 1의 효용을 감소시키지 않고는 개인 2의 효용증대가 불가능하다. 그러므로 c점이 재화의 배분이 파레토 효율적으로 이루어지는 점이다.

㉡ 이 논리로 d점을 살펴봤을 때 d점에서 배분이 이루어지고 있다면 더 이상 개인 1의 효용을 감소시키지 않고는 개인 2의 효용증대가 불가능하다. 개인 1의 효용이 약간 더 증가하는 경우에도 마찬가지로 재화의 배분이 파레토 효율적으로 이루어지는 점은 에지워드 상자 윗면의 한 점이 된다.

㉢ 이 둘을 조합하면 아래와 같이 도출된다.

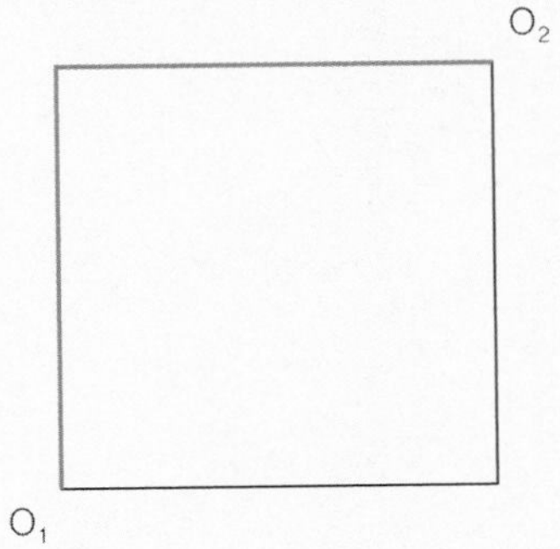

48 상중하

두 소비자 1, 2가 두 재화 X, Y를 소비하는 순수교환경제에서 각 소비자의 효용함수가 다음과 같다.

- 소비자 1: $u_1(x_1, y_1) = Min[x_1, y_1]$
- 소비자 2: $u_2(x_2, y_2) = Min[2x_2, 3y_2]$

이 경제의 부존량이 X재 3단위, Y재 2단위라면, 다음 중 파레토 효율적인 배분점으로 옳지 않은 것은? [회계사 20]

	소비자 1	소비자 2
①	(0, 0)	(3, 2)
②	(1, 1)	(2, 1)
③	(1.5, 1)	(1.5, 1)
④	(2, 1)	(1, 1)
⑤	(3, 2)	(0, 0)

49 상중하

어느 사회에 두 명의 구성원(1과 2)만 있으며, 이 사회에 존재하는 두 재화(X재 100단위와 Y재 80단위)를 이들에게 분배하려고 한다. 구성원 1의 효용함수는 $U_1 = 2x_1 + y_1$이고, 구성원 2의 효용함수는 $U_2 = Min[x_2, 2y_2]$이다. 사회후생함수(SW)가 $SW = Min[U_1, U_2]$일 때 다음 중 사회적으로 가장 바람직한 분배 상태는? (단, x_i와 y_i는 각각 구성원 i의 X재와 Y재 소비량을 나타내며, $x_1 + x_2 = 100$, $y_1 + y_2 = 80$이다) [회계사 22]

① $x_1 = 15$, $y_1 = 40$

② $x_1 = 20$, $y_1 = 40$

③ $x_1 = 30$, $y_1 = 50$

④ $x_1 = 50$, $y_1 = 40$

⑤ $x_1 = 60$, $y_1 = 30$

정답 및 해설

48 ④ 1) 두 소비자의 효용함수 형태는 완전보완재이다.

2) 소비자 1은 $x_1 = y_1$의 추세선을 통과하는 레온티에프 함수이고,

소비자 2는 $2x_2 = 3y_2$ ➜ $y_2 = \frac{2}{3}x_2$의 추세선을 통과해야 한다.

3) 그래프를 통한 이해

(a) 파레토 효율적인 영역 **(b) 문제의 보기에 주어진 점**

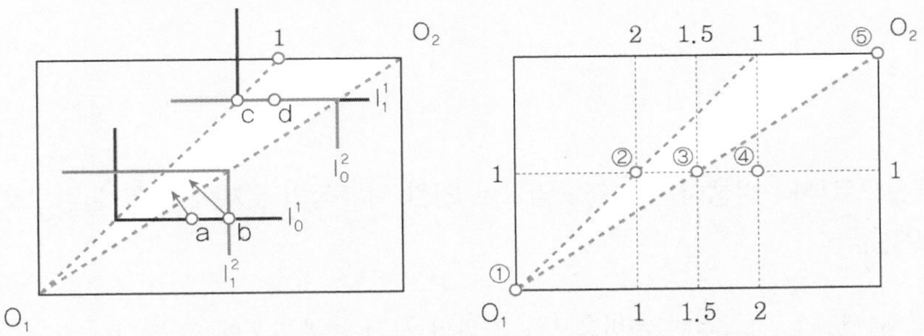

㉠ 배분점이 a점 혹은 b점으로 주어져 있는 경우 두 사람의 무차별곡선으로 만들어진 사각형 내부의 색으로 칠해진 영역으로 배분점이 옮겨가면 두 사람의 효용이 모두 증가한다. 파레토 개선이 가능하므로 파레토 효율적이지 않다.

㉡ 배분점이 c, d로 주어져 있는 상태에서는 파레토 개선이 불가능하므로 파레토 효율적인 배분상태이다.

㉢ 문제에서 제시한 점들을 표시하면 ④가 파레토 비효율적이다.

49 ② 1) 사회후생함수는 롤스적 사회후생함수이다.

2) 구성원 1의 사회후생함수는 공리주의, 구성원 2의 사회후생함수는 롤스적 사회후생함수이다.

3) 재화의 부존량 $x_1 + x_2 = 100,\ y_1 + y_2 = 80$이다.

4) 사회적 후생함수에 의해 두 사람의 효용의 같을 때 효용이 극대화 되므로 $U_1 = U_2$이고, 개인 2도 마찬가지로 $x_2 = 2y_2$이므로 $U_1 = x_2 = 2y_2$가 성립한다.

5) $U_1 = x_2$이므로 $2x_1 + y_1 = x_2$이다. 예산제약을 이용해 x_2를 x_1의 함수로 변형하면 $2x_1 + y_1 = 100 - x_1$ ➜ $3x_1 + y_1 = 100$이다.

6) $U_1 = 2y_2$이므로 $2x_1 + y_1 = 2y_2$이다. 예산제약을 이용해 y_2를 y_1의 함수로 변형하면 $2x_1 + y_1 = 2(80 - y_1)$ ➜ $2x_1 + 3y_1 = 160$이다.

7) 따라서 $x_1 = 20,\ y_1 = 40$이다.

50 다음 중 시장실패의 요인을 모두 고르면? [회계사 14]
상중하

가. 독과점의 존재
나. 공유자원의 존재
다. 외부경제의 존재
라. 비대칭 정보의 존재

① 가
② 나, 라
③ 가, 나, 라
④ 나, 다, 라
⑤ 가, 나, 다, 라

51 X재 생산으로부터 발생하는 환경오염으로 인한 외부성의 문제에 대한 설명으로 옳은 것을 모두 고르면? [회계사 18]
상중하

가. X재 생산의 사회적 한계비용보다 기업의 사적 한계비용이 더 크다.
나. X재 시장이 완전경쟁이라면 X재 소비에서 얻는 사적 한계편익보다 X재 생산에 따른 사회적 한계비용이 더 크다.
다. X재 생산에서 발생하는 환경오염을 0으로 줄이는 것이 사회적으로 가장 효율적이다.
라. 코즈(Coase) 정리에 따르면 거래비용이 없고 재산권이 설정되어 있으면 이해당사자들의 자유로운 협상을 통해 자원의 효율적 배분을 달성할 수 있다.

① 가, 나 ② 가, 다 ③ 나, 다
④ 나, 라 ⑤ 다, 라

정답 및 해설

50 ⑤ 모두 시장실패에 해당한다.

51 ④ **[오답체크]**

가. X재는 음의 외부성을 야기하므로 외부한계비용이 (+)이다. 따라서 생산의 사회적 한계비용보다 기업의 사적 한계비용이 더 작다.

다. X재 생산에서 발생하는 환경오염을 0으로 줄이는 것은 아무런 문명의 이기를 누리지 말자는 것을 의미한다. 0으로 줄이는 것보다 적정량을 유지하는 것이 중요하다.

52 상중하

다음 그래프는 독감백신의 공급곡선(S), 사적 한계편익곡선(PMB), 사회적 한계편익곡선(SMB)을 나타낸다. 이 시장에 대한 설명 중 옳은 것을 모두 고르면? (단, 공급곡선은 독감백신공급의 한계비용곡선과 일치한다)

[회계사 17]

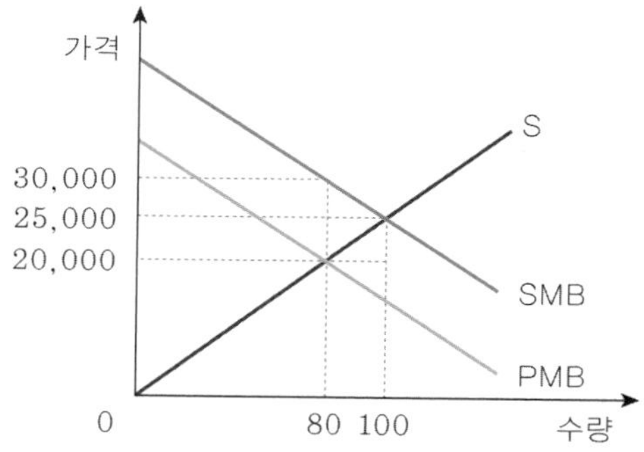

가. 정부의 개입이 없는 경우 독감백신 소비량은 80이다.
나. 독감백신의 사회적 최적 소비량은 100이다.
다. 정부의 개입이 없는 경우 자중손실(deadweight loss)은 100,000이다.
라. 독감백신의 사회적 최적 소비량을 달성하기 위해서, 보조금은 독감백신 공급자보다는 구매자에게 지급하는 것이 보다 효율적이다.
마. 단위당 5,000의 보조금을 독감백신 공급자에게 지급하는 경우 균형소비량은 80으로 변화가 없다.

① 가, 나　② 가, 나, 다　③ 가, 나, 다, 라
④ 가, 다, 라, 마　⑤ 나, 다, 라, 마

53 상중하 한 재화의 수요곡선은 $D = 80 - 2P$, 공급곡선은 $S = 2P - 16$이다. 이 재화를 생산할 때에는 환경오염물질이 배출되어 외부효과가 발생한다. 그리고 이 환경오염물질을 처리하는 비용은 재화 가격의 40%이다. 외부효과를 내부화한 경우의 재화 가격은? (단, D는 수요량, S는 공급량, P는 가격이다) [회계사 16]

① 28 ② 30 ③ 32
④ 34 ⑤ 36

정답 및 해설

52 ② 1) S는 다른 언급이 없으므로 $PMC = SMC$이다.
2) $PMB = PMC$인 경우 시장 균형 이므로 시장에서는 $P = 20{,}000$, $Q = 80$이다.
3) $SMB = SMC$인 경우 사회적 최적이므로 사회적으로 바람직한 $P = 25{,}000$, $Q = 100$이다.
4) 사회적 최적 수량보다 시장균형량이 적으므로 양의 외부성임을 알 수 있다.
5) 지문분석
가. 정부의 개입이 없는 경우는 시장균형생산량이므로 독감백신 소비량은 80이다.
나. 독감백신의 사회적 최적 소비량은 $SMB = SMC$인 100이다.
다. 정부의 개입이 없는 경우 자중손실(deadweight loss)은 $10{,}000 \times 20 \times \frac{1}{2} = 100{,}000$이다.

[오답체크]
라. 누구에게 주어도 동일한 결과이다.
마. 단위당 10,000의 보조금을 독감백신 공급자에게 지급하는 경우 균형소비량은 80으로 변화가 없다.

53 ① 1) 외부효과를 내부화했다는 것은 결국 바람직한 생산량이라는 의미이다.
2) 바람직한 생산량 $SMB = SMC$이다.
3) SMB는 수요곡선이므로 $P = 40 - \frac{1}{2}Q$이다.
4) PMC는 공급곡선이므로 $P = 8 + \frac{1}{2}Q$이다.
5) SMC는 재화가격의 1.4이므로 $P = (8 + \frac{1}{2}Q) \times 1.4 = (8 + \frac{1}{2}Q) \times \frac{7}{5} = \frac{56}{5} + \frac{7}{10}Q$이다.
6) 사회적 최적 생산량은 $40 - \frac{1}{2}Q = \frac{56}{5} + \frac{7}{10}Q$ ➜ $\frac{12}{10}Q = \frac{144}{5}$ ➜ $Q = 24$
7) Q가 24일 때 재화가격은 20이다. 따라서 오염처리비용 $= 20 \times 1.4 = 28$이다.

54 상중하

화학제품에 대한 역수요함수와 사적 한계비용은 각각 $P=12-Q$, $PMC=2+Q$이다. 화학제품 1단위가 생산될 때마다 오염물질이 1단위 배출되고 화학제품이 2단위를 초과하면 양(+)의 외부비용이 발생하는데 이는 다음 외부 한계비용(EMC) 함수에 따른다.

$$EMC=\begin{cases}-2+Q, & Q>2\\ 0, & Q\le 2\end{cases}$$

이 시장에 대한 설명으로 옳은 것만을 모두 고르면? [회계사 20]

가. 생산자가 사적 이윤을 극대화하는 산출량과 그때의 가격은 각각 5와 7이다.
나. 화학제품의 사회적 최적산출량은 생산자의 사적 이윤을 극대화하는 수준보다 1단위 적다.
다. 정부가 배출요금을 2만큼 부과하면 소비자가 지불해야 하는 가격은 1.5만큼 상승한다.
라. 정부가 효율적인 배출요금을 부과하게 되면 외부비용은 사라진다.

① 가, 나 ② 가, 다 ③ 나, 라
④ 가, 다, 라 ⑤ 나, 다, 라

55 상중하

강 상류에 제철소(S)가 있고 강 하류에는 어부(F)가 산다. S의 철강 생산은 F의 어획량에 영향을 주는 공해물질을 배출한다. 철강과 물고기는 각각 단위당 10과 2의 가격에 판매된다. S와 F의 비용함수는 아래와 같다.

- $C_S(s,\ x)=s^2-10x+x^2$
- $C_F(f,\ x)=\frac{1}{10}f^2+\frac{1}{5}fx$

공해물질 배출규제가 없는 경우 공해물질 배출량은? (단, s는 철강 생산량, f는 어획량, x는 공해물질 배출량을 나타낸다) [회계사 18]

① 5 ② 10 ③ 15
④ 20 ⑤ 25

56 상중하

비용함수가 $C(Q) = Q^2 + 10$인 독점기업의 시장수요가 $Q = 100 - P$이다. 이 기업은 생산과정에서 생산량 한 단위당 25의 외부공해비용을 발생시킨다. 이 기업의 이윤극대화 생산량을 Q_M, 사회적 최적생산량을 Q_S라 할 때, $(Q_M - Q_S)$의 값은? [회계사 19]

① 0　　② 5　　③ 6.25
④ 10　　⑤ 12.5

정답 및 해설

54 ① 1) 시장균형생산량: $12 - Q = 2 + Q$ ➜ $Q = 5$, $P = 7$이다.
2) 사회적 최적량: $12 - Q = 2 + Q - 2 + Q$ ➜ $Q = 4$, $P = 8$이다.

[오답체크]

다. 정부가 배출요금을 2만큼 부과하면 사적 한계비용에 조세가 더해지므로 $2 + Q + 2$가 된다. 균형을 구하면 $12 - Q = 2 + Q + 2$ ➜ $Q = 4$, $P = 8$이다. 따라서 가격은 1만큼 상승한다.

라. 정부가 효율적인 배출요금을 부과하게 되면 사회적 최적량이 생산되는 것이지 외부비용이 완전히 사라지는 것은 아니다.

55 ① 1) 배출규제가 없다면 제철소는 이윤극대화를 할 것이다.
2) 이윤극대화 철강생산량
총수입은 $10s$이고 총비용은 $s^2 - 10x + x^2$이므로 s로 미분하여 $MR = MC$를 구하면 ➜ $10 = 2S$이므로 $S = 5$이다. 따라서 이윤이 극대화 되는 철강 생산량은 5이다.
3) 총수입은 $10s$이고 총비용은 $s^2 - 10x + x^2$ ➜ 이윤 $= 10s - s^2 - 10x + x^2$이므로 이윤을 극대화하는 공해물질 배출량을 구하기 위해 x로 미분하면 $-10 + 2x = 0$이므로 $x = 5$이다.

56 ① 1) 사회적 최적량 $P = SMC$ ➜ $100 - Q = 2Q + 25$ ➜ $3Q = 75$ ➜ $Q = 25$
2) 실제 생산량 = 이윤극대화 생산량 ➜ $MR = MC$ ➜ $100 - 2Q = 2Q$ ➜ $4Q = 100$ ➜ $Q = 25$
3) 따라서 두 양의 차이는 0이다.

57 상중하

흡연자인 희준과 비흡연자인 정진은 2인용 기숙사 방을 함께 사용한다. 희준이 방에서 흡연하는 행위로부터 얻는 순편익의 가치는 3만원이고, 정진이 담배연기 없는 방을 사용함으로써 얻는 순편익의 가치는 5만원이다. 두 사람은 방에서의 흡연여부에 대해 협상을 할 수 있으며, 협상에 따른 거래비용은 없다고 가정하자. 코즈(R. Coase) 정리를 적용할 때 다음 설명 중 옳지 않은 것은?

[회계사 15]

① 법적으로 희준에게 방에서 흡연할 권리가 있는 경우, 희준이 방에서 흡연을 하는 결과가 나타난다.

② 법적으로 정진에게 담배연기 없는 방을 사용할 권리가 있는 경우, 희준이 방에서 흡연을 하지 않는 결과가 나타난다.

③ 효율적인 자원배분은 희준이 방에서 흡연을 하지 않는 것이다.

④ 희준이 정진에게 보상을 하고 방에서 흡연을 하는 거래는 나타나지 않는다.

⑤ 정진이 희준에게 4만원을 보상하고, 희준이 방에서 흡연을 하지 않는 거래가 발생할 수 있다.

58 상중하

다음은 강 상류에 위치한 생산자 A와 강 하류에 위치한 피해자 B로만 구성된 경제를 묘사한 것이다. A는 제품(Q)의 생산 과정에서 불가피하게 오염물질을 배출하며, 이로 인해 B에게 피해를 발생시킨다. 강의 소유권은 B에게 있으며, A의 한계편익(MB_A)과 B의 한계비용(MC_B)은 각각 다음과 같다.

- $MB_A = 10 - \frac{1}{2}Q$
- $MC_B = \frac{1}{2}Q$

A의 고정비용 및 한계비용은 없고, B의 한계편익도 없다. 양자가 협상을 통해 사회적으로 바람직한 산출량을 달성할 수 있다면, 피해 보상비를 제외하고 A가 지불할 수 있는 협상비용의 최댓값은?

[회계사 20]

① 25　② 50　③ 75
④ 100　⑤ 125

정답 및 해설

57 ① 1) 희준에게 권리가 부여되면 희준의 순편익이 정진의 고통보다 작으므로 정진이 희준에게 3 ~ 5만원 사이의 금액이 이전되고 흡연하지 않을 것이다.

2) 정진에게 권리가 부여되면 정진의 순편익이 정진의 흡연의 순편익보다 크므로 금전적 이전이 일어나지 않을 것이다.

3) 따라서 어떠한 경우에도 흡연하지 않을 것이다.

58 ② 1) A가 지불할 협상비용이므로 B가 재산권을 가지고 있다.

2) B는 생산되면 피해가 발생하므로 생산이 되지 않길 바랄 것이다.

3) 사회적 최적량은 A의 한계편익과 B의 한계비용이 만나는 지점에서 이루어진다.

4) 따라서 $10 - \frac{1}{2}Q = \frac{1}{2}Q \rightarrow Q = 10$이다.

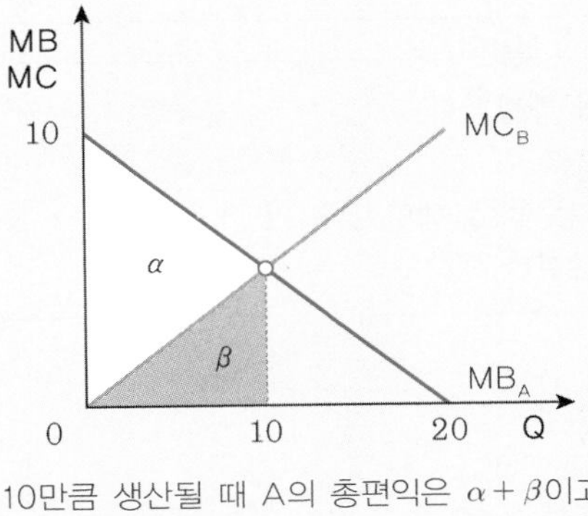

5) 10만큼 생산될 때 A의 총편익은 $\alpha + \beta$이고 B의 총비용은 β이므로 B는 β 이상만 보상을 받으면 생산을 허용할 것이다. A는 $\alpha + \beta$보다 작게 비용을 지불하면 생산을 허용할 것이다.

6) 피해 보상비를 제외하라고 했으므로 α의 면적$(10 \times 10 \times \frac{1}{2} = 50)$이 협상비용의 최댓값이다.

59 상중하 재화나 서비스는 소비의 경합성과 배제성 여부에 따라 다음 표와 같이 구분할 수 있다. 괄호에 들어갈 예로 가장 적절한 것은? [회계사 14]

구분	배제성	비배제성
경합성	자동차	(가)
비경합성	(나)	국방서비스

	(가)	(나)
①	혼잡한 유료도로	혼잡한 무료도로
②	혼잡한 무료도로	혼잡한 유료도로
③	혼잡한 무료도로	혼잡하지 않은 유료도로
④	혼잡한 유료도로	혼잡하지 않은 무료도로
⑤	혼잡하지 않은 유료도로	혼잡한 무료도로

60 상중하 재화를 배제가능성과 경합성 여부에 따라 다음과 같이 분류할 수 있다. 다음 설명 중 옳은 것을 모두 고르면? [회계사 18]

구분	배제가능	배제불가능
경합적	㉠	㉡
비경합적	㉢	㉣

가. 의복, 식품 등과 같은 사적 재화는 ㉠에 해당한다.
나. 혼잡한 유료도로는 ㉡에 해당한다.
다. 케이블TV와 같은 클럽재(club goods)는 ㉢에 해당한다.
라. 국방 서비스와 같은 공공재는 ㉣에 해당한다.

① 가, 나 ② 가, 라 ③ 나, 다
④ 가, 다, 라 ⑤ 나, 다, 라

61 상중하

다음은 X재에 대한 갑과 을의 수요 곡선과 X재 생산에 따른 한계비용을 나타낸다. X재가 공공재일 경우 파레토 효율적인 X재 생산량은 얼마인가? (단, X재는 갑과 을만 소비한다)

[회계사 18]

- 갑의 수요 곡선: $Q = 3000 - P$
- 을의 수요 곡선: $Q = 2000 - 2P$
- 한계비용: 1000

(단, P, Q는 X재의 가격과 수량을 나타낸다)

① 2,000 ② 3,000 ③ 4,000
④ 5,000 ⑤ 6,000

정답 및 해설

59 ③ 1) 경합성이 있으면 혼잡한, 경합성이 없으면 혼잡하지 않은 도로로 표현 가능하다.
2) 배제성이 있으면 유료, 배제성이 없으면 무료도로로 표현 가능하다.

60 ④ **[오답체크]**
나. 혼잡한 유료도로는 경합성과 배제성이 동시에 존재하므로 ㉠에 해당한다.

61 ① 1) 공공재의 최적공급은 수요곡선의 수직합 = 한계비용이다.
2) 식을 변형하면 갑은 $P = 3{,}000 - Q$, 을은 $P = 1000 - \frac{1}{2}Q$이므로 이를 합하면 $P = 4{,}000 - \frac{3}{2}Q$이다.
3) 적정 공급량은 $4{,}000 - \frac{3}{2}Q = 1000$ ➜ $Q = 2{,}000$이다.

62 상중하

사적 재화(X)와 공공재(Y)를 통해 효용을 극대화하는 A는 사적 재화 4단위를 가지고 있다. 공공재 1단위를 생산하기 위해서는 사적 재화 1단위가 필요하다. 현재 이 경제에 1단위의 공공재가 존재하고 A의 효용함수가 $u(x, y) = xy$라면, A의 공공재 공급량은? [회계사 19]

① 0　② 1　③ 1.5
④ 2　⑤ 2.5

63 상중하

어느 경제에 두 사람 1, 2가 있다. 공공재 G로부터 사람 i가 얻는 한계편익(MB_i)은 다음과 같다.

$$MB_1(G)=\begin{cases}50-G, & G \le 50\text{인 경우}\\ 0, & G > 50\text{인 경우}\end{cases}$$

$$MB_2(G)=\begin{cases}50-\frac{1}{2}G, & G \le 100\text{인 경우}\\ 0, & G > 100\text{인 경우}\end{cases}$$

공공재 생산의 한계비용은 20이다. 최적 수준의 공공재가 공급될 때 사람 1이 얻는 총편익은?

[회계사 21]

① 0　② 1,000　③ 1,250
④ 1,875　⑤ 3,125

64 공유자원(commons)과 관련한 다음 설명 중 옳은 것을 모두 고르면? [회계사 22]
상중하

> 가. 소비의 비경합성(non-rivalry)이 존재한다.
> 나. 대가를 지불하지 않는 사람이라도 소비에서 배제할 수 없다.
> 다. 사회적 최적 수준보다 과도하게 사용되는 문제가 발생한다.
> 라. 막히지 않는 유료도로는 공유자원의 예이다.

① 가, 나　② 가, 다　③ 나, 다
④ 나, 라　⑤ 다, 라

정답 및 해설

62 ③ 1) 공공재 1단위 생산하기 위해서 사적 재화 1단위가 필요하다는 것에서 두 재화의 가격이 동일함을 알 수 있다. 간단하게 두 재화의 가격을 1이라고 가정하자.

2) 함수의 형태가 콥-더글러스 효용함수이므로 공공재의 생산량은 $Y = \frac{\beta}{\alpha+\beta} \cdot \frac{M}{P_Y} = \frac{1}{2} \cdot \frac{M}{1}$이다.

3) 조건에서 사적 재화 4단위를 가지고 있고 공공재 1단위를 가지고 있으니 총소득은 5로 유추할 수 있다.

4) 따라서 $Y = 2.5$이고 현재 공공재가 1단위 존재하므로 A의 공공재 공급량은 1.5이다.

63 ③ 1) 공공재의 최적공급은 $MB_1 + MB_2 = MC$이다.

2) $G \leq 50$이면 두 사람 모두 공공재를 수요할 것이므로 두 사람의 한계편익을 합하면 $100 - \frac{3}{2}G = 20$

➜ $G = \frac{160}{3}$이다.

3) $50 < G \leq 100$이면 사람 2만 공공재를 수요할 것이므로 공공재의 수요는 $50 - \frac{1}{2}G = 20$ ➜ $G = 60$이다.

4) 이를 그래프로 나타내면 다음과 같다.

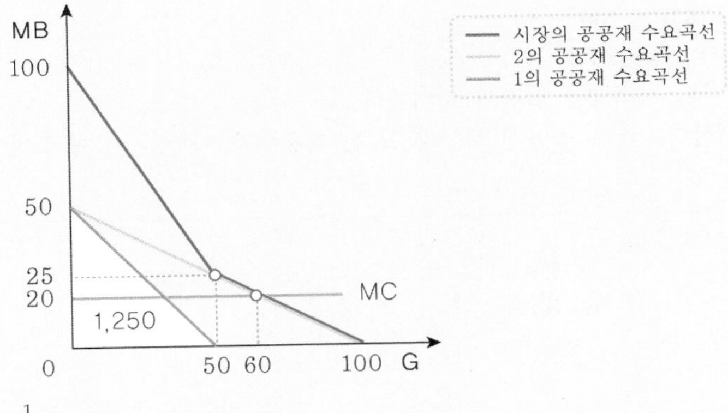

$\frac{1}{2} \times 50 \times 50 = 1,250$

사람 1은 무임승차를 통해 50개를 소비하므로 사람 1이 얻는 총편익은 1,250이다.

64 ③ **[오답체크]**

가. 공유자원은 경합성은 있으나 배제성이 없는 재화이다.

라. 막히는 무료도로는 공유자원의 예이다.

65 상중하

어떤 산에서 n명의 사냥꾼이 토끼 사냥을 하면 $10\sqrt{n}$(kg)만큼의 토끼 고기를 얻을 수 있다. 토끼 고기는 kg당 2만원에 팔리고 있다. 또한 사냥꾼 한 명이 사냥을 하는 데 드는 비용은 2만원이다. 만약 이 산이 공유지라면 사회적으로 효율적인 사냥꾼 수보다 얼마나 더 많은 사냥꾼이 사냥을 하게 되는가? (단, 사냥꾼들은 모두 동일한 사냥 능력을 지녔다) [회계사 18]

① 35명 ② 45명 ③ 55명
④ 65명 ⑤ 75명

66 상중하

2개의 재화(사적재, 공공재)와 2명의 개인(김씨, 이씨)으로 구성되는 한 경제는 다음과 같다. 김씨와 이씨의 효용의 합을 최대로 하는 공공재 생산량은? [회계사 16]

- 생산가능곡선: $X + 5W = 100$
- 각 개인의 효용함수: $U = 2YZ$
- 김씨와 이씨는 생산된 사적재를 절반씩 소비한다.

(단, X는 사적재 생산량, W는 공공재 생산량, U는 효용수준, Y는 사적재 소비량, Z는 공공재 소비량이다)

① 5 ② 10 ③ 15
④ 20 ⑤ 25

67 상중하 정보의 비대칭성으로 인해 시장에 저품질 상품은 많아지는 반면, 고품질 상품이 적어지는 현상을 가리키는 용어는? [회계사 20]

① 무지의 장막(veil of ignorance)
② 죄수의 딜레마(prisoner's dilemma)
③ 무임승차자 문제(free-rider problem)
④ 공유지의 비극(tragedy of commons)
⑤ 역선택(adverse selection)

정답 및 해설

65 ⑤ 1) 사회적으로 효율적인 사냥꾼의 수 $MR = MC$이고 총수입이 $2\times10\sqrt{n}$이므로 한계수입은 $\frac{10}{\sqrt{n}}$이고 한계비용은 2이므로 $\frac{10}{\sqrt{n}} = 2$ ➜ $n = 25$이다.
2) 사냥꾼이 최종적으로 들어오는 수 $AR = AC$ ➜ $TR = TC$이다.
3) 총수입이 $2\times10\sqrt{n}$이고 총비용이 $2n$이므로 $2\times10\sqrt{n} = 2n$ ➜ $10\sqrt{n} = n$ ➜ $n = 100$이다.
4) 따라서 $100 - 25 = 75$이다.

66 ② 1) 공공재의 일반균형 분석(= 사무엘슨모형)의 조건은 $\sum MRS_{XY} = MRT_{XY}$이다.
2) 공공재와 사적재를 김씨와 이씨는 절반씩 소비하므로 $X = Y_{김} + Y_{이}$이다.
3) $MRS^{김}_{ZY} = \frac{2Y_{김}}{2Z_{김}}$, $MRS^{이}_{ZY} = \frac{2Y_{이}}{2Z_{이}}$ ➜ 공공재는 동일한 양을 소비하고 사적재는 절반씩 소비하므로 분모는 $2W$, 분자의 합은 $2X$이다. 따라서 $MRS^{김}_{ZY} + MRS^{이}_{ZY} = \frac{X}{W}$가 된다.
4) MRT_{WX}는 생산가능곡선의 기울기이므로 −5이며, 절댓값을 사용하므로 5이다.
5) 사무엘슨 조건을 이용하면 $\frac{X}{W} = 5$ ➜ $X = 5W$이다.
6) 이를 생산가능곡선에 공식에 넣으면 $10W = 100$ ➜ $W = 10$, $X = 50$이다.

67 ⑤ 감추어진 속성을 모르고 나쁜 중고차만 거래되는 중고차시장이 대표적인 역선택의 사례이다.

[오답체크]
① 무지의 장막(veil of ignorance)은 롤스의 사회후생함수에서 사용되는 개념이다.
② 죄수의 딜레마(prisoner's dilemma)는 게임이론과 관련되어 있다.
③ 무임승차자 문제(free-rider problem)는 비배제성과 관련되어 있다.
④ 공유지의 비극(tragedy of commons)은 공유자원과 관련되어 있다.

68 상중하 레몬 문제(lemons problem)는 판매자가 구매자보다 제품에 더 많은 정보를 가지고 있어 나타나는 문제이다. 레몬 문제에 대한 설명으로 옳은 것을 모두 고르면? [회계사 17]

가. 평균보다 높은 품질의 제품을 생산하는 판매자는 평균 품질에 해당하는 가격으로 판매하고 싶지 않다. 나. 품질보증은 소비자가 제품에 대한 정보가 충분하지 않더라도 평균 품질에 해당하는 가격 이상으로 구매를 가능하게 한다. 다. 경매에 의한 판매를 통해 레몬 문제를 해결할 수 있다.

① 가　② 나　③ 다
④ 가, 나　⑤ 나, 다

69 상중하 보험시장에서 정보의 비대칭성에 의해 나타나는 시장실패를 개선하기 위한 다음 조치 중 성격이 다른 하나는? [회계사 21]

① 건강 상태가 좋은 가입자의 의료보험료를 할인해준다.
② 화재가 발생한 경우 피해액의 일정 비율만을 보험금으로 지급한다.
③ 실손의료보험 가입자의 병원 이용 시 일정액을 본인이 부담하게 한다.
④ 실업보험 급여를 받기 위한 요건으로 구직 활동과 실업 기간에 대한 규정을 둔다.
⑤ 보험 가입 이후 가입기간 동안 산정한 안전운전 점수가 높은 가입자에게는 보험료 일부를 환급해준다.

70 상중하 중고 노트북 컴퓨터 시장에 고품질과 저품질의 두 가지 유형이 있다. 전체 중고 노트북 중 고품질과 저품질의 비율은 8 : 2이고 판매자는 중고 노트북의 품질을 알고 있다. 판매자의 최소요구금액과 구매자의 최대지불용의금액은 다음 표와 같고, 구매자는 위험 중립적이다. 이러한 사실은 판매자와 구매자에게 알려져 있다. 다음 설명 중 옳지 않은 것은? [회계사 15]

유형	판매자의 최소요구금액	구매자의 최대지불용의금액
고품질	50만원	60만원
저품질	20만원	10만원

① 구매자도 품질을 아는 경우, 고품질만 거래된다.
② 구매자가 품질을 모르는 경우, 두 유형이 모두 거래될 수 있다.
③ 구매자가 품질을 모르는 경우, 고품질에 대한 구매자의 최대지불용의 금액이 60만원보다 크다면 두 유형이 모두 거래된다.
④ 구매자가 품질을 모르는 경우, 고품질에 대한 판매자의 최소요구금액이 50만원보다 크다면 저품질만 거래된다.
⑤ 구매자가 품질을 모르는 경우, 고품질의 비중이 80%보다 작다면 고품질은 시장에서 거래되지 않는다.

정답 및 해설

68 ④ 레몬 문제는 역선택을 의미한다.

[오답체크]
다. 경매를 통해 판매하더라도 구매자는 여전히 경매에 나온 물건의 가치를 정확히 알 수 없다. 따라서 역선택문제를 해결할 수 없다.

69 ① 역선택의 해결방안이다.

[오답체크]
②③④⑤ 도덕적 해이의 해결방안이다.

70 ④ 구매자가 품질을 모르는 경우, 고품질에 대한 판매자의 최소요구금액이 50만원보다 크다면 고품질의 판매자가 철수하게 되므로 저품질만 남게 되어 거래가 이루어지지 않는다.

[오답체크]
① 품질을 알면 지불용의가 큰 고품질만 거래된다.
② 품질을 모를 때 지불용의는 $60 \times 0.8 + 10 \times 0.2 = 50$이다. 따라서 두 유형이 거래된다.
③ 구매자가 품질을 모르는 경우, 고품질에 대한 구매자의 최대지불용의 금액이 현재 60만원일 때도 거래가 되므로 60만원보다 크다면 두 유형이 모두 거래된다.
⑤ 지불용의가 50보다 낮아지므로 고품질은 철수하게 된다.

71 상중하

중고차시장에 두 가지 유형(고품질과 저품질)의 중고차가 있고, 전체 중고차 중 고품질 중고차가 차지하는 비율은 p이다. 고품질 중고차 소유자들은 최소 1,000만원을 받아야 판매할 의향이 있고, 저품질 중고차 소유자들은 최소 600만원을 받아야 판매할 의향이 있다. 소비자들은 고품질 중고차를 최대 1,400만원에, 저품질 중고차는 최대 800만원에 구매할 의사가 있다. 중고차 유형은 소유자들만 알고 있으며 소비자들은 위험 중립적이다. 다음 설명 중 옳은 것은? [회계사 14]

① $p = 0.2$일 때, 모든 균형에서 저품질 중고차만 거래된다.
② $p = 0.2$일 때, 모든 균형에서 고품질 중고차만 거래된다.
③ $p = 0.5$일 때, 모든 균형에서 저품질 중고차만 거래된다.
④ $p = 0.5$일 때, 모든 균형에서 고품질 중고차만 거래된다.
⑤ p에 관계없이, 모든 균형에서 항상 두 유형의 중고차가 거래된다.

72 상중하

좋은 품질과 나쁜 품질, 두 가지 유형의 차가 거래되는 중고차시장이 있다. 좋은 품질의 차가 시장에서 차지하는 비중은 50%이다. 각 유형에 대한 구매자의 지불용의금액(willingness to pay)과 판매자의 수용용의금액(willingness to accept)은 다음 표와 같다. 판매자는 자신이 파는 차의 유형을 알고 있으며, 구매자는 위험중립적이다.

구분	좋은 품질	나쁜 품질
구매자의 지불용의금액	a	800
판매자의 수용용의금액	1,000	b

이 시장에서 구매자가 차 유형을 알 수 있는 경우와 차 유형을 알 수 없는 경우 각각에서 두 유형의 중고차가 모두 거래될 수 있는 a, b의 값으로 가능한 것은? [회계사 19]

	a	b
①	900	600
②	1,100	600
③	1,300	600
④	1,300	900
⑤	1,400	900

정답 및 해설

71 ① 1) 표로 나타내면 다음과 같다.

구분	소비자	소유자
고품질 중고차	1,400	1,000
저품질 중고차	800	600

2) $p = 0.2$일 때

$0.2 \times 1400 + 0.8 \times 800 = 920$ ➜ 저품질 중고차만 거래된다.

3) $p = 0.5$일 때

$0.5 \times 1400 + 0.5 \times 800 = 1100$ ➜ 둘 다 거래된다.

72 ③ 1) 차 유형을 알 수 있는 경우는 $a \geq 1{,}000$이거나 $b \leq 800$인 경우이다.

2) 차 유형을 모르는 경우는 구매자의 지불용의 금액이 좋은 품질의 판매자의 수용용의 금액보다 같거나 커야 한다.

3) 구매자의 지불용의 금액 $= \frac{1}{2} \times a + \frac{1}{2} \times 800$ ➜ $\frac{1}{2}a + 400 \geq 1{,}000$ ➜ $a \geq 1{,}200$이다.

4) 따라서 두 유형의 중고차가 모두 거래되기 위해서는 $\alpha \geq 1{,}200,\ b \leq 800$이 되어야 한다.

73 상중하 다음 중 행태경제학(behavioral economics) 분야의 주장을 모두 고르면? [회계사 15]

가. 처음에 설정된 가격이나 첫인상에 의해 의사결정이 영향을 받는다. 나. 기준점(reference point)과의 비교를 통해 의사결정을 내린다. 다. 이득의 한계효용이 체증한다. 라. 동일한 금액의 이득과 손실 중 손실을 더 크게 인식한다.

① 가, 나 ② 나, 라 ③ 가, 나, 다
④ 가, 나, 라 ⑤ 가, 나, 다, 라

74 상중하 사람들이 어떤 재화를 일단 소유하게 되었을 때 그 재화에 더 큰 가치를 부여하게 되는 현상과 가장 밀접한 개념은? [회계사 22]

① 부존효과(endowment effect)
② 심적회계방식(mental accounting)
③ 확실성효과(certainty effect)
④ 쌍곡선형 할인(hyperbolic discounting)
⑤ 닻내림효과(anchoring effect)

정답 및 해설

73 ⑤ 모두 옳은 지문이다.

74 ① **[오답체크]**

② 같은 돈이라도 어떻게 생긴 돈인지에 따라 부여하는 의미와 소비 의사결정을 달리하는 현상
③ 확실한 현상에 과도하게 높은 가중치를 부여하는 현상
④ 먼 미래의 큰 보상보다 가까운 미래의 보상을 선택하려는 성향
⑤ 처음 제시된 의견이나 이미지가 인간의 사고과정에 개입하여 판단이나 선택에 영향을 미치는 현상

해커스
서호성 객관식 경제학 1권 | 미시

초판 1쇄 발행 2022년 10월 7일

지은이	서호성
펴낸곳	해커스패스
펴낸이	해커스 경영아카데미 출판팀
주소	서울특별시 강남구 강남대로 428 해커스 경영아카데미
고객센터	02-566-0001
교재 관련 문의	publishing@hackers.com
학원 강의 및 동영상강의	cpa.Hackers.com
ISBN	1권: 979-11-6880-640-5 (14320)
	세트: 979-11-6880-639-9 (14320)
Serial Number	01-01-01